Thaddäus Troll erzählt Geschichten

Thaddäus Troll
erzählt Geschichten

Mit einem Nach-Wort von Walter Jens

Quellennachweis: Eine Anzahl der in diesem Band enthaltenen Texte sind bereits anderwärts in Buchform veröffentlicht worden. Sie sind nachstehend aufgeführt unter Angabe der Seite, auf der die Wiedergabe im vorliegenden Buch beginnt, und des entsprechenden Buchtitels.

Dem Band *Der himmlische Computer,* erschienen bei Hoffmann und Campe, entstammen die Texte Seite 85, 152, 155, 184, 219, 235, 256, 269, 289 und 356; dem Band *Fallobst,* Hoffmann und Campe, die Texte Seite 31, 58, 64, 139, 175, 177, 247, 294, 297, 323, 375 und 385 (unten); dem Band *O Heimatland,* ebenfalls Hoffmann und Campe, die Texte Seite 46, 48, 52, 154, 171, 215 (oben), 223, 234, 240, 318, 329, 330, 332, 333, 334, 352 (beide), 359, 376, 378, 380, 382, 383 und 384.

Der Text Seite 145 erschien in der Anthologie *Schaden spenden,* Eremiten-Presse, Düsseldorf.

Mit freundlicher Erlaubnis der Verlags AG »Die Arche«/Sanssouci Verlag, Zürich entnahmen wir einige Texte Veröffentlichungen des Sanssouci Verlags, und zwar dem Band *Wie man sich bettet* die Texte Seite 55 und 335; dem Band *Reisen Sie auch so gerne?* die Texte Seite 163, 165 und 180; dem Band *Kleine Lesereise* die Texte Seite 75, 82 und 91; dem Band *Was machen wir mit dem Mond?* (früher: *Das Neueste von Thaddäus Troll*) die Texte Seite 20, 33 und 301; dem Band *Der jüngste Streich* die Texte Seite 17, 69 und 279; dem Band *Trostbüchlein für Männer* den Text Seite 368; dem Band *Lehrbuch für Väter* die Texte Seite 61, 62 und 149; dem Band *Da lob ich mir den heitern Mann* die Texte Seite 251, 259 und 281; dem Band *Kleiner Auto-Knigge* den Text Seite 41; dem Band *Lesebuch für Verliebte* den Text Seite 307; dem Band *Genesungsgruß* den Text Seite 14.

1 2 3 4 5 6 7 8 9

Inhalt

Schwabenländisches

Beiläufig bemerkt

Ersonnen und versponnen

Lieben und hoffen

Von Gott und der Welt

Melancholie

Anmerkung: Bei jedem Titel ist am Ende, soweit bekannt, in Klammern das Jahr der Entstehung angegeben. Da Thaddäus Troll seine Texte häufig veränderte und namentlich die zeitkritischen aktualisierte, tauchen indes mitunter Namen und Begriffe auf, die zu der Zeit, da die erste Fassung vorlag, noch nicht geläufig waren.

Leib- und Magengeschichten

Der gebildete Magen

Sicher, Essen ist eine genüßliche Sache. Es ist fast das Gegenteil von Nahrungszufuhr. Diese wird von stümperhaften Köchen mit Gerichten betrieben, die schon durch Bestimmungswörter wie *Jäger-, Hirten-, Pußta-* und *Zigeuner-* vor dem Verzehr warnen. Bei dem Wort *Hawaii* weiß der Kundige, daß hier Kirschen, Bananen und Ananas fleischliche Geschmacksunzucht treiben. Vor Hormonvögeln, die nur noch als Kaumasse hingenommen werden können, warnt das Wort *Henderl*. Es gibt leider auch Köche, die in ihrem Beruf Stümper sind, selbst wenn sie als Hochstapler auftreten und mit Calvados im Kalbskopf, Champagner im Sauerkraut, Blattgold in der Suppe und weißen Morcheln, zag über Bratkartoffeln gerieben, eine schlechte Küche auch noch teuer machen.

Sie haben nichts mit den anderen Köchen zu tun, die ich in eine Reihe mit Malern, Musikern und Poeten stelle, obwohl ihnen keine Muse zugeteilt ist, mit der sie ein Verhältnis hätten. Auch sie fertigen ein unvergleichliches Kunstwerk, das allerdings rasch vergänglich ist und nicht vervielfältigt werden kann. Sie schenken ihrem Publikum ein Wohlbehagen, das ich dem gleichsetze, welches Gedichte, Lieder oder Pastellzeichnungen auszulösen vermögen.

Ich mag es jedoch nicht, wenn Küche in Ideologie verkommt. Zwar kann ich mir kaum vorstellen, daß ich Freunde habe, die keinen Knoblauch mögen. Ich meine auch, daß mit einem Mann, der am kalten Büfett Lachs, Rehrücken, Heringssalat, Käse und Cumberlandsauce zu einem Berg des Schreckens häuft, nicht gut Kirschen essen sei. Ich gehe nicht gern mit Leuten um, die mir zuckerkranke Weine vorsetzen. Aber wer aus der neuen Küche, pardon: aus der Nouvelle Cuisine eine Weltanschauung macht, wer neben Bocuse keinen anderen Gott duldet, wer die Küche in einen Tempel verwandelt, Rezepte wie ein Tedeum zelebriert und aus einer Mahlzeit ein Pontifikalamt macht, der ödet mich an. Nur sprachliche Bedenken gegen den »frisch eingeflogenen Seewolf«. Freude über den Chefkoch, der angibt, für mich zwischen Tag und Tau, wenn ich schon im Bett bin, auf den Markt zu gehen, um hocharomatische schnittfeste Tomaten garantiert aus keinem niederländischen Gewächshaus einzukaufen, oder auf eine Hochalm, um frischen Salbei für meinen

Mittags-Aal zu pflücken. Aber alles gegen den Snob, der behauptet, Hechtklößchen könne man nur in einem Sud garen, der mit faschierten Hummern und zerkochten Forellen bereitet sei. Alles gegen den Küchologen, der tönt, nur der Rücken eines auf Trimmdichpfaden gestählten Rehbocks sei genießbar, während man in Bouillon gekochte Hühner, Rinderfilet und Mark nicht einmal mehr dem Hund zum Fraß zumuten könne. Alles gegen den Besitzer eines gebildeten Magens, der sich nur mit Brüstchen begnügt, von Perlhühnern glücklicherweise, die sich nicht darüber beschweren können; der nicht in Klimakammern gelagerte Zigarren verschmäht und mir von dem Gastronomen erzählt, der sich das Leben genommen hat, nachdem ihm ein Stern im *Guide Michelin* aberkannt worden ist. Die organisierten Küchendilettanten, deren Verdienste sich weniger auf dem Teller als in der Höhe der Kochmütze und in der Menge der erkochten Medaillen kundtun, mögen mir, der ich gelegentlich einen Hering, ein Ei oder eine Pellkartoffel als Delikatesse genieße, verzeihen. Ob Lachs über Holz von echten Stradivarigeigen geräuchert ist oder nur über Holz von schlichten Violinen aus Cremona – ich vermag das nicht zu unterscheiden. Wenn ich mich mit diesem Bekenntnis auch dem Verdacht aussetze, mit einer anspruchslosen Zunge und einem ungebildeten Magen geschlagen zu sein.

Gesunde Lebensweise

»Ich weiß gar nicht, was mit mir los ist«, klagte ich Barbara meinen geheimen Kummer. »Schon nach der zweiten Flasche Wein wird mir schwindlig, und die ganze Welt ist dann so verschwommen.«

»Managerkrankheit«, diagnostizierte sie gnadenlos. »Wir müssen uns in der Ernährung umstellen. Frühstücke wie ein König, iß zu Mittag wie ein Bürger und zu Abend wie ein Bettler!«

Das geschah. Barbara stand sehr früh auf, um ein königliches Frühstück zu bereiten. Zum Mittagessen gab es die übliche Bürgerspeise. Am Abend jedoch servierte Barbara abwechselnd zwei Stengel Petersilie mit etwas Zitronensaft, ein Gläschen köstlichen Wassers, das nach Chlor schmeckte, und ein Rändchen Brot oder ein Blättchen mit Milch benetzten Salats.

Das ungewohnte Frühstück machte mich müde und erregte eine gewaltige Arbeitsunlust. Abends knurrte mein Magen wie Nero, der Kettenhund, und bei Pianostellen im *Freischütz* tönte er das sanfte Ännchen in den Schatten. Nachts konnte ich vor Hunger nicht schlafen und stand jeden Morgen eine halbe Stunde früher auf, um in den Genuß des Frühstücks zu kommen. Schließlich hatte ich erreicht, daß wir schon um Mitternacht ein Frühstück zu uns nahmen, das so reichlich war, daß es einem die ganze Nacht im Magen lag.

Ein Glück war, daß die Zeitungen vom ärztlichen Kongreß in Bad Sodbrand berichteten, bei dem festgestellt wurde, reichliches Essen belaste den Kreislauf und quetsche das Herz. Wir wurden blaß, als uns aufging, wie gefährlich wir gefrühstückt hatten. Nach den in Bad Sodbrand gewonnenen Erkenntnissen nahmen wir nun recht viele und kleine Mahlzeiten zu uns. Wir aßen zehnmal am Tag und waren ununterbrochen mit Kochen, Tischdecken, Essen und Abwaschen beschäftigt.

Bis Barbara einen Vortrag von Professor Unverzagt besuchte, der sie über die Bedeutung der Trennkost aufklärte. Ganz verstört kam sie nach Hause und berichtete: Unserem Magen gleichzeitig die Verdauung von Fleisch und Kartoffeln zuzumuten, sei ebenso vermessen, wie wenn man im Auto zu gleicher Zeit den ersten und den Rückwärtsgang einschalten wolle. In Zukunft müßten wir also Fleisch, Soße, Gemüse und Kartoffeln getrennt zu uns nehmen. Wir taten es, aber zwei Löffel Soße, getrennt von nackten Nudeln, wollten uns nicht so recht schmecken.

Als Barbara eines Tages zuerst ein rohes Ei, dann ein Glas Milch, hierauf eine Prise Salz auftrug und schließlich noch eine Schüssel Mehl auf den Tisch stellte, behauptend, dies sei eine als Trennkost servierte Omelette, drohte ich, nicht die Kost, sondern mich vom Tisch zu trennen.

Es wäre zu harten Familienfehden gekommen, hätte damals nicht der berühmte Internistenkongreß in Bad Umsargen stattgefunden, an dem nur Ärzte mit eigenem Friedhof teilnehmen durften. Bei diesem Kongreß wurde der Wert der Fastentage erkannt. Wer sich einen Tag in der Woche ausschließlich von Obst, Reis oder Weißwein ernähre, der lebe lange und vegetativ ungestört.

Wir entschieden uns für Weißwein, ließen es aber nicht bei einem ärmlichen Fastentag bewenden, sondern nährten uns eine Woche lang von viel Mosel mit wenig Weißbrot. Das war ein Leben! Der Wein steigerte das Lebensgefühl und machte so angenehm müde, daß man an Arbeit nicht einmal denken konnte. Als mich nach dem achten Weintag die Polizei aufschrieb, weil ich auf einem Kinderspielplatz die Passanten, die ich für weiße Elefanten hielt, mit Sand beworfen und dazu jugendgefährdende Lieder gesungen hätte, sahen wir ein, daß es so nicht weitergehen könne. Wir traten einem Verein für neuzeitliche Ernährung bei. Ein Mann mit plissiertem Gesicht, der wie ein leberleidender Zwerg aussah, verkündete dort, das Rauchen führe unweigerlich zum Lungenkrebs, Alkohol schneide den Lebensfaden ab, und Fleisch verstopfe die Poren. Wir ließen von allem ab und lebten getreu den Richtlinien des Kongresses der Ideale. Bald fühlten wir uns grau und elend, wurden übellaunig, süchtig nach Tabak und Alkohol, und die Hoffnung, auf diese Weise zwanzig Jahre länger zu leben, wurde von der Frage »Wozu?« verdunkelt.

Wir entschlossen uns deshalb zu einer Knoblauchkur. Unsere Freunde verließen uns, in der Straßenbahn machte man uns achtungsvoll Platz, im Theater lichteten sich die Reihen um uns. Wir konnten uns gar nicht erklären, weshalb Knoblauch so isolierend wirke. Aber schließlich lasen wir im *Lichtfreund,* nach den neuesten Erkenntnissen von Professor Piffpaff berge die einseitige Ernährung viele Gefahren. Nur Entspannung schütze vor frühem Hinschied, weshalb der Mensch, vielseitig ernährt, täglich eine volle halbe Stunde lang entspannt liegen müsse und dabei nichts denken dürfe.

Nun fühle ich mich bei der Tätigkeit des Nichtdenkens oft recht behaglich. Aber sobald ich nichts denken durfte, kamen mir die überflüssigsten und absonderlichsten Gedanken, und in dem Bemühen, nichts zu denken, ging oft der ganze Tag nutzlos dahin.

Dabei hatten wir uns angewöhnt, in allen Zeitungen nach den neuesten Erkenntnissen der Gesundheitspflege zu forschen. Bei einem Kongreß in Bad Riesling wurde festgestellt, Alkohol löse Spasmen und entlaste den Kreislauf. Wir fingen wieder zu trinken an, bis uns Professor Bumskis Erkenntnis, Alkohol begünstige Kreislaufschäden, und nur Yogaübungen könnten die Menschheit retten, das Glas aus der Hand schlug und uns, still vor uns hin meditierend, stundenlang auf den Kopf stellte, bis auf dem Chirurgenkongreß in Schneidelust festgestellt wurde, Untätigkeit sei der Feind der Gefäße, wogegen der Sport ein langes Leben garantiere. Da wir ziemlich

untrainiert waren und ein ärztlicher Aufruf im Fachorgan der Friedhofsgärtner dringend vor Übertreibungen warnte, gaben wir uns
leichtem Kartenspiel hin. Die *Medizinische Monatsschrift* berichtete
indessen über den Heilwert von Leinsamen. Wir aßen unserem
Wellensittich, der von diesem Anblick ein schweres Trauma bekam,
das ganze Vogelfutter weg. Wir lebten salzlos – nein, es war kein
Leben! –, reduzierten dann wieder die Getränke, verzichteten unseren Arterien zuliebe auf das Fett, bis uns Professor Sparbier im
Rundfunk kundtat, es gebe nichts Schlimmeres, als im Hinblick auf
seine Gesundheit zu leben, denn das fördere die Hypochondrie und
führe zu seelischen Störungen, die sich nur zu leicht organisch
auswirkten.

Seitdem rauchen wir wieder, trinken unseren Wein und essen, was
uns schmeckt. Wir lesen keine Zeile mehr über gesunde Lebensweise.
So elend wir uns vorher fühlten, so gut geht es uns jetzt.

Merkwürdige Folgen eines Hexenschusses

Die Hexe hatte geschossen. Der Schuß saß mitten im Kreuz. Ich ging
zum Arzt, fürchtend, er werde den ordinären Hexenschuß als teuren
Bandscheibenschaden diagnostizieren oder mir wie Hagen eine
Spritze in die Stelle jagen, wo selbst Siegfried verwundbar war. Aber
es kam besser, als ich dachte. Der Arzt verordnete mir ein neues
Medikament, das auf schießende Hexen absolut tödlich wirken
sollte.

Die Tabletten heilten zwar mein Kreuz, bewirkten daneben aber
merkwürdige Veränderungen der Figur. Überall wuchsen mir kleine
Pölsterchen, die mir zunächst das Kompliment einbrachten, ich sähe
aufreizend gesund aus. Aber die Pölsterchen schwollen rasch zu
jenen Polstern, die den Wohlstand auszeichnen. Nach ein paar Tagen
konnte ich kaum mehr aus den Augen schauen; die Haut spannte
sich, ich sah verschwollen und verschwiemelt aus, die Gelenke
verdickten sich, die Beine nahmen die Formen von Säulen an. Ich
glich dem dicken Vetter aus *Jedermann*. Wenn man die Polster mit
den Fingern antippte, bildeten sich Dellen, die sich zu abstrakten

Reliefs vervielfachen ließen. Wieder ging ich zum Arzt, der konstatierte, das sei keine neue Krankheit, sondern eine Nebenwirkung der Anti-Hexen-Pille, und was wie etablierter Speck aussehe, sei nur Wasser. Er verordnete mir Entwässerungstabletten. In den folgenden Tagen kam ich mir wie eine Quellnymphe vor, vermochte mich nur auf kürzeste Distanzen vom heimischen Port zu entfernen und benutzte für meine raschen Ausflüge als Stützpunkte jene Anstalten, die ihren Namen von dem heftigen Bedürfnis ableiten, das ich dauernd verspürte. Dabei erfreute ich mich ständig eines Durstes, der das Trinken erst schön macht. Ich schnurrte zusammen wie eine Pflaume im Backofen; die zuvor so gestraffte Haut sah plissiert aus, auch mein Gemüt war ausgetrocknet, und ich begriff, daß das Wort Humor vom lateinischen *humus* kommt, was soviel wie »innere Feuchtigkeit« bedeutet. Ich schrumpfte ein und hätte jetzt in *Jedermann* den dünnen Vetter spielen können. Gegen meine Mitmenschen wurde ich gallig, und die Haut färbte sich gelb. Man beneidete mich zunächst um meine schöne Urlaubsbräune; schließlich wurde ich aber so gelb, daß mich ein Studentenklub einlud, die Worte des Vorsitzenden Mao zu interpretieren, worauf ich wieder den Arzt konsultierte. Die Entwässerungskur habe prachtvoll angeschlagen, tat er mir kund; leider sei die Leber ein bißchen beleidigt. Ich fürchtete mich vor neuen Tabletten, aber der Arzt tröstete mich: Durch strikte Abstinenz und strenge Diät lasse sich die Leber wieder versöhnen. Ich entsagte dem Trost aus der Flasche und nährte mich vornehmlich von einem Produkt, dessen bloßer Name schon Furcht und Mitleid zu erregen vermag: Quark. Mit Wollust dachte ich an die Lockungen des Weines und des Fleisches, und mein Magen produzierte beim Anblick von mir verbotener Speise und geächtetem Trank so viel Säure, daß er mangels habhafter Masse sich selbst zu verdauen begann. Mir war übel; die Diät widerte mich an; ich hatte Magenschmerzen, als würde Jod auf innerliche Wunden gepinselt; mein Sod brannte. Wieder ging ich zum Arzt, der mir erklärte, Magenleiden kämen meist von psychischen Spannungen, die es zu lösen gelte. Er gab mir dämpfende und beruhigende Mittel. Meine Seele schien nun in rosa Seidenvorhänge gehüllt, und auch meine Empfindungen waren ziemlich rosarot. Eine stupende Gleichgültigkeit, ein orientalischer Fatalismus zeichneten mich aus, und da mir der Arzt noch ein Mittel gegen akute Unlustzustände verordnet hatte, mit dem ich mich allmorgendlich gegen politische, finanzielle und persönliche Miseren wappnete, stimmten mich selbst Steuerbescheide und Todesnachrichten fröhlich, ja selbst die schreckliche Schlagzeile »Strauß droht mit Rücktritt aus der Politik« vermochte mir keine Zähren zu entlocken. Ich empfand sogar meine chronische Arbeitsunlust als Lustgefühl, und erst als sich meine Familie im Sommerschlußverkauf ein paar größere Hungertücher zu stark reduzierten Preisen zwecks Nagens zulegte, weil ich keinerlei Anstalten machte, für sie ein Stück Brot zu verdienen, fragte ich den Arzt wieder um Rat, zumal mein Magen inzwischen völlig gesundet schien. Er verschrieb mir ein Anregungsmittel, das meinen Motor auf Touren brachte, mich mit Unruhe auflud und einen manischen Tätigkeitsdrang auslöste. Alles, was ich in letzter Zeit versäumt hatte, versuchte ich jetzt nachzuholen; ich schrieb, telefonierte, hörte Radio und malte mit den Zehen, und das alles gleichzeitig. Ich wurde ständig von Einfällen heimgesucht und litt unter Ideen, so daß sich Projekte und Entwürfe auf meinem Schreibtisch türmten. Leider war dieser schöpferische Zustand mit Herzklopfen, Schlaflosigkeit, Kopfschmerzen und Schwindelgefühl verbunden, so daß ich wieder den Arzt konsultierte. Der stellte einen erhöhten Blutdruck fest, den er mit Kapseln zu zügeln versprach. Nun arbeitete ich wieder normal ohne Hudelei, aber das Medikament zügelte nicht nur den Blutdruck, sondern auch gewisse körperliche Funktionen, was bekanntlich schlechte Laune hervorruft. Hätte ich nicht eine Medizinerin zur Tochter, die mich aufklärte, alte Leute redeten von nichts anderem als von ihrer Verdauung, ich würde jetzt lange darüber berichten und auch nicht ausklammern, was passierte, als mir der Arzt ein Gegenmittel gegen die Trägheit gewisser Organe verschrieb.

Jetzt benahm sich aber plötzlich mein Körper, für den die vielen Medikamente die Weichen immer wieder neu gestellt hatten, wie ein Schiff ohne Kompaß. Ich litt unter so vielen Unpäßlichkeiten, daß es mir leichter gefallen wäre, dem Arzt zu sagen, was mir nicht fehle, als ihm in einer langwierigen Anamnese meine Leiden aufzuzählen. Zur Hebung meines Allgemeinbefindens gab er mir Hormonspritzen. Alles wäre gut gewesen, wäre ich nicht plötzlich allzu empfindsam geworden, hätte ich nicht mit einemmal Freude an zu bunten Krawatten und Seidenstoffen bekommen, mich für das Schicksal der Prinzessinnen Margaret und Caroline von Monaco glühend interessiert und Zeitschriften mit Namen von Mädchen und Blumen abonniert. Meinen Rasierapparat brauchte ich nur noch einmal die Woche. Die Stimme wurde so hoch, daß ich mühelos in der Badewanne die Wahnsinnsarie der Lucia von Lammermoor schmettern konnte. Auch gewisse Veränderungen der Figur registrierte ich mit Besorgnis.

Der Arzt tröstete mich, ich hätte als sensibler Mensch auf die weiblichen Hormone zu positiv reagiert. Er glich es durch männliche Hormone aus. Über Nacht sproß der Bart wieder, die Stimme fiel in des Basses Grundgewalt, ich wurde aggressiv und streitlustig, benahm mich zu Hause wie ein Pascha und wollte mich schon, um meinen guten Ruf fürchtend, den ich gar zu gern aufs Spiel gesetzt hätte, einem Chirurgen anvertrauen, dem man nachsagte, daß er in solchen Fällen wahre Wunder vollbringen könne – da ließ die Wirkung der Hormonspritzen nach, und ich fühlte mich endlich wieder im psychischen und physischen Gleichgewicht. Einem Happy-End dieser Schilderung stünde also nichts im Wege, wäre ich nicht gestern mit offenem Fenster Auto gefahren, und ich ahne wieder jene Schmerzen, mit denen diese Schilderung begann. Käme es wirklich zum Hexenschuß, so wäre der Kreis der Begebenheiten geschlossen, und eine Wiederholung dieser Beschreibung unter Einschluß des bisher verschonten Herzens, der Nieren, der Lunge und des großen Kreislaufs läge nahe.

In Gallensteins Lager

Badekuren finden in Orten statt, die gleichsam als Doktortitel vor ihrem Namen das die Preise ermunternde Prädikat »Bad« führen. Ein Badeort besteht aus vielen Kurgästen, einem Kurdirektor, der Kurtaxe, einem Kurpark mit Kursaal und Kurbrunnen, vielen Kurärzten, dem Kurorchester und dem Kurteich mit dem Kurschwan. Alle diese Elemente vereinigen sich zum Kurbetrieb. Wenn die Kurtaxe höher, der Kurdirektor von Adel, das Kurorchester mit einer Harfe bestückt, der Kurteich umfangreicher und Kurgäste und Kurschwan verwöhnter sind, spricht man von einem anspruchsvollen Kurbetriebsklima. Kurfürsten und -tisanen gehören nicht zum normalen Kurbetrieb.

Da nicht alle Leiden aus einem Punkt zu kurieren sind, gibt es für verschiedene Krankheiten verschiedene Kurorte. Das Bad, das wir bei dieser Betrachtung im Auge haben, dient in erster Linie dem Abbau von Gallensteinen, wofür ihm der Beiname »Gallensteins Lager« verliehen sei.

Denn der teuerste Stein, den die Natur hervorzubringen vermag, ist nicht etwa der Diamant, sondern der Gallenstein. Er ist ein beliebtes Mahnmal des Wohlstands. Inhaber kleiner Gallensteinbrüche können keinen Kulturfilm über Austernzucht sehen, ohne diese bedauernswerten Tiere mit sich selbst zu vergleichen. Tragen nicht auch sie eine solche Perle in sich? Aber Perlen lassen sich vom Juwelier fassen, während Gallensteine von den wenigsten ihrer Besitzer mit Fassung getragen werden.

Unser Kurort besteht nicht nur aus Gästen, die dem Kurbetrieb in der Hoffnung obliegen, nach vier Wochen entsteint wie Kirschmarmelade den Staub von Gallensteins Lager von den Füßen schütteln zu dürfen. Da sich die Menschen in Badeorten mit ihrem Leiden identifizieren – da drüben unterhält sich eine geschrumpfte Leber mit einer größeren Sodbrennerei –, werden dem Kurgast auch Symptome geboten, die eine andere Quelle als die Galle haben. Denn das Kolportieren von Krankengeschichten (»Bei mir fängt es immer mit Druck links hinten an. Und dann die Spasmen, meine Gnädigste...«) gehört zu den beliebtesten Unterhaltungen der Kurgäste. Sollte ein einsamer Kurgast auf die Idee kommen, mit einsamen Damen zu techteln und zu mechteln, so sei er gewarnt: Die genaue Kenntnis des Innenlebens der Partnerin (»Und was erscheint da im Leberspiegel? Mein oberer Rand, total verhärtet..«) ist einem Flirt nicht gerade zuträglich.

Zweimal am Tage wallfahren die Kurgäste zum Brunnen und reichen den Brunnennixen, die aussehen, als seien sie aus Werbeplakaten für Margarine geschnitten, das Glas, das mit der Nummer des Kurgastes etikettiert ist. »Bitte kalten Karl!«, »Zweihundert Kubik lauen Sigismund!«, »Halb voll warmen Wenzel!« heischen die Leidenden. Die Quellen sind nach verblichenen Landesfürsten benannt, die sie entdeckt und benutzt haben und dennoch vor jähem Hinschied nicht bewahrt wurden. In Geschmack und Wirkung unterscheiden sich die Wässerchen genauso wie ihre Taufpaten und deren Charaktere. Karl schmeckt fad und nichtssagend wie das Fernsehprogramm am Samstagabend und hat daher keine Tiefenwirkung. Sigismund ist so bitter wie die Weltanschauung von Misanthropen, die eine Gelbsucht hinter sich haben, und bringt auch größere Gallensteine zum Erbeben. Wenzel aber schmeckt, als sei damit in der Hölle Geschirr gewaschen worden, und riecht wie der Atem eines Schakals. Fällt ein Kurgast aus dem gemächlichen Promenadenschritt, in den ihn die Takte des vom Kurorchester dargebotenen Charakterstücks *Im Garten des Eremiten* lullen, plötzlich in eine hierorts unübliche rasche und zielstrebige Gangart, so weiß der Kundige, daß dahinter nur zweihundertfünfzig Kubikzentimeter warmen Wenzels stecken können.

Um Kurgäste, die gern länger schlafen, nicht allzu fröhlich zu stimmen, wird die »Ausgabe von Heilwasser« laut Aushang »ab neun Uhr morgens bis nachmittags vier Uhr eingestellt«. Außerdem verbietet ein Anschlag, »die Pflanzen mit Heilwasser zu begießen oder es Hunden zu Trinkzwecken zu verabfolgen«. Zarter besaitete Organismen sind der Heilkraft der Quellen nämlich nicht gewachsen, und der Kurgast zweifelt nicht daran, daß mit bescheidenen Gaben warmen Wenzels selbst größere Auerochsen nach Walhall befördert werden könnten.

Auf den Menschen dagegen wirkt das Wasser teils heilend, teils die Leiden aktivierend, teils lindernd, teils gar nicht. Für Kurgäste, die keinen Kurerfolg verspüren, haben die Kurärzte eine tröstliche Prognose bereit. Solche Patienten mit langer Kurleitung würden erst beim Nachmittagskaffee am zweiten Weihnachtsfeiertag plötzlich von einem starken Wohlsein befallen, das auf die Kur zurückzuführen sei.

Den erstaunlichsten Kurerfolg hatte eine Lehrerin aus Breitenbüch, die vor drei Jahren einen ganzen Beutel voll eigener Gallensteine mit nach Hause nehmen durfte. Sie war nicht zum Brunnen gegangen, sondern tankte aus einem Rohr, das die dampfende Flüssigkeit direkt aus der Erde herzuleiten schien. Täglich zweimal ließ sie dort ihr Glas vollsickern und trank es dann mit grimmiger Entschlossenheit aus. Nur Ortskundige wußten, daß dieses Rohr vom Überdruckventil eines Dampfkessels gespeist wurde.

Die Kurkapelle spielt allerlei unverbindliche Piècen, etwa *Im*

Hafen von Bebra, Tanz der Friedhofsgärtner, In einem andalusischen Freudenhaus, die Charakterstücke heißen, weil sie keinen Charakter haben. Indessen ergehen sich die Kurgäste mit den Gläsern in der Hand auf der Kurpromenade. Anfänger müssen stehenbleiben, um sich den lauen Sigismund hinter die Binde zu gießen, während es Fortgeschrittene verstehen, im Gehen ein Schlückchen kalten Karls zu sich zu nehmen. Auf entlegenen Pfaden entnesteln sich von Chirurgenhand kunstgestopfte Herren und zeigen sich gegenseitig Operationsnarben, die sie wie Ordensbänder tragen. Im Hintergrund grüßt das Kurhaus, dessen Terrasse in pompejanischem Stil erbaut ist. Eine vorgelegte Holzfassade sieht wie maurisches Zuckerbackwerk aus. Die Kellner auf dieser Terrasse sind so mürrisch wie Ermittler des Amts für Verfassungsschutz.

Neben dem Brunnen steht das Denkmal des Hirten, der die Quellen entdeckt hat: Heilquellen für die Fremden, Geldquellen für die Einheimischen. Der Hirte trägt eine Kopfbedeckung, die aus der Ehe eines englischen Stahlhelms mit einer Skimütze entsprungen zu sein scheint. Mit freundlichem Stumpfsinn, als sei er langjähriger Abonnent der *Bild-Zeitung,* schaut er auf den Kurbetrieb, den er vom Zaun gebrochen hat.

Die meisten Kurgäste müssen Diät leben. Sie sind hinter ihren Diäten her wie Parlamentarier. Aber zahllose Weinstuben und Cafés sorgen mit Eis, Schlagsahne und Fürst-Pückler-Bombe, die auf Gallensteine nicht gerade atomspaltend wirkt, daß die Kurgäste auch im nächsten Jahr wiederkommen.

Am Abend blüht in den Bars gemäßigter, von Koliken bedrohter Flirt. »Darf ich um den nächsten Tango bitten?« fragt eine Gelbsucht, vom Neonlicht wirkungsvoll illuminiert, einen gereizten Blinddarm.

»Darf ich um den nächsten Fango bitten!« sagt die Gelbsucht am anderen Morgen zum Bademeister, der ihr ziemlich viel Schmutz auf Bauch und Rücken klatscht. Der Schmutz heißt hier Fango, weil er heißer und teurer als gewöhnlicher Schmutz ist. Eine Fangopackung vermittelt auch in Jahren, in denen der Sommer auf einen Sonntag gefallen ist, hochsommerliche Illusionen. Bei der Unterwassermassage wird man mit einem Wasserstrahl, der selbst stärkere Festungsmauern zum Einstürzen bringen könnte, in einer riesigen Badewanne malträtiert. Die Unterwassermassage erinnert lebhaft an den Film *Der Mann, der seinen Namen mit der Pistole schreibt,* und der

Massierte versucht, den Kurarzt, der solches verordnet hat, zum Pferdekurarzt zu ernennen.

Die Unterhaltung der Kurgäste, soweit sie nicht vom Kurorchester bestritten wird, findet im Kursaal statt. Dort singen Sängerinnen, deren Stimme und Figur vom Zahn der Zeit arg angenagt sind, und treten Künstler auf, deren Namen noch kein Mensch gehört hat, was durch den Zusatz »bekannt von Bühne, Film und Fernsehen« auf den Plakaten unterstrichen wird. Die Flut der Kalauer, die dort von Conférenciers produziert wird, vermag selbst freundliche Gallen zur Produktion von Steinen anzuregen. Bisweilen finden auch Vorträge über den Wert von Brunnenkuren statt, die ungefähr so beginnen: »Schon Goethe bemerkte, ich sag's dir im Vertrauen nur, du bist nun einmal bei der Kur...«

Der Kurgast Nummer 12 458 sei eine Hochstaplerin. So behaupten wenigstens die Herren, die im selben Sanatorium wohnen. Denn die adrette Dame macht eine Kur und hat noch keinem ihre Krankengeschichte erzählt. Das ist allerdings verdächtig. Die Hochstaplerin ist ein biegsames Wesen mit gescheiten Augen, einem fröhlichen Gang und einem Zöpfchen. Am Morgen erscheint sie in engen schwarzen Hosen am Brunnen. Bluse, Nägel und Lippen leuchten im gleichen Rot. Wenn man sie anschaut, findet man die Brunnenkur gar nicht mehr so strapaziös.

Der Mittfünfziger, der seinen Hausarzt beschworen hat, ihm eine verhärtete Leber zu unterschieben, damit er einmal im Jahr den ehelichen Fesseln entrinnen kann, ist hier, um die Kur zu schneiden, nicht um sie zu machen. Aber keine Angst: Er hört so viele Krankengeschichten, daß er nach vierzehn Tagen genügend ängstigende Symptome verspürt und jenen leidenden Zug zwischen Nase und Mundwinkel bekommt, den die Besucher von Gallensteins Lager wie ein Parteiabzeichen tragen. Er macht heute von der Brunnenfreiheit Gebrauch, indem er die Hochstaplerin anstarrt, wie nur Italiener Damen anzustarren pflegen. Während der Ouvertüre zu *Flotte Burschen* nähert er sich ihr mit den Worten: »Gnädigste, hat Ihnen schon einmal ein Mann etwas über Ihre Waden gesagt?«

Der attraktive Akkord von Schwarz und Rot tut darauf etwas, was auf der Kurpromenade noch keiner getan hat. Er lacht laut. Lacht, daß der laue Sigismund aus dem Glase schwappt.

Der Kreislauf der Promenierenden kommt ins Stocken. Der Kurschwan schüttelt indigniert das Gefieder. Die Brunnennixen unterbrechen den Ausschank. Entsetzt kiekst die Trompete. Denn gelacht auf der Kurpromenade, laut gelacht – so was schockierend Gesundes hat sich in dieser Saison noch niemand erlaubt.

Dialog über Knoblauch, Schnecken und Safran

»Eine Konsommee vom Lamm, das dürfte uns ein Knoblauchfähnchen eintragen, Verena.«

»Macht nichts. Da wir sie gemeinsam verzehren, werden ja unser beider Nasen für Knoblauch stumpf.«

»Das ist die Hauptsache. Und die übrige Welt möge uns, bitte, vom Halse bleiben. Stimmen Sie mit mir überein, wenn ich behaupte, am Knoblauch scheiden sich die Geister? Gibt es nicht so etwas wie eine Geistesverwandtschaft der Knoblauchliebhaber? Ich kann manchem, den ich auf den ersten Blick sympathisch finde, auf den Kopf zu sagen, daß er Knoblauch mag.«

»Oh, Sie sind ein Hellseher. Das schüchtert mich ein.«

»So hell sehe ich allerdings: daß es mir niemals gelingen wird, Sie einzuschüchtern. Ich hatte es aber auch nicht unbedingt vor. Übrigens meint einer meiner Freunde, man solle die Menschen danach unterscheiden, ob sie Knoblauch lieben oder nicht. Mit solchen, die keinen Knoblauch mögen, könne man auch sonst nichts anfangen.«

»Wie beruhigend für mich, daß Ihr Freund mich akzeptieren wird. Da ich die Menschen nicht ausschließlich nach ihrem Verhältnis zu Knoblauch zu beurteilen pflege, weiß ich allerdings noch nicht, ob das auf Gegenseitigkeit beruht. Daß es Ihr Freund ist, macht ihn eher verdächtig...«

»Als echte Gourmette oder Gourmeuse – ist es nicht recht bedenklich, daß die Sprache nur den männlichen Feinschmecker kennt? Als Frau von Geschmack sollten Sie sich hüten, mir mit Ihrer Skepsis diese köstliche Konsommee zu versalzen. Um auf den Knoblauch zurückzukommen: Wissen Sie, daß er auch eine Augenweide sein kann? Im März, wenn der Wald weithin noch ganz tot aussieht, überrascht der wilde Knoblauch als einer der ersten Frühlingsboten mit smaragdgrünen Oasen – gerade so vorwitzig wie der auf weiter Flur allein blühende Seidelbast. Ich war schon versucht, den mit zierlichen Blüten aufwartenden Knoblauch am Rand meines Gartens anzusiedeln. Aber er duftet – wenn man das so nennen kann – fast so stark wie die Aioli von Katinka Mostar, die bei ihren Freunden Katerlieschen hieß. Pro Kopf ein bis zwei große Knoblauchzehen! Ich hoffe, meine Teure, Sie teilen nicht nur meine Begeisterung für Knoblauch in jeder Form, sondern auch die für Schnecken.«

»Das kommt ganz darauf an. Ich hab' sie nicht so gründlich studiert wie Günter Grass, für den sie den Fortschritt symbolisieren. Der hat sich ja dann auch als Grafiker in das Modell Schnecke verliebt. Mein Verhältnis zu Schnecken ist ambivalent: In den Rabatten hasse ich sie, im Tiegelchen liebe ich sie, sofern sie erstklassig zubereitet sind. Ich muß schon großes Zutrauen zu einem Restaurant haben, um sie zu bestellen. Wenn man Pech hat, entspricht ihr Geschmack ihrem Temperament. Da möchte man dann den Koch zur Schnecke machen...«

»Den einen wollen wir zur Schnecke machen, die andere ist ein süßer Schneck – wo bleibt da mal wieder die Logik? Ich finde überhaupt, die Schnecke wird ziemlich ausgebeutet. Einmal ist sie als Hausbesitzerin für Spiralförmiges zuständig, von den Voluten am ionischen Kapitell bis herab zu Haarschnecken und Schneckennudeln, ein andermal für das Schneckentempo der Schneckenpost. Und dann darf sie auch noch Typen charakterisieren, solche, die sich ausschleimen oder sich in ihr Schneckenhaus verkriechen.«

»So einer sind Sie jedenfalls nicht.«

»Dank dem Himmel. Andernfalls hätte ich wohl kaum das Vergnügen, mich heute abend mit Ihnen verbal und gourmandisch an Schneckenragout zu ergötzen. Da ist doch wohl etwas Safran dran, nicht wahr?«

»Oh, ganz sicher. Waren Sie übrigens mal in Ägypten? Alle Ägypter rufen in einem fort: ›Safran macht den Kuchen gehl.‹ Der andere deutsche Satz, den sie perfekt beherrschen, ist die Binsenweisheit ›Eile mit Weile‹. Ich bin nie dahintergekommen, weshalb sie jeden deutschen Touristen mit diesem Spruch begrüßen. Sollte uns gar der Ruf vorauswehen, wir machten die Königsgräber im Galopp?«

»Ist es denn nicht so?«

»Doch – leider dürfte das für die meisten Touristen zutreffen. Früher haben wir uns immer darüber mokiert, wie die Amerikaner Europa machen. Heute sind wir im großzügigen Abhaken ganzer Kulturen mindestens ebenso schlimm. Ich tröste mich immer mit dem Gedanken, das sei nur mal ein Vorgeschmack, eines Tages würde ich das alles vertiefen. Aber dann zieht es mich schon wieder woanders hin. Übrigens haben die Ägypter auch keine Weile zu verkaufen – im Gegensatz zu Safran.«

»›Safran macht den Kuchen gehl‹ – an den Ufern des Nils in der Tat ein pfiffiger Werbeslogan. Haben Sie denn auch welchen mitgebracht?«

»Natürlich. Er ist dort vergleichsweise spottbillig. Da habe ich mich gleich für Jahrzehnte eingedeckt.«

»Dann darf ich doch hoffen, daß Sie mich bald mal zu einem gehlen Kuchen einladen? Mehr noch gelüstete es mich allerdings nach einer mit Safran gewürzten Fischsuppe.«

»Um ganz ehrlich zu sein: Ich weiß nicht recht, ob der Safran echt ist. Aber ich bin schon ein dummes Mädchen. Ihnen, dem Gourmet comme il faut, zumal männlichen Geschlechts, ohne Not ein solches Geständnis zu unterbreiten.«

»Sie machen sich schon wieder über mich lustig, Verenissima. Ich halte Sie für ganz schön raffiniert. Mit solchen schier unverzeihlichen Blößen auch noch zu kokettieren!«

»Wußt' ich's doch: Sie sind mehr fürs Zugeknöpfte.«

Wein ist ein königliches Getränk

»Wasser ist für die Ochsen, Wein für die Könige«, sagt ein spanisches Sprichwort und hat recht, wenn es meint, daß Wein ein königliches Getränk sei. Es bedarf langen Umgangs mit ihm, bevor er sich dem Zecher offenbart. Er fordert ein ehrfürchtiges und genüßliches Zeremoniell; er verlangt Ruhe, innere Sammlung und Beschaulichkeit.

Der Wein ist ein elementares Getränk. Mit ihren Blättern atmet die Rebe die Luft, fängt sie das Feuer der Sonne. Mit ihren Wurzeln saugt sie Wasser und nimmt die Mineralstoffe der Erde auf. Im Altertum galt der Wein als das Blut der Erde. Er hat etwas Verzauberndes und Verzaubertes. Geheimnisvoll ist schon die Wandlung: Aus süßem Traubensaft entwickelt sich über den Sturm und Drang der Gärung das Gleichgewicht von herber Säure und fruchtiger Süße. Mit dieser Polarität ist der Wein voll Spannung und Harmonie wie ein Akkord. Aber Lage, Traubensorte, Jahrgang, Wachstum und Pflege variieren diesen Akkord aus Duft, Farbe, Aroma, Glanz, Fülle und Süße zu immer neuen, wechselnden Kompositionen, die mit sanfter Gebärde Bedrückungen mildern, Sorgen auflösen, Schmerzen lindern und den Sterblichen in ein befreiendes Glücksgefühl hineinzuversetzen vermögen.

Martin Luther, der oft heftig gegen die Trunksucht der Deutschen und gegen den »Teufel Sauf« gewettert hat, zog vor dem Wein den Hut. »Bier ist Menschenwerk, Wein ist von Gott«, hat er gesagt und damit eine Überzeugung ausgesprochen, die schon in uralten Religionen verankert ist. Die Griechen verehrten den Gott des Weines. Zeus schenkte ihnen seinen Gott Dionysos, der die schwellende Triebkraft der Natur verkörpert und mit seinem bacchantischen Gefolge durch die Lande zog, überall den Weinbau verbreitend. Dionysos hatte natürlich ein gutes Verhältnis zu den Musen, die sich zu allen Zeiten den Weintrinkern besonders geneigt zeigten. An den Feierlichkeiten zu Ehren des Gottes wurden alljährlich vor allem Volk die neuesten Tragödien, Komödien und Satyrspiele aufgeführt.

Auch in Walhall, das wir uns im Gegensatz zum Olymp mehr als eine bayrische Bierhalle vorstellen, wurde Wein ausgeschenkt. Während die dort versammelten germanischen Götter Eberfleisch aßen und Met tranken, den die nimmermüde Ziege Heidrun unablässig spendete, wurde dem Göttervater Odin Wein serviert. Die *Edda* berichtet: »Doch vom Wein allein lebt der waffengeschmückte Odin alle Zeit. Er braucht keine Nahrung. Wein ist ihm Speise und Trank.«

In der Bibel ist Noah der Vater des Weins. Nach der Sintflut wurde er Ackermann und pflanzte Weinberge. Moses erließ bereits Weingesetze. Aber erst durch Christus wurde der Wein zum Gnadengetränk, zum Symbol des Blutes und zum Sinnbild göttlicher Gnade, die von den Sünden erlöst. Durch mystische Kräfte, die dem Wein zuwuchsen, wurde aus dem königlichen ein heiliges Getränk. Und da zur Messe der Wein gehört, folgte der Weinbau dem Christentum auf dem Fuße. Wein ist aber nicht nur ein heiliges und königliches, sondern auch ein recht irdisches Getränk. Wie unter den Menschen, so gibt es auch unter den Weinen die verschiedensten Charaktere und Temperamente: fade Süßlinge; derbe und fröhliche Gesellen; schwere, gehaltvolle alte Herren; sauertöpfische Krätzer; bäuerliche Kumpane; feurige Draufgänger; witzige Sauser; flache Blender, die hinten im Gaumen nicht halten, was sie vorn auf der Zunge versprechen; allzu leichte Bitzler; kompakte Philosophen; wohlerzogene Aristokraten; in der Gärung gestoppte Kastraten ohne Kraft und Saft; stahlige, nervige Burschen und fade Gesellschafter.

All seine guten, berauschenden und befeuernden Eigenschaften machen den Wein zum Vertrauten, zum Freund des Dichters. Wie dieser ist der Wein ein Zauberer, der Wunder wirkt. Er versetzt den Zecher in einen Rauschzustand, der dem schöpferischen Rausch des Künstlers verwandt ist. Nicht von dem Rausch ist hier die Rede, der den Toren demaskiert, der aus dem Menschen ein lautes, lallendes Wesen macht, sondern von dem Rausch, den Baudelaire besingt:

»Man muß immer trunken sein. Das ist alles: die einzige Lösung. Um nicht das furchtbare Joch der Zeit zu fühlen, das eure Schultern zerbricht und euch zur Erde beugt, müßt ihr euch berauschen, zügellos. Doch womit? Mit Wein, mit Poesie oder mit Tugend, womit ihr wollt. Aber berauscht euch!«

Auch in die Legende ging der Wein ein. So erzählt der Mystiker Seuse, wie die Muttergottes einem dürstenden frommen Bruder einen Becher mit Wasser reichte. Aber das Christkind auf ihrem Arm wußte, daß Wasser eben doch kein vollmundiges Getränk sei. Es tauchte das Fingerlein in das Wasser und wandelte es in Wein. Da hatte die Muttergottes ein Einsehen. Sie sagte: »Ich will nicht, daß sich der Bruder noch fernerhin darin übe, ohne Wein zu sein; er soll nun fortan Wein trinken.«

Selbst der strenge Paulus empfiehlt Timotheus: »Trinke nicht mehr Wasser, sondern brauche ein wenig Wein um deines Magens willen.«

Augustinus verdammt wie Paulus den Rausch, schätzt aber den Wein, wenn er maßvoll genossen wird. »In vielen Fällen brauchen die Menschen den Wein. Er stärkt den schwachen Magen, erfrischt die matten Kräfte, wärmt den Leibkalten, ist auf Wunden geträufelt heilsam, verscheucht Traurigkeit, verjagt alle Müdigkeit der Seele, bringt Freude und entfacht unter Freunden die Lust am Gespräch.«

Meister Eckart schrieb um dieselbe Zeit, da die Trinklieder entstanden, die uns in den *Carmina Burana* überliefert sind: »Nimmer würde ein Mensch, der Durst nach Wein hat, so sehnlich seiner begehren, dafern nicht etwas von Gott in ihm wäre.«

Wie arm wäre unser Leben, auf wieviel fröhliche Farben müßten wir verzichten, wenn es keinen Wein gäbe! Da wären nicht die heimeligen Weinstuben, in die wir uns vor der Einsamkeit und Kälte verkriechen und in denen uns der Wein zum Gesellen wird. Da gäbe es nicht die Weinberge, die mit dem Gleichmaß ihrer Pfähle hoch an den steilsten Hängen emporklettern und den grauen Schiefer mit fröhlichem Grün übermalen. Nicht die bauchigen Krüge und die kristallenen Gläser, die goldenen Pokale und zinnenen Becher, die sepiabraunen Amphoren, in welche in trunkenem Kranz der Zug des Dionysos gebrannt ist. Nicht schattige Tavernen unter Oleandergebüsch, wo der ländliche Nostrano trefflich mit dem Ziegenkäse harmoniert. Nicht das Florettgefecht weinfroher Gespräche und einen Flirt in heimlicher Nische, von einem leichtfertigen Weißwein trefflich genährt. Es gäbe keine Fässer mit barocken Schnitzereien, nicht die kleinen Weindörfer, in denen sich die Häuser gesellig aneinanderkuscheln, keine Weinfeste und keine Weinlese mit Böllerschüssen und Rätschen, nicht den Rubinglanz eines Glases, das man gegen das Licht hält, nicht die Fröhlichkeit des Herbstes und den fruchtigen Duft aus den Keltern im Oktober.

Wie viele Stunden in unserem Leben wären ohne Trost, wenn es den tröstlichen Trank nicht gäbe? Der Wein hilft uns, die Dämonen zu vertreiben, die sich auch in aufgeklärten Zeitaltern tummeln. Er verleiht dem Gespräch unter Gleichgesinnten Flügel. Er bringt uns Fremde nah; er vermag es, eine kaum geahnte Liebe keimen und wachsen zu lassen. Er stärkt den Kranken, schenkt dem Genesenden neue Freude am Leben und gibt dem schmerzlichen Abschied eine letzte, bittere Süße. Er befeuert den Jüngling, weckt goldene Erinnerungen und versöhnt zuletzt mit dem Ausklang des Alters, ein verklärendes Licht vor dem Dunkel des Todes. Braucht also der Weise nicht den Wein, um nicht über die Welt weinen zu müssen?

Faulheit ist der Humus des Geistes

Donnerstag, den 5.
Auftrag bekommen, Plauderei »Über die Faulheit« zu schreiben.
Liegestuhl gekauft. Darin in entspannter Lage über das Thema
nachgedacht. Dabei eingeschlafen.

Freitag, den 6.
Vormittags im Liegestuhl Faulheit studiert und dabei müde geworden. Langer Mittagsschlaf. Nachmittags zu der Überzeugung gekommen, daß Beharren in Faulheit (italienisch: dolce far niente)
natürlicher Zustand der Kreatur. Kein Tier arbeitet freiwillig. Mit
dieser Erkenntnis zufrieden früh Feierabend gemacht.

Samstag, den 7.
Diese Notizen ins Tagebuch eingetragen. Davon erschöpft, deshalb
freien Nachmittag eingelegt.

Sonntag, den 8.
Sonntag geheiligt. Ganzen Tag ausgeruht. Barbaras Vorschlag, lästige
Bewegungen in Form eines Spaziergangs zu machen, entrüstet abge-
lehnt, weil ich an Faulheit arbeite. Früh zu Bett. Von Ohrensesseln,
Schlaraffenland und Bärenhäuten geträumt.

Montag, den 9.
Ausgeschlafen. Vormittags ganz kaputt vom vielen Schlaf, arbeitsun-
fähig. Nachmittags Einfall gehabt: Trägheit ist nicht gleich Faulheit.
Trägheit ist eine Veranlagung, Faulheit eine Weltanschauung. Der
Faule lebt in Harmonie mit dem Bestehenden und verspürt keinen
Drang, es zu ändern. Folgerung: Faule Menschen sind staatspolitisch
besonders wertvoll, weil sie weder zu Reformen noch gar zu Rebel-
lion und Revolution neigen.

Dienstag, den 10.
Schlecht geschlafen, weil die Tage vorher zuviel geschlafen. Wieder
im Liegestuhl. Barbara meint, meine Faulheit stinke zum Himmel.
Ihr erklärt: Trägheit ist verabscheuenswert, Faulheit bewunderns-

würdig. Der Faule ist von Natur fleißig, überwindet aber den Fleiß, weil er damit nur Unruhe schafft und das Behagen stört. Beispiel: Ameisen sind fleißig und unsympathisch, Murmeltiere faul und sympathisch. Frage an Barbara: Wer hat mehr Unglück über die Welt gebracht, die Faulen oder die Fleißigen? Können Faule Kriege vom Zaun brechen?

Mittwoch, den 11.
Von geistiger Arbeit des Vortags erschöpft. Tag der Faulheit ausgerufen und zum Familienfeiertag erklärt. Geistige Entspannungsübungen, die sehr anstrengen.

Donnerstag, den 12.
Kalenderspruch gelesen: »Der Schweiß ist die Träne der Arbeit.« Da es unmännlich ist, Tränen zu vergießen, beschlossen, niemals in Schweiß zu geraten. Erkenntnis: Faulheit ist der Humus des Geistes. Erhabene Gedanken gedeihen nur in körperlichem Ruhezustand. Im Liegestuhl darüber nachgedacht, ob Barbara wohl ihr deliziöses Gulasch koche. Gedanke war zutreffend. Zuviel Gulasch gegessen. Da ein voller Bauch nicht gern studiert (Erkenntnis der alten Römer), nachmittags nicht mehr nachgedacht.

Freitag, den 13.
Mit Schrecken festgestellt, daß heute der 13. auf einen Freitag fällt. Daher beschlossen, nichts zu tun, um Unglück nicht zu berufen. Gut geschlafen. Erkenntnis: Man muß sich ohne schlechtes Gewissen zur Faulheit bekennen. Das Gewissen ist der Motor, der zur Tätigkeit treibt und der Faulheit das Behagen nimmt. Über das Hamlet-Zitat nachgedacht: »Es ist etwas faul im Staate Dänemark.« Wieso? Bin ich ein Däne?

Verlag ruft an, ob Plauderei über die Faulheit noch nicht fertig. Geantwortet: Wenn ich so schnell arbeitete, wäre ich nicht würdig, das Thema fachkundig zu behandeln.

Samstag, den 14.
Barbara macht sich Gedanken über meinen Gesundheitszustand, weil so viel Schlaf unnatürlich sei. Bedenken mit folgenden Erkenntnissen zerstreut: Manager sind fleißig, Götter sind nicht fleißig.

Manager sehr sterblich, Götter dagegen unsterblich. Barbara stellt beruhigt fest, demnach würde ich Götter überleben.

Da viel zu faul, um Plauderei über Faulheit jemals zu schreiben, beschlossen, diese Tagebuchblätter drucken zu lassen. Überlegt: Wer nimmt mir den lästigen Gang zum Briefkasten ab? Barbara beschwatzt.

Nach langem Mittagsschlaf Plan gefaßt, auf die Anstrengungen der letzten zehn Tage hin nächste Woche einmal gründlich auszuspannen.

Vom Schlafen

Wer schläft, sündigt nicht. Wer aber vorher sündigt, schläft besser. Was wir später beweisen wollen. Denn ein gutes Gewissen allein tut es nicht. Es müssen auch einige Daunen darin sein, um das Ruhekissen sanft zu machen. Wie es auch nicht genügt, einen Kuchen nur mit Liebe zu backen. Die anderen Zutaten sind mindestens ebenso wichtig.

Bitte nicht gähnen, denn wir wollen jetzt über das Schlafen plaudern.

Man kann allein oder zu mehreren schlafen. Der Alleinschlaf empfiehlt sich nur aus akustischen Gründen. Denn viele Menschen können im Schlaf den Mund nicht halten; sie röcheln und schnarchen, was sehr störend für ihre Mitschläfer ist. Als Alleinschläfer stört man niemanden. Ist man des Alleinschlafens müde, so heiratet man. Der Trauschein ist gleichsam der Führerschein zum Getrennt-Marschieren, Vereint-Schlafen. Man zählt aber auch auf diesem Gebiet ziemlich viele Schwarzfahrer.

Das Schlafen findet zumeist in der horizontalen Ruhestellung statt. Es gibt aber Menschen, die in vertikaler Bewegung, also im Gehen, schlafen können. Andere wieder können im Schlafe gehen. Ein solches Gehen nennt man um seiner betonten Feierlichkeit willen Wandeln. Das Parkett nächtlicher Wandler ist die Dachrinne, ihr Marschziel gleich dem der Astronauten der Mond. Fragt man sie nach dem Weg, so stürzen sie ab.

Der Schlaf findet in normalen Zeiten im Bett, bei Festreden und im *Parsifal* auf Stühlen statt. Es gibt verschiedene Arten von Schlafbekleidungen. Die landläufigste ist das Nachthemd. Während Menschen weiblichen Geschlechts darin sehr reizvoll aussehen, wird ein im Nachthemd auftretender Mann an Komik nur noch von einem solchen in langen Unterhosen übertroffen.

Wenn ein Mann allein schläft, trägt er ein Nachthemd, schläft er nicht allein, einen Schlafanzug.

Wenn eine Frau allein schläft, trägt sie einen Schlafanzug, schläft sie nicht allein, ein Nachthemd.

Denn die Nacht ist voller Rätsel.

Nach Meinungen von Gelehrten, Sprichwörtern, Kirchenvätern und alten Tanten ist der Schlaf vor Mitternacht der beste. Aber Wein und Liebe vor Mitternacht sind auch nicht schlecht. Sie sind die stärksten Konkurrenten des Schlafes vor dieser Zeit, fördern ihn aber danach.

Das Schlafen zerfällt in drei Teile: das Einschlafen, den eigentlichen Schlaf und das Aufwachen. Letzteres ist der wichtigste Teil. Vergißt man es nämlich, so ist man tot. Das Aufwachen ist aber auch der schwierigste Teil des Schlafens. Um es notorischen Langschläfern tröstlicher zu machen, hat die Menschheit eine gemeine Lüge erfunden: »Morgenstund hat Gold im Mund.«

Eine Erfindung des Satans ist der Wecker. Es gibt solche, deren liebenswürdiges Geklingel an das Geflüster einer jungen Dame erinnert. Leider ist der Mensch in der flaumenleichten Zeit der ersten Frühe weniger als am Abend geneigt, irgendwelchem Liebesgeflüster sein Ohr zu leihen. Deshalb werden zartsinnige Wecker wenig beachtet. Man legt sich auf die andere Seite und schläft weiter. Andere Wecker gellen laut und schrill wie die Stimme einer schon bejahrteren Dame, die schlechte Karikaturisten mit einem Wellholz als Waffe darzustellen pflegen. Sie sind nicht zu überhören und jagen den Dickfelligsten aus dem Schlaf, als ob die Rolling Stones im Nachttisch gastierten.

Im Schlaf finden okkultistische Fernsehübertragungen statt. Man nennt sie Träume. Diese Fernsehspiele zeichnen sich dadurch aus, daß der Zuschauer mitspielen darf. Wie jeder Schauspieler hat er dabei allen Grund, sich über seine schlechte Rolle zu beklagen. Denn man versäumt im Traum entweder den Zug, verliert die Hose, stürzt in Abgründe, verursacht in Gesellschaft unangenehme Geräusche oder küßt Partner, die nicht küssenswert sind.

Alles in allem ist der Schlaf ein angenehmer Zustand, weil man dabei faulenzen muß.

Deshalb: Gute Nacht! Bitte tief gähnen!

Von menschlichen Schwächen

Namenlose Verlegenheit

Lohengrin – diesen Namen könnte man sicher im Gedächtnis behalten. Aber so einer tritt inkognito auf. Dagegen wollen die Winters und Krauses und Beckers und weiß der Kuckuck, wie sie alle heißen, natürlich beim Namen genannt sein. Nichts da Schall und Rauch, sondern hübsch artig: »Guten Morgen, Frau . . .« Ja, wie heißt sie nun wieder? Das Gesicht kennst du ganz genau. Gesichter prägen sich ein. Allerdings sollten sie sich dort aufhalten, wo sie hingehören: der Tankwart an der Tanksäule, der Zahnarzt schräg über den Stuhl gebeugt, der Verkäufer, auf Tante Emmas Ladentisch pfeifend, neben einer Gondel, die Wirtin am Büfett. Schwierig wird die Sache, wenn sie unvermutet ganz woanders auftauchen. Wie erkennt man das Antlitz des Tankwarts, im Hallenbad schwimmend? Den Zahnarzt, in dunklem Blazer verkleidet, in einer Kneipe? Den Verkäufer im Schlafwagen nach Narbonne? Die Wirtin unter den Blumen des Friedhofsgärtners?

In ein Theaterfoyer gehören Garderobenfrauen. Publikum gehört auch dorthin, wird aber nicht selten zur Plage, sobald es sich in jene Einzelpersonen auflöst, die an einen Bankschalter oder in einen Massagesalon gehören. »Hallo, gnä' Frau, mein Lieber«, so suchst du dich durch die *Lohengrin*-Pause zu mogeln. Schon treten noch eine gnä' Frau und ein Lieber hinzu, gefolgt von weiteren Namenlosen. Haben die sich verschworen, dich öffentlich in Verlegenheit zu bringen? Du müßtest sie miteinander bekannt machen. »Sie kennen sich doch?« Deine völlig verlogene Mutmaßung zieht immerhin eine wechselseitige Vorstellerei nach sich. Wenn du Glück hast, schnappst du jetzt diesen oder jenen Namen auf. Um ihn sogleich wieder zu vergessen. Was für ein genierliches Leiden. Es offenbart, wie vertrottelt du bist. Winters halten dich für versnobt, und die netten Krauses argwöhnen, du hieltest nicht viel von ihnen, denn sonst wüßtest du doch nachgerade, daß sie Becker heißen.

Tröste dich, du bist in guter Gesellschaft. Zahlreiche gescheite und sogar ganz junge Menschen sind unter deinen Leidensgenossen. So ein Namensgedächtnis wie das jenes guten Hirten aus dem Abendgebet – »der mich liebt und der mich kennt und bei meinem Namen nennt« – ist in irdischen Gefilden ziemlich selten geworden.

Ja, da muß man ...

Ein Sträußchen Dill hatte es sein sollen, für den abendlichen Gurken-salat. Ich betrat also das Geschäft ... Aber was soll ich lange erzäh-len? Das Ende vom Lied kennt doch heute jeder. Bis ich den Dill entdeckte, hatte sich der Einkaufskorb wie von selbst mit diesem und jenem angefüllt, und an der Kasse wurde ich einen halben Hunderter los. Ein teurer Gurkensalat, gewiß, aber man sollte nicht undankbar sein. Früher stand unsereins hinter einem sperrigen Ladentisch, der streng von allem trennte, wonach einem der Sinn stand. Man mußte wissen, was man wollte, und man wurde entsprechend bedient. Heute bedient man sich selbst, und die Geschäfte wissen, was man will. Das haben die Verkaufspsychologen studiert. Sie nehmen uns ganz sanft beim Schlafittchen und führen uns in ihr Zauberland, breiten mehr vor uns aus, als das Auge trinken kann, und wir dürfen nur zugreifen. Sahnige Schnulzen berieseln unser Gemüt, scharfes Kalkül ist mit dem Zuckerguß malerischer Arrangements überzogen. Kein Halstuch, kein Feuerzeug, kein Klopapier, kein tiefgefrorenes Hähnchen, das nicht zärtlich flüsterte: »Ich bin für dich – nimm mich mit!« Das quillt uns aus Gondeln und Körbchen entgegen, baumelt von der Decke herab, wiegt sich in Schaukeln, breitet sich wie zufällig über Tische und Stuhllehnen, liegt uns buchstäblich zu Füßen. Keine Kroko-Tasche, aber auch kein Schnittkäse, der etwas auf sich hält, widersetzt sich diesem alle Sinne betörenden Boutique-Stil. Und das Sonderangebot an Haarspray ist so verlockend, daß selbst ein Yul Brynner schwach würde. Ja, da muß man doch einfach zugreifen! Und so wird das Sträußchen Dill oder was es gerade sein sollte, zur Introduktion eines Kaufakts ohne lästige Entscheidung. Übrigens sind immer mehr Menschen offenbar so benebelt von solchen Ver-kaufspraktiken, daß sie darüber den Gang zur Kasse vergessen. Die Fachleute sprechen dann gleich von neurotischer Verwahrlosung oder von sozialem Infantilismus. Deshalb muß man auf der Hut sein und fein unterscheiden, daß man wohl zugreife, aber nicht klaue. Solange wir nur alles brav bezahlen, was wir gar nicht haben wollten, ist die Welt noch in Ordnung.

Der Mann, den man nach dem Weg fragt

Zuweilen hat der Mensch das Gefühl, nicht auf dem rechten Weg zu sein. Keine Angst, ich meine das nicht moralisch. Ich möchte damit nur auf das Objekt dieser Betrachtung zielen: den Mann, den man nach dem Weg fragt.

Damen, die noch diesseits von Gut und Böse sind, wage ich nie um eine Auskunft zu bitten, weil ich ihren Argwohn fürchte, hinter meiner Frage nach der Liebenwalde-Chaussee verbärgen sich unlautere Absichten. Aber stets ist der Mann, an den ich mich wende, »auch nicht von hier«. Und es ist ziemlich aussichtslos, einen Neger in Fulda nach dem Gasthaus zum Wilden Mann oder einen Herrn mit Gamsbart und Sepplhose in Rom nach der Sixtinischen Kapelle zu fragen.

Auch die Politik macht es uns mitunter schwer, den rechten Weg zu finden. Da lobe ich mir die Länder, die wenig Machtergreifungen, Verfassungsänderungen und Befreiungen hinter sich haben und in denen eine Bahnhofstraße von Bestand ist. Aber wehe dem, der in der Hauptstadt eines Landes mit labiler Politik die Straße des 30. Februar sucht! Der Mann, den er nach dem Weg fragt, antwortet dem Suchenden: »Also warten Sie mal – das ist doch die ehemalige Graf-Adolf-Straße? Verzeihung! Die hieß nämlich nach dem ersten Krieg Ebertstraße und in meiner Jugend Kanonenweg. Nach dem Umsturz hieß sie dann die Straße der Freiheit und nach der Befreiung Thälmannstraße. Aber die heißt doch jetzt Militärstraße – nein, ich weiß es wirklich nicht, aber vielleicht finden Sie einen Polizisten, dessen Straßenverzeichnis auf den neuesten Stand der Politik gebracht ist.«

Menschen, die man nach dem Weg fragt, kann man in zwei Klassen einteilen. Die eine hält den Fragenden grundsätzlich für einen Hilfsschüler mit den geistigen Fähigkeiten eines Karpfens. »Sie suchen das Rathaus? Das ist gleich um die Ecke. Aber wenn ich es Ihnen erkläre, ist das für Sie zu kompliziert. Also gehen Sie mal dreißig Schritte geradeaus, und dann fragen Sie wieder.«

Die andere Klasse dagegen hält den Fragenden für einen geistigen Giganten mit einem phänomenalen Gedächtnis. »Sie wollen zum Marktplatz? Also das ist ganz einfach! Sie fahren in die dritte Querstraße rechts, bis Sie auf den vierten Platz kommen, biegen dann scharf halblinks ein, dann aber gleich wieder rechts, dreihundertfünfzig Meter geradeaus bis an das Denkmal Kuno des Enthaltsamen, Sie kennen ihn ja sicher. Sie fahren um das Denkmal herum, wo sieben Straßen sternförmig zusammenstoßen, biegen in die dritte von links oder in die vierte von rechts, dann ist es gleich da, wo die vierte Parallelstraße sich mit der Straße zweiter Ordnung kreuzt.«

In Großstädten, die durch ein kompliziertes Einbahnsystem erfolgreich zu einem Irrgarten umgestaltet worden sind, ist der richtige Weg für Autofahrer oft durch ein Sperrschild verbaut. Da geht dann das Frage- und Antwortspiel ungefähr so vor sich: »Hotel zur gebrochenen Bettfeder, bitte!« – »Da sehen Sie es schon, gleich links!« – »Danke!« – »Halt – da dürfen Sie nicht fahren! Das ist eine Einbahnstraße! Sie fahren jetzt am besten einen Kilometer südlich, dann...«

Manche Fußgänger pflegen im Kraftfahrer einen Menschen zu sehen, der sich zwar nicht gerade mit der Geschwindigkeit des Lichts, aber fast mit der des Schalls vorwärtsbewegt. Wenn man sie fragt, wie lange man für eine Strecke von ungefähr zweihundert Kilometern braucht, so werden sie trostvoll eine knappe Stunde schätzen. Nicht genug warnen kann man auch vor dem Mann, der erklärt, in dem gefragten Ort zu Hause zu sein. Die Heimatliebe verdunkelt seinen Verstand. Als ich einmal in Florenz einen freundlichen Mann nach dem Weg nach Arezzo fragte und er mir erklärte, da wisse er ganz genau Bescheid, weil er von dort stamme, landete ich nach vielen Stunden, die Nerven, Federn und Benzin verbraucht hatten, bei armen Köhlern in einem einsamen Apennintal, hundertzwanzig Kilometer von Arezzo entfernt.

Es ist ratsam, stets so leise nach dem Weg zu fragen, daß es nur *ein* Passant hört. Denn der dritte Mann ist bei diesem Spiel meist störend. Er hört zu, wenn man eine Auskunft bekommt, und stellt dann fest, diese Auskunft sei völlig falsch. Man könne da abkürzen. Und nun geraten die beiden, von denen uns jeder seinen Rat aufdrängen will, als handle es sich um den Verkauf eines Staubsaugers, miteinander in Streit, der in romanischen Ländern oft recht heftige Formen annimmt.

Vergessen wir auch nicht jene rührenden alten Damen, die uns immer freundlich und bereitwillig den rechten Weg sagen wollen. »Zur Bühlerhöhe? Warten Sie mal – also ich habe das doch immer gewußt! Wo kann denn das nur...? Also ich war doch erst mit meinem Mann dort. Ich weiß es ganz genau... Also zuerst müssen Sie mal aus der Stadt raus. Aber wo? Nein, Sie werden es auch noch merken, wie das Gedächtnis nachläßt, wenn man alt wird! Warten Sie doch mal... Also jetzt lebe ich doch schon zehn Jahre hier. Ich muß das doch wissen! Wo doch die Bühlerhöhe so berühmt ist! Erst neulich hat Golo Mann dort gesprochen. Das soll sehr, sehr eindrucksvoll gewesen sein. Aber nein, diese Leute dürfen Sie nicht fragen. Das sind Fremde – das sehe ich doch sofort. Wenn mein Mann hier wäre, der könnte es Ihnen ganz genau sagen. Es ist eine sehr schöne Fahrt, eine sehr schöne Fahrt...«

Solchen alten Damen merkt man eben gleich an, daß sie militärisch nicht geschult sind. Gedenken wir deshalb zum Schluß noch jenes Obergefreiten, den ich im Krieg einmal nach dem Weg zum Regimentsgefechtsstand fragte. Er drückte sich ganz präzis aus. »Bleib ruhig auf dieser Straße, dann kannst du ihn gar nicht verfehlen.«

Ich blieb ruhig auf der Straße. Ein Glück, daß sie vermint war. Ich überlebte es. Der Wagen leider nicht. Wir wären sonst sicher beim feindlichen Regimentsgefechtsstand angekommen.

Wie reise ich kostenlos?

Mit leisem Neid sehe ich, der ich meine Informations- und Bildungsreisen selbst teuer bezahlen muß, wie man mit Steuergeldern zu kostenlosen Reisen kommt. Werden Sie zum Beispiel Mitglied eines Gesang- oder Musikvereins. Kein Cannstatter Volksfest in Philadelphia, kein Partnerstadttreffen zwischen Funzwang und Avignon, zwischen Plunderhausen und Solothurn, an denen nicht das Lied *Mädle, ruck ruck ruck an meine grüne Sahite,* aus deutschen Kehlen gesungen, die Kommunikation förderte. Auch Jodlergruppen verstärken Ihre Chance, durch ein Goethe-Institut deutsche Kultur in die Welt zu tragen. Haben Sie keine Stimme für den Chor und keinen Kropf zum Jodeln, dann treten Sie einem Trachtenverein bei, um in Andalusien vorzuführen, daß dort kein Gras mehr wächst, wo unser Volkstanz so hinplattelt. Ist auch Ihr Tanzbein unterentwickelt, so bleibt Ihnen nichts anderes übrig, als sich in den Verwaltungsrat einer Sparkasse wählen zu lassen, der im Mittleren Atlas mit Damen das Sparkassenwesen nomadisierender Beduinen oder in Las Vegas die Verwendbarkeit des Euroschecks im Glücksspiel studiert. Noch besser ist, sich in den Gemeinderat wählen zu lassen, der Sie automatisch in Ausschüsse delegiert. Als Delegierter eines großstädtischen Haushaltsausschusses haben Sie die Möglichkeit, von einer Studienreise aus New York mit der bürgernahen Erkenntnis zurückzukommen, daß dort die Häuser besonders hoch, daß der Hudson besonders schmutzig, die Stadt besonders groß und ihre Slums besonders beklagenswert sind. Als Mitglied eines dörflichen Gemeinderats, der sich mit dem Ankauf eines Zuchtebers befaßt, werden Sie zweifellos zu einer Gruppenreise nach Hammerfest mit Damen und mit Besuch des Nordkaps kommen, um sich über die dortige Eberhaltung zu informieren. Als Angehöriger des Gewerbeausschusses einer mittleren Stadtgemeinde, welche die Genehmigung zum Bau eines Eros-Centers erwägt, werden Sie, diesmal ohne begleitende Damen, das Bordellwesen in Paris und Tokio studieren und später im Amtsblatt lesen dürfen, besonders die älteren Ausschußmitglieder hätten keine Mühen gescheut, den im Raume stehenden Problemen auf den Grund zu kommen.

Beantragen Sie als ärztlicher Stadtrat eine Dienstreise nach China, um im Gesundheitsausschuß über die Akupunktur zu berichten, wobei Sie ruhig die Volksrepublik China mit Taiwan verwechseln dürfen und die Erkenntnis, daß die Akupunktur mit Nadeln stattfindet, ein befriedigendes Ergebnis Ihrer Studien ist. Als Mitglied des Sportausschusses, der sich mit dem Bau einer Turnhalle befaßt, müssen Sie Stadien in Madrid besichtigen, wenn gerade Mönchengladbach gegen Real, und in Glasgow, wenn Bayern München gegen die Rangers spielt. Die Probleme der gastarbeitenden Italiener, Portugiesen, Türken, Spanier und Griechen studieren Ausschußmitglieder am besten auf Ischia, Madeira, in Istanbul, Sevilla und auf Rhodos.

Städtische Verwaltungen sind meist unterbesetzt, weil ein Teil der Verwalter auf Urlaub und die Stellvertreter auf Dienstreisen sind. Auch wenn das, was verwaltet wird, zum Beispiel die Gesundheit des Rindviehs, rückläufige Tendenzen zeigt, weil der Rindviehbestand in Ballungsgebieten abnimmt, was ich nicht zu bezweifeln bitte, müssen auch bei einer Kreisreform neue Planstellen geschaffen werden, damit die von uns allen schmerzhaft empfundenen Lücken, die durch Ausschuß- und Reisetätigkeit verursacht werden, möglichst rasch wieder geschlossen werden können.

Gepflegtes Mißtrauen gegen Vorurteile

Ach – gäbe es nur mehr weiße Flecken auf der Landkarte unserer Vorstellungen! Wir kommen doch ganz unschuldig, als unbeschriebenes Blättchen auf diese Welt. Zunächst ist sie ein einziger weißer Fleck für uns. Bald aber, schon vor dem Kindergartenalter, beginnt dieser Fleck sich wie von selbst zu beleben. Immer mehr Bilder tauchen auf, Farben, Konturen, und in das schöne Vakuum nieseln ein Leben lang Vorstellungen, die oft so schief sind wie der Turm von Pisa. Deshalb purzeln sie bei der Bekanntschaft mit der Wirklichkeit um. Und so haben wir, sofern wir nicht völlig verkrustet sind, ein Leben lang damit zu tun, solche Klischeevorstellungen zu korrigieren. Selbst einer, der Vorurteile verabscheut, ist ziemlich wehrlos dagegen, daß sich durch die Tapetentüren seines Bewußtseins immer wieder Zerrbilder einschleichen – unkontrollierte Entwürfe der Vergangenheit, der Kurzsichtigkeit, der Unbildung, der Borniertheit, der Schwärmerei, der Verleumdung. Was tun gegen solche Infiltration? Es gibt wohl keinen besseren Filter als ein gepflegtes Mißtrauen – nicht zuletzt sich selbst gegenüber. Passiert es nicht alle nasenlang, daß wir uns bei der Begegnung mit Menschen von fernen Breitengraden oder aus fremden Berufsgruppen, mit der noch unbekannten Ehehälfte eines anderen, mit einer Landschaft, einer Stadt oder einem fremden Kulturkreis erstaunt hinter dem Ohr kratzen, weil wir uns alles völlig anders vorgestellt hatten? Und daß wir ob der Grobkörnigkeit der mechanisch gespeicherten Bilder heimlich erröten? Soll ich es eingestehen, was mir zunächst in den Sinn kam, als ich zum erstenmal nach Chicago flog? Schlachthäuser (mitsamt der Brechtschen *Johanna*) – ich fand sie nur noch in einer Foto-Ausstellung der Stadtbibliothek. Mafiosi – die sind längst alle weggezogen. Immerhin steht noch das Kino, in dem einst der berühmte Gangster

Dollinger erschossen wurde; aber das hatte wohl nichts mit der Mafia zu tun. Das »kleine Haus am Michigan-See«, besungen in einem Schlager der zwanziger Jahre, suchte ich, von der vierundneunzigsten Etage des Hancock Center über vier Staaten Ausschau haltend, auch vergebens. Die Warnung vor einem Besuch in den Wohnvierteln der Farbigen – nachdem uns ein zunächst widerstrebender Taxifahrer schließlich doch hingebracht hatte, erlebten wir dort größte Freundlichkeit und einen Gottesdienst, der zu den stärksten Eindrücken der Reise zählte. Beneidenswert, wer über Unbekanntes richtig im Bilde ist. Oder gibt es so jemanden auch bloß in meiner Vorstellung?

Madonnenweihe

Em-a hemmlischa eck isch dr holzschnitzer
Jean Baptiste Fleuron aus Beaucaire gsessa
gschtorba fuffzeahhondertondfemfazwanzich
ond hot an Côte-du-Rhône tronka.

zmol isch dr Petrus agschlurget
ond hot gsagt – Schababbtisch etzet
guck doch amol zom fenschter naus
ge Reitlenga Bismarckschtroß sechzeah
do isch grad a paartie –.

richtich. beim miaderwarafabrikanta
Egon Schlotterbeck ond seinera frau Aschtrid
geborene Schweinle isch net bloß dr nei
swimmingpuul eigweiht worda
– dr alt isch ehm z bschnotta gwä
r hot a terrariom draus macha lassa
ond drei krokodil neigsetzt
Josuah David ond Ezechiel tauft –
drzuana au no a gotische madonna
frisch gschteigert bei dr aukzio Nagel
en Schtuagert

46

ond jedem mo s net hot wissa wella
hot r gsagt – a glegaheitskauf om
a nasawasser von elfahalbmille
ond d Gwerkschaft Tekschtil dia schlawiner
verlanget achtahalb prozent meh loh
i mecht bloß wissa wo onseroiner
dees geld hernehma soll ond net schtehla –.

do send se also gschtanda dia feschtgäscht
vor dr hausbar em-a tabernakelschränkle
florentinisch so om zwelfhondertondograd
mit Pernod ond Bourbon
ond Campari ond Wodka
d mercedesschpeckhäls send
iber da kraga gschwabbelt
ond dia weiber mit falsche zäh
ond echte brilljanta
iber de herzer mo zom kloid nausdruckt hent
dia hent s schampanjerglas ghoba
Mumm Cordon rouge
– prosit uff dia krokodil
ond uff s ehepaar Schlotterbeck
ond onser bescheides Schwobaland ond uff dia
gotisch madonna om lompiche elfahalbmille –.

dr Jean Baptiste hot gsagt – i wenn e net wißt
daß e em hemmel wär na tät e glauba s häb mr
oiner uff d augadeckel gschissa
aber etzet schla me doch glei s heilich blechle
dees isch doch dia muaddergottes mo-n-i
wia mei weib s erscht mädle kriagt hot
gschnitzt häb fir Sankt Martha en Tarascon –.

er hot agfanga z fluacha – do soll doch glei
a heilichs siadichs – aber wia de
alte landsknecht vom Münchhausen
send ehm älle fliach zu lobpreisonga worda:
halleluja ond hosianna ond kyrie eleis.

vor lauter zorn iber dees was se gmacht hent
aus seim werk hot r an schtrick gnomma
ond sich uffhenka wella
aber em hemmel battet dees net
ond r isch am ewicha leba blieba.

etzet wartet r uff da fabrikanta Schlotterbeck
– bacht mändle wenn du
amol an engel wuursch! –
do ka r lang waarta.

Relativität

Ja wenn s no dr donder verschliag
wenn s no dr deifel hola tät
dees huraglomp dees verreckte
dees malefizzeig dees liadriche
dees nixnutziche gottverfluachte glotzophon.

am freitich a kulturmagazin
am samschtich s Wort zum Sonntag
am sonntich an oper Fidelio
aber dees isch nix fidels.

ond wieder koin krimi ond koin bonta obend
ond koi kwiß mit-m Hans Rühmann
ond koi schpiel vom Fau-Eff-Bee
bloß an film en schwarzweiß no
iber d sizilianisch Mafia
wen entressiert dees au bloß?

dodrfir nehmet dia kerle
zeahmarkfuffzich em monet
dees isch jo dr reinscht wucher
dees isch jo grad wia wem-mer
s geld zom behnelada nausschmeißa tät.

do woiß mer jo gar net was to
en dr wuat. am beschta tät mer aus
dem rappelkaschta schpächela macha
wenn r bloß net so teier wär.

i glaub etzet gang e uff s volksfescht
ond versauf dia ganze fernsehgebihra.
narr do kriagsch jo mirnex dirnex
glatt deine drei schtoiner bier drfir.

Wie doch das Jahr vergeht...

ER und SIE mit den Attributen der Gemütlichkeit, Bier, Pantoffeln, Pralinenschachtel, Hosenträger, vor dem Fernsehschirm, auf dem das Wort *Pause* zu einem Ehegespräch verpflichtet.

ER: Na, das hätten wir ja auch bald geschafft!
SIE: Wie doch die Zeit vergeht. Wenn ich dran denke, wie das Jahr angefangen hat – als ob's gestern gewesen wäre.
ER: Und gar nicht so heiter. Im ersten Programm 'ne Oper, im zweiten die »Minna von Bornholm«.
SIE: Das war ein verlorener Abend für die Bundesrepublik! Aber im großen und ganzen, da gab's doch in diesem Jahr auch viel zu lachen.
ER: Außer im November. Die vielen traurigen Tage und das traurige Programm.
SIE: Die Hauptsache, man bleibt gesund. Wenn ich an den bösen Abend mit Heini denke...
ER: Na, das werde ich mein Lebtag nicht vergessen! Ausgerechnet beim »Tatort« kriegt der Junge eine Blinddarmreizung.
SIE: Aber durchgehalten hat er! Mit zusammengebissenen Zähnen, bis die Handschellen zuschnappten.
ER: Was hätt's auch genutzt? Traust du dich, an einem solchen Abend einen Doktor vom Bildschirm wegzuholen?
SIE: Aber dann war's auch höchste Zeit!

ER: Ist ja noch mal gut gegangen. Beim neuen Kuli war der Junge schon wieder dabei.

SIE: Dafür ist ihm im »Komödienstadel« auch die Operationsnarbe aufgeplatzt.

ER: Ich glaube, die vom Fernsehen können sich manchmal wirklich nicht vorstellen, was sie so anrichten.

SIE: Jaja. Weißt du noch, wie scheußlich wir uns einmal verzankt haben?

ER: Und wie! War ja auch kein Wunder. Im ersten Programm das Schlagermagazin und im zweiten ein Film mit Heinz Rühmann – ich möchte nicht wissen, wie viele Familientragödien das gegeben hat.

SIE: Zwei solche Sendungen an einem Abend – das müßte verboten werden! Wozu hat man schließlich einen Kultusminister?

ER: Und dann »Mainz wie es singt und lacht«. Das war doch richtig tragisch.

SIE: Scheußlich! Immer ist man dabei, und dann die Einladung bei deinem Chef. Und der hat kein Fernsehen. Das war ein Schlag!

ER: Aber es gibt Schlimmeres. Bei Bumslers, da ist doch die Tante gestorben. Mitten im Europapokal.

SIE: Die soll doch aber ganz schön hinterlassen haben.

ER: Das schon – aber dann die Beerdigung während des Halbfinales.

SIE: Manche Leute nehmen doch gar keine Rücksicht.

ER: Die haben was mitgemacht auf dem Friedhof.

SIE: Na, und wir? Denk bloß an deinen Geburtstag.

ER: Ach du liebes Lieschen – sechzehn Menschen eingeladen – im ersten Programm die »Butterbrocken«, im zweiten eine Debatte über Bildungspolitik und im dritten Bildstörung.

SIE: Is' ja besser als nichts. Aber ich hab' dir doch gleich gesagt: Mach die Einladung am Samstag, wenn Willy Millowitsch spielt – da kann's nie langweilig werden!

ER: Ja, zum Ohnsorg-Theater und zu Millowitsch, da kann man eigentlich immer einladen.

SIE: Einmal, da haben wir ihn ja versäumt, im »Maulkorb«. Darüber kann ich mich heute noch ärgern.

ER: Aber wer wollte da 'n bißchen Bewegung haben? Wer wollte da an die frische Luft? Für wen mußte ich den Wagen aus der Garage holen?

SIE: Ich dachte ja bloß, bei dem schönen Wetter nach der Meysel 'n bißchen die Schwarzwaldhochstraße entlangfahren – so was ist doch gesund. Konnte ja nicht ahnen, daß wir 'n Platten hätten.

ER: Das war ein Schlag!

SIE: Aber denk doch an Lena. Beim letzten Hitchcock liegt die mit 'm Gipsbein im Krankenhaus.

ER: Ohne Fernsehapparat – abgeschnitten von der Welt! Daß sich so was die Patienten gefallen lassen.

SIE: In punkto Kultur, da ist man halt noch arg rückständig. Was die Lena in dieser Zeit versäumt hat, ist ja nicht zu glauben: dreimal Dellwettscho, den »Tod in der Maske«, zweimal »Komödienstadel«.

ER: Da hab' ich doch noch Glück gehabt mit meinem Unfall! Siebzehnter Juni, war ja arbeitsfrei, aber da ist doch nie was Besonderes im Programm.

SIE: So – jetzt ist aber Zeit, daß die weitermachen. Kann man ja schließlich verlangen für seine neun Mark fuffzich.

ER: Bloß nicht so anspruchsvoll – es gibt noch Leute, die sitzen an so einem festlichen Abend wie heute ohne Glotze da.

SIE: Das muß schrecklich sein!

ER: Und sogar solche, die sich's leisten können.

SIE: Wie die Küchlers. Ich hab' mal die Küchler gefragt, was sie so den ganzen Abend tut. Und weißt du, was die mir geantwortet hat? »Mich unterhalten mit meinem Mann.«

ER: Also manche Leute haben doch den Größenwahn! Unterhält sich mit ihrem Mann und könnte Udo Jürgens oder die Rothenberger frei Haus haben.

SIE: Manchmal denk' ich ja auch: Is' 'n bißchen viel, so Abend für Abend in die Röhre gucken. Aber an einem Tag wie heute oder wie am Heiligen Abend, wenn der Mensch mal in sich gehen will, da wäre man doch arm dran.

ER: Ich wunder' mich auch über die Kinder. Wo's heute so gemütlich ist. Gehen einfach weg, auswärts feiern.

SIE: Ich sag's doch immer: Der Sinn für ein Familienleben, der fehlt der heutigen Jugend total. Na, hoffentlich wird's besser, wenn wir die dreißig Programme im Kabelfernsehen haben!

In diesem Augenblick erscheint die Ansagerin auf dem Bildschirm.

Altersweisheit

Uff dera kurvicha schtroß vo
Graußaschpach ge Schtrempfelbach
isch r henter-m-a Vauweele dreigfahra
dren großmuadder muadder ond kend
dreiviertels Guschtav Schwab:
»in dumpfer Stube beisammen sind«.

d muadder hätt schoffiert se hot sich
ans lenkrad aklammeret wia wenn s
a kuahfliagetse gä tät ond se hot
de ganz schtroß braucht ond se isch
gfahra wi-a fuaßkranker schneck.
d großmuadder drneba mit ema graua dutt
d glaubensfrucht aus viele erbauliche
schtonda mit-m harmonjum.
henta s kend neigschnallt ond doghockt
wia dr schpatz am scheißhausbrittle.

er hot se iberhola wella aber sui
hot uff s gas druckt ihr schtolz iber
da nei fihrerschei hot net zuaglassa
daß an anderer schneller isch.
– wenn dees no guat goht – hot r denkt
ond abschtand ghalta ond richtich:
om s nomgucka hot se de nächscht kurv net
vertwischt ond isch en graba gfahra.
s autole hot sich ommekugelt ond sei fiaß
en d luft gschtreckt zwoi weniger wi-a
moiakäfer mo s uff da buckel blotzt hot.
– heiliger gottliab – hot r gsagt hot ghalta
isch nausgsaut ond hot d tir uffgrissa
gottlob isch neamerd nex passiert gwä.

zerscht isch d großmuadder rauskrabbelt
uff älle viere se hot sich uffgricht
hot s kloid ausklopft ond hot gsagt
– dees hätt etzt au net sei miassa! –.

52

Aus dem Familienalbum

Besuch von Ajax

Unser Freund Cuno sagte sich auf Besuch an. Ob er Claudia und Ajax mitbringen dürfe, fragte er. Claudia war uns willkommen, aber wer Ajax sei, wußten wir nicht. Cuno sagte, es sei sein Hund, und da wir Hunde mögen, sahen wir auch seiner Ankunft mit freundlichen Gefühlen entgegen.

Wir erholen uns im Sommer tief im Wald in einer kleinen Hütte. Cuno kam im Auto. Claudia und ein schwarzes Ungeheuer, das dem Wolf im Märchen vom Rotkäppchen glich, sprangen heraus. Wir begrüßten Cuno und Claudia mit Hallo und mit Handschlag. Das Ungeheuer namens Ajax knurrte, stellte alle Haare und sah aus, als wolle es im nächsten Moment eine Großmutter verschlingen. Wie gut, daß keine bei der Hand war. Barbara wurde ängstlich, und ich sagte begütigend zu dem Untier: »Aber Ajax!«

Cuno hielt den Hund, der sich auf mich stürzen wollte, gerade noch zurück. Dann führte er uns in die Psyche von Ajax ein. »Ihr hättet Claudia nicht die Hand geben dürfen, er ist nämlich so eifersüchtig. Mich packte er einmal an der Kehle, als ich Claudia einen Kuß gab. Daß du ihn mit Namen nanntest, war sehr gefährlich. Am besten, ihr beachtet Ajax und Claudia überhaupt nicht, dann gewöhnt er sich schnell an euch.«

Das war leichter gesagt als getan. Denn Claudia ist viel zu hübsch und Ajax viel zu groß, als daß man die beiden nicht beachten könnte. Und wenn man auch keinen allzu großen Wert auf Wahrung gesellschaftlicher Formen legt, so ist es doch recht schwierig, einen Besuch einfach zu übersehen.

Barbara servierte sehr ängstlich ein Frühstück vor der Hütte. Ajax lag unter dem Tisch, hatte seine Schnauze auf Claudias Füßen und peitschte manchmal mit seinem buschigen Schwanz den Boden, wobei Barbara jedesmal erbebte. Cuno sagte, sie brauche keine Angst zu haben, denn sie seien gegen jeden Schaden, den der Hund anrichte, hoch versichert. Claudia pries die Vorzüge des guten Tieres. »Er beißt nicht nur, er reißt auch. Neulich hat er einem harmlosen Spaziergänger ganze Fetzen aus dem Arm gerissen. Aber der Mann ist schon wieder über den Berg, und die Versicherung bezahlt Krankenhaus- und Operationskosten.«

Ich warf die besten Stücke meines Frühstücks unter den Tisch, um Ajax mild zu stimmen.

Cuno wollte nach dem Frühstück mit uns Boccia spielen. Das ist ein Spiel für bequeme Leute, die nicht gern Geist und Körper strapazieren, weshalb es nicht nur bei uns hoch in Ehren steht. Ajax spielte mit, sprang nach den Kugeln, schleppte sie ins Unterholz und zerbiß sie. Claudia stellte fest, wie intelligent der Hund sei, weil er schon mitspielen könne. Als sich Barbara nach einer Kugel bückte, stürzte sich Ajax auf sie. Ich kam ihr zu Hilfe, er ließ von ihr ab und fiel mich an. Ich fiel um und stellte mich tot. Ich habe einmal gelesen, das sei das beste Mittel gegen Überfälle von Tigern. Cuno bändigte Ajax.

Er sagte zu Barbara, sie habe einen schweren Fehler gemacht, als sie sich nach der Kugel gebückt habe. Ajax betrachte nämlich die Kugeln als sein Eigentum. Auch ihre blauen Shorts reizten ihn. Wie der Stier eine Antipathie gegen Rot habe, so habe Ajax einen heftigen Widerwillen gegen Blau.

Barbara ging in die Hütte und zog sich Kleidungsstücke von Kulturdamen an. Das sind weibliche Wesen, die junge Bäume in Kulturen pflanzen. Da dies im Brombeergestrüpp vor sich zu gehen pflegt, tragen die Damen zerrissene und geflickte alte Kleider. Barbara sah aus, als sei sie auf dem Weg nach Canossa. Sie wagte kaum, sich zu bewegen. Ich machte Claudia den Vorschlag, Ajax anzubinden. Darüber war sie ungehalten. Angebundene Hunde würden böse, sagte sie.

Barbara kletterte auf einen Baum und blieb oben sitzen. Sie behauptete, das sei ihr liebstes Plätzchen. Ich fragte Claudia, ob ich Ajax nicht etwas zu fressen geben solle. Doch, ob wir ein oder zwei Kilo rohes Pferdefleisch hätten.

Weil kein schlachtreifes Pferd durch den Wald trabte, opferte ich dem Untier unseren Mittagsbraten. Claudia sagte, das sei ein bißchen wenig. Ob ich nicht noch ein paar rohe Eier dazu schlagen könne? Davon bekomme er ein schönes Fell.

Claudia servierte dem Ungeheuer das Mahl in unserer schönsten Porzellanschüssel. Ajax fraß so gierig, daß die Schüssel kaputtging. Dann soff er aus unserem Eimer das Trinkwasser. Wir müssen zwanzig Minuten gehen, um Wasser zu holen. Als ich die Trümmer der Schüssel aufräumen wollte, fiel mich Ajax wieder an.

Claudia rettete mich. Barbara erzählte von dem Baum herunter, auf dem sie sehr unbequem saß, eine erlogene Geschichte. Im Dorfgasthaus habe sich ein Mann auf einen anderen gestürzt und ihn geohrfeigt, weil ihn dessen grüne Krawatte geärgert habe.

»Du mußt gleichmäßig und ruhig erzählen«, mahnte Cuno, »sonst regt sich Ajax auf. Aber das ist ja furchtbar, was du da sagst. Was haben sie denn mit dem wahnsinnigen Kerl gemacht?«

»Er wurde sofort in eine Zwangsjacke gesteckt und in eine Anstalt gebracht«, schwindelte Barbara weiter.

»Vor solchen Individuen muß die Menschheit geschützt werden!« forderte Claudia.

Ich erzählte die Geschichte des antiken Helden Ajax. »Er wurde wahnsinnig und raste, weil er die Waffen des Odysseus nicht bekam. Zum Glück brachte er sich in seiner Raserei selbst um.«

»Das wäre ja noch eine Chance!« rief Barbara vom Baum herunter.

Da raschelte es im Gebüsch. Ajax stürzte mit Gebell los.

»Jetzt ist er in seinem Element! Er jagt!« sagte Claudia glücklich.

Barbara stieg vom Baum herunter. Ich wünschte mir, daß der Förster den wildernden Ajax erwische. Ich wartete mit Sehnsucht, aber vergeblich auf den erlösenden Knall.

Zwei Stunden lang war es recht gemütlich. Dann kam Ajax zurück, Barbara stieg wieder auf den Baum, und ich sagte, ich müsse auf dem Dach ein paar schadhafte Ziegel auswechseln.

Ajax trug etwas Blutiges im Maul.

»Er hat ein Mäuschen gefangen!« frohlockte Claudia.

Aber der Knochen der Maus hatte die Größe einer Hirschkeule.

Cuno warnte uns. »Jetzt hat er Blut geleckt. Da ist er nicht mehr zu halten. Hoffentlich riecht ihr nicht nach Hund, sonst wird er ganz toll.«

Wir ließen es nicht darauf ankommen. Vom Dach aus beschrieb ich Cuno ganz genau den Weg für die Heimfahrt und sagte ihm, er solle nur recht bald fahren, weil es im Wald schon um vier dunkel werde.

Cuno und Claudia gingen bald, weil Ajax spätestens um sechs Uhr im Bett sein muß und die Nacht nicht vertragen kann. Wir blieben in unserer Höhe, um Ajax weder durch Händedruck noch durch Worte, Geruch oder unsere Farbe zu reizen.

Cuno und Claudia bedankten sich sehr. Sie sagten, wir seien die einzigen Menschen, die nett zu Ajax wären.

Wir bedankten uns auch.

Am Sonntag wollen sie uns wieder besuchen. Mit Ajax, weil ihm die Waldluft guttue.

Wenn Sie also fürderhin nichts mehr von mir lesen sollten, hat mich der gute Ajax auf dem Gewissen.

Der Bär, der nicht sterben darf

Der Bär Urs, der in unserer Familie eine wichtige Rolle spielt, ist gut sechs Jahre alt. Er wurde erfunden, als Misabel noch klein war und mit Fieber im Bett lag. Damals erzählte ich ihr die erste Bärengeschichte, und Misabel wünschte sich zum Geburtstag, daß diese Geschichte nie aufhören dürfe. Nun ist der Bär Urs zusammen mit Misabel herangewachsen. Bestand er in seiner frühesten Jugend nur harmlose Abenteuer mit dem Sandmännchen oder der Haselmaus Fiesela, so wuchsen seine Affären mit dem literarischen Konsumbedürfnis einer heranwachsenden Tochter. Er ging zum Zirkus; verliebte sich in die schöne Fee Pampelmuse; trat in der Talkshow auf; reiste nach Sibirien und in den Urwald; sattelte vom Fahrrad auf ein Sportkabriolett um; brachte eine Ehe mit reichem Kindersegen hinter sich; kam in die Trinkerheilanstalt; lebte im Bauch eines Walfisches; saß zusammen mit einem luxemburgischen Missionar im Suppenkessel der Tsetse-Kannibalen; fuhr mit einer Raumkapsel auf den Mond und spielte mit dem Mondkalb Muhsanne Schwarzer Peter.

Nun sah es aus, als ob des Bären Urs Stündlein geschlagen habe. Maunz und Misabel hatten sich wieder einmal so widerwärtig gestritten, wie sich nur weibliche Wesen zu zanken vermögen, und Barbara heischte, der Vater müsse endlich ein Exempel statuieren. Ich verhängte eine Woche Fernsehverbot, aber Misabel zeigte sich immun. »Nach dem Kinderprogramm, was die machen, lüstert's mich überhaupt nicht. Gehst du ein bißchen mit mir spazieren?«

»Wo du so garstig warst?«

»Ich bin doch schon wieder brav. Erzählst du mir vom Bären?«

Mit finsteren Absichten, den Dolch im Gewande, machte ich mich mit Misabel auf den Weg. »Wo sind wir stehengeblieben?«

»Als der Bär bei der Königin von Tasmanien war. Sie hatte ein Schloß ganz aus Porzellan.«

»Na gut! Als Urs in seinem Bett aus Porzellan am anderen Morgen erwachte, bimmelte ein Glöckchen aus Porzellan, daß es Zeit zum Frühstück sei. Er rasierte sich, zog seinen blauen Frack an und ging durchs Schloß ins Frühstückszimmer der Königin. Die saß schon am Tisch: mit einer Nase, so lang und spitz wie der Fernsehturm, einem Mund, so schmal wie ein Sparkassenschlitz, einem Kinn, so scharf und gelb wie der Schnabel einer Gans, und Augen wie glimmenden Kohlen.«

»Das stimmt doch nicht – das letztemal war sie doch so herzig, daß der Bär von ihrer Schönheit ganz betorkelt war!« protestierte Misabel.

»Was – betorkelt? Das Wort stammt aber nicht von mir! Nun, Frauen ändern sich eben schnell. Genau wie du! Manchmal bist du so lieb, und dann wieder so böse! Akkurat wie die Königin von Tasmanien. Wenn sie lieb war, war sie schön, wurde sie böse, war sie häßlich. Urs hatte an diesem Morgen solche Angst vor ihr, daß er sich vor Schreck ins Tischtuch schneuzte, worauf die Königin in ein Wutgeheul ausbrach wie du, wenn du mit Maunz Krach hast. Als das der Bär hörte, sprang er vor Schreck aus dem Fenster.«

»Aber gelt, das Zimmer ist im Parterre!«

»Nein, im siebenten Stock. Aber unten im Schloßkanal lag des Bären Motorboot, das toll gefedert war, und er fuhr ganz schnell damit aufs Meer hinaus. ›Das soll er mir büßen‹, schrie die Königin und befahl ihrem Admiral, den Bären mit fünfzigtausend Matrosen und fünfhundert Schiffen zu verfolgen und ihn lebendig zu fangen und vor sie zu schleppen. Und fünfzig Flugzeuge, die so bunte und dünne Flügel wie Libellen hatten, starteten, um den Bären auszukundschaften. Inzwischen ließ die Königin auf dem Marktplatz einen Galgen bauen und eine Tribüne, damit alle Tasmanier sehen könnten, wie der Übeltäter, der sich ins königliche Tischtuch aus Porzellanfäden geschneuzt, hingerichtet werde.«

»Aber sie kriegen ihn doch nicht?« In Misabels Mundwinkel saß als seelisches Fernbeben ein Zittern, das mich rührte. Aber aus pädagogischen Gründen mußte ich hart bleiben.

»Sie hätten ihn nie gekriegt, hätte sich nicht der tasmanische Admiral als bildschöne Bärin verkleidet und Urs von seinem Flaggschiff aus vorgesungen und vorgetanzt. Der kurzsichtige Bär, der seine Brille auf dem Nachttischchen aus Porzellan hatte liegenlassen, merkte nichts und wollte sich mit einem Handkuß bedanken. Knacks! schlossen sich die Fesseln um seine Beine. ›Bösewicht gefangen!‹ funkte der Admiral ins Schloß. Sogleich zogen Trommler durch die Stadt und gaben bekannt, daß nach dem Eintreffen des Admirals Urs öffentlich gehängt werde. Schon läutete das Armsünderglöcklein aus Porzellan, schon zog der Henker den roten Frack an, schon strömte das Volk auf den Marktplatz ...«

Auf dem Höhepunkt der Spannung kroch eine kleine feuchte Hand in die meine. Ich hörte ein Schluchzen. »Bitte, bitte, laß den Bären nicht sterben, bitte, bitte! Bitte laß ihn zwanzig Jahre älter werden als achtzig.«

»Jetzt hör doch mit Heulen auf – es ist ja bloß eine Geschichte.«

»Aber sie ist so traurig! Bitte mach es wie Karl May und denk dir im letzten Augenblick eine ganz tolle Rettung aus. Du bringst es ja gar nicht übers Herz, Urs sterben zu lassen.«

In mir regte sich ein Pestalozzi. »Aber du bringst es übers Herz, mit Maunz zu streiten und mich zu ärgern. Deswegen muß heute der Bär sterben, und die Geschichte ist für alle Zeiten aus!« sagte ich mit grimmiger pädagogischer Entschlossenheit.

Misabel fing so kläglich zu weinen an, daß mir zumute wurde wie im letzten Akt der *Bohème*. Ihre Tränen spülten alle erzieherischen Grundsätze weg. »Jetzt hör schon auf! Du kennst doch Bello Einzahn?«

»Ja! Den alten Elefanten, der Daumen lutscht und so häßlich ist, daß sie ihn im Zirkus immer auslachen!« Ein Stück Hoffnung verwandelte das Weinen in ein Schluchzen.

»Genau der! Dem hatte die Haselmaus Fiesela erzählt, was seinem Freund drohte. Bello Einzahn machte sich sofort auf den Weg!«

»Aber wie kommt er denn so schnell übers Meer?« Wieder rannen die Tränen.

»Mit seinen Flügeln! Habe ich dir nicht erzählt, daß er zusammenklappbare Flügel unter der Haut hatte?«

»Toll! Ein fliegender Elefant. Du, das ist aber heute eine schöne Geschichte! Hoffentlich geht ihm das Benzin nicht aus.«

»Der brauchte gar kein Benzin. Er flog wie ein Vogel.«

»Das ist aber komisch! Da müssen die in Tasmanien aber gestaunt haben, wie er auf dem Marktplatz landete!« Hinter Misabels Tränen kam ein Lächeln hervor.

»Woher weißt du denn, daß er nach Tasmanien flog?«

»Na, ist doch klar! Du bist doch der beste Papi von der Welt. Du läßt doch meinen Urs nicht sterben. Bitte, bitte, die böse Königin soll sich in den Elefanten verlieben und wieder schön werden. Und dann sollen die beiden heiraten. Und Urs soll bei der Hochzeit Orgel spielen.«

»Hm. Geht das nicht ein bißchen schnell? Wollen wir den Elefanten nicht noch ein wenig Porzellan zertreten lassen? Er tritt das ganze Gefängnis Tasmaniens kaputt, und alle Gefangenen sind frei!«

Misabel jubelte. »Prima! Das ist die spannendste Bärengeschichte, die du je erzählt hast. Bello Einzahn war ein verzauberter Prinz, und weil sie verheiratet sind, leben sie heute noch, gelt?«

»Meinetwegen!«

»Siehst du – zanken ist doch zu was gut! Wenn ich mich mit Maunz nicht gestritten hätte, wäre die Geschichte gar nicht so spannend geworden!«

Albumblatt für brave Kinder

Es war einmal ein Schwesternpaar
am Hof des Schahs von Sansibar:
Annettchen und Babettchen.
Annettchen war ein braves Kind,
so brav, wie selten Kinder sind,
ein tugendsames Mädchen.

Babettchen war sehr ungestüm,
sie war ein wildes Ungetüm
und tat nie, was sie sollte.
Die Kinderschwester Fatima
jammerte: »Wär' nur Vati da,
der dich verdreschen sollte!«

Im Garten draußen spielten sie,

da kam ein bitterböses Vieh,
ein Leu vom Karakorum.
Der Löwe, größer als ein Hund,
war für die Kinder ungesund;
er rannte einfach so rum.

Babettchen hopste übern Zaun;
bald war nichts mehr von ihr zu schaun.
Der Leu droht mit den Pfoten.
Annettchen bleibet ängstlich stehn.
»Man darf nicht über Zäune gehn!
Die Mami hat's verboten.«

Drauf frißt der Löwe wie der Wind
mit Haut und Haar das brave Kind;
das böse ist gerettet.
Drum, Kinder, merkt euch die Geschicht':
Folgt niemals euern Eltern nicht,
Weil ihr sonst Ärger hättet!

Gespräch am bayerischen Grenzpfahl

Mit der Donaubrücke gibt Ulm seiner Schwesterstadt Neu-Ulm, von der es nur durch den Fluß getrennt ist, die Hand. Wir fuhren über diese Brücke: Sebulon, unser kleines rotes Auto, meine Tochter Minz und ich.

»Guck mal – hier ist ein Zoo«, sagte Minz und deutete auf einen ziemlich neuen, knallig waschblau gestrichenen Grenzpfahl, von dem herab uns ein grimmiger bayerischer Löwe anfunkelte und eine Inschrift kundtat, daß wir uns jetzt im Freistaat Bayern befänden.

»Da ist kein Zoo. Hier fängt bloß Bayern an. Und das ist ein Grenzpfahl«, erklärte ich.

»Ach – dann kommen wir ins Ausland und müssen den Paß vorzeigen«, folgerte Minz.

»Nein, wir sind nicht im Ausland, und niemand will was von uns.«

»Dann ist das ja gar keine richtige Grenze. Aber was soll der Grenzpfahl?« wollte Minz wissen.

Eine Frage, die wirklich schwer zu beantworten ist, ohne daß man dem Freistaat Bayern zu nahe tritt.

»Das kann ich dir auch nicht erklären«, gab ich zu.

»Magst du Grenzen?« fragte Minz weiter.

»Nein, ich halte Grenzen für was ganz Dummes, Mittelalterliches«, bekannte ich.

»Ich mag sie auch nicht«, sagte Minz. »Gibt es Menschen, die Grenzen mögen?«

»Hm... Ich glaube, die meisten mögen sie nicht, weil durch die Grenzen schon viel Unglück in die Welt gekommen ist. Aber trotzdem gibt es Menschen, nein, Leute, die Grenzen mögen. Je weniger weit einer denken kann, um so näher wünscht er sich die Grenzpfähle«, sagte ich.

»Ach, deshalb brauchen die Bayern solche Pfähle?«

»Aber nein. Das sind Menschen wie du und ich, und sicher finden auch die meisten Bayern diese Grenzpfähle komisch«, vermutete ich.

»Aber wenn sie Grenzpfähle haben, dann haben sie doch sicher auch andere Briefmarken, und die Hähne krähen in einer anderen Sprache, und die Zigaretten sind billiger«, meinte Minz.

»Fast alles ist wie bei uns. Außer dem Bier und ein paar Ministern. Ich habe dir doch gesagt, daß es gar keine richtige Grenze ist.«

Minz ließ nicht locker. »Wenn eine richtige Grenze schon was Blödes ist, dann ist doch eine falsche Grenze noch was viel Blöderes! Was stand denn auf dem Grenzpfahl drauf?«

»Freistaat Bayern.«

»Ach, die sind ganz besonders frei? Die lassen sich von keinem Polizisten und von keinem Pfarrer und von niemand was sagen?«

»So frei sind sie auch wieder nicht«, versuchte ich zu erklären. »Sie sind genauso frei wie wir. Sie dürfen auch das tun und lassen, was die anderen wollen.«

»Aber wenn sie nicht noch freier sind, warum schreiben sie's dann extra hin?«

»Weil man das, was man schreibt, schließlich selber glaubt«, behauptete ich.

»Du, das ist aber schlimm! Dann glaubst du mit der Zeit die Geschichten, die du schreibst?« Sie sah mich fragend an und fuhr fort: »Gibt es auf dem Mond auch Grenzen?«

»Noch nicht. Aber weil die Menschen, die auf den Mond fliegen wollen, sich nicht einig sind, wird es sicher auch dort bald Grenzen geben.«

»Grenzen sind Blödsinn«, folgerte Minz und bohrte dann weiter: »Sag mal, Menschen sind doch Russen und Amerikaner und Deutsche und Bayern.«

»Die Bayern sind auch Deutsche«, behauptete ich.

»Aber wenn sie Grenzpfähle haben, sind sie sicher was ganz Besonderes.«

»Bestimmt nicht! Es gibt nur ein paar unter ihnen, die es meinen. Und gerade die sind nichts Besonderes«, versuchte ich zu erklären. »Kein Volk ist was Besonderes. Es gibt unter den Bayern, den Negern, den Schwaben, den Chinesen und den Berlinern solche, die was Besonderes, und solche, die nichts Besonderes sind.«

»Aber wir sind doch was Besonderes, weil wir keine Grenzpfähle haben.« In Minz erwachte der Stammesstolz.

Ich erstickte ihn. »Nein. Bei uns gibt es sicher genauso viel – oder sagen wir: fast so viel Leute wie in Bayern, die auch gern ihre eigenen Grenzpfähle hätten. Ums Land herum, um die Stadt herum und ums Haus herum. Pfahlbürger halt.«

»Aha«, folgerte Minz, »die Bayern sind Pfahlbürger, weil sie Grenzpfähle aufstellen.«

Ich wurde ungeduldig. »Aber nein! Auch bei uns gibt es Pfahlbürger – bloß läßt man sie keine Grenzpfähle aufstellen!«

Alle Mühe war vergeblich.

»Siehst du, dann haben wir doch etwas vor den Bayern voraus«, triumphierte Minz.

Von morgen an wird nicht mehr geraucht

Die Familie saß beim fröhlichen Abendgespräch. Es wurde jäh durch die Kundmachung meines guten Vorsatzes gestoppt: »Von morgen an gewöhne ich mir das Rauchen ab.« Wo ich jedoch auf Respekt und Bewunderung gehofft hatte, breiteten sich Furcht und Schrecken aus.

»Du wirst doch nicht erwarten, daß ich auch...«, sagte Barbara, zaghaft, aber bestimmt jeden Koalitionswillen verneinend.

»Bekomme ich dann deine Zigaretten?« heischte Tochter Minz habgierig.

Maunz war skeptisch. »Das hältst du doch nie durch!« meinte sie.

»Du wirst doch nicht krank sein?« fragte Misabel ängstlich.

Ich erklärte, daß ich dies keineswegs sei. Schweren Herzens hätte ich mich entschlossen, das große Opfer zu bringen, um meine Arbeitskraft der Familie noch recht lange zu erhalten.

Barbara legte bewegt ihre Hand auf die meine. »Ergreifend«, sagte Minz, während Maunz mich fragte, ob ich etwas dagegen hätte, wenn sie in Zukunft abends öfter ins Kino gehe. Ob mir auch wirklich nichts fehle, wollte Misabel wissen.

Ich erwartete, sprach ich weiter, daß in meiner Gegenwart nicht mehr geraucht werde. Auch nicht von den jungen Männern, die Minz und Maunz bisweilen unter dem Vorwand besuchten, Physikkenntnisse vertiefen oder die neueste Protestsongplatte austauschen zu müssen. Ich bäte auch, alle Gespräche zu unterlassen, die mit dem Rauchen zusammenhingen.

»Wer bekommt deine Pfeifen? Und deinen Tabak?« wollte Minz wissen.

Ich erklärte, ich sei noch nicht soweit, mein Testament zu machen. Die Rauchutensilien wolle ich behalten, denn nur die Versuchung vor Augen könne sich wahre Charakterstärke beweisen. Sollte ich jedoch schwach werden, so bäte ich die Familie, mit allen Mitteln einen Rückfall zu verhindern.

»Wenn du Pfeife geraucht hast, war es immer so gemütlich«, beschwerte sich Misabel.

Und Maunz forderte: »Dann gib auch gleich den Wein auf. Wie viele Menschen gibt es, die sich zu Tode saufen!«

Ich gab zu bedenken, daß es viel mehr gebe, die sich jeden Abend lebendig tränken, und zündete mir zum Abschied vom Rauchen eine köstliche Havanna an. Während ich stolz auf meine guten Vorsätze war, machte die Familie eher einen bedrückten Eindruck, als sei ihr das Opfer zu groß, das ich für sie brächte.

Als ich am Sonntagmorgen erwachte, wollte sich das gute Vorsatzgefühl, das ich am Abend vorher empfunden hatte, nicht wieder einstellen. Der Sonntag, der sonst immer etwas Frischgewaschenes, Neulackiertes hatte, kam mir schon angegammelt und recht grau vor. Das Frühstück verlief einsilbig. Barbara verzichtete tapfer auf die ihr so liebe Abschlußzigarette. Der Vormittag verging lustlos. Ich warf Zeitungsberge weg, die sich im Lauf der vergangenen Woche angesammelt hatten, und war nervös. Auch die köstliche Pastete, die Barbara zu Mittag servierte, wollte nicht so recht schmecken.

»Auf ein solches Essen sollte man eine gute Zigarre rauchen«, entrang sich mir der Wunsch.

»Oder tausend Schritte tun«, schlug Maunz als Ersatz vor.

Aber die tausend Schritte konnten die Zigarre nicht ersetzen, zumal ganze Scharen von Spaziergängern den nahen Park bevölkerten. Sie machten mich ärgerlich, weil sich ein Teil der Herren erfrechte, zu rauchen. Mir war überhaupt ziemlich menschenfeindlich zumute, und ich zog mich bald, müde von den Anfechtungen, zu einem unruhigen Mittagsschlaf zurück. Mir träumte von einem Zeppelin, der in Wolken schwebte; aber bald verwandelte sich das Luftschiff in eine riesige Zigarre, und ich roch den Havannaduft der Rauchwolken, die sie umschwebten, wobei ich zum erstenmal in meinem Leben feststellte, daß man im Traum auch riechen kann.

Am Nachmittag retirierte ich in mein Arbeitszimmer, um mir etwas einfallen zu lassen. Aber meine Verdrossenheit blockierte die Phantasie. Ich dachte an Zeppeline, meine Bleistifte erinnerten mich an Zigaretten. Immer wieder durchwanderte ich die Wohnung, aß klebrige Süßigkeiten und kämpfte die Lust nieder, ein wenig an meiner Pfeife zu schnuppern. Selbst der Pinscher Strolch ging mir aus dem Weg.

Als ich gegen Abend Misabel vor dem Bildschirm sitzen und einem Mann zuschauen sah, der eine Zigarette rauchte, entlud sich mein Unmut. Ich sprach wegen ihrer Rücksichtslosigkeit ein achttägiges Fernsehverbot aus.

Beim Abendessen wollte kein rechtes Gespräch aufkommen. Die Stimmung war gedämpft wie bei einem Staatsbegräbnis.

»Gibt es denn gar nichts Neues, über das man sich unterhalten kann?« fragte ich.

»Über London soll ein furchtbarer Smog liegen«, begann Barbara unverbindlich.

Misabel wollte wissen, was ein Smog ist, und die Mutter erklärte es ihr: »Nebel, mit Rauch vermischt.«

Ob man nicht so feinfühlig sein und statt Rauch Abgase sagen könne, fragte ich gequält, aber Minz stellte fest, Abgase und Rauch seien zweierlei, und nahm dann an der Schwester Anstoß. »Wieso hast du dich so scheußlich parfümiert?« fragte sie Maunz.

Diese sagte, das sei kein Parfüm, sondern die Seife, die sie zum Geburtstag bekommen habe, und ich schnupperte und stellte fest, daß diese Seife gut rieche. Wie sie denn heiße?

»Tabac«, sagte Maunz.

»Bitte, macht es mir doch nicht noch schwerer!« bat ich.

»Sollen wir dich denn anlügen und aus Tabac Rosa Centifolia machen?« wollte Maunz wissen. Um das gereizte Gespräch zu neutralisieren, fragte Misabel, ob wir auch wüßten, daß der Briefkasten verlegt worden sei.

Auf meine Frage, wo er jetzt denn hänge, sagte Misabel stotternd: »Na, eben an der Buchhandlung.«

An welcher Buchhandlung, wollten die Schwestern wissen. Weit und breit sei doch keine.

Misabel kämpfte mit den Tränen. »Die Buchhandlung ist ein Zigarettengeschäft – aber ich will doch Papi nicht aufregen!«

»Schon gut«, warf ich ein und suchte das Gespräch zu entnikotinisieren, indem ich fragte, was denn Jochen zum Geburtstag bekommen habe.

»Eine todschicke Kordsamthose«, wurde ich aufgeklärt, »eine honiggelbe Hose.«

»Quatsch – tabakbraun«, sagte Maunz und erschrak.

Barbara ermahnte die Töchter, doch endlich von etwas anderem zu sprechen. Es entstand eine beklemmende Pause.

»Ich werde heute abend fernsehen, wenn man sich in der Familie nicht mehr unterhalten kann«, drohte ich, während Minz aggressiv um einen Themenvorschlag bat, der keinen Anstoß errege.

Ich warf Doktor Löhner ins Gespräch, der sich vorgenommen habe, den Kilimandscharo zu besteigen; die Töchter meinten, der schaffe es in seinem Alter nie, und Barbara sagte, der Anstieg sei doch sehr flach, nur die letzten paar Hundert Meter des Kraters seien beschwerlich.

»Wieso – ist der Kilimandscharo denn ein Vulkan?« fragte Misabel.

»Klar – weißt du das denn nicht?«

»Aber er raucht doch gar nicht!«

Ich war am Ende meiner Kräfte. »Genug – ich halte das nicht mehr aus! Habt ihr euch denn alle gegen mich verschworen? Ihr wollt ja, daß ich mich ruiniere!« Verzweifelt suchte ich nach einer Zigarette – aber die Familie hatte, einen Rückfall ahnend, alles, was rauchbar war, aus dem Weg geräumt. Sosehr ich flehte, sosehr ich alles durchwühlte, die Damen blieben hart. Endlich fand ich eine Schachtel, in einer chinesischen Vase versteckt. Ich riß sie an mich, die Töchter stürzten sich auf mich, um mir die guten Vorsätze zu erhalten, Strolch jaulte, weil er meinte, eine Schlägerei sei ausgebrochen, und nicht wußte, wem er helfen solle, die Vase fiel zu Boden und zerbrach, ich schüttelte die Angreifer ab und floh in mein Arbeitszimmer, schloß mich ein, nahm eine Zigarette und suchte nach Streichhölzern. Nirgends – nichts! Die Belagerer trommelten an die Tür. »Standhaft bleiben! Nicht rauchen!« Ich versprach alles für ein Streichholz – aber niemand erbarmte sich. Bis etwas gegen die Scheibe flog und auf dem Fenstersims liegenblieb: eine Schachtel Streichhölzer. Ich glaubte an ein Wunder, an einen Engel, bis sich später herausstellte, daß Misabel weich geworden war. Nachdem ich die Zigarette geraucht hatte, wagte ich mich mit gebrochenen Vorsätzen, aber kurierten Nerven wieder in den Familienkreis.

»Du hast uns alle abgeschüttelt, bist mit uns allen fertig geworden. Toll, wie stark du bist!« sagte Misabel.

»Erbärmlich – wie schwach die Männer sind«, konterte Maunz.

»Wie schön, daß du wieder rauchst«, lobte Barbara und zündete sich eine Zigarette an.

»Wozu war jetzt das ganze Theater?« wollte Minz wissen.

»Schließlich muß man doch wissen, wie einem zumute ist, der sich das Rauchen abgewöhnt«, verteidigte ich mich. »Wer weiß, vielleicht muß ich einmal einen solchen Helden beschreiben. Und im übrigen ist es gar kein Fehler, von Zeit zu Zeit einen guten Vorsatz zu fassen. Auch wo die Kräfte fehlen, ist doch der gute Wille zu loben...«

»...sagt der Lateiner«, vollendete Minz den Satz. »An deiner Stelle würde ich jetzt den guten Vorsatz fassen, mir in Zukunft nie mehr etwas so Blödes vorzunehmen!«

Revolution im Kinderzimmer

Eines Tages wurde das Kinderzimmer umfunktioniert. Die Fotos des Wagenlenkers von Delphi und des Poseidon von Kap Sunion wurden in einer direkten Aktion abgenommen. An ihren Platz kamen Plakate von Karl Marx und Friedrich Engels. Der Humanismus wurde demontiert, der Sozialismus demonstriert.

Seit unsere Tochter Misabel in den Schülerrat gewählt worden war, wurde sie politisch aktiv. Nicht immer erfolgreich. Zuerst wollte sich das progressive Kollektiv des Schülerrates mit dem Genossen Hausmeister als Opfer spätkapitalistischer Ausbeutung solidarisch erklären. Das Opfer saß gerade bei einer Flasche Wein und einer guten Zigarre in Filzpantoffeln vor dem Fernsehschirm und delektierte sich an *Tatort,* als die Delegation zur Bewußtseinsvermittlung bei ihm erschien. Der Hausmeister fühlte sich durch die Anrede »Genosse« gekränkt, in seinem Konsumverhalten gestört und beschwerte sich beim herrschenden Apparat des Direktors. Der von diesem gerügte Schülerrat sah darin ein Symptom: Die Ausgebeuteten seien in ihrer personalen Knechtschaft schon so domestiziert, daß sie bei den Ausbeutern Schutz suchten.

Es war kein gewöhnlicher Marx und kein gewöhnlicher Engels, die Misabel übers Bett hängte. Sie stammten aus der sowjetrussischen Staatsdruckerei, waren mit einem kyrillischen Text erläutert und in Ost-Berlin gekauft. Dort hatten wir uns mit Freunden aus der DDR getroffen, die Misabel fragten, ob sie sich irgendein Andenken wünschte.

»Ein Plakat von Lenin«, hatte sie erklärt.

Unsere Freunde waren bestürzt, denn sie bringen ihrem Regime karge Sympathie entgegen, und Misabels Wunsch wirkte auf sie, wie wenn man mich in der Nazizeit um ein Hitlerbild angegangen hätte.

»Warum muß es denn ausgerechnet Lenin sein?« fragte Heribert befremdet.

»Weil ich ziemlich weit links stehe«, schockierte Misabel unsere Gastgeber.

Sie wüßten mit dem besten Willen nicht, wo man so etwas bekomme, entgegneten sie betreten.

»Sicher in der sowjetrussischen Buchhandlung«, beharrte Misabel.

Als die Freunde kleinlaut gestanden, sie kennten sich da gar nicht aus, forderte Misabel den Sohn Udo auf, sie zu begleiten. Er machte ein Gesicht, als werde ihm zugemutet, Strumpfhosen mit einzukaufen, und folgte mit schlecht verhehltem Mißmut.

Wir mußten unsere Freunde aufklären, daß dieses Plakat dazu ausersehen sei, die Posters von Che Guevara und Ho Tschi Minh zu übertreffen, die Misabels Freundinnen teils aus Popgründen, teils um ihre Eltern zu provozieren, in ihren Zimmern aufgehängt hätten. Und das Bekenntnis zur Linken bedeute keineswegs Sympathie für den Kommunismus oder gar für die SED, die bei unseren progressiven Jugendlichen in dem Ruf stehe, eine faschistoide Rechtspartei zu sein. Unsere Freunde waren beruhigt.

Nach einer Weile kehrte das Ost-West-Paar zurück.

»Ein reaktionärer Saftladen ist diese sogenannte sowjetrussische Buchhandlung«, schimpfte Misabel. »Nicht einmal einen Lenin haben die vorrätig. Nur Marx und Engels.«

Als wir abends im Bahnhof Friedrichstraße von einer ebenso strengen wie üppigen Volkspolizistin kontrolliert wurden, fragte sie in der Sprache Friedrich Nietzsches und Richard Wagners: »Was ham Se denn da in där Rolle?«

Misabel, von Uniform und Dialekt eingeschüchtert, wagte nicht zu antworten.

Als gesetzlicher Vormund tat ich es. »Plakate von Marx und Engels«, sagte ich.

»Was wolln Se denn damid?« fragte die Kontrolleuse überrascht.

»Übers Bett hängen.«

»Sinn Sie aber fordschriddlich!« meinte sie erstaunt, und ich frage mich noch heute, ob in diesen Worten Bewunderung oder Ironie lag.

Nun hingen sie also, neben dem Plakat eines Stierkampfs, dem arabischen Stadtplan von Bagdad und einer Fotomontage, die unsere Regierenden in recht unvorteilhaften Posen zeigte, und sie sahen aus, als machten sie Reklame für ein Haar- und Bartwuchsmittel. Ich setzte Puck, den Teddybären, und Felix, den gestiefelten Kater, zum Happening darunter und manipulierte devot ihre rechte Vorderpfote zum Gruß an die Revolutionäre.

»Was soll diese Verschleierung?« mißbilligte Misabel mein abweichlerisches Verhalten. »Hast du heute überhaupt schon etwas zur Veränderung der formierten Gesellschaft getan?«

Meine Antwort, ich hätte eine Theaterkritik über *Hedda Gabler* geschrieben, ließ sie gelten. Hedda Gabler sei zwar eine hysterische Zicke, als solche aber als ein Opfer des Frühkapitalismus in der Gesellschaft praktikabel.

»Und was hast du für die Kulturrevolution geleistet?« wollte ich von meiner Tochter wissen.

»Wir haben heute den Vertrauenslehrern vorgeschlagen, den Lernprozeß in den Oberklassen auf freiwillige Basis umzustrukturieren.«

Auf meinen Einwand, dann gingen die Beatbienen in ihrer Klasse ja überhaupt nicht mehr zur Schule, sagte sie einleuchtend, das sei nur erwünscht, damit endlich Plätze für begabte Arbeiter- und Bauernkinder frei würden.

Vierzehn Tage hingen Marx und Engels, bis die Schwester Maunz von der Universität in die Weihnachtsferien kam. Misabel freute sich auf die Partnerschaft mit einer Kommunardin, die zweifellos Narben von Straßenschlachten mit der Polizei wie Ordensspangen trage. Aber sie wurde bitter enttäuscht. Ich hörte engagierten Wortwechsel im Kinderzimmer, was vermuten ließ, daß dort eine erregte Diskussion über gesellschaftliche Probleme stattfinde.

Nach einer Viertelstunde suchte die frustrierte Misabel bei mir Verständnis.

»Diese reaktionäre Ziege, diese repressive Gans, dieser autoritäre Strukturfehler!« schimpfte sie.

Die Schwester hatte völlig unerwartet reagiert. Sie habe als Medizinerin zum Protestieren zwar allen Grund, aber leider keine Zeit. Und der lebende Opa, der Chemie lese, und der tote Opa, an dem sie auf der Anatomie herumschnipfle, langten ihr. Da möchte sie zu Hause nicht auch noch abgeschlaffte Opas an der Wand hängen sehen. Die Schwester solle gefälligst Tannenzweige und Strohsterne aufhängen, ihr sei adventlich zumute.

Misabels Glaube an die fortschrittliche studentische Jugend war erschüttert. Sie suchte Trost in meiner repressiven Toleranz.

»Sag mal, wie warst du denn so in meinem Alter?«

»Da war ich eine Art Gammler.«

»Gab's doch damals noch gar nicht!«

»Ich war eben jugendbewegt. Wir trugen unseren Adamsapfel frei und gelobten, den Hals nie im Leben mit Schlips und Kragen einzuengen und niemals unsere Beine in lange Hosen zu manipulieren. Wir spielten Klampfe und sangen dazu blutrünstige Lands-knechtslieder, die den Bürger schrecken sollten. Nur daß wir uns gewaschen haben, unterschied uns von richtigen Gammlern.«

»Klasse! Und wie lange tatet ihr das?«

»Bis uns die Mädchen in der Tanzstunde umfunktioniert haben.«

»Und wo standest du politisch?«

»Ich war natürlich Kommunist.«

»Aus Überzeugung oder aus Alibicharakter?«

»Das weiß ich nicht mehr. Wahrscheinlich um meinen Vater zu ärgern.«

»Und als Student? Da hast du doch hoffentlich protestiert.«

»Leider nicht. Obwohl es damals bitter nötig gewesen wäre. Aber es war zu gefährlich. Als Student war ich eine Mischung von Hippie und Halbstarker.«

»Wieso? Du warst doch Korporationsstudent!«

»Eben! Statt mit Blumen schmückten wir uns mit bunten Mützen und Bändern und Bierzipfeln. Durch stumpfsinniges Biersaufen waren wir ziemlich ausgeflippt. Und statt mit der Polizei schlugen wir uns gegenseitig. Mit Schläger und Säbel. Kannst dir nicht vorstellen, wie schön wir geblutet haben. Wie Rocker nach der Straßen-schlacht.«

Misabel staunte. »Toll, wie sich der Mensch entwickelt. Damals warste ja direkt ein prima Radikaler. Und heute gehörst du zum Establishment! Meinst du, das ginge uns auch so?«

Ich ließ die Frage lieber offen.

Aus der Werkstatt

Über die Schwierigkeit,
Schrift zu stellen

I

Die Sprache hat drei Funktionen. Sie kann
1.) Gedanken vermitteln,
2.) Gedanken verbergen,
3.) Mangel an Gedanken bemänteln.
Die Sprache ist das Transportmittel für
a) Informationen,
b) Lügen,
c) Poesie;
die Grenzen zwischen diesen Begriffen sind bisweilen durchlässig,
besonders zwischen a) und b) im Geschäftsleben und in der Politik.

II

Dient die Sprache als Material der Poesie, so fällt sie in das Gebiet der
Kunst. Produzent von Kunst ist der Künstler. Ich möchte ihn so
definieren: Ein Künstler ist ein Mann, der den Mut hat, die Produkte
seiner Laune für verkäuflich zu halten.

Kunst kommt von *können*. Das Gegenteil davon ist Wulst, das von
wollen kommt. Kunst wird mit Vorliebe mit sakralen Vokabeln
vermählt: die heilige deutsche Kunst; Gott grüß die Kunst.

Das *Kunstwerk* ist ein Ergebnis künstlerischen Schaffens. Ein
Kunststück ist eine Leistung, die Kunst erfordert. Also ist *Kunststoff*
ein von Künstlern gestalteter Stoff und *Kunsthonig* ein von kunstsin-
nigen Bienen gesammeltes Nahrungsmittel.

III

Literatur ist Letternkunst, produziert vom Schriftsteller, der zur
Familie der Steller gehört.

Der Weichensteller stellt Weichen.

Der Fallensteller stellt Fallen.

Der Schriftsteller stellt Schrift.

Enger verwandt ist der Schriftsteller mit dem Schausteller, also
dem Inhaber einer Schiffschaukel, einer Geisterbahn, eines Flohzir-
kus, eines Hippodroms, eines Lachkabinetts.

Das gesunde Volksempfinden im Beilager mit dem Gelaber der Literaturhistoriker hat das Wunschbild vom Schriftsteller als Idealisten geprägt. Was ist das? Ein Idealist ist ein Mann, dessen Liebe zum Geld unerwidert bleibt.

Der Schriftsteller, in der sozialen Wertskala halb Priester, halb Schlawiner; halb Seher, halb Spinner; halb Klausner, halb Pinscher, wird gern mit Epitheta wie »weise«, »hehr« und »erhaben« geschmückt: *Laß, o Welt, o laß mich sein.* Man erwartet von ihm, daß er über den Dingen steht. Daß er den Olymp sichert. Daß er unsterblich grüne Zweige flicht. Wenn überhaupt jemanden, dann darf er die Phantasie schwängern. Er lauscht, das Ohr ständig am eigenen Nabel, auf die peristaltischen Geräusche seiner Seele und deutet sie als metaphysische Fernbeben. Sein Prototyp ist Tasso, eine der dämlichsten Figuren der Weltliteratur. Er steht fortwährend im geistigen Abseits. Je nach Laune weist ihm das Wohnungsamt der öffentlichen Meinung eine Eremitenklause, einen elfenbeinernen Turm ohne sanitäre Anlagen, eine Hundehütte, an der Ratten nagen, oder wie Spitzweg eine Dachkammer zu, wo der arme Poet seine *Aussage* zu Papier bringt. Sein *echtes Anliegen* ist rein platonischer Natur. Nur in der *Bohème* ist das Anliegen von Fleisch und Blut. Es heißt Mimi und hat die Schwindsucht.

Auf diesen Typ des Schriftstellers hat die Sprache das Adjektiv »dicht« zum Komparativ gesteigert: *Dichter.* Der Dichter – was schert er sich um Geld und Gut. Er dichtet wie die Lerche um Gotteslohn. Ein Lorbeerkranz deucht ihm Lohnes genug für seine reimlösenden Versfüßeleien zwischen Herz und Schmerz, zwischen Liebe und Triebe.

Der Dichter produziert Dichtungen. Laut Sprach-Brockhaus sind Dichtungen technische Vorrichtungen, die den Übertritt von Gasen und Flüssigkeiten aus einem Gefäß ins Freie verhindern.

Der Dichter dichtet. Der Flaschner dichtet auch. Letzterer läßt sich nur besser bezahlen.

IV

Der Schriftsteller ist ein Mann, der mit einem Minimum an Produktionsmitteln ein Maximum an Werten zu schaffen versucht. Der Beruf des Schriftstellers ist der einzige männliche Beruf, der auch im Bett ausgeübt werden kann. Ich spiele dabei nicht auf eine Verwandtschaft mit weiblichen Personen an, die im gleichen Möbelstück ihrer Arbeit nachgehen. Der Schriftsteller produziert seine Manuskripte, wörtlich übersetzt »Handschriften«, paradoxerweise meist auf der Maschine. Im Sinn der Steuergesetzgebung gilt er als Unternehmer. Obwohl er keinen Mitarbeiter ausbeutet. Was er ausbeutet, sind seine eigenen Erlebnisse. Als Unternehmer verrät er wenig Geschäftssinn, denn er verwandelt leicht verkäufliches unbeschriebenes in schwer verkäufliches beschriebenes Papier. Obschon er den Papierwert damit mindert, wird er mit Mehrwertsteuer bestraft. Er ist ein Unternehmer, der sich übernimmt. In solcher Bredouille sucht er einen wirtschaftlich denkenden Menschen, der ihm aus der Verlegenheit hilft. Es ist der Verleger.

V

Eine Sache verlegen bedeutet sie unachtsam an einer ungewohnten Stelle ablegen, wo man sie schwer wiederfindet. Besonders gern verlegt man Brillen, also Objekte, die zum Sich-selbst-Wiederfinden unerläßlich sind.

Der Verleger verlegt Bücher. Er ist bereit, dafür dem *Autor* – ein Wort, das Assoziationen sowohl zu Mobilität als auch zu Torheit auslöst – einen Anteil von meist 10 Prozent des Verkaufspreises einzuräumen.

Es ist derselbe finanzielle Anteil, der auch dem Kellner zugestanden wird. Aber während der Autor die Ware herstellt, stellt sie der Kellner hin. Dafür heißen seine 10 Prozent schlicht *Trinkgeld*, wogegen man beim Autor von einem *Honorar* spricht, ein Wort, das von *honor*, »Ehre«, abgeleitet ist. Die Würde dieses Begriffs schließt es aus, über die Höhe zu verhandeln. Ehre akzeptiert der feine Mann, ohne um sie zu feilschen.

VI

Der Gesetzgeber garantiert jedem Bürger sein Eigentum, nur dem Literaturproduzenten nicht. Dieser wird auch in kapitalistischen Ländern enteignet. Wurden Werke des Schriftstellers in Schulbüchern veröffentlicht, so bekam er dafür bis in die 1970er Jahre hinein in der Bundesrepublik laut Urhebergesetz kein Honorar.

Frage: Müssen auch Setzer, Drucker, Packer und Verleger von Schulbüchern auf ihr Arbeitsentgelt verzichten?

Der Schriftsteller wurde für seine Enteignung mit dem Argument vertröstet, sein Name werde durch die Veröffentlichung in Schulbüchern schon den Kindern bekannt gemacht.

Frage: Liefern Schuhfabriken kostenlos Schuhe, liefern Trikothersteller kostenlos Strümpfe an Schulen, damit der Name ihrer Firmen von Kindesbeinen an bekannt wird?

Das neue Urheberrecht hat dieser Enteignung den Garaus gemacht. Heute bekommt der Autor auch für seine in Schulbüchern veröffentlichten Texte einen Scheck, dessen Höhe mitunter sogar die Spesen deckt, die seine Einlösung verursacht.

Lichtenberg: »Die meisten Poeten kommen erst nach ihrem Tode zur Welt.«

Ist der Schriftsteller siebzig Jahre tot, so werden seine Erben enteignet. Sein Werk ist Volkseigentum. Ist er töter als tot, so zählt er unter die Klassiker und wird mit Goldschnitt in bürgerlichen Chippendale-Bücherschränken beigesetzt.

VII

Ein Manuskript kann entweder verheizt (*Bohème*, 1. Akt), in der Schublade bestattet oder gedruckt werden. In letzterem Fall tritt der Verlag in Tätigkeit. Nach mancherlei Versuchen, das Honorar zu drücken, druckt der Verleger das Manuskript, verwandelt es in Bücher, die einen festen Preis haben.

Bietet der Schriftsteller dagegen sein Manuskript dem Funk oder dem Fernsehen an, so hat er keinen Einfluß auf den Preis, den in diesem Fall der Käufer festsetzt. Vorschlag: diesen Usus auch auf andere Branchen anzuwenden. Läden einzurichten, in denen nicht der Verkäufer, sondern der Kunde den Preis bestimmt. Der Inflation könnte auf diese Weise rasch der Garaus gemacht werden.

VIII

Da der Schriftsteller nach dem Gesetz als Unternehmer gilt, verstößt er gegen das Kartellgesetz, wenn er mit einem Kollegen Preise für Geistesprodukte abspricht. Auch im Schriftstellerverband sind solche Absprachen nicht zulässig.

Ein Verband ist die Bedeckung einer Wunde oder eines erkrankten Körperteils. Ist der Verband deutscher Schriftsteller also ein Schnellverband, ein Streckverband oder gar ein Notverband?

IX

Ist der Verleger gut aufgelegt, so legt er zunächst eine Auflage von 3000 Exemplaren auf. Wenn es dem Sortiment gelingt, diese zu verkaufen, bekommt der *Au-Tor* ein Honorar von zirka 9000 Mark für einen Roman, an dem er ein Jahr gearbeitet hat. Das bedeutet ein Monatseinkommen von 750 Mark, einen Stundenlohn von 4,80 Mark, der schon vor Jahren jeden Packer des Verlags mit Recht auf die Barrikaden getrieben hätte.

Hat ein Schriftsteller das traumhafte Glück, einen Bestseller von, sagen wir, 200 000 Auflage geschrieben zu haben, so hat er, um Heinrich Böll zu zitieren, mit einer von der Steuer längst abgeschriebenen Schreibmaschine, also mit Schrott, und mit Farbbändern und Papier im Wert von ungefähr 200 Mark ein Projekt von fünf Millionen geschaffen, von dem sich Hunderte von Mitessern ernähren.

Jeder Unternehmer, der seinen Gewinn behalten will, investiert. Aber wo soll der Schriftsteller investieren? Soll er seine Maschine vergolden lassen? Sich einen Schreibtisch aus Rosenholz kaufen?

Um arbeiten zu können, braucht er Ruhe, Frieden, Harmonie, zuweilen sogar Liebe oder Wein oder gar beides. Börne hat einmal gesagt, noch kein Dichter habe die schönen Augen seiner eigenen Frau schön besungen. Aber leider darf der Schriftsteller Betriebsausgaben, die ihm auf der Suche nach anderem Erfahrungsmaterial entstehen, nicht von der Steuer absetzen. Selbst wenn er ein Kochbuch geschrieben hat, wird ihm das Finanzamt nicht zugestehen, Betriebsausgaben wie Kaviar, Trüffeln, Gänseleber und Sekt von der Steuer abzusetzen. Auch mit dem Reisen tut er sich schwer. Denn seine Kollegen Friedrich Schiller und Karl May haben dem Finanzamt bewiesen, daß der Dichter unbekannte Gegenden kennt, ohne dort gewesen zu sein.

X

Zuweilen geben karitative Verleger dem Autor, um ihm ungestörtes Arbeiten zu ermöglichen, einen Vorschuß, der später vom Honorar abgezogen wird. Das bedeutet, daß der Schriftsteller einen Kartoffelacker pflanzt und den Zehnten, der ihm von der Ernte zugestanden wird, schon während des Wachstums aufißt, was das Finanzamt nicht hindert, seinen beträchtlichen Anteil am Zehnten als Nachschuß anderthalb Jahre später einzutreiben.

XI

Ist das Werk des Schriftstellers verlegt und gedruckt, so liegt es am Vertreter, für den Absatz zu sorgen. Er vertritt sich die Absätze, um dem Buch einen der knappen Parkplätze im Regal des Buchhändlers zu sichern.

Zu diesem Zweck bedient sich der Vertreter einer Sprache, die lebhaft an das Reizen beim Skat erinnert. Er bietet zum Beispiel ein Buch mit *elf für zehn mit vierzig* an. Das bedeutet, daß der Buchhändler, wenn er 10 Exemplare kauft, ein elftes gratis und 40 Prozent Rabatt bekommt. Ein Reizen, das manchen mit 10 Prozent abgefundenen Autor gereizt macht.

XII

Was kann man mit Büchern machen? Man kann sie schreiben, verbrennen, verschenken, damit Wände tapezieren, sie ausleihen, lesen, daraus zitieren, darüber reden, damit werfen, sie verkaufen. Verkaufen – das ist wichtig. Der Buchhändler sitzt für den Schriftsteller am Schaltwerk des Erfolgs. Er ist der Vermittler zwischen Schreiber und Leser, zwischen Produzent und Konsument. Der Buchhändler muß im Bücherberg von jährlich 60 000 neuen Titeln das Werk des Schriftstellers erkennen. Als Inhaber eines literarischen Wahllokals gibt er ihm eine Chance. Erst in der Buchhandlung, wo die Ehe zwischen Geist und Kommerz geschlossen wird, entscheidet sich, ob das Buch ein Bestseller oder ein für den Ramsch vorgesehenes Mauerblümchen wird.

Der Hirt hütet die Schafe. Das ist gut.

Der Kranke hütet das Bett. Das ist weniger gut.

Das Buch hütet den Laden. Das ist schlecht.

Ein Bestseller dagegen sellt sich selbst. Er findet reißenden Absatz. Kaum im Regal des Buchhändlers, macht er auf dem Absatz kehrt. Wobei sich nicht immer Chamforts schnödes Wort bewahrheiten muß: »Der Erfolg vieler Werke erklärt sich aus der Beziehung, die sich zwischen der Mittelmäßigkeit des Autors und der Mittelmäßigkeit des Publikums herstellt.«

Gedichte machen

Der Wind weht ein zerknittertes Zeitungsblatt über die Straße. Ein Hund jault. Modriger Duft feuchten Laubs. Zufällige Berührung fremder Haut. Ein Fetzen Debussy flattert aus einem Fenster. Die Zähne zermalmen eine Wacholderbeere. Stummer Schneefall.

Auge, Ohr, Nase, Gaumen, Fingerspitzen nehmen wahr, teilen mit. Das Gehirn registriert. Die Erfahrung liefert Assoziationsglieder, die sich zur Kette verschlingen: Wind – Fahnenflattern – Zeitungsblatt – Vogel – Seele – Getriebensein – Angst – Hund – streicheln – damals – sie weinte – Ende – Laub – Herbst – Haut – kuscheln – Debussy – Pollini – Salzburg – Trakl – Park – Zähne – Mörser – Stößel – Wacholder – Kätchen – violett – Herbstzeitlose – damals – gestern – Kindheit – sie – die andere – nie mehr – noch – wie lange – Schnee – Leintuch – zudecken – Sterbehemd …

Das Gemüt reagiert. Der Seismograph schlägt aus. Das Registerblatt bewegt sich. Die Nadel zeichnet Kurven: Gemütsbewegungen.

Stimmungen loswerden. Von der Seele schreiben die Heimsuchungen des Gemüts: Melancholie, Trauer, Resignation, Schuld. Verarbeiten. Abladen, entrümpeln, damit es nicht krank macht. Zuvor aber klären. Bewußt werden, prüfen. Pegasus satteln: die Phantasie einschirren, an die Kandare der Sprache nehmen, ins Halfter der Grammatik zügeln, Trab des Versmaßes.

Ahnungen faßbar machen. Das karge Spielmaterial und Handwerkszeug von fünfundzwanzig Buchstaben. Worte finden, die doch nur Näherungswerte für das Gemeinte sind. Verdichten. Satzketten bilden, gliedern, Satzzeichen setzen. Sprache im Takt halten, zum Musizieren bringen. Das Ziel im Auge behalten. Nicht abschweifen. Notfalls Scheuklappen. Sich klar sein, sich klar ausdrücken. Verständnis suchen. Geschwätzigkeit vermeiden. Korsett des Reims oder anmutige Begradigung. Liebesspiele mit der Sprache treiben.

Resonanzboden. Resonanz haben. Sich mitteilen. Mit jemandem teilen. Sich aus der Isolation lösen, aus der Zelle fliehen, Zelle sein. Sich aussprechen und ansprechen. Empfindungen in Schrift transportieren. Nachempfindbar machen. Drucken. Speisung der fünftausend.

Senden ins Ungewisse. Flaschenpost. Empfänger unbekannt. Auf

Antwort warten. Erlösung aus Einsamkeit. Zwiesprache mit dem Leser. Ausstrahlen. Senden auf Wellenlänge. Anpeilen.

Echo, Brief, Kritik, Abrechnung, publik sein, Publikum haben. Lesung, Gemeinde. Befragt werden, weshalb, wann, wie, warum. Signieren und resignieren.

Schublade. Seelenmüll. Schreiben als Therapie. Geschriebenes als Los. Das Los teilen. Ein Leben lang auf Gewinn warten. Ohne Antwort bleiben. Ins Leere senden. Bumerang. Geschriebenes als Eintrittskarte für den Ruhm vorweisen. Verwiesen werden. Verschlossene Ohren, verschlossene Türen.

Mißverstanden werden. Vor den Karren gespannt. Börse des Gängigen. Buchhändlerbörsenblatt. Marktwert haben. Vermarktet werden. Literaturmesse lesen, Ermessen der Kritik, vermessen werden, vermessen sein, mit Maßen oder in Maßen.

Gedanken, Gedachtes, Dickicht, Dichte, Gedicht.

Ausgesetzte Geisteskinder

Herr K. geht gern in Buchhandlungen. Sie sind für ihn so etwas wie Weinstuben, in denen Geist ausgeschenkt wird. Aber es darf nicht verschwiegen werden, daß Herr K., sosehr es ihm dort gefällt, etwas verlegen ist. Als sei er auf Abwegen. Als könne er ertappt werden. Denn er hat einen abenteuerlichen Beruf. Er schreibt. Er ist ein brauchbares Talent, das unter dem Drang leidet, sich mitzuteilen; ein mittlerer Dienstgrad der Literatur, der sich von seinesgleichen nur dadurch unterscheidet, daß er sich nicht für einen Generalstäbler hält.

Die Technik hat sich seiner Geisteskinder bemächtigt. Was er so sagt und denkt und spintisiert und schreibt und spinnt: Es wird unters Leservolk gebracht. Man jagt es durch die Rotationsmaschinen, man druckt es in Offset, man bindet es in Bücher. Im Rundfunk wird seine Stimme amputiert, ohne daß sie ihm verlorengeht. Sie emanzipiert sich, so daß er zu sich selbst sprechen kann, sie wird vervielfältigt, ist nicht mehr den Gesetzen der Schallgeschwindigkeit unterworfen. »Ach du lieber Himmel, was hast du heute wieder für einen öligen Predigerton!« sagt er zu sich selber und schaltet sich aus.

Manchmal lockt man ihn auch ins Fernsehstudio, und seine Eitelkeit hindert ihn, sich dagegen zu wehren. Er wird unter Scheinwerfern geröstet, von Kameras und Mikrofonen bedrängt, von Kabeln umschlungen, so daß er sich vorkommt wie Laokoon, und so wird ein bewegtes Abbild von ihm auf die Reise geschickt, das Zutritt in unzählige Wohnungen hat und dort zu den Menschen spricht, ohne daß sie ihm entgegnen können.

So segelt er, da gelobt und dort getadelt, da gelesen und dort ausgeschaltet, weder arm noch reich, auf den sanften Wellen eines Wohlstandes dahin, der den Geist zwar duldet, aber nicht fördert.

Aber manchmal zwingt er sich dazu, das Weiße im Auge des Hörers und Lesers zu sehen, obgleich er sich davor scheut. Zuweilen wird er von Studentengruppen, von Buchhandlungen, von Volkshochschulen eingeladen, aus seinen Werken zu lesen, welches Wort ihm etwas hochtrabend erscheint. Vor allem die Bezeichnung »Dichterlesung« bringt ihn in nicht gelinde Verlegenheit. Da produziert er sich nun eine Stunde auf dem Podium; er spürt, wo er seine Zuhörer nachdenklich macht, wo er sie unterhält, wo er sie langweilt, welche versteckten Anspielungen verstanden werden und wo die erhoffte Zustimmung ausbleibt. Er erntet Dank, man klatscht ihm Beifall, er verbeugt sich etwas linkisch, entschließt sich zu den unvermeidlichen Zugaben, um dann einem Phänomen beizuwohnen, das ihn jedesmal erstaunen macht.

Im Hintergrund des Raumes, in dem er gelesen hat, ist ein Tisch, auf dem seine Bücher ausgelegt sind. Das Publikum kauft sie und bittet ihn, seinen Namen hineinzuschreiben. Er tut es, wechselt mit diesem Leser ein Wort, mit jener Leserin einen Blick – leider nur, denkt er bisweilen –, es ist die Stunde des Einvernehmens zwischen Autor und Leser, und wenn sie vorüber ist, geht er zu dem Herrn oder der Dame, die seine Bücher verkauft haben. Das ist der Moment, in dem der Buchhändler zufrieden ist, und Herr K. denkt an ein Wort Hagedorns: »Ein Buch, das leben soll, muß seinen Schutzgeist haben.« In diesem Augenblick erscheint ihm der Buchhändler als ein solcher.

Denn wenn Herr K. darüber nachdenkt, in welcher Form das, was er sagt und schreibt, unters Publikum gebracht wird, so erscheint ihm die Form des Buches am ehrendsten. Das Buch ist nicht so aufdringlich wie ein Fernsehbild, es wird nicht weggeworfen wie eine Zeitung, es verflüchtigt sich nicht wie der Ton aus dem Lautsprecher. Es ist kein frei Haus gelieferter Freizeitvertreib, sondern ein diskreter Gesellschafter, stets parat, aber nur bereit zu reden, wenn der Leser es will. Das Buch überredet und überrumpelt nicht. Es lebt in der Stille, abseits der Hast, sein Stil und sein Inhalt sind kontrollierbar, sie stellen sich der strengen Kontrolle wiederholter Prüfung. Das gedruckte Wort ist unabhängig von der Technik der Übermittlung, von der Qualität eines Interpreten.

Deshalb ist es für den Schriftsteller immer wieder ein denkwürdiger Augenblick, wenn er das erste Exemplar eines neuen Buches in Händen hält. Ein Stück seines Lebens hat sich selbständig gemacht und beginnt seinen ungewissen Weg. Ein Geisteskind wird ausgesetzt. Vom Wohlwollen des Buchhändlers ist seine Existenz nun abhängig.

Odessa – Hildesheim – New York – Neuruppin – Cluny – Budapest: Was haben diese Städte gemeinsam? Die Atmosphäre ihrer Buchhandlungen, Stätten der Versenkung und der Zurückgezogenheit. Es ist still. Es riecht nach Papier und nach Druckerschwärze. Die Herren und Damen, die Geist verkaufen, sind diskret, bedächtig, interessiert. Der ständige Umgang mit Büchern gibt ihnen die Aura einer Distanz vom Alltag. In einer Welt der Technisierung, des Betriebs verteidigen sie letzte Bastionen des Individualismus. Sie sind Kellermeister des Geistes, Richter und Kritiker für den Autor. Übersehen sie ihn? Empfehlen sie ihn mit ihrem so bedächtig klingenden Urteil? Kennen sie ihn überhaupt? Und wenn – sind sie ihm wohlgesinnt?

Solche Gedanken bewegen Herrn K., wenn er sich unter die bedächtigen Käufer und Prüfer in einer Buchhandlung mischt. Er fühlt sich auf einem Umschlagplatz menschlichen Mitteilungsbedürfnisses. Es ist ein kulinarischer Ort, wo Bildung gleich Genußfähigkeit ist, wie Thomas Manns kleiner Herr Friedemann es formuliert, ein Magazin fixierter Erlebnisse. Zwischen bunten Einbänden: Liebe, Krieg, Verzweiflung, Ekel, Verzückung, Glaube, Therapie. Ein Ort stummer Geschwätzigkeit. Da versammeln sich die Seelen vergangener Zeiten, da stehen die stillen Gesellschafter zur Wahl, die belehren, erheitern, verändern, langweilen, bekehren, informieren, die lachen und weinen machen. Da stehen sie in den Regalen, egozentrisch, schlüpfrig, hart, spannend, wehleidig, tröstlich oder schulmeisterlich. Herr K. mustert die Rücken, und da, zwischen Kleist und Koeppen, findet er das eine oder andere seiner Geisteskinder.

Er nähert sich dem Fräulein, das diese Schätze verwaltet. Sie macht einen studierten Eindruck; sicher hat sie recht strenge Ansichten.

Er fragt mutig: »Haben Sie etwas von Emmerich K.?«

Das Fräulein weist ihm sein Eigengewächs, das hier ausgeschenkt wird.

»Aber er soll jetzt doch ein neues Buch herausgebracht haben«, meint er scheu.

»Ja – das ist zur Zeit nicht am Lager. Es wird gern gelesen«, sagt das Fräulein, und Herr K. ist darob hoch zufrieden. Er weiß seine Kinder in guter Hut.

Dichterlesung

Am frühen Nachmittag kommt Herr K. mit dem Zug in Funzwang (»Kreisstadt an der Funz, 56 000 Einw., 544 m üb. Meeresh., spätgot. Kirche, Textilindustrie, Artilleriekaserne«) an. Der »Verein zur Fortbildung« hat ihn eingeladen, aus seinen Werken zu lesen. Er trägt in seinem Köfferchen Nachtutensilien, ein paar noch nicht gedruckte Manuskripte und allerlei gebundenes Selbst-Eingewecktes mit sich. Im Zug hat er eine Auswahl daraus zusammengestellt, die er am Abend den Funzwanger Kulturinteressenten nahezubringen gedenkt.

Vor dem Bahnhof prallt er auf eine Plakatsäule, auf der ein Anschlag seinen Namen und seine Absicht verlautbart, die in das Wort *Dichterlesung* gekleidet ist, einen Begriff, den er nicht mag, weil er so christlich und stefangeorgisch zugleich nach Erbauung und Verkündigung riecht. Gäste zahlen drei, Mitglieder des »Vereins zur Fortbildung«, Studenten und Militär zwei Mark Einlaß.

Herr K. fragt nach dem Gasthof zum Rößle (»erstes Haus am Platze«). Ja, das sei etwas abgelegen, und das einzige Bahnhofstaxi sei meist unterwegs. Herr K. beschließt, den nässenden Weg zu Fuß zu gehen. Ein Sarggeschäft erschreckt ihn; barocke Truhen mit silbernen Beschlägen. Im Aushang der *Funzwanger Neuesten Nachrichten* glotzt ihn dem lokalen Teil sein Jugendbild an; darunter tut eine Nachricht kund, der Dichter K. weile heute in den Mauern unserer Stadt, die Bevölkerung möge in hellen Scharen dem Ereignis beiwohnen, um das kulturelle Interesse des aufsteigenden Ballungszentrums unter Beweis zu stellen.

Es nieselt. Der Tag fühlt sich an wie ein nasses Taschentuch, und Herr K. hat keineswegs Erhabenes im Sinn, eher einen Mittagsschlaf, denn er hat die Nacht zuvor gefeiert, wobei auch Alkohol im Spiele war; das Bett im »Rößle« ist daher höchstes Ziel seiner Wünsche. Am Büfett des Gasthofs verheißt ein Schild *Eigene Schlachtung* nichts Gutes. Schlägt sich hier der Wirt kannibalisch selbst in die Pfanne? Gibt sich gar die Wirtin für einen Menschenschmorbraten her oder hin? Man fragt ihn nach seinen Wünschen. Er bittet zunächst um ein ruhiges Zimmer. Eine schlachtreife Dame entgegnet ihm, der »Verein zur Fortbildung« habe aber nur ein ganz einfaches Zimmer für ihn bestellt. Er wagt nicht, eventuellen zusätzlichen Komfort zu fordern und aus eigener Tasche zu bezahlen. Man weist ihm einen Raum zu, den auf der einen Seite ein Lift, auf der anderen die Toilette flankieren; unter dem Zimmer befindet sich die Küche. Herr K. packt sein Köfferchen aus, stellt verdrossen fest, daß er den Rasierapparat vergessen hat, zieht sich aus und dämmert dem erwünschten Mittagsschlaf entgegen.

Diese Absicht wird vom Telefon unterbrochen, aus dem sich eine Dame namens Herta meldet, die behauptet, Herrn K. vor Jahrzehnten nahegestanden zu haben; sie sei hier verheiratet, ihr Mann bekleide ein gehobenes Amt bei der Stadtverwaltung und dürfe nicht wissen, wie schön Herr K. in seinen Werken die gemeinsame Liebe besungen habe, und ob er nicht zum Abendessen kommen wolle. Herr K. stammelt etwas von innerer Sammlung, die er vor einer Lesung benötige, von daraus resultierender Ungesellligkeit und der Unfähigkeit, seinem Magen zu diesem Zeitpunkt kulinarische Köstlichkeiten zuzuführen; man könne sich ja nach der Lesung im Kreis anderer Interessenten im »Rößle« treffen. Herta, an die sich Herr K. nur verwaschen und ohne Lustgefühl erinnert, ist zufrieden.

Herr K. vergleicht sich jetzt selbst mit Spitzwegs armem Poeten. Er greift zu einem Band Marcuse. Allerlei Unverständliches wie

Tiefsinniges darin ermattet ihn so, daß er eindämmert, bis Kinder-
stimmen ihn wecken. Sie brechen in Gesang aus; eine Kapelle ver-
breitet Fröhlichkeit. Herr K. sucht die wächsernen Kugeln, die er für
solche Fälle parat hat, um sie in die Ohren zu stopfen, aber sie
vermögen nicht, dem fröhlichen Lärm den Eintritt zu verwehren; er
kleidet sich an, erfährt unten, daß heute im »Rößle« der traditionelle
und beliebte Kinderfasching stattfinde, worauf er beschließt, die
Stadt zu besichtigen.

Leider ist die Stadtkirche evangelisch und daher geschlossen. Herr
K. bestaunt statt des Schnitzaltars die kolorierten Standfotos eines
Films über Liebestechnik, er bummelt durch einen Supermarkt, kauft
allerlei unnütze Knöpfe und tut sich schließlich im Café Funzblick
einen ungewohnten Pfirsich Melba neben der Lektüre der Lokalzei-
tung an. Beide liegen ihm im Magen. Im »Rößle« ist inzwischen der
Kinderfasching abgeebbt, die Küche schickt eine Geruchsspeisekarte
ins Zimmer; dennoch gelingt es Herrn K., sich noch ein wenig zu
entspannen und vor sich hin zu dösen.

Um halb acht Uhr zieht er ein weißes Hemd und einen dezent
gemusterten Schlips an und macht sich auf den Weg zur Zeppelin-
Oberschule, wo er sich zur Schau stellen muß. Sie ist etwas außerhalb
des Ortes. Dennoch teilen kleine Gruppen mit ihm den Weg; Herr K.
hat das solidarisierende Gefühl, sich im Strom seiner Leser zu
bewegen. Bedauernd konstatiert er in der Zeppelin-Oberschule, daß
der Strom dem Musiksaal zustrebt, wo ein Lichtbildervortrag über
die Gletscherwelt Südtirols bevorsteht, während der Bastelsaal, in
dem seine Lesung stattfindet, nur eine traurige Versammlung zweckentfremdet leerer Stühle vorweist. Ein Herr tritt ihm entgegen. Er
sieht aus, als habe der Ruhestand seine Aussicht auf die Ewigkeit
intensiviert. Er stellt sich als Vorsitzender des »Vereins zur Fortbildung« vor. Leider sei der Vorverkauf sehr schleppend gewesen. Auch
der Vortrag des Alpenvereins am gleichen Ort nehme Besucher weg.
Zudem habe der Lions Club am Nachmittag eine größere Beerdigung
gehabt, deren Folgen sich wohl bis in die späten Abend hinauszögen.
Und schließlich spiele im Fernsehen noch Bayern München gegen
Lokomotive Pirna, so daß nur mit einem kleinen, aber desto interes-
sierteren Kreis zu rechnen sei. Ein Büchertisch ist aufgebaut. Herr K.
vermißt darauf seine jüngsten Werke. Leider habe der Verlag nicht
pünktlich geliefert, bedauert die junge Buchhändlerin, obwohl man

schon vorgestern bestellt habe. Zwei Personen betreten nun den Saal. »Wir sind jetzt schon zu fünft«, stellt Herr K. fest. Der Vorsitzende entschuldigt sich; er müsse jetzt die Gäste begrüßen, man fange hierorts nie vor Viertel nach an. Herr K. weiß nicht recht, wohin mit sich. Er ergeht sich in den Schulgängen und stellt fest, daß es dort noch genauso nach Schwamm, verregneten Mänteln und Putzmitteln riecht wie in seiner Jugend. Er schlägt die Zeit tot und betritt um Viertel nach acht den Saal, der mit immerhin vier Dutzend Interessenten schütter besetzt ist.

Der Vorsitzende bittet ihn, in der ersten Reihe Platz zu nehmen, und besteigt das Rednerpult, um ihn einzuführen. Er spricht ein paar Sätze: nicht hoch genug anschlagen, dankbares Publikum, echte Aussagen, heimatverbundenes Anliegen, gern bereit, seine Bücher zu signieren. Dann erteilt er dem unter ermunterndem Beifall das Podium betretenden Herr K. das Wort.

Der fühlt sich hinter dem pädagogischen Katheder etwas fehl am Platze; ein legerer Tisch mit Stuhl wäre ihm lieber gewesen. Ein Glas Wasser glotzt ihn ernüchternd an. Er liest zuerst einen leichtfaßlichen Text, mit dem er Schmunzeln auszulösen gewohnt ist, eine Art literarische Lockerungsübung, die ihm Zeit läßt, das Publikum zu betrachten: ein paar Damenhüte von verschämter Kühnheit, blasse alte Herren, viele Brillen, Damen, die aussehen, als ob sie karitativen Berufen nachgingen, ein paar jugendliche Bärte, die werden doch keinen Rabatz machen; ein Publikum, von dem zu befürchten ist, daß es unter dem sanften Druck von Telefongesprächen des Vorsitzenden herbeigeströmt ist, mehr von der gesellschaftlichen Pflicht als von der vergnüglichen Kür zusammengewürfelt, wie es Herrn K. scheint, der nun mit ein paar scherzhaften Worten – die mit einigem Befremden hingenommen werden, denn einen scherzenden Dichter ist man nicht gewohnt – zu seiner frühen Lyrik greift und damit Emotionen weckt. So etwas wie Rührung kommt auf. Herrn K. ist das unbehaglich, denn er weiß, nichts ist leichter, nichts ist billiger, als Gefühle zu wecken; er kommt sich wie ein Falschmünzer vor. Er spricht jetzt mit seinem Werk ein paar Zuhörer an. Ein Mütterchen in der ersten Reihe, das von Müdigkeit heimgesucht wird. In der dritten Reihe einen recht adretten roten Hut; in den Mundwinkeln sitzt ein Krümel Ironie. Er richtet das Wort an die Dame, die von des Dichters Werk beeindruckt erscheint. Jetzt entdeckt er in seinem Text einen Druckfehler. Statt Ganglien steht da in seinem Gedicht *Gaglein;* zu blöd, und noch niemand hat ihn darauf aufmerksam gemacht. Der Dichter ist so irritiert, daß er sich ein paarmal verspricht, wodurch seine freien Rhythmen zu holpern beginnen. Er schaut auf die Uhr. Es ist viertel vor neun. Er spürt, mehr als eine starke Stunde darf er diesem Publikum nicht zumuten. Also greift er zu seinem neuen Roman, noch ungedruckt, eine Montage aus Zitaten, Werbetexten, Wortspielen, Dialekteinsprengseln, Assoziationen; man hat ja nicht umsonst seinen Handke gelesen. Er trägt ganz schlicht vor, aber das Publikum scheint auf der Strecke zu bleiben. Er artikuliert stärker, läßt ein wenig Pathos einfließen, setzt Betonungen, sucht den Text faßlicher zu gliedern. Schließlich fällt das Wort *Scheiße,* Signal des Progressiven. Es aktiviert die Zuhörer. Sicher hört man es in der Zeppelin-Oberschule nie im Deutschunterricht, höchstens in den Pausen; auch im »Verein zur Fortbildung« hat es noch kein Dichter gebraucht. Gelächter meldet sich an – nein, so einer. Das Publikum scheint gespannt, was da noch kommen wird. Einen Tabubrecher haben wir da nach Funzwang bekommen. Auch das Mütterchen ist erwacht. Die Stimmung für den weiteren Verlauf des Abends scheint günstig.

Herr K. schichtet Denkformen, erhellt das Bewußtsein, stabilisiert Disharmonie, lotet Tiefe und genießt jetzt seinen eigenen Text wie Haschisch. Aber nach weiteren zehn Minuten sind die Wirkungen des aktivierenden Worts dahin. Das Mütterchen ist wieder eingenickt. Ein größerer Bakterieneinbruch scheint stattgefunden zu haben. Hüsteln, Husten. Der rote Hut in der dritten Reihe hängt noch am Munde des Dichters, der nun bemerkt, er werde zum Schluß kommen, was die Zuhörer wieder munterer macht. Was macht man jetzt mit dem angebrochenen Abend? Reicht es noch zur Spätausgabe der Tagesschau? Der Dichter schließt mit einem pointenreichen Essay. Er endet ziemlich abrupt. Der Beifall ist erleichtert und freundlich. Er animiert ihn zu einer Zugabe; das hätte er nicht tun sollen. Das Publikum wird wieder unruhig. Der Dichter überlegt seinen Abgang. Jetzt aus dem Saal gehen? Nein, er muß ja noch signieren. In die erste Reihe setzen? Dann denken die womöglich, er mache nur Pause. Freundlicher Beifall. Der Vorsitzende steht auf, drückt ihm die Hand, nimmt ihm die Sorge, indem er ein Schlußwort spricht: Tiefe des Gehörten, großes Erlebnis, Wesentliches nach

Hause tragen, denen mitteilen, die unbegreiflicherweise nicht erschienen, nächster Abend in vier Wochen, ein Lichtbildervortrag über vorschulische Aufklärung, gute Nacht, gute Heimfahrt.

Das Mütterchen naht sich Herrn K. und erschreckt ihn mit der Vermutung, sicher sei sie derselbe Jahrgang wie er; sie eröffnet ihm, sie sei auch im gleichen Ort geboren, und bittet um Signierung eines Buches. Er weiß nicht recht, wo, geht wieder ans Katheder, schreibt seinen Emmerich K. ins Buch. Um den Büchertisch bildet sich eine Gruppe, eine kleine Schlange vor dem Pult. Man steht um Herrn K.s Namen an. Das tut wohl; auch der rote Hut ist darunter. Er schreibt, lächelt an. Man macht ihm Komplimente, bedankt sich; es sei wirklich *erhebend* gewesen. Nun ist der rote Hut an der Reihe. Herr K. faßt sich ein Herz. Ein Kreis Interessierter treffe sich noch im »Rößle«, ob Lust? Ja, schon, aber . . . Die Erklärung wird von einem in der Seelsorge tätigen Herrn abgeschnitten, der Herrn K. einen umständlichen Traum schildert, der sicher ein Stoff für einen katholischen Roman sei. Der rote Hut postiert sich unschlüssig im Mittelgang; Herr K. meint aus der Haltung schließen zu können, daß gegen eine Begegnung im »Rößle« keine Abneigung bestehe. Aber der Seelsorger ist verbal arg ausschweifend. Die Dame vom Büchertisch bringt Liegengebliebenes, Ladenhütendes und bittet um vorsorgliche Signierung. Inzwischen hat sich der Saal geleert; nur der Vorsitzende ist geblieben, um den Dichter ins »Rößle« zu begleiten. Dort ist schon ein ganzer Tisch versammelt; leider ist der rote Hut nicht dabei, dafür Herta, die Jugendfreundin, mit einem zu Recht auf Diät gesetzten Gatten, dann noch ein Schulkamerad, der, weil früh und oft durchgefallen, es in Funzwang zu großem Reichtum gebracht hat. Herrn K. wird ein Ehrenplatz zugewiesen; seine Umgebung wird bedient, während er ärgerlich lange auf das wohlverdiente Glas Wein warten muß, während man ihm Geschichten aus seinen Werken erzählt, die ihm inzwischen fremd geworden sind, und um Ausdeutung bittet, Vorschläge für neue Werke macht und ihm Schnurren und Sagen aus der näheren Heimat auftischt. Es bleibt Herrn K. nichts anderes übrig, als zum Gegenangriff überzugehen und Anekdoten zu verplaudern, die man ihm daheim in der Familie übelnimmt, weil er sie dort schon zu oft erzählt hat.

Der Abend wird anregend beschlossen. Herr K. trinkt mehrere Schoppen, man freut sich, einen Dichter im Kreis zu haben, Herta drückt ihm verstohlen die Hand und deutet, für ihn nur noch schwer verständlich, gemeinsame Vergangenheit an.

Obwohl er sich den Luxus des Ausschlafens gönnen wollte, sieht man den unrasierten Herrn K. schon am frühen Morgen auf dem Bahnsteig stehen. Lift und Toilette wurden schon zwischen Tag und Tau rege benutzt; auch das Anbraten der eigenen Schlachtung ward von der Küche herauf zu früher Morgenstunde ruchbar. Herr K. friert, streicht über das kratzende Kinn, hofft, keinen Bekannten zu treffen, und freut sich auf sein Zuhause.

Schriftsteller auf der Buchmesse

Herr K. ist ein bescheidener Autor, der mit Liebe und Ingrimm für einen renommierten Verlag ein Buch geschrieben, sich vom knappen Vorschuß ernährt und das Manuskript mit Hängen und Würgen im April abgeliefert hat, damit es rechtzeitig zur Buchmesse herauskomme. Weil es ein recht kritisches Buch ist, verspricht sich Herr K. keinen spontanen Erfolg davon. Um so überraschter ist er, als ihm der Verlag im August mitteilt, man werde es in einer knapp fünfstelligen Erstauflage herausbringen, und ihn ein bekannter Buchhändler, der die Korrekturfahnen gelesen hat, anruft und zuversichtliche Worte über sein jüngstes Werk an ihn richtet. Die Tatsache, daß ihn sein sonst recht sparsamer Verlag sogar auf die Buchmesse nach Frankfurt einlädt, läßt sein Erstaunen nur noch wachsen.

Er ist zum erstenmal bei dieser Veranstaltung, findet sich auf dem literarischen Jahrmarkt nur schlecht zurecht und entdeckt mit einiger Mühe den Stand seines Verlags. Dort sind ein halbes Dutzend Damen und Herren, die sonst immer Zeit für ihn haben, in hektischer Unruhe mit Interessenten im Gespräch. Man setzt Herrn K. in eine Ecke des Standes, kauft sich mit einem zu süßen Sherry bei ihm frei und empfiehlt ihm, sich umzusehen.

Das tut er. Unter den zwölf aufliegenden Neuerscheinungen entdeckt er sein Buch. Ihm ist zumute wie einer Mutter, die zum erstenmal ihr Kind erblickt. Freudig bewegt nimmt er es in die Hand, streichelt den glatten Schutzumschlag in geschmackvoll gedeckten

Farben, liest auf dem olivgrünen Leineneinband seinen Namen, schlägt auf und findet zu seinem Erstaunen nur leere Seiten. Ein Herr vom Verlag tröstet ihn: Da das Buch doch nicht ganz rechtzeitig ausgeliefert werden könne, habe man zunächst einmal einen Blindband hergestellt, aber alle großen Buchhändler und die bedeutendsten Rezensenten seien mit Fahnenabzügen versorgt und könnten das Buch schon im voraus lesen.

Herr K. schaut sich um und findet in seinem Rücken großformatige Porträts bedeutender Kollegen und fotogener Kolleginnen. Eine Dame mit klangvollem Namen ist darunter, die einen so dicken Roman gewagt hat, daß man ihn nicht einmal zum Lesen mit ins Bett nehmen kann. Herr K. weiß: Bei der Buchmesse gibt es für jeden Verlag drei Klassen von Neuerscheinungen. Zunächst die, von denen man sich keinen Erfolg verspricht. Dann die, deren Erfolgs man ziemlich sicher ist. Für beide Gruppen ist der Verlag bereit, viel zu tun. Und schließlich die dritte Gruppe: Bücher, von denen man nicht recht weiß, wie sie einschlagen werden; unsichere Kantonisten, die in den Ramsch oder in Bestsellerlisten zu gelangen haben. Herr K. erkennt bald, daß sein Buch in die dritte Gruppe gehört. Er stellt darüber hinaus fest, daß auf der Buchmesse der, der Bücher verkauft, wichtiger ist als der, der Bücher schreibt. Dieser hat seine Vorarbeit getan, man braucht ihn höchstens noch zur Staffage.

Ein unscheinbarer Kunde, der aussieht, als betreibe er den Bahnhofkiosk in Kreiensen, interessiert sich für Herrn K.s Buch. Man macht ihn mit dem Autor bekannt. Der macht nicht allzuviel Wesens von seinem Werk. Er sagt, er habe noch viel zuwenig Abstand davon, um sagen zu können, ob es gelungen sei; er hätte noch gern ein paar Monate daran gearbeitet. Die Herren des Verlags hören solche Selbstbescheidung mit Mißbehagen. Sie machen Herrn K. klar, er habe mit dem bedeutendsten Buchhändler Niedersachsens gesprochen, und es sei auf der Buchmesse nicht üblich, sein Licht unter den Scheffel zu stellen. Herr K. merkt sich das und bemüht sich aufwendig um einen anderen Interessenten, der den Schutzumschlag mit nassem Finger prüft, mit dem Nagel über den Einband kratzt, leere Seite um leere Seite umblättert und sich einen Fahnenabzug des Inhalts geben läßt. Herr K. ist überzeugt, daß dieser Herr noch viel bedeutender sei als der niedersächsische Buchkönig, aber man erläutert ihm später, es habe sich um den Inhaber einer Leihbücherei in

Hitzacker gehandelt, der sich überlege, ob er seine Bestände um ein Exemplar des K.schen Werkes aufstocken wolle.

Nach diesen messepsychologischen Niederlagen begibt sich Herr K. auf die Wanderschaft durch die Messehallen. Von Kameraleuten wird er auf Tauglichkeit gemustert und für zu leicht befunden. Ein Vollbart überreicht ihm ein hektographiertes Informationsblatt für Fernsehen, Funk und Presse mit einem genauen Fahrplan, wo und wann der extreme Studentenring heute spontan demonstriere. Ein Funkreporter hält ihm ein Mikrofon vor den Mund und fragt ihn, wie er die diesjährige Buchmesse, verglichen mit der letztjährigen, finde. Als Herr K. bekennt, er sei nur Schriftsteller und zudem das erstemal hier, läßt der Reporter geringschätzig von ihm ab. Herr K. betrachtet die Besucher. Er findet, daß hier viele gutaussehende Menschen, viele sympathische Köpfe zusammengekommen sind. Er sieht auffallend hübsche Mädchen, die beweisen, daß sie sich nonkonformistisch nicht an die Mode halten, indem sie sie extrem übertreiben.

Herr K. wird von den Besitzern kleinerer Stände zuweilen erkannt und zu scharfen Getränken oder Kaffee eingeladen. Man schlägt ihm vor, eine Parodie auf die Sexwelle zu schreiben, und als er meint, das könne man nur mit einem Supersexbuch tun, sagt man ihm, genau das sei das Richtige, und Sex über Siebzig sei überhaupt der letzte Schrei. Herr K. stellt beruhigt fest, daß ihm für dieses Buch noch Zeit bleibe. Er begrüßt einige namhafte Verleger, die jedoch so beschäftigt sind, daß sie, sonst gern zum Gespräch bereit, ihn mit Floskeln wie »Bis später!« oder »Rufen Sie mich doch mal an!« abtun. Er besucht den Stand eines Verlags, zu dessen Städteanthologie er einen wesentlichen Beitrag geliefert hat. Als er sich zu erkennen gibt, behandelt man ihn wie einen Wilddieb, der in einem Jägerverlag vorspricht. Ein als Gammler verkleideter adretter junger Mann singt ziemlich linksextreme Lieder und begrüßt Herrn K. überschwenglich, weil er ihm einst bei einem Folksongwettbewerb im Funk zum Durchbruch ins Establishment verholfen habe. Herr K. bekommt viele Einladungen: zur Verspeisung einer Chinesin, zu einer Lesung von Computerlyrik, ins schlechteste Theater der Welt, zu einem Read-in der radikalen Mitte, zu extraordinären Pressekonferenzen.

Die Zahl der ausgestellten Titel ist so groß, daß Herr K. mit seinem bescheidenen Werk auf ewig unbekannt zu bleiben fürchtet. Solch düstere Gedanken wälzend, sieht er sich plötzlich im Mittelpunkt einer Demonstration, als sei er in einen Taifun geraten. Neben ihm werden Zeitungen zerfetzt, ein Sprechchor verlangt, daß man irgend jemanden in die Fresse hauen soll, was sich auf Presse reimt, in die Menge eingekeilt sieht sich Herr K. plötzlich zu einem Sitzstreik mitgezwungen und blickt einer drohenden Phalanx von finster blikkenden Polizisten ins Auge. Glücklicherweise bietet sich nach wenigen Minuten ein anderes Anti zur Demonstration an, und Herr K. kann sich aus der Masse freischwimmen.

Er rettet sich in den Stand einer ranken Verlegerin, mit der er bisweilen literarischen Umgang pflegt. Sie fordert ihn auf, ein Kochbuch für Kannibalen zu schreiben. Denn nur das Extravagante habe eine Chance, noch bemerkt und gekauft zu werden.

Während solchen Gesprächs erscheint ein laufender Bote seines Verlags. Herr K. kommt sich wie bei einem Seitensprung ertappt vor. Mit leisem Vorwurf wird ihm erklärt, man suche ihn schon lange, denn das Fernsehen sei gerade am Werkeln. Herr K. schlägt sich durch eine Menschenmenge zu seinem Verlag durch, wo eben ein bedeutender Kritiker, der das Stroh wachsen hört, ziemlich viel über sich selbst, über den Buchmarkt und über die gesellschaftsverändernde Funktion der Buchmesse vor der Kamera ins Mikrofon spricht. Die Buchmesse sei ein Ort des Gesprächs mit Verlegern und Buchhändlern, auch mit Autoren, die leider viel zu selten zu sehen wären. Herr K. bestätigt dies mit einem Kopfnicken, während die Kamera für einen Augenblick auf ihn schwenkt, worauf der bedeutende Kritiker in seinem Monolog über die Notwendigkeit des Gesprächs fortfährt.

Herr K. sitzt wieder im Stand herum, ist den jungen Damen beim Suchen nach allerlei versteckten Gegenständen im Weg und fragt schließlich schüchtern, ob er sich noch ein bißchen entfernen dürfe. Ja, aber er solle jederzeit erreichbar sein. Herr K. weiß jetzt, daß der anwesende Autor störend, der abwesende aber wichtig ist, und schlägt vor, ihn an einer langen Leine, mit der man ihn jederzeit zum Stand zurückziehen könne, laufen zu lassen. Mit nachsichtigem Lächeln nimmt man den Scherz hin und stellt fest, die Autoren hätten es gut. Mit Hilfe ihrer übertriebenen Vorschüsse könnten sie es sich sogar erlauben, bei der Buchmesse Allotria im Kopf zu haben. Ob Herr K. nicht endlich ein heiteres Buch über die Messe schreiben wolle?

Drei Tage weilt Herr K. in Frankfurt und wird jeden Morgen im Hotel dringlich gefragt, ob er noch nicht abreise.

In guten Restaurants muffeln ihn unwillige Kellner an, alle Tische seien besetzt; in schlechten Kneipen serviert man ihm lauwarme Würstchen. Da und dort an den Ständen zu alkoholischen Getränken eingeladen, befindet er sich in einem Zustand ständiger leiser Trunkenheit, die ihn die Flut der Titel, die ihn überschwemmen und die nur zu einem winzigen Teil zu lesen ein Leben nicht ausreichte, mit Fatalismus ertragen läßt. Analphabet müßte man sein oder wie jener große Mann einen Stab von Leuten haben, von denen man lesen läßt, was einen interessiert. Herr K. stellt fest, daß der Erfolg eines Buches keineswegs allein von der Leistung des Autors und vom Wohlwollen des Lesers abhängig ist. Er empfindet die Wichtigkeit der Zwischenstufen, der Hürden, die ein Buch zu nehmen hat und die es nicht ohne das Geschick des Verlags, das Interesse der Rezensenten, die Neugier von Funk und Fernsehen, das Vertrauen der Buchhändler und die Sympathie der Buchhändlerinnen zu nehmen imstande ist. Er erkennt, daß ein neues Buch auf der Messe nur ein winziges, kaum vernehmbares Stimmchen im Geschrei der zigtausend Titel ist und geringe Chancen hat, sich in einer Bestsellerliste, von lauter Publicity emporgedröhnt, bemerkbar zu machen, ja daß es nur einem Bruchteil dieser Bücher gelingen könne, die untere Rentabilitätsgrenze für den Verlag oder gar für den Autor zu erreichen.

Gegen solche düsteren Erkenntnisse läßt sich Herr K. noch ein Glas geben.

Der Dichter ist tot!

Den letzten Dichter habe ich an einem Regenmorgen auf dem Bahnhof von Memmingen gesehen; es mag vor anderthalb Jahrzehnten gewesen sein. Am Abend zuvor war im Stadttheater ein dramatisierter Schulfunk beigesetzt worden; der schüttere Beifall vermochte den Autor nicht abzuschrecken, vor den Vorhang zu treten. Dort überreichte ihm der Intendant einen Lorbeerkranz mit lila Schleife und der Aufschrift in Goldbuchstaben: »Dem Dichter – Das Stadttheater Memmingen«.

Als ich am anderen Morgen im Nieselregen auf meinen Zug wartete, stand er auf demselben Bahnsteig, neben sich ein Köfferchen mit den Nachtutensilien und vielleicht auch noch ein paar eigenen Werken darin. Den Regenschirm aufgespannt und in der Linken den Lorbeerkranz, dessen Schleife nun eingerollt war: ein Gewürzvorrat für Suppe und Sauerbraten, der ein ganzes langes Dichterleben ausreichen mochte. Ein Poeta laureatus, ein Schöngeist. Ein Fossil des bürgerlichen Idealismus, Leitbild fürs Lesebuch, ein Dichter und Denker, ein Mann, dessen Ewigkeitswerte von gestern abend bitterem Vergessen anheimfielen, ein Genie, C-Dur verpflichtend: Ehrt eure deutschen Meister von Richard Wagner bis zu Bayern München. Er stand da, als fahre er zu seiner eigenen Beerdigung.

Machen wir uns nichts vor: Der Dichter ist tot. Der Mann, der in seiner Eremitenklause saß und dort ein Verhältnis mit der Sprache hatte, das nicht ohne Folgen blieb. Der Worteschmied, der Reimer, der Heimarbeiter, der sich nur ungern mit der Technik einließ, der sie sich im günstigsten Fall gefügig zu machen versuchte, indem er eine Schreibmaschine im Habichtsystem mit zwei Fingern behackte. Der dann das Manuskript aus der Walze zog und es nicht einmal in Tante Emmas Laden zum Verkauf auslegte, sondern damit hausieren ging: beim Verlag oder bei einer Redaktion, beim Funk oder beim Fernsehen.

Es gibt ihn noch, den Mann – es kann auch eine ältere Dame sein –, der auf diese Weise Schrift stellt. Aber er hat keine Zukunft mehr. Der Markt hat sich geändert. Und wie Tante Emma gezwungen war, sich an die Spar-Kette zu legen, um mit ihrem Laden zu überleben, so muß auch der Steller von Schrift die Gesetze von Angebot und Nachfrage beachten und sich den veränderten Marktmöglichkeiten anpassen. Die Verlage konzentrieren sich, sie bieten kaum mehr Möglichkeit zu Experimenten. Die Zeitungen beschränken sich auf Bilder nebem kurzatmigem, bißgerechtem Schnipselmaterial. Das Feuilleton hat sich krankgeschrumpft, oder es findet nicht mehr statt.

Hier ist es an der Zeit, eine Frage zu stellen. Wer ist eigentlich ein Schriftsteller? Ich muß eine Definition schuldig bleiben. Denn die, die vom Schreiben leben können, sind arg in der Minderzahl. Es ist auch kaum hundert Jahre her, seit Schreiben von einer Nebenbeschäftigung für den Minister Goethe, den Pfarrer Mörike, den Professor Schiller, den Hauslehrer Hölderlin zu einem Hauptberuf geworden ist. Hauptberuf ist das Schreiben eher für den Journalisten, den Publizisten. Aber wo ist da die Grenze zum Schriftsteller? Sie ist offen, sie kann ohne Paß und Visum überschritten werden. Besser gelingt es meist dem, der für den Tag schreibt, vom Schreiben zu leben, als dem Schriftsteller, der für eine wenn auch kleine Ewigkeit schreiben möchte.

Versuchen wir ihn zu skizzieren. Der Schriftsteller ist ein Mann, der unter einem manischen Äußerungstrieb leidet und der seine Äußerungen vervielfältigt und bezahlt sehen möchte. Schon vom Typ her kann man ihn wenn nicht festlegen, so doch andeuten. Er hat eine Vorliebe für Szenen, für theatralische Effekte, auch im Familienleben, er spielt gern Rollen: Patriarch, Schürzenjäger, Räsoneur, am liebsten unverstandener Mann, er ist bestrebt, sein Leben zum öffentlichen Happening umzufunktionieren. Er trägt seine Launen, wie Frauen Nerze tragen, und er entwickelt in seinen tätigen Phasen einen Hang zum Übertreiben, der seine Umwelt teils mitreißt, teils abstößt, je nachdem, ob sie ihm ferner oder näher steht. Seine Tätigkeit geht zuweilen im Gebiet der Utopie vor sich. Um mit Maxim Gorki zu sprechen: Er baut Schlösser auf dem Mond, die der Leser bewohnt und für die der Verleger die Miete einzieht. Die Öffentlichkeit beutet ihn aus, indem sie ihn ständig und oft falsch zitiert. Die Machthaber stecken sich seine Äußerungen wie Federn an den Hut; sie fürchten ihn, sie verachten ihn, und sie zitieren ihn. Aber auch seine Macht ist nicht zu unterschätzen, weil seine Äußerungen vervielfältigt werden. Er gilt als Multiplikator von Meinungen, obwohl er zuweilen seinen Mangel an Meinung hinter einer bestechenden Formulierung zu verbergen versteht. Er hat, um in der Sprache des Fremdenverkehrs zu sprechen, »hohen Freizeitwert«, vor allem wenn er das Futter des Zeitvertreibs vertreibt. Sein Handwerk ist die Sprache, die sich ihm zuweilen spröde widersetzt oder auch liebevoll hingibt. Er ist ein bezahlter Amateur, ein Liebhaber, und wie unter allen Liebhabern gibt es Stümper und Könner unter den Schriftstellern. Er ist ein Artist, der mit Worten jongliert. Er kann durch kein Hotel gehen, ohne die dort ausgehängten Texte im Kopf ständig zu verbessern, er kann an keinem bedruckten Stück Papier vorbeigehen, ohne es zu lesen; wobei er selbst vor so spröder Prosa wie den Beförderungsbedingungen der Schweizer Bundesbahnen nicht zurückschreckt.

Wenn er auf dem laufenden bleiben will, muß er sich heute mit der Technik arrangieren. Er darf sich nicht auf den Umgang mit der ungeliebten Schreibmaschine beschränken. Er sollte sich vor einem Tonbandgerät nicht scheuen, er sollte sich auch im Gespräch klar oder, wenn das nicht geht, amüsant ausdrücken können, sollte wissen, welchen Spontaneitätswert ein Versprecher im Funk hat und welche Äußerungsmöglichkeiten Kamera, magnetisches Aufzeichnungsgerät und Bluebox ermöglichen, welche Zauberlehrlinge in der Technik der Massenmedien ihm dienstbar sein könnten.

Dann ist er nicht mehr Tante Emmas Heimarbeiter, Klausner, Schriftsteller, Hausierer. Dann weiß er nicht nur, daß ihm ein weiter Markt offensteht, er findet auf diesem Markt auch seinen Verkaufsstand, wo er seine Ware – als die das Mehrwertsteuergesetz seine schriftlich oder elektronisch vervielfältigten Äußerungen bezeichnet – loswerden kann.

Wahrlich, da steht ihm manches offen. Etwa die Laufbahn eines Kolumnisten, der allwöchentlich sein Feuilletönchen allseits gefragte Musik machen läßt; er kann sich und seine Fabrikate in der Werbung verkaufen; er kann radioaktiv werden, das Fernsehen fragt nach dem Autor und dem Gagman, nach dem Lieferanten von Ideen, Stoffen, Treatments, Exposés und Drehbüchern. Der Politiker sucht einen, der seine Reden mundfertig und womöglich sogar witzig macht – es bestehen genug Marktmöglichkeiten für den cleveren, kontaktfähigen, kreativen, dynamischen Kollegen, für den Eigenwerbung nicht gegen die Grundsätze verstößt. Er sollte die rundfunkpolitische Slalomtechnik beherrschen, die, ständig an heißen Eisen vorbei, eine genußvolle Talfahrt beschert. Er kann es zum Status einer von Verlag oder Fernsehen zwar nicht gehätschelten, aber immerhin durchgefütterten Legehenne bringen, von der man unter dem Zwang permanenter Produktivität ein Ei jährlich erwarten darf – ein Grass-Ei, ein Böll-Ei, ein Simmel-Ei, eine Sammlung Luft-Eier. Solange er das auf den Markt bringt, ist er nicht in Gefahr, als aus-gelegt abgeschlachtet zu werden, an den Spießen eines Wienerwald-Henderlgrills zu enden und dem Leser, der ihn vergessen hat, nur noch einen wohligen Rülpser zu entlocken.

Das Team bietet sich ihm als Mithelfer an. Die einfallsarmen Macher schließen ihn in ihre Arme. Denn es ist bekannt, daß ein Theaterstück nicht mehr geschrieben, sondern in langer Probenzeit erarbeitet wird. Producer und Redakteur warten auf ihn, den Spezialisten, den Star, den Autor, den Wissenschaftler, den Publizisten. Schon der Absatz einer Programm-Idee, die dem Schreiber kommt, enthält personelle, finanzielle und technische Konsequenzen, die er zu tragen hat, wobei – ich zitiere aus einem Aufsatz von Peter Ruge, *Die neue Generation von Fernsehmachern* – »die kreative Phase von der dispositionellen nicht zu trennen ist. Die Sicherheit der Endfertigung liegt bei Schnitt und Text.« Der Fernsehautor Oliver Storz drückt das präziser und weniger euphemistisch aus: »Der Autor ist mehr und mehr umringt von Rezeptköchen, die nur eines kochen wollen, das, was sie für den augenblicklich marktgerechten Brei halten.«

Kultur und Politik sind heute nicht mehr voneinander abzugrenzen. Politik gehört nicht mehr zur Intimsphäre eines Klausners im elfenbeinernen Turm. Der Schriftsteller ist ständig öffentlichem Unbehagen ausgesetzt, zu welchem die Öffentlichkeit mit Recht eine Reaktion von ihm erwartet.

Der engagierte Schriftsteller ist eine Kontrollinstanz der politischen Macht. Seine Freiheit ist proportional der Höhe seines Bankkontos. Das Demokratieverständnis unseres Landes ist rückläufig. Der Schriftsteller gehört zu der Reservetruppe, die dieses Demokratieverständnis zu schützen und zu retten hat. Es scheint nur, daß in diesem Staat die Freiheit dessen nicht gefährdet ist, der mit seiner Meinung nicht hinterm Berg hält. In den Massenmedien sorgen Begriffe wie »Ausgewogenheit« für Wohlverhalten. Eine Zensur findet nicht statt – sie wird durch Selbstzensur voll ersetzt.

Wir brauchen nicht in die Provinz zu gehen, um Journalisten zu finden, denen die Konzentration der Massenmedien und der Presse, die Pression politischer und religiöser Gruppen, der Einfluß von Interessenverbänden verbieten, auf erkannte Mißstände hinzuweisen, Ausbeutung Ausbeutung und Dreck Dreck zu nennen. Kollegen, die das täten, gefährdeten mit der Wahrheit nicht den Nächsten, sondern sie lästerten die drei Götter unserer Wohlstandsgesellschaft: Scheinheiligkeit, Prestige und Profit. Wer sie zu entlarven versucht, der vernichtet, wenn er nicht unabhängig ist, seine eigene Existenz.

»Es ist leichter, mit Christus über die Wogen zu wandeln, als mit einem Verleger durchs Leben«, hat Hebbel gesagt. Und damals gab es Verleger, die noch mit Schriftstellern reden, verhandeln konnten, ohne daß sich eine Werbeabteilung dazwischenschaltete, die weiß, wie man Bestseller vorprogrammiert. Damals war der Erfolg eines Autors mehr von seiner Leistung und weniger vom Werbeetat des Verlags abhängig. Damals galt noch nicht der Satz von Peter Härtling, der es in Personalunion als Verleger und Schriftsteller ja wissen mußte: »Verlegerträume sind kurzfristig, Autorenträume sind langfristig, aber an Verlegerträume gebunden.« Also träum schneller, Genosse! Von Natur aus wendet sich der Schriftsteller gegen alles Muffige, Spießige, Kleinkarierte, Beharrende; von Natur aus empfindet er Brüderlichkeit mit dem sozial Schwächeren, er, der sozial Schwächste, dessen Existenz von jedem Wechsel in einem Lektorat, in einer Redaktion, von jeder Kooperation zweier Sender oder Verlage gefährdet ist. Er, der für die Gesellschaft notwendig ist, wird von der Gesellschaft nicht abgesichert. Er ist den Unbilden eines ungewissen Alters ausgeliefert. Dennoch glaubt er daran, die Welt verändern zu können, obwohl das nur wenigen in der Öffentlichkeit Tätigen geglückt ist, voran Jesus von Nazareth und Karl Marx.

In einer Welt, in der der Bodensee keine Idylle, sondern eine Kloake ist, kann er die Umwelt nur verändern, wenn er bereit ist, seine Berufsgewohnheiten zu ändern, wenn er sich zusammenschließt mit den Kollegen aus verwandten Berufen, die wie er benachteiligt sind. Walser sagt dazu in seinem *Interview an einen Dichter:*
»Möchtest du zuletzt lieber sagen: ich habe
die Verzweiflung gepflegt, oder: ich war dabei,
als man die Verträge anfocht und
bessere Bedingungen erkämpfte für alle.«

Meine Freunde, die Karikaturisten

Sie haben es geschafft. Sie haben eine Schlacht gewonnen. Sie haben Terrain erobert. Ihr Sieg begann nach dem letzten Krieg. Von den Inseln der Witzblätter und der satirischen Zeitschriften aus, wo sie unter sich nur für ein kleines Publikum lebten, begannen sie ihre Invasion in die Tagespresse. Während der Satiriker mehr und mehr aus dem Spaltengehege der Zeitung verdrängt wird – »Ihre pointierten Texte sind für den Leser zu anspruchsvoll« –, während er höchstens noch unterm Strich ein entgiftetes Feuilletönchen von sich geben darf, hat sich sein zeichnender Kollege, der nicht minder scharfe Pfeile im Köcher hat, in den politischen Teil vorgearbeitet und beherrscht zuweilen sogar das Schaufenster der Seite eins, wo er über Wahlkampf, Streik, Aussperrung, Inflation, Satelliten jenseits der Mauer und der Atmosphäre, ja selbst über den bescheidenen Sprachschatz jener Herren, die sich zu unserer Führung berufen fühlen, mit seiner spitzigen Zeichnung den Abglanz eines verzeihenden oder grimmigen Lächelns legt. Das gärende Drachengift ist in der Feder des Feuilletonisten unerwünscht, in der des Zeichners aber darf es sich austoben. Der Kurzstreckenläufer der bildenden Kunst hat den Kurzstreckenläufer der Literatur überrundet. Was mit Worten nicht mehr gesagt werden darf – bildlich aufgepfeffert goutiert es der Leser. Dem Karikaturisten ist es erlaubt, sie, die in der Tagespresse lebenslängliche Schonzeit beanspruchen, anzuulken, ihre Nasen, Lippen, Glatzen zu verzerren, sie der Lächerlichkeit auszusetzen.

Ohne Neid sei es meinen Freunden, den Karikaturisten, bescheinigt, daß sie neben die stupiden Warnungen und die wortreichen Auslassungen unserer Staatsmänner, in denen Probleme angesprochen, Tatsachen unter Beweis gestellt, ans Maßhalten appelliert und Gedanken beinhaltet werden, ihre skurrilen Männchen malen dürfen, mit denen sie die Schausteller und Nutznießer der Politik veralbern, kritisieren und angreifen. Neben die begriffsleeren Sätze der Dementis, Verlautbarungen, Erklärungen und Begrüßungsansprachen, neben deren Wörter, die so schal sind, daß sie sich mit keinem Bild verbinden wollen, setzen sie ihre Bilder, die so viel mehr sagen. Neben den deprimierenden Meldungen über Erdrutsche, Erdbeben, Waffenübungen, Streitmächte, Abstürze von Kursen und Flugzeugen lassen sie ihre Pointen platzen und übersprühen die politische Düsternis mit dem Brillantfeuerwerk ihrer Einfälle, die zuweilen in so heimtückische Zeitbomben verpackt sind, daß ihre Brisanz manchmal sogar vom Redakteur unterschätzt wird, der erst aus der Reaktion der Kapitaleigner merkt, daß die satirische Explosion wieder einmal das eigene Nest beschmutzt hat – und das ist das Schlimmste, was einem Mann von echtem deutschem Schrot und Doppelkorn passieren kann!

Woher kommen sie, meine Freunde, die Karikaturisten? Während wir Satiriker auf erlauchte Vorfahren in der Antike zurückblicken können, bleiben ihre Ahnen anonym. Freilich, eines, was den Karikaturisten auszeichnet, nämlich die Lust, sich am Grotesken zu ergötzen, findet man schon auf antiken Vasenbildern, wo der Bauch eines Satyrn oder gar jugendgefährdende Körperteile in der Darstellung übertrieben werden. In den Dämonenfratzen romanischer Kapitelle, in den Ungeheuern gotischer Wasserspeier, in den phantastischen Allegorien eines Hieronymus Bosch mag man Ansätze zur Karikatur entdecken. Der Maler Jörg Ratgeb, der in den Bauernkriegen gemartert wurde, gibt selbst Jesu Jüngern jene karikaturistischen Züge, die in der mittelalterlichen Malerei den Teufeln, Häschern und Grabwächtern vorbehalten blieben.

Aber zum Wesen der Karikatur gehört die breite Streuung, und so liegt die Geburtsstunde der deutschen Karikatur im Humanismus, in der Reformation, nach der Erfindung der Buchdruckerkunst. Der anonyme Holzschnitt ist der Träger der Karikatur. Ganze Stände werden persifliert. In der Reformation aber bemächtigt sich die Karikatur der Persönlichkeit. Luther und seine Gegner sind ihre Opfer, wobei Texter und Zeichner mit Knüppeln losdreschen und nicht mit dem Degen fechten, so daß man den Karikaturisten jener Zeit noch nicht als Künstler bezeichnen mag. Arm in Arm mit dem Satiriker macht der Karikaturist Meinung und Stimmung, versucht in die Geschichte einzugreifen und das Weltgeschehen zu beeinflussen.

Eine Seitenlinie der Karikatur verirrt sich in die Plastik. In barocen Schloßgärten stellt der Bildhauer Angehörige der Hofgesellschaft als groteske Erscheinungen in Stein dar: den Hofzwerg, der ja eine Art existenter Karikatur ist, den Gärtner, den Hofapotheker. Bei Goya mischen sich karikierende Züge ins höfische Porträt, während sozialkritische Maler wie Hogarth oder Beardsley sich zuweilen der Karikatur annähern.

Je mehr das Porträt eines Repräsentanten der Weltgeschichte bekannt war, desto eher empfahl sich dieser dem Karikaturisten als Opfer. Freilich konnte die Karikatur, soweit sie sich nicht darauf beschränkte, lediglich den äußeren »Feind« anzuprangern, nur in Ländern gedeihen, deren Regierende sich ein gewisses Maß an Toleranz erlauben konnten. Deshalb waren Frankreich und England ein viel besserer Nährboden für die Karikatur als die absolutistisch regierten deutschen Staaten.

Solange es der Karikaturist nötig hat, dem Karikierten den Namen auf den Leib und Blasen aus dem Mund zu schreiben, entbehrt sein Werk der Frappanz. Je bekannter das Bild des Karikierten, je stärker seine hervorstechenden Merkmale, um so leichter hat es der Karikaturist. Napoleons Hut, Louis Philippes Birnenkopf, Bismarcks von drei einsamen Haaren bestandene Glatze, der Schnurrbart Wilhelms II.: Sie boten sich der Karikatur geradezu an. Je ausgeprägter die Persönlichkeit, desto besser eignet sie sich als Vorwurf für die Karikatur. Jedoch nicht nur Einzelpersonen, ganze Völker wurden in einer karikaturistischen Figur personifiziert: John Bull, Iwan, der Yankee, Marianne. Uns Deutsche sieht man je nach dem Standpunkt als einfältigen Michel in der Zipfelmütze oder als eine Mischung aus Gretchen und Germania mit geharnischtem Busen, Brille, Hängezöpfen und Streithelm.

Die Karikatur zeigte nationale Züge, ihr Dünger war die Freiheit, die man der Öffentlichkeit ließ. Während die französische Karikatur, die in Daumier kulminierte, literarisch und bissig war, zeichnete sich die englische Karikatur durch ihren sarkastischen Witz aus. Die italienische Karikatur ist grausam, die sowjetrussische plump und naiv, die aufsässigen Zöglinge des Kommunismus, Polen und Ungarn, geben sich sarkastisch und frech, während die Karikatur in der DDR in eigener Sache sich mit bescheidener Selbstkritik begnügt und nur da massiv wird, wo sie sich linientreu gebärdet.

Aber linientreue Karikatur – gibt es so etwas überhaupt? Ist es nicht abgeschmackt, wie Tucholsky sagt, nur über die Grenzen hinüber zu schimpfen? Ist der Satiriker, der Karikaturist als Schoßhund der Macht, die ihm einen Klaps aufs Maul gibt, wenn er sie anknurrt, nicht eine klägliche Erscheinung?

Wir Deutschen, die wir uns zuweilen von Karikaturen beherrschen ließen und uns im Gehorsam gegenüber lächerlicher Obrigkeit oft selbst karikieren, haben ein junges und oftmals gebrochenes Verhältnis zur gezeichneten Satire. Das Jahr 1848, das Geburtsjahr unserer politischen Karikatur, war ein Paradoxon. Denn damals bewies der Deutsche Nationalcharakter, indem er gegen seinen Nationalcharakter, nämlich den Gehorsam gegenüber einer verwünschten Obrigkeit, verstieß. Erst nachdem die Karikatur in anderen Ländern lange zuvor als politische Waffe gedient hatte, gewann sie bei uns Geltung, nachdem die Presse vom Joch der Zensur befreit war. Freilich, sie hatte es immer schwer. Denn uns Deutschen sitzt statt des Schalks der heilige Ernst im Nacken, und wo Scherz, Satire und Ironie bei uns zu Wort kommen, da sucht man dahinter stets die Knochenbeilage der tieferen Bedeutung. Wenn's nur nicht an der Oberfläche bleibt, unser deutsches Lachen, wenn nur etwas dahintersteckt! Denn was ist schon so ein Mandlmaler verglichen mit Dürer? Erst soll mal einer das *Kleine Rasenstück* nachmachen, ehe er sich mit spitzer Feder an die Großen unserer Nation heranwagt, sie kabarettistisch verzeichnet und so dem Lächeln, Schmunzeln und Feixen der Zeitgenossen preisgibt!

Nun, unsere Karikaturisten haben es geschafft. In zäher Arbeit haben sie ein Publikum erobert, das sich vom Karikaturisten wortkarg, aber beredt erheitern und zum Nachdenken anregen läßt und überraschende Vergleiche versteht. Der Deutsche erträgt nicht nur seine Staatsmänner, sondern sogar seine Karikaturisten. Vielleicht diese als Gegengewicht gegen jene. Denn der Karikaturist versteht es, dem Negativen, an dem unsere Welt so reich ist, das Positive abzugewinnen, indem er die Unlustgefühle, die uns beim Betrachten unserer Geschichte im Zusammenhang mit der Weltgeschichte ankommen, in ein Lächeln der Resignation transponiert. Er leitet die Tatsachen, die auf die Galle wirken könnten, auf das Schmunzelzentrum um und nimmt ihnen ihre Aggression, indem er sie ins Lächerliche verfremdet. Zwar weiß der Karikaturist wie der Satiriker, jener wie dieser ein geistiger Aufwiegler, daß er nicht fähig ist, die Welt zu verändern. Er kann sie nur erträglich machen, indem er die Pfeile der Dummheit, der Gewalttätigkeit, der Wichtigtuerei auf den Schützen zurücklenkt, der sie allerdings nicht wahrnimmt, weil Lächerlichkeit nicht mehr tötet. Der Karikaturist hilft durch die Tatsache, daß er ein Ventil für den allgemeinen Unmut öffnet, eine Welt zu ertragen, die das entmachtete Individuum nicht mehr versteht.

Blick hinter Wörter

Wörtliche Rangordnung

Ich bin die Nummer 1 und der Nabel der Welt – wer wollte dies bestreiten? *Du* kommst erst an 8. Stelle, das *Geld* an der 17., aber schon auf Platz 4 in der Reihe der Hauptwörter.

Diese Erkenntnisse gehen aus statistischen Untersuchungen über die häufigsten Wörter der geschriebenen und gesprochenen deutschen Sprache hervor, in denen man Geschlechtswörter, Verhältniswörter und Bindewörter ausgeklammert hat (die absolut häufigsten Wörter sind: *die, der, das, und, in).* Ziemlich aufschlußreich, was die Statistiker dreier Institute da aus insgesamt 12 255 000 Wörtern aus Zeitungen, Tonband-Interviews und anderem Material herausdividiert haben.

Indem wir uns in beliebiger Weise der Sprache bedienen – sei's redend, schreibend, flunkernd, fabulierend oder Absurdes stammelnd –, verraten wir unfreiwillig mehr über uns, als wir ahnen. Jeder ist sich selbst der Nächste – was könnte diese Binsenweisheit deutlicher beweisen als die Tatsache, daß das Fürwort *ich* den ersten Platz in unserem Sprachgebrauch innehat?

Ich ist gefolgt von *sie* – bitte keine vorschnellen Schlüsse emanzipierter Damen. Weder triumphieren sie – aha! –, nämlich die Damen, noch sonstwer. Denn in dem Wörtchen *sie* ist neben dem weiblichen Wesen auch die Mehrzahl, beispielsweise der Kartoffelkäfer oder der Justizirrtümer, enthalten, sonst läge *er* natürlich in Führung.

Sein auf Platz 3 vor *haben?* Da stutzt nicht nur der gern habende Schwabe. *Tag* in der Riege der Hauptwörter vor *Mensch, Mann, Geld* – na, bitte, wo bleibt das andere Geschlecht? An der Spitze der Beiwörter liegt *weit* in Führung. Das ist, um mit Fontane zu sprechen, ein weites Feld. *Schön* rangiert vor *gut* – eine schöne Bescherung, aus der man aber keine ethischen Folgerungen herauslesen sollte. Und *können* liegt um neun Plätze vor *müssen,* denn kein Mensch muß. Oder spiegelt sich hier etwa reiner Selbstbetrug? Steht doch der Mensch ausgerechnet auf Platz 13.

Wann wohl das *Kind* an der Reihe ist? Wie steht's mit der *Liebe?* Wo bleibt das *Donnerwetter?* Und ob der gängige *Typ* inzwischen den lieben *Gott* überholt hat? Fragen über Fragen. Leider verrät die

Tabelle nur die ersten 20 Wörter, und damit hat die liebe Seele Ruh. *Seele?* Aber sicher, die wird auch ihren Stellenwert haben – weiter hinten...

Ein echtes Problem

Daß die Leute, zumal die älteren, immer wieder die gute alte Zeit hochloben! Welche Vergangenheit könnte sich messen mit unserer echt guten Gegenwart? Das gab's ja wohl noch nie, daß alles Sinnen und Trachten, so weit die deutsche Zunge reicht, so ohne Falsch, so betont orientiert war aufs Lupenreine. Alt und jung beherrscht von dem Imperativ: Was du tust, das tue echt. Das gilt für sämtliche Lebensbereiche. Man schläft echt und träumt echt, man liebt echt und lügt echt, man muß echt aufs Örtchen oder schaut echt in die Röhre. Die Steaks sind echt gepfeffert, die Zukunft von Bayern München ist echt gesichert, und wenn man nicht echt links ist, dann ist man echt rechts. Der Schauspieler kommt echt an, der Hinterbänkler ist echt im Kommen, und dem Schreiber kommt dieser Schwall echter Worte ein bißchen spanisch vor. Wie kam es eigentlich zu dieser moralischen Aufrüstung in der deutschen Umgangssprache, zu dieser Lawine von Echtheitsbeteuerungen? Stand am Anfang womöglich das vielstrapazierte »echte Anliegen«? Das kursierte bereits eine geraume Weile, bis sich eines schönen Tages irgendwer unterfangen haben muß, das Adjektiv »echt« sprachschöpferisch in neue Zusammenhänge zu bugsieren. Hinter dem echten Rembrandt erkannte er das echte Problem, und unter der echten Perlenkette ließ er ein echtes Dekolleté aufschimmern. Das Beispiel machte Schule, füllte wohl eine echte Lücke auf dem Begriffsmarkt, auf dem das nicht so ganz ferne Wörtchen »genau« leicht sinkende Kurse vermelden mußte, setzte sich an die Spitze verwandter Beteuerungen wie »ehrlich«, »wirklich wahr«, »du sagst es«, mit denen man sich heute lautstark an die doch wohl über jeden Zweifel erhabene Brust schlägt, und nahm schließlich Formen einer epidemischen Ausbreitung an. Wir sehen uns umgeben von lauter ehrlichen Häuten, die in einer Art von Bekenntniszwang ohn' Unterlaß darauf hinweisen, daß sie echt ledern und nicht aus Skai sind.

Zwar könnte einer einwenden, all dies verstünde sich eigentlich von selbst; die Menschen müßten sich doch nicht ständig eines Verstärkers bedienen, damit man ihre Worte für bare Münze nähme. Mag sein, daß er recht hat. Aber wird ihn auch einer hören? Wo alles brüllt, kann Karl allein nicht flüstern.

Über das Linke

Eigentlich wollte ich etwas über die Ungeschicklichkeit schreiben. Barbara gefiel das Thema sehr. Es sei gut, meinte sie, daß ich mich endlich einer meiner wahren Domänen zuwendete, anstatt mich mit meiner Phantasie wer weiß wo herumzutreiben. Aber mir fiel einfach nichts Rechtes ein, nur so viel, daß die Ungeschicklichkeit nichts Rechtes, sondern etwas Linkes ist. So bot sich das Linke an, begriffliches Vis-à-vis des Rechten und in geistigen Räumen der Ausgangspunkt aller Ungeschicklichkeit, wie wir gleich sehen werden. Das Linke? Natürlich, was man nicht deklinieren kann, das sieht man gern als Neutrum an. Und klingt's nicht auch nach etwas? Hat es nicht so etwas modisch-unverbindlich Symbolträchtiges? Was das Rechte ist, das weiß sowieso jeder besser; außerdem fehlt auf meiner Schreibmaschine die Taste für sonores Pathos.

Halten wir uns also an das Linke, das in unserer Sprache für so viele Ungeschicklichkeiten herhalten muß. Wir haben es vorsichtshalber zum Neutrum gemacht. Natürlich könnten wir ebensogut über die Linke reden. Oder über den Lincke, Paul, der sich aber leider mit c schreibt, und über die Berliner Luft.

Doch wir schweifen vom Thema ab – meine linke Hand scheint nicht zu wissen, was die rechte tippt. Da hätten wir's wieder: Schon Matthäus wollte in biblischen Zeiten die Linke als unwissend, ungeschickt, die Rechte als tätig gewertet haben. Das Wort »links« kommt vom Mittelhochdeutschen *linc,* althochdeutsch *lenka* und heißt ursprünglich als Partizip soviel wie »gelähmt«, »ermattet«, wahrscheinlich abgeleitet vom lateinischen *languere* gleich »matt sein«. Nun sind die meisten Menschen wohl mit der rechten Hand geschickter als mit der linken. Aber ist das nicht in erster Linie ein Trainingserfolg? Ist die linke Seite etwa weniger begabt als die rechte?

Meine Tochter Minz konnte, als sie ganz klein war, genauso perfekt mit dem linken Daumen lutschen wie mit dem rechten. Als sie anfing, die Wände zu bemalen, hielt sie den Stift zunächst abwechselnd mal in der, mal in jener Hand. Natürlich habe ich ihn ihr streng in die Rechte gedrückt, aber davon wurden ihre Tapetenmuster auch nicht schöner. Können wir etwa mit dem rechten Auge besser sehen als mit dem linken oder auf dem rechten Ohr besser hören? Warum müssen wir schlechter Laune sein, wenn wir mit dem linken Fuß zuerst aufstehen? Weil das Vorurteil gegen das Linke sich nicht nur im Sprachgebrauch und in anderen Sitten äußert – zum Beispiel darin, daß der Herr stets zur Linken der Dame gehen muß, oder in den Gesetzen der Tischordnung –, hat es sich auch in manchen abergläubischen Regeln niedergeschlagen. Nur die Schäfchen genießen eine Sonderstellung: »Schäfchen zur Linken, Freude tut winken! Schäfchen zur Rechten, 's gibt was auszufechten!« Wahrscheinlich ist jenem Volksmund, dem diese holprige Weisheit zuerst entschlüpfte, kein anderer Reim eingefallen.

In der Dirigentenlaufbahn kann man es indessen sogar zu einer berühmten Linken bringen. Denn auch beim Dirigieren ist es so, daß die Rechte für strenge Disziplin sorgt, während die Linke sich etwas liberaler gebärdet. Was soll man erst von den Geigern sagen? Grillparzer hätte gewiß nicht das Wort von den zwei linken Händen geprägt, wenn er dabei an Paganini gedacht hätte. Auch den Pianisten, die ja gewöhnlich mit beiden Händen in die Tasten greifen, steht zur Befriedigung virtuoser Gelüste eine recht ansehnliche Literatur für die linke Hand allein zu Gebot. Für die rechte Hand allein hat kein Mensch etwas geschrieben, ausgenommen ein paar Fingerübungen. Die Rechte muß sich ja nicht beweisen. Aber der Linken kann man's bei ihren solistischen Bravourstücken gar nicht schwer genug machen!

»Das ist meine rechte Hand«, sagt der Chef. Man ist im Bilde. Gibt es denn eine bessere Empfehlung? Die Dame, welche er dergestalt vorstellt, ist zweifellos eine perfekte Kraft, gleichviel, ob sie nun alles mit der linken Hand erledigt, also so mühelos und elegant, daß sie die patentere Rechte gar nicht bemühen muß, oder ob sie niemals etwas mit der linken Hand, will sagen: nie etwas schlampig und oberflächlich tut. Von dieser Frau wird man nicht sagen können, daß sie einem Manne zur linken Hand, also unebenbürtig, angetraut sei. Mit ihr ist das nicht zu machen. Im Gegenteil, sie wird jeden Verehrer, der ihr nicht behagt, einfach links liegen lassen. Und wer sich ihr linkisch zu nähern versucht, der hat schon gar kein Glück bei ihr.

»Links müßt ihr steuern, hallt ein Schrei!« Natürlich, das mußte ja schiefgehen. Der Linksverkehr hat sich ja auch nur in Schweden und England durchsetzen können. Wir denken immer, wunder wie schwer das sein muß, auf der linken Seite zu fahren; dabei gewöhnt man sich überraschend schnell daran. Die ersten fünf Fahrminuten hat man so ein ungemütliches Gefühl und traut dem Frieden nicht ganz, besonders beim Einbiegen. Aber dann ist es geschafft. Peinlich ist es dann nur, wenn man einem Landsmann begegnet, der diese ersten Minuten noch nicht hinter sich hat.

Lieber zehnmal über den Picadilly fahren als einen Walzer linksherum tanzen. Das sind Schwierigkeiten, denen unsere Generation kaum noch gewachsen ist und bei denen sich unsere ganze Ungeschicklichkeit wieder einmal auf die linke Seite legt. Allerdings gibt es beim Walzer linksherum einen ganz reizvollen Trick, indem die Tanzenden sich abwechselnd die Füße verriegeln. Wie soll man das beschreiben? »Geh du linkswärts, laß mich rechtswärts gehen«, heißt es in den *Räubern*, aber da war gar nicht vom Walzer die Rede. Die *Räuber* waren ja in ihrer Zeit ein freisinniges, umstürzlerisches Stück.

Die Linke ist in meinem leicht verschlissenen Lexikon als freisinnige, umstürzlerische Gruppe der Volksvertretung bezeichnet. Dafür steht das Wort »Linksintellektueller« noch gar nicht drin.

»Hü«, rief Barbara wie ein gelernter Kutscher, der seinen Gaul linkswärts dirigieren will. »Also was du da wieder geschrieben hast! Der Stoff ist gar nicht so übel, aber du mußt ihn noch mal ganz umkrempeln. Du mußt ihn von links nehmen!«

Mach dir nur einen Plan...

Die meisten Pläne leiden unter dem Umstand, daß sie niemals ausgeführt werden. Da sind zum Beispiel jene, die wie Karpfenschuppen und Pfropfenknall den Silvesterabend verzieren. Doch was man in der Silvesternacht plante, pflegt meist schon der Neujahrskater wieder umzustoßen. Der Weg zum Schlendrian ist mit ordentlichen Plänen gepflastert. »Man soll seinen Plänen nicht zuviel vertrauen, weil das Geschick seine eigene Vernunft hat«, warnt schon Petronius, der seine Lebensweisheiten am Hofe Neros sammeln konnte. Diesen Fehler begehen vor allem die geborenen Plänemacher, die stets den Kopf voll kühner Projekte haben. Begegnet man ihnen, so sind sie just im Begriff, eine Filiale in Ghana zu eröffnen, eine neue Religion zu stiften, einen eingetragenen Verein gegen den Mißbrauch zu gründen, und außerdem haben sie nicht nur ein Drehbuch, sondern auch die Richtlinien für die Gestaltung von Mißwahlen im Geiste schon fix und fertig. Zunächst aber wollen sie in den Gewässern des Indischen Ozeans nach Mantas tauchen, für den Landtag kandidieren und mit einer neuartigen Komposition auf Zitrus-Basis den kosmetischen Weltmarkt erzittern machen. Solche Pläne sind so buntschillernd und kurzlebig wie Seifenblasen. Sie gaukeln durch den grauen Alltag des Erfolglosen, der ihrer als Krücken für sein angeschlagenes Selbstbewußtsein bedarf. »Die Pläne, die viel Zeit zur Durchführung brauchen, führen fast nie zum Ziel«, sagt Montesquieu. Das kommt aber ganz auf das Ziel an. Bisweilen beschränkt es sich auf den Selbstbetrug.

Nicht viel anders steht es mit einer gewissen Art von Reiseplänen, die man sozusagen auch l'art pour l'art, um der Kunst willen, vor allem aber des Genusses wegen entwerfen kann. Das Hauptziel derartiger Reisepläne besteht weniger darin, ans Ziel zu kommen, als darin, sich zunächst einmal unter Vermeidung der Reisekosten am Vorgeschmack etwa bevorstehender Freuden zu delektieren. Den möchte ich sehen, dem der Duft der Gardenien nicht schon aus dem Prospekt über Syrakus entgegenströmt und der die Sonne nicht schon auf dem Zeigefinger spürt, mit dem er auf der Karte am Mittelmeer entlangspaziert! Wie sollte man ohne Reisepläne über den Winter kommen? Im Sommer sieht man dann weiter.

Es gibt auch eine Kategorie von Plänen und Planungen, die wohl nicht minder verstiegen sind, dafür aber einen weniger angenehmen Beigeschmack haben. »Mach dir nur einen Plan, sei nur ein großes Licht, und mach dir noch 'nen zweiten Plan – geh'n tun sie beide nicht«, resignierte Bert Brecht. Diese Weisheit läßt sich zum Beispiel auch auf Begriffe wie Planwirtschaft, Plansoll oder Vierjahresplan anwenden. Bei einem Vierjahresplan zum Beispiel kommt es aber auch gar nicht so sehr darauf an, daß er geht, als vielmehr darauf, daß er propagandistisch wirksame Dimensionen aufweist, die sich ebenso wie das Glück derer, die ihn ausführen dürfen, in ständigem Wachstum befinden. Deshalb wird er meist gründlicher ausposaunt als ausgeführt. Eine östliche Weisheit sagt aber: »Seine Pläne verschleiert vor der Welt ein kluger Mann, und Schweigen führt sie aus.« Der sie aussprach, war vielleicht ein Feldherr. Um gleich noch einen klugen Mann zu zitieren: »Pläne sind die Träume der Verständigen«, behauptet Feuchtersleben. Welche Art von Plänen meint er aber? Die Pläne der Phantasten mögen wohl traumhaft sein. Doch sind sie verständig? Die Pläne aus dem Wörterbuch der Diktatur scheinen weder das eine noch das andere Adjektiv zu verdienen, wie überhaupt alle Pläne, die in Planstellen eingeplant werden und in den Planquadraten der Bürokratie entstehen, bestenfalls den Träumen eines Computers vergleichbar sind. So bleibt nur übrig, die großen Pläne über Bord zu werfen und es einmal mit den ganz kleinen zu versuchen. Hätten wir zum Beispiel einen Stundenplan wie die Schulkinder, teilten wir unsere freie Zeit besser ein, so hätten wir mehr davon. Galoppierten wir mit unseren Hobbys nicht einfach drauflos, peilten wir nicht nur über den Daumen die Hürden an, die den Sonntagsgärtner ebenso von seinen Zielen trennen wie den Radiobastler oder den Amateurfotografen, so blieben wir nicht so oft hängen. Wie soll man auf dem Rücken eines Steckenpferdes glücklich sein, wenn man nicht reiten kann? Sehr einfach: Man sollte sich einmal für die Reitvorschriften interessieren, statt sich immer nur planlos im Gelände herumzutummeln. Dann ist man nicht länger ein Dilettant, sondern kann als Liebhaber auf den Plan treten.

Gut Freund mit der Arbeit?

Es war einmal ein junger Mann, so um die Dreißig herum, der sah so gesund aus wie ein Boskopapfel. Er trug elegante elfenbeinfarbene Flanellhosen und einen klangvollen Namen, und auf der Passagierliste des Schiffes, mit dem er durch das Mittelmeer kreuzte, stand hinter seinem Namen in der Rubrik Beruf das imponierende Wörtchen »Ohne«. Beim Arbeiten bekomme er immer Stiche, erklärte seine Mama. Das war ein schönes Märchen, das Mutter und Sohn den Mitreisenden aufgetischt hatten. Denn der Name des Kavaliers war falsch, und nicht die Bande des Blutes hielten das ungleiche Paar umfangen. Auch war der junge Mann nicht ohne Beruf, wiewohl er in jenen Tagen von den mildtätigen Zuwendungen seiner Gönnerin lebte.

Es ist nun mal so: Seit sich die Tore des Paradieses hinter Adam und Eva geschlossen haben, verbringen die meisten Menschen einen großen Teil ihres Lebens damit, zu arbeiten. Sei's, daß sie eine Arbeit verrichten, sei's, daß sie an der Verwaltung der Arbeit oder auch gegen die Arbeit, zum Beispiel an der Verkürzung der Arbeitszeit, arbeiten – gearbeitet muß sein. Bekanntlich ist es trotz mannigfacher Bemühungen bis zum heutigen Tage noch nicht gelungen, die Arbeit ganz aus der Welt zu schaffen. Solange dieses Klassenziel nicht erreicht ist, bleiben uns faktisch nur zwei Möglichkeiten: Entweder wir unterwerfen uns der Herrschaft der Arbeit und werden ihre Sklaven, oder wir freunden uns mit ihr an.

»O wie lieb ist die Arbeit, wenn man dabei an etwas Liebes zu denken hat und sicher ist, am Sonntag mit ihm zusammen zu sein«, schreibt Gottfried Keller im *Grünen Heinrich*. Der Glückliche, dem die Arbeit auf diese Weise schmackhaft wird, befindet sich leider in einem mehr oder minder befristeten Ausnahmezustand. Den möchte ich sehen, der bei seinem goldenen Dienstjubiläum berichten kann, er habe all die Jahre hindurch bei der Arbeit an etwas Liebes zu denken gehabt, mit dem er jeden Sonntag zusammen gewesen sei. Die Arbeit kann aber schon viel von ihrem Schrecken verlieren, wenn man sich dabei überhaupt etwas denkt. Dabei könnte man zum Beispiel auf den Gedanken kommen, daß man zwar nicht nur lebt, um zu arbeiten, daß man sich aber die Arbeit und somit das Leben unnütz erschwert, wenn man den Spieß einfach umdreht und nur arbeitet, um zu leben. Der berühmte Historiker und einstige Reichstagsabgeordnete Mommsen geht in seiner *Römischen Geschichte* sogar so weit, zu behaupten, wenn der Mensch keinen Genuß mehr an der Arbeit finde und bloß arbeite, um so schnell wie möglich zum Genuß zu gelangen, so sei es nur ein Zufall, wenn er kein Verbrecher werde. Was hiermit – schon aus Angst vor den Hütern der Ordnung! – genüßlich berichtet sei.

Denken wir also weiter – das ist steuerfrei und nur in seltenen Fällen gesundheitsschädlich. Denken wir zum Beispiel darüber nach, wie wir uns einen bestimmten Arbeitsvorgang erleichtern können, und schon haben wir ein bis zwei Fliegen mit einer Klappe geschlagen. Zum einen verliert auch die stumpfsinnigste Arbeit durch die erhebende Tätigkeit des Denkens an Eintönigkeit, zum anderen besteht sehr wohl die Chance, daß sich die Arbeit tatsächlich erleichtern läßt. Rationalisierung nennen das die Fachleute. Das Wort kommt vom lateinischen *ratio*, Vernunft, und bedeutet durchaus nicht, daß die Rationalisierungsfachleute die Vernunft für sich allein gepachtet hätten. Es steht vielmehr jedem frei, zu seinem persönlichen Vorteil von ihr Gebrauch zu machen.

Es ist eine Binsenweisheit, daß die meisten Dinge im Leben ihren hohen oder niederen Wert für uns erst durch die Einstellung erhalten, die wir ihnen entgegenbringen. Diese Binsenwahrheit unterscheidet sich von vielen anderen ihresgleichen dadurch, daß sie stimmt. Mit solcher Erkenntnis läßt sich manches im Leben zurechtrücken, und man kann sich ganz hübsch mit ihr einrichten. Politiker wissen das sehr genau und gehen oft darauf aus, uns die ihnen wohlgefällige Einstellung beizubringen, mit der sie sich selbst einrichten können. Wer da nicht auf der Hut ist und auf selbständiges Denken verzichtet, der findet dann eines Tages Kanonen besser als Butter. Oder er erfüllt mit verbissenem Fleiß ein Übersoll ums andere und wird schließlich zum Helden der Arbeit in einem Unternehmen, das Lebensgefahr produziert.

In jedem Beruf – auch in dem eines Schriftstellers, wie ich Ihnen angesichts unerledigter Postberge und indiskreter Formulare des Finanzamtes versichern kann – gibt es Arbeiten, die wenig Vergnügen bereiten und doch unumgänglich notwendig sind. Auch für eine Hausfrau dürfte es kaum unterhaltsam sein, jahraus, jahrein jeden Morgen unter den gleichen Bettgestellen die gleiche Menge Staub hervorzufegen. Wenn sie sich aber dabei an den Turnvater Jahn erinnert und aus der buchstäblich erniedrigenden Tätigkeit eine gymnastische Übung macht, die der Geschmeidigkeit ihrer Wirbelsäule zustatten kommt, so sieht die Sache gleich besser aus.

Manche Menschen erschweren sich ihre Arbeit, indem sie diese in übertragenem Sinne für erniedrigend halten. Sie begehen damit einen Denkfehler, den sie teuer bezahlen müssen. Denn eine Arbeit vermag nur denjenigen zu erniedrigen, dessen Selbstbewußtsein gestört ist. Menschliche Würde ist von der Art der Arbeit sowenig abhängig wie das Wetter vom Laubfrosch. In Spanien begegnet man Schuhputzern, deren Selbstbewußtsein besser intakt ist als das eines Generals.

Trachten wir also danach, mit der Arbeit in ein erquickliches Verhältnis zu kommen und sie nicht nur mit guten Reden, sondern vor allem mit guten Gedanken zu begleiten, damit sie munter fortfließe. Das ist immer noch das Gescheiteste. Es sei denn, einer verfüge über die Überlegenheit jenes Schuhmachers, an dessen Laden bisweilen ein Schild prangt: »Heute wegen Arbeitsunlust geschlossen.« Es sei nicht verschwiegen, daß es sich um einen besonders guten Schuhmacher handelt, der das Glück hat, in Wien zu leben.

Ein sauberes Früchtchen hat Dreck am Stecken

Über Sauberkeit spricht man nicht, weil sie sich von selbst versteht. Sprechen wir also über die Sauberkeit.

Das dehnbare Wörtchen »sauber« stammt vermutlich ab vom lateinischen *sobrius*, zu deutsch »nüchtern«, »mäßig«, »besonnen«. Diese sprachliche Herkunft gereicht der Sauberkeit zwar zur Ehre, erklärt aber auch jene Prüderie, mit der sie feuilletonistischen Annäherungsversuchen begegnet. Die blank polierte Feder sträubt sich, derart amusische Tugenden zu preisen, und Pegasus stellt sich auf dem Weg zur Reinigungsanstalt so störrisch an, als lauere ihm dort das Werbefernsehen mit einer Kandare auf. Nur einmal, im Jahre 1865, hat es ein dichtender Regierungsrat bei ihr geschafft. Ihm verdanken wir das geflügelte Wort »So reinlich und so zweifelsohne!«. Es stammt aus einem Poem, das er zum Stapellauf eines Fregattenschiffs verfaßt hat, und sollte die preußischen Farben verherrlichen.

Die Sauberkeit ist eine Tochter der Zivilisation. An dieser Tatsache vermögen auch gewisse Plastiktäschchen für Waschutensilien nichts zu ändern, die den illegitimen und noch dazu ganz abscheulichen Namen Kulturbeutel führen. Sollte einmal ein Wettbewerb ausgeschrieben werden, in dem es darum geht, ihr ein Denkmal zu setzen, so wird sich die Sauberkeit mit breiten Hüften, schmalen Lippen und aufgepflanztem Scheuerbesen konterfeit finden. Unsinnlich und streng wie eine alte Jungfer, die anstatt nach Parfüm nach Bohnerwachs riecht, so stellen die Männer sie sich vor, nachdem es ihnen einmal beschieden war, ihren Frauen beim Hausputz zuzusehen. Der Anblick ist ja auch nicht leicht für ein empfindsames Gemüt. Den Teppichboden mit Schaum traktierend, zeigt die Angetraute wenig von jenem Charme, mit dem sie uns dereinst in ihre Netze zu ziehen wußte. Um nicht in Versuchung zu geraten, ihr etwa behilflich zu sein, empfiehlt es sich, solches Treiben als eine herausfordernde Show hinzustellen, welche Ruhe und Gemütlichkeit stört und den Ehefrieden gefährdet. Fensterputzen bezeichne man als spießig und Teppichsaugen als gymnastische Übung zum Zeitvertreib geistig Minderbemittelter. Der letzte Trumpf sei ein Dickens-Zitat: »Reinlichkeit kommt gleich nach der Gottseligkeit, aber es gibt Leute, die auch die Gottseligkeit unausstehlich machen.«

Sosehr das Herstellen von Sauberkeit vor allem den Zuschauer strapaziert, so mag man das Resultat doch nicht missen. Dreck und Schlamperei erscheinen uns aus einer gewissen Entfernung zwar als malerisch, aber wir sind leider schon viel zu degeneriert, um uns noch darin wohl zu fühlen. Selbst der Bohemien unserer Tage pflegt seinen Sportzweisitzer auf Hochglanz zu wienern und seine blütenweißen Oberhemden täglich zu wechseln. Und während er mit Pinsel oder Feder lüstern im Kehricht stöbert und im einfachen Leben in einer andalusischen Zigeunerhöhle oder in einer türkischen Lehmklause höchstes Erdenglück zu wittern vorgibt, verbringt er seine Sommerferien in einem blitzblank geschrubbten Häuschen an der niederländischen Küste oder mietet sich auf der griechischen Insel Mykonos ein, die von ihren Bewohnern alljährlich zum Osterfest ein frisches weißes Kleid bekommt, so daß ihre Gemäuer heller strahlen als die sonnenbeschienenen Schaumkronen auf den Wellen der Ägäis. Es ist also ein Trugschluß zu glauben, daß den Reizen der Sauberkeit nur die Werbeleiter der Waschmittelindustrie verfallen, wenn sie auch die einzigen sind, die lautstark zu ihrem Lob in die Leier greifen. Die meisten Zeitgenossen haben ein intimes Verhältnis mit ihr, das sie aber nicht an die große Glocke hängen, sondern in verschämter Tiefstapelei eher ein wenig bemänteln.

Das hohe Ansehen der Sauberkeit offenbart sich am deutlichsten in der Art, wie wir im Sprachgebrauch mit ihr umgehen. Wir heischen einen sauberen Wein, wir preisen den Pianisten, der eine saubere Technik hat, und den Schuster, der sauber arbeitet. Sartres *Schmutzige Hände* wünschen wir in einer sauberen Inszenierung zu sehen, von unseren Freunden erwarten wir menschliche Sauberkeit. Und wenn wir von einem sauberen Mädchen schwärmen, so heißt das nicht nur, daß die Maid sich den Hals wäscht und ihre Kammer so rein hält wie Faustens Gretchen, sondern daß sie adrett und hübsch anzusehen ist. Euch dünkt, besagte Person sei ein sauberes Früchtchen? Nun, da hätten wir auch noch die ironische Umkehrung, wie sie sich nur sehr fest geprägte Begriffe erlauben können. Schon im 17. Jahrhundert war jedermann klar, daß ein sauberes Früchtchen keine reine Weste, wohl aber einigen Dreck am Stecken hat. Doch machen wir uns seinetwegen keine Gedanken. »Dem Reinen ist alles rein«, hat schon Paulus versichert. Wer sich aber groß verfehlt, der hat – wie Christian Morgenstern ergänzt – auch große Quellen der Reinigung in sich.

Über die Notwendigkeit des Ernstes und seine Bedrohung durch die Ironie

Im Althochdeutschen hatten die beiden Wörter »Ernst« und »Kampf« dieselbe Bedeutung. Da wir Deutschen ein kämpferisches Volk sind, ist der Ernst untrennbar mit unserem Wesen verbunden. Es gibt einen nötigen Ernst, mit dem wir den Skatsport betreiben, den Fußgesundheitsgedanken hochhalten oder unsere Würde wahren. Es gibt den blutigen Ernst, mit dem wir von Zeit zu Zeit unsere Ehre verteidigen, uns von einem Joch befreien oder Objekte fordern, die uns noch nie gehört haben. Es gibt einen sittlichen Ernst, der uns daran hindert, das zu tun, was wir gern tun möchten, und der es uns erlaubt, uns über die zu entrüsten, die sich, von keinem sittlichen Ernst gehindert, ein Stück vom Kuchen der Annehmlichkeiten des Lebens abschneiden. Und schließlich gibt es jenen heiligen Ernst, mit dem wir über *Parsifal,* die bayrische Heimat, den Tierschutz, den Kölner Karneval, Rudolf Steiner, Beethovens *Neunte,* Hermann den

Cherusker und den deutschen Männerchor sprechen. Daß dieser heilige Ernst, den wir statt des romanischen Schalks im Nacken sitzen haben, nicht schon zum Schutzpatron der Teutonen ernannt ist, ist zu bedauern. Er trägt als Attribut eine beleidigte Leberwurst, tritt mit dem Standbein auf den eigenen Schlips und hat das Spielbein im Fettnäpfchen.

Ernst ist gleich tief und heiter gleich seicht. Lassen wir uns das von leichtfertigen Federn nicht ausreden, wie zum Beispiel von Egon Friedell, der uns weismachen will: »Professoren huldigen dem – übrigens auch in intelligenteren Kreisen als den ihrigen verbreiteten – Irrtum, daß ein Philosoph notwendigerweise ein sogenannter ›ernster Mensch‹ sein müsse. Man könnte aber gerade im Gegenteil sagen, daß der Philosoph erst dort anfängt, wo der Mensch damit aufhört, sich und das Leben seriös zu nehmen.«

Wie sagt Schiller? »Ernst ist das Leben, heiter ist die Kunst!« Hier irrt der große Sohn unseres Volkes. Für den ernsthaften Menschen ist die Kunst mit jenem frommen Schauder verbunden, der uns überkommt, wenn Germaniens Götter sich auf der Opernbühne wie sächsische Kleinbürger zanken. Im Olymp wird viel gelacht. In Walhall auch sonntags nie. Wir begegnen den Musen mit geschlossenen Augen und gefalteten Händen. Da wabert und webt es in weihiger Würde. Wir erwarten vom Künstler »trächtige Aussagen«, wir verlangen von ihm ein »echtes Anliegen«, das aber keineswegs aus Fleisch und Blut sein darf. Es war Clemenceau, extremer Deutschenfeind, der die frivolen Worte sprach: »Wenn man die Sachen ernst nimmt, können sie, das weiß man nie vorher, ernst werden. An sich sind die Sachen nicht ernst.«

In diesen Sätzen schwingt etwas, was dem deutschen Ohr fremd klingt: Ironie. Es ist die Fähigkeit, etwas anderes zu sagen, als man meint. Diese Kunst der Verstellung ist unserem geradlinigen Wesen zuwider. Sie ist ein welsches Gewächs. Der Philosoph Sokrates war der Ansicht, der Weise solle sich dumm stellen. Der Soldat Schwejk, der diese Maxime beherzigte, ist tschechischer Herkunft. Ironie ist doppelzüngige Maskerade; ihr Wahrheitskern ist nur für den Verständigen erkenntlich.

Es ist symptomatisch, daß sich vornehmlich die Zyniker der Ironie bedienten. Ihr geistiges Haupt, Antisthenes von Kynos, sah in der Bedürfnislosigkeit, in der Selbstgenügsamkeit die Krönung geistigen

Strebens. Es ist nicht auszudenken, wie gefährlich sich solche Ansichten auf unsere Wirtschaft auswirkten, deren Entwicklungstendenz nur dadurch garantiert werden kann, daß eine raffinierte Werbung Unzufriedenheit erweckt und damit das Konsumbedürfnis wachhält. Zufriedenheit bedeutet Absatzschwierigkeiten. Zyniker streben nicht nach Überflüssigem. Kein Wunder, daß die Schüler des Antisthenes die Kultur verachteten. Bezeichnend für sie, daß sie kein Nationalgefühl kannten und sich als Weltbürger fühlten. Einer von ihnen, Diogenes, von Alexander nach seinen Verbraucherwünschen gefragt, äußerte nur die simple Bitte, ihm aus der Sonne zu gehen. Die Güter des gehobenen Bedarfs mißachtete er.

Das welsche Gewächs der Ironie hat sich schon früh in eine gewisse Literatur eingeschlichen; schon im Mittelhochdeutschen kannte man den Begriff »Hinter-Spott«. Dieser Hinterspott ist heimtückisch, weil er sich nicht für jeden auf den ersten Blick zu erkennen gibt. Die Romantiker haben sich der Ironie bedient und damit alles Bedingte in Frage gestellt. Sie haben sich nicht einmal vor sich selbst haltgemacht und waren sarkastisch genug, ihre eigene Kunst, ihre Tugend und ihre Genialität durch Selbstironie fragwürdig zu machen.

Es ist bezeichnend, daß sich ein Mann wie Heinrich Heine darüber beklagt hat, Ironie werde im Deutschen nicht verstanden, weshalb man alles ironisch Gemeinte *kursiv* setzen solle. Man sollte diese Anregung, auch wenn sie nicht aus berufenem Munde kommt, aufgreifen und wenigstens alles ironisch Gemeinte im Funk und Fernsehen durch ein Signal verdeutlichen.

Denn für uns, die wir den deutschen Ernst gegen die Krankheit der Ironie verteidigen, gilt es, sie zu erkennen, zu entlarven, ihr brutal die Maske vom Gesicht zu reißen, bevor die heiligsten Güter der Nation von ihr der tödlichen Lächerlichkeit preisgegeben werden.

Witz und Humor

Das Wort »Witz« mit dem gleichen Wortstamm wie »wissen« kommt aus dem Althochdeutschen. Es bedeutet soviel wie »Verstand«, »Geist«, »Tiefsinn« – wie in der Umgangssprache unserer Teenager, wo witzlos gleich sinnlos, reizlos ist. Erst anfangs des

19. Jahrhunderts umriß das Wort »Witz« eine anonyme Literaturgattung. Der Witz ist eine winzige Geschichte, die zwei sich widersprechende Lebenssituationen knapp und wirkungsvoll darstellt und deren Autor unbekannt ist. Er schafft eine komische Situation, indem er zwei Dinge verbindet, die nichts miteinander zu tun haben. Er bringt zwei elektrische Pole so nahe zusammen, daß der Funke in Gestalt der Pointe überspringt, wobei es dem Zuhörer überlassen bleibt, durch blitzschnelle Assoziation die Entladung auszulösen. Um ein kühnes Bild zu gebrauchen: Dem Geistesblitz der Erkenntnis folgt der Donner des Lachens.

Eine säuerliche Tante erzählt ihrem kleinen Neffen: »Denk dir mal, wie ich gestern abend spät von euch weggehe, sehe ich auf der Straße einen ganz verdächtigen Mann. Da bin ich aber gelaufen!« Der Neffe: »So – und hast du ihn noch gekriegt?«

Der Junge gibt eine völlig unerwartete, zynische, aber wissende Antwort. Er wendet das Wort »laufen« ins Gegenteil, macht aus einem Weglaufen ein Nachlaufen. Daraus gibt sich ein komisches Bild: die altjüngferliche Tante, die einem üblen Subjekt nachläuft.

Der Witz verletzt Tabus. Er zieht hehre Begriffe auf ein niederes Niveau. Er demaskiert. Er dient als Ventil für politischen Druck.

Im *Philosophischen Wörterbuch* Ausgabe 1943 lesen wir: »Häufig wirkt der Witz zersetzend, besonders der jüdische Witz.« Nach dem Sprachgebrauch der damaligen Zeit bedeutete »zersetzend« soviel wie »entlarvend«. Einer der besten Witze aus dieser Zeit beweist es:

Als der deutsche Mensch geboren wurde, traten drei gute Feen an seine Wiege. Die erste schenkte ihm Intelligenz, die zweite Ehrlichkeit, die dritte den Nationalsozialismus. Da kam die böse Fee und schränkte ein: »Du kannst aber immer nur zwei von diesen drei Eigenschaften besitzen.«

So gab es damals drei Klassen von Deutschen: ehrliche Nationalsozialisten, aber Dummköpfe; intelligente Nationalsozialisten, die nicht ehrlich waren; der Rest war ehrlich und intelligent – das waren aber keine Nationalsozialisten.

Für jeden, der diese Zeit bewußt erlebt hat, ist dieser Witz in seiner soziologischen Klassifizierung verblüffend wahr, verblüffend präzise, verblüffend böse.

Während Humor nie schlecht sein kann, gibt es schlechte Witze. Der Witzbold ist ein Schrecken jeder Gesellschaft. Er fabriziert

Kalauer mit billigen, an den Haaren herbeigezogenen Pointen. Er verletzt religiöse und sexuelle Tabus, indem er lästerliche und schmutzige Witze erzählt. Womit nicht gesagt sein soll, daß die Verletzung dieser Tabus zu verurteilen wäre. Der erotische Witz, der religiöse Witz können besonders gut sein, wo die Pointe durch Geist, durch Esprit geadelt wird.

Nun ist aber der Witz nicht nur eine literarische Form. Er ist auch eine geistige Qualität. Witz haben bedeutet ein Gefühl für den Dualismus des Lebens, bedeutet die Fähigkeit haben, diesen Dualismus, für andere erkennbar, komisch zu beleuchten. Solcher Witz wird oft mit Humor verwechselt.

Es gibt Witz ohne Humor. Es gibt aber kaum Humor ohne Witz. Arthur Schnitzler sagt: »Wer Humor hat, der hat beinah schon Genie. Wer nur Witz hat, der hat meistens nicht einmal den.«

Dem Witz fehlt meist die Tiefe, der Bezug aufs Ganze. Humor ist abgründig. Witz ist der Versuch, eine Situation zu meistern, Humor ist Lebenskunst. Es gibt allerdings Witze, die den Dualismus einer Existenz nicht nur aufreißen, sondern ihn zu überwinden versuchen. Es sind hintergründige Witze von großer Traurigkeit.

In New York lebt 1935 ein jüdischer Emigrant in ärmlichen Verhältnissen. Ein Freund besucht ihn und fragt: »Wie kannst du hängen ein Bild von Hitler über dein Bett?« Seine Antwort: »Gegen 's Heimweh!«

Hier ist der Witz ein Protest gegen die Macht. Der Abgott einer Masse wird zum Teufel degradiert, der den Beelzebub des Heimwehs vertreiben soll. Aber dieser trostlose, sentimentale und bitterböse Witz ist auch ein Protest gegen Gott, gegen die Ungerechtigkeit des Schicksals; er ist der verzweifelte Aufschrei einer elenden Kreatur, die stellvertretend für ein ganzes Volk spricht.

Der Witz klagt an. Er ist aggressiv. Der Humor nimmt hin. Er ist defensiv. Der Humor bejaht Gottes Willen, auch wenn er ihn nicht begreift. Wer Humor hat, ist ein guter Verlierer, weil er weiß, daß der einzige Sieger im Leben letzten Endes der Tod ist. Deshalb fügt er sich in sein Schicksal, erträgt lächelnd sein Los, spielt mit seinem Leid.

Humor hat denselben Wortstamm wie Humus. Das Wort kommt aus dem Lateinischen, wo es soviel wie »innere Feuchtigkeit« bedeutet. Die Philosophen glaubten, die Laune eines Menschen sei abhängig von der Mischung der trockenen und der feuchten Elemente. Deshalb hat ein trockener Mensch keinen Humor. Erst im 16. Jahrhundert identifizierte sich Humor mit Laune.

Leider ist das Wort »Humor« in unserem Sprachgebrauch durch den sogenannten Humoristen abgewertet worden. Was versteckt sich nicht alles dahinter? Das Hüpfen von Nackedeis in der Allotria-Bar in Stösselsweiler. Der Bierernst steißwackelnder Funkenmariechen. Die derben Späße magenkranker Conférenciers in abseitigen Badeorten. Das Geseire der Bayernhiasl, der Schwabenfritzle und der Büttenjupps. Das Geschäker der Schlagerstars, die so singen, wie ihre dümmsten Verehrerinnen sängen, wenn sie auch nicht singen könnten.

Der Humor dieser Humoristen hat mit echtem Humor soviel zu tun wie ein Gedicht von Matthias Claudius mit dem Text einer Umsatzsteuererklärung.

»Humor ist, wenn man trotzdem lacht.« Diese Definition ist abgegriffen und nicht von Wilhelm Busch, aber treffend und von Otto Julius Bierbaum. Humor haben heißt Abgründe erkennen und sie überwinden. Dem Negativen ein Positives entgegensetzen. Äußeren Molesten mit innerer Haltung begegnen. Die Resignation überwinden.

Als im Ersten Weltkrieg ein Luftschiff in Brand geschossen wurde, erklärte der Kommandant: »Luftschiff brennt. Von jetzt an kann geraucht werden.«

Man kann Humor nicht erwerben oder gar lernen. Man kann ihn auch nicht erklären. Hebbel sagt ironisch, niemals sei der Humor humoristischer, als wenn er sich selbst erklären wolle. Er ist eine Gnade und eine Tröstung für den, der ihn hat. Aber er ist ansteckend. Der Mensch, der weiß, daß er nichts zu lachen hat, bringt seine Umwelt zum Lachen. Er findet die Welt annehmbar, indem er ihr Bild ins Komische verzerrt und sie damit seinen Mitmenschen annehmbar macht.

Humor kann eine christliche Tugend sein. Er hilft uns, den uns gebührenden bescheidenen Platz im Plan der Schöpfung zu finden und mit diesem Platz zufrieden zu sein. Er überwindet mit lächelnder Wehmut die menschliche Unvollkommenheit. Er deutet die scheinbare Sinnlosigkeit des Schicksals und benutzt des Lebens Tücken als Hürden auf dem Weg zur Weisheit.

In einem Gebet von Thomas Morus heißt der Schluß: »Herr, schenke mir Sinn für Humor, gib mir die Gnade, einen Scherz zu verstehen, damit ich ein wenig Glück kenne im Leben und anderen davon mitteile.«

Am Lachen erkennt man den Weisen

Die Menschheit zerfällt in zwei Kategorien: die Lachenden und die Lächerlichen.

Zu Hermann Harry Schmitz, einem leider kaum noch bekannten heiteren Schriftsteller aus den zwanziger Jahren, sagte einmal ein Beamter: »Äh, Sie sind doch der Mann, über den man soviel lacht.« Schmitz antwortete: »Ja, Herr Regierungsrat – aber über mich lacht man, wann *ich* will!«

Wer gern lacht, wirkt selten lächerlich. Wer lächerlich ist, lacht nicht viel. Zum Beispiel Helden und Tyrannen.

»Was uns fast unumgänglich zu lächerlichen Personen macht«, meint Schopenhauer, »ist der Ernst, mit dem wir die jedesmalige Gegenwart behandeln, die einen notwendigen Schein von Wichtigkeit an sich trägt. Wohl nur wenige große Geister sind darüber hinweggekommen und aus lächerlichen zu lachenden Personen geworden.« Schließlich gibt es noch eine kleine Gruppe introvertierter Lachender: solche, die fähig sind, sich selbst nicht ernst zu nehmen. Sie stehen im Vorhof der Weisheit. Sie besitzen Humor.

Gleich der Sprache ist das Lachen ein Geschenk Gottes, das er nur seinem undankbarsten Geschöpf gewährt hat: dem Menschen. Das Lachen hat eine soziale Funktion. Es ist verbindend und verbindlich. Wo man sich nicht ansprechen kann, darf man sich anlächeln. Schon das Baby von zwanzig Wochen lächelt instinktiv. Nicht etwa weil es sich freut. Es kauft Liebe, um fürsorglicher gepflegt zu werden. Wird das Lächeln erwidert, so entsteht die erste seelische Korrespondenz, die zwischen Mann und Frau zu recht heftigen Formen des Einverständnisses gedeihen kann. Findet es kein Echo, so ist diese Abweisung ebenso peinlich wie ein Witz, dem nicht die Quittung des Gelächters folgt.

Es gibt zwei Arten zu lachen: aus Freude und aus Schadenfreude. Die erste setzt die Unschuld eines reinen Herzens voraus. Die zweite klingt hämisch, häßlich, ist isabellfarben wie ein verwaschener Unterrock. Das berühmteste schadenfrohe Gelächter erhob sich im Olymp, als Hephaistos seine Gattin Aphrodite im Tête-à-Tête mit Ares erwischt hatte, das Paar in ein Netz schloß und es im totalen Negligé den Göttern demonstrierte.

Das Lachen hat physische und psychische Wirkungen. Der Gaumen zittert, der Kehlkopf bildet unartikulierte Laute, die Gesichtsmuskeln verziehen sich, der Energie-Umsatz wird erhöht, Atmung und Puls sind beschleunigt. Der Körper krümmt sich zusammen: Man kugelt sich, hält sich den Bauch vor Lachen. Man lacht Tränen, fällt vor Lachen vom Stuhl. Die Erschütterung des morschen Gehäuses kann so groß sein, daß man sich totlacht wie jener mittelalterliche Ratsherr, der sah, wie eine Magd am Marktbrunnen den Rock verlor: ein Gag, von dem mancher Lustspielfilm heute noch zehrt. Durch Kitzeln kann man Lachen erregen. Das steigert sich bis zur Qual; schon die alten Chinesen kannten die im Dreißigjährigen Krieg geübte Marter, einem Menschen die Fußsohle mit Salz einzureiben und eine Ziege daran lecken zu lassen, bis der Gefolterte sich buchstäblich zu Tode gelacht hatte.

Psychisch löst das Lachen eine innere Spannung. Es entlädt, entschlackt und befreit die Seele. Es verschönt. »Das Lächeln spielt in deinem Gesicht wie ein frischer Wind in einem klaren Himmel«, sagt Baudelaire in einem Gedicht.

Breit ist die Skala des Lachens: von den stillen Formen des Schmunzelns, Lächelns und Grinsens über das Piano des Kicherns zum Mezzoforte des Gickelns und Quiekens bis zum Fortissimo des Losprustens, Kreischens, Wieherns, Grölens und Brüllens. Die feinste Form ist das genießerische Schmunzeln, ein Solo, das kein Echo braucht, und das Lächeln, kokett oder zufrieden, verschmitzt oder stillvergnügt. Das Lächeln der Auguren bezeugt Einverständnis der Wissenden, die in die Zukunft blicken können. Es gibt ein Lächeln, hinter dem die Tränen stehen, und eines voller Rätsel: das der Mona Lisa oder der Sphinx. Widerwärtig ist das Feixen, ordinär das Kreischen törichter Frauen, auf ein empfindliches Ohr wirkend wie Kratzen von Kreide auf Schiefer, quälend das Quietschen, Meckern und Wiehern, durch eine Zote geweckt. Am Lachen erkennt man den

Narren. Aber auch den Weisen. Sein Lachen ist ein Zeichen geistiger Unabhängigkeit.

Eine vollendete Leistung nötigt uns lautloses Lachen der Bewunderung ab: eine Pantomime von Marcel Marceau; ein Klarinettensolo im *Rosenkavalier;* eine funkelnde Rede; der Balanceakt eines Jongleurs. Seine Mitmenschen lachen zu machen ist eine ernste Angelegenheit. Der Kabarettist, der Humorist, der Schauspieler, der Satiriker, der Clown leben davon. Mit groben Mitteln löst man ein schrilles, billiges Lachen, mit feinen Mitteln ein Schmunzeln, ein Lächeln aus. Es gibt keinen unglücklicheren Menschen als den professionellen Spaßmacher, dessen Mittel so fein sind, daß sie das Publikum nicht begreift. Die Ironie hat es schwer. Ein ernster, würdiger Mann unter einem jubelnden Publikum in der ersten Reihe kann einen Kabarettisten, einen Komiker zur Verzweiflung bringen.

Es gibt aber auch ein falsches, ein willkürliches Lachen. Wer ein feines Ohr hat, erkennt es beim ersten Ton. Das krampfhafte Lachen. Das zackige, militärische Lachen. Das devote Lachen über den schlechten Witz des Chefs. Wer über ein Problem nicht zu diskutieren vermag, tarnt seine Unfähigkeit gern mit einem wissenden Lächeln. Und schließlich gibt es ein satanisches Grinsen, wie es der Bollinger in Brechts *Schwejk* zeigt, der lächelt, lächelt, lächelt, während er den Vernommenen zur Folter weichknetet.

Oliver Cromwell hat seinen Untertanen bei strengsten Strafen das Lachen am Sonntag verboten. »Man lache nicht!« rief Goethe ins Theaterpublikum. »Wer lacht da?« heißt es in *Emilia Galotti.* Denn bei uns zulande gilt das Gewicht der Würde, der nötige Ernst mehr als zwecklose Heiterkeit, mehr als das Lächeln des Weisen, der voll Verständnis und Güte die Tränen überwunden hat.

Die Götter des Olymp lachten gern und oft. Wotan nie.

Die Beweiskraft der Phantasie

Der Vorarlberger Lyriker Elmar Vogt hatte eine unlyrische Angewohnheit: Wenn er seine Liebste besuchte, bevorzugte er im Mantel der Nacht den senkrechten Weg die Hausfassade empor. Eines

Nachts stürzte er ab. Er verletzte sich an den vorspringenden Simsen und Metallträgern, blieb blutüberströmt auf dem Pflaster liegen, wurde noch ins Krankenhaus gebracht, wo er jedoch alsbald starb. In seinem Gedichtband *Dickhäuter und so* finden wir folgendes Gedicht:

> »er sah nur noch
> wie sich geborstene
> zerrissene Eisentrümmer
> in sein Hemd bohrten
> wie ein warmes Rot
> über seine Hände spritzte
>
> er befahl ihnen
> und bat sie
> ihm Feuer und Rauch
> aus den brennenden Augen
> zu wischen
> aber sie gehorchten nicht
> und es wurde totenstill
>
> ›bon voyage‹
>
> schwerelos
> kam ihm immer noch
> und immer wieder
> ein tonloses
> ein atemloses
> ›bon voyage‹
> über reglos gewordene Lippen«

Diese Vorahnung, diese Voraussage des ganz persönlichen Todes, ist sie nicht eine eindrucksvolle Bestätigung der Beweiskraft der Phantasie? Vor geraumer Zeit hat mir der Teufel Widerspruch, von dem ich nicht selten besessen bin, dieses verführerische Zitat ins Ohr geblasen. Auf den ersten Blick habe ich mich in das Thema verliebt, oder gebrauchen wir lieber ein Wort aus der Umgangssprache: verknallt, denn das enthält kurze Weile und rasche Ernüchterung. Als Peripatetiker habe ich dann auf einer kleinen Insel über dem Winde den Wörtern meines Themas auf den Zahn gefühlt. Welche spontanen Assoziationen hängen sich an das Wort Phantasie: schweifend, poetisch, überspannt, schwärmerisch, Trugbild, Blendwerk, Fata Morgana, Hirngespinst. Es fällt der sprachlichen Phantasie nicht schwer, die Assoziationskette weiterzuspinnen – wobei mit dem Wort *spinnen* schon wieder eine Beziehung zur Phantasie rückgekoppelt ist.

Dagegen die bullige Wort-Doppellokomotive *Beweiskraft*. Beweis – das ist ein Wort aus der Mathematik, zuweilen an die Jurisprudenz ausgeliehen. Beim Beweis beißt keine Maus einen Faden ab. Die Beweisaufnahme macht geltend; die Beweisführung stellt außer Frage; die Beweiskette ist schlüssig; das Beweismaterial wird beigebracht; die Beweismittel bekräftigen; die Beweisschriften erhellen; die Beweisstücke sind aktenkundig; das Beweisverfahren überführt. Der Beweis sagt aus, beglaubigt, besiegelt, dokumentiert, legitimiert, schlußfolgert. Er ist unwiderleglich, bündig, anschaulich, authentisch, nachweisbar, unabänderlich, maßgebend, folgerichtig. Pythagoras und Adam Riese sind die Lieblingssöhne des Beweises; zwei mal zwei ist vier, quod erat demonstrandum; an Unfehlbarkeit schlägt der Beweis selbst den Papst. Er ist aggressiv: Stichhaltig, handgreiflich straft er die Phantasie Lügen. Er sagt »ergo«, »logo«, »na also«, »siehste«. Das muskelprotzende Wort *Kraft*, in Herkules und Goliath personifiziert, verheiratet sich gern mit dem Kanzleigeschöpf – die unermüdliche Waschkraft des Weißen Riesen und von Meister Proper; Kraft durch Freude; Nestlés Kindernahrung macht das Baby zum Kraftmenschen; Armschmalz durch Kraft-Käse.

So stellen sich Beweiskraft und Phantasie als Widersprüche, als contradictiones in adjectis dar. Die geballte, die unumstößliche Wahrheit, die ehernen Richtigkeiten bleiben zweidimensional gewichtig auf dem Boden der Tatsachen und werden als Nominativzugmaschine dem in den Abhängigkeitsgenitiv versetzten dreidimensionalen Luftballon Phantasie vorgespannt. Mit welchem Bild die Dreistigkeit, die Abwegigkeit, die Sinnlosigkeit meines Themas bewiesen ist. Die Beweiskraft der Phantasie nachzuweisen ist ein ebenso kühnes Vorhaben, wie ein Referat über die Feinfühligkeit der deutschen Fußballfunktionäre, die Brutalität Heinrich Bölls, die Gnadenerweise unmenschlicher Richter, die Gewalttätigkeit Luise Rinsers, die Friedfertigkeit des *Bayern-Kuriers,* die Sprachlosigkeit Walter Jens', das Literaturverständnis der Stadt Celle zu halten.

Müßte ich nicht an dieser Stelle die Flinte ins Korn werfen? Zugeben, daß die mir vom Teufel eingegebene Advokatenrolle für die

Phantasie als Kronzeugin der Wahrheit eine Wurzen ist? Mich wallraffend auf die Seite der Tatsachen schlagen? Die Zeitweil meines Techtelmechtels mit der windigen Hure Phantasie eingestehen? Sie auszahlen und ihr den Laufpaß geben?

Zunächst sei der Versuch gemacht, die Herkunft des Wortes Phantasie zu überprüfen oder gar zur Klärung des Diskussionsstoffes eine Definition anzubieten.

Die Phantasie stammt aus Griechenland. Vermutlich ist sie aus dem Wort *phos*, Licht, abgeleitet. »Es werde Licht« also gleich »Es werde Phantasie«. Bei Aristoteles dient sie als das menschliche Vermögen, sich Bilder der Wirklichkeit, deren sich das Denken bedient, anschaulich vorzustellen. Sie samte ins Lateinische aus, von dort wanderte sie als *fantaisie* nach Frankreich und erhielt ein ernüchterndes f sowie den Geruch der Leichtfertigkeit. Bei uns taucht sie schon im Mittelhochdeutschen auf; sie schreibt sich altertümelnd *Phantasey* mit Ypsilon, paßt sich aber, meist um des Reimes willen, schon im 14. Jahrhundert auch als *Phantasie* dem Französischen an. Schon früh wird ihr Kraft nachgesagt; man liest von der dichterischen, schöpferischen Einbildungskraft. Dem gesunden Volksempfinden ist sie suspekt; »welche poeterei und fantasei zwar von vielen verspottet wird«, klagt der Straßburger Wolfhart Spangenberg 1606 in seinem *Ganskönig*. Häufig wird sie personifiziert. Zachariä verbucht oft Besuche von einer »fraw phantasey«:

> »was mir hat offenbaret frey
> in ein gesicht fraw phantasey.«

Er weiß nicht, wie die »schwärmende phantasey in schranken zu halten sey«. Während Zachariä sich hier als Liebhaber des Callgirls ausweist, lehnt Börne sie als artfremd ab: »Der ächte Deutsche, keuschen Geistes, er errötet bei den buhlerischen Küssen der Phantasie.« Bei Bürger ist sie umstürzlerisch und aufbauend zugleich:

> »daß meine phantasey voll kraft
> vernichtet welten, welten schafft.«

Hölderlin und Schleiermacher sprechen von der »Götterkraft der Phantasie«. Goethe gesteht ihr den »höchsten Preis« zu, er nennt sie »ewig beweglich«, »eine Tochter, ein Schoßkind Jovis«. Dagegen wird sie von ihm bei einem Urteil über Dürer pejorativ gebraucht: »Ihm schadete eine trübe, form- und bodenlose Phantasie.« Schiller gesteht ihr »ewige Jugend« zu. Raabe nennt sie die »höchste, schönste und beste aller Göttertöchter«.

Die Philosophie urteilt nüchterner. Dem *Philosophischen Wörterbuch* scheint sie nicht buchenswert. Kant definiert: »Die Einbildungskraft, so gern sie auch unwirkliche Einbildungen hervorbringt, heißt Phantasie.« In der Psychologie wird sie sowohl als die abgewandelte Erinnerung von früher Wahrgenommenem wie auch als Assoziation früherer Wahrnehmungsbestandteile zu neuen Gebilden sowie als Neuproduktion vorgestellter Inhalte bezeichnet. Phantasie ist als spezifisch menschliche Fähigkeit bei allen Wahrnehmungen, Handlungen und Plänen beteiligt. Für die Psychologie sind produktives Denken und Kreativität ohne Phantasie nicht vorstellbar. Nach Sigmund Freud erfüllt die Phantasie im Traum die verborgenen, geheimen Wünsche des Individuums. Er stellt fest: »Der Glückliche phantasiert nie, nur der Unbefriedigte.«

Zahllos sind die Epitheta ornantia, die Literaten der Phantasie verleihen. Sie ist bei Hölty »rosenwangicht«, bei Heine »schäumend wild«, bei Goethe »beflügelt«, bei Seume »sonderbar«, Klinger »reitet auf ihren Wolken daher«. Sosehr sie, insbesondere von der Romantik, vergöttlicht wird, sosehr wird sie andererseits als Lügengebilde, Blendwerk, die Wirklichkeit verschleierndes Trugbild verteufelt. Im Kirchenlied wird sie in Frage gestellt:

> »ist das nicht phantasei
> und eitel narretei?«

Sie gilt als »von Dünsten des Weins« ausgeschwitzt, als zerrüttet, wirr, trügerisch. Das Phantasieren widerspricht dem klaren Denken. Der Fieberkranke phantasiert. Hans Sachs geht »in schwerem phantasiren hin für das Thor spaciren«. Wieland hat den Mut, sie transitiv als Partizipium perfecti zu gebrauchen, indem er von Don Quichottes Kampf mit »phantasierten Ungeheuern« spricht. Goethe prägt die manierierte Sprachmünze *Phantasmist,* bei dem »traumartige Verzerrungen und Incohärenzen nicht ausbleiben«. Die Phantasie wird einfältig (Hans Sachs), langweilig und unlustig (Fischart) gescholten. Kant definiert sachlicher: »Wer das Abenteuerliche liebt und glaubt, ist ein Phantast«, den die Chronik derer von Zimmern schwäbisch zu einem »Fantäschtle« verniedlicht. »Phantastisch« ist in der jugendlichen Verzückungssprache ein Synonym für »ganz große Klasse«.

Mehr um des Schmunzelns willen einige Zitate, die den Mißbrauch der Phantasie spiegeln sollen. Wenn Napoleon behauptet: »L'imagination gouverne le monde«, so benutzt er die Phantasie als Double für einen ganz anderen Begriff; heute würde ich die multinationalen Konzerne dafür einsetzen. Ludwig Feuerbach ordnet sie in die Hackordnung der Drei-Klassen-Gesellschaft ein: »Die Phantasie stammt aus königlichem Geblüte, die Sinne sind von adliger Herkunft, die Vernunft ist bürgerlichen Ursprungs. Die Sinne spielen daher im Leben unter dem Protektorat der Phantasie die Großen, die Herren der Welt.« Und Börne legt ihr alimentäre Funktion zu: »Phantasie, himmlische Trösterin, die den Hungrigen in der Wüste mit Manna speist, die aus Baumrinde Brot bäckt und Zucker aus Rüben bereitet.« Zucker und Rüben – wenn das nicht eine jener Voraussagen ist, auf die wir noch zu sprechen kommen!

Fazit: Die Fülle der Definitionen trägt nicht zu deren Klarheit bei. Wird die Phantasie hier als Widerspruch zur Wirklichkeit deklassiert, so wird sie dort als deren dritte Dimension hochgejubelt, ja sogar als Voraussetzung vor die Wirklichkeit gesetzt. »Alle Phantasie muß jetzt zum Leben werden«, fordert Achim von Arnim.

Zugegeben, die Phantasie vermag uns arge Streiche zu spielen. Ein phantasievoller Zeuge ist mehr gefährdet, sich von der Wahrheit des Tatbestands zu entfernen, als ein phantasieloser. Phantasie verführt, grob gesagt, zur Lüge. Sie bewegt sich nicht einspurig auf die Wirklichkeit zu, sie hat ein breitgestreutes Spektrum. Die Phantasie vermag den mit ihr Gestraften Katastrophen vorausahnen zu lassen, die niemals eintreffen. Ein über die Straße flatterndes Papier mag in der Phantasie zum Phantom entarten. Aber Tapferkeit ist doch oft nichts anderes als die Folge des Mangels an Phantasie. Warum läßt sich die Phantasie so ungern mit der Dummheit ein?

Andererseits stopft die Phantasie die Löcher, die die Wissenschaft, ob Literaturgeschichte, ob Geschichte, offenläßt. Ich denke jetzt weniger an Rolf Vollmanns Jean Paul, der eher ein Porträt seines Autors ist. Ich denke zum Beispiel an Peter Härtlings Hölderlin.

Doch nicht nur in der Rückschau scheint mir die Phantasie die Wirklichkeit restaurieren zu können. Auch in der Vorschau. Naturgemäß ist sie um so realitätsgebundener, je mehr sie sich an materiellen Gegebenheiten orientiert. Zum Beispiel im phantastischen Realismus der Malerei. Hieronymus Bosch, Salvador Dalí, Ernst Fuchs. Ist nicht schon der Turmbau zu Babel eine Vorahnung jener denaturierten Wohnsilos, die unsere Wohlstandsgesellschaft wuchern ließ? Aus der Kenntnis der Vergangenheit, aus der Erfahrung der Gegenwart folgert die Phantasie Entwicklungsmöglichkeiten der Zukunft. Aus der Analogie zu früheren Abläufen entwickelt sie zukünftige Wahrscheinlichkeiten. »Mögen doch die Türken Berlin peublieren«, hat schon Friedrich der Große empfohlen – heute bevölkern sie Kreuzberg. Nur noch wenige Jahre trennen uns von 1984. Die »Brave New World« bereitet sich vor. Jules Verne hat die Reise um die Erde und die Fahrt zum Mond fast deckungsgleich mit der Wirklichkeit vorausgesagt. Tucholsky hat die Realisierung der politischen Trostlosigkeit, die er vorausgeschrieben hat, noch erlebt. Katharina Blum wurde durch Wallraffs Erfahrung bestätigt.

Noch weitere Beispiele geschichtlicher Voraussagen, die eingetroffen sind. Manchmal hat sogar eine rechtsorientierte Phantasie recht. Man kann es bei Schoeps nachlesen. Das *Berliner Politische Wochenblatt,* streng konservativ, schrieb demnach am 13. April 1839: »Daß aber ein Unglück selten allein kommt, sondern daß die Plutokraten keinen anderen Gott als ihren Pluto, den sie obendrein beherrschen, keine andere Kirche als ihre Börse, keine andere Bibel als ihr Hauptbuch haben würden: das alles ist mehr als wahrscheinlich und schon die Ahnung davon niederschlagend [...] Dreimal wehe, wenn dieses goldene Zeitalter eintrifft.« Wir schreiben 1978. Was 1839 festgeschrieben wurde, ist eingetroffen.

Karl Marx schrieb am 14. Juni 1853 in der *New York Herald Tribune:* »Die ganze Habsburger Monarchie wird durch Rußlands Streben, Weltreich zu werden, verschlungen, wenn man seiner Laufbahn nicht Halt gebietet. Sonst wird sich herausstellen, daß die als natürlich erscheinende Grenze Rußlands von Danzig oder vielmehr Stettin bis nach Triest verläuft.«

Geradezu verblüffend aber ist die Voraussage eines zu Recht fast vergessenen konservativen Schriftstellers, des Balten Alexander von Ungern-Sternberg. In seinen *Neupreußischen Zeitbildern* zeichnet er 1849 ein Panorama Berlins 1949. Darin ist der Tiergarten ein wüstes Feld, die Innenstadt liegt ganz in Trümmern. Allerdings werde auch neu gebaut; erst kürzlich sei eine Kaserne der Tscherkessischen Garde errichtet worden. Denn König Wilhelm IV. habe doch vor hundert Jahren die Kaiserkrone angenommen und dadurch den

Anlaß zu einem zweiten Dreißigjährigen Krieg gegeben, den einer seiner Nachfolger habe führen müssen. Dieser Krieg sei mit Pauken und Trompeten verlorengegangen. »Es war ein Krieg, wie ihn die Welt noch nie gesehen.« Im Frieden von Moskau habe Rußland ganz Preußen und Mecklenburg eingesteckt, Bayern habe der Westen annektiert... Vom ganzen Deutschland sei als selbständig und unbesetzt nur das Fürstentum Liechtenstein übriggeblieben. In Berlin sieht er ein Denkmal *Der Raub der Sabinerinnen*. Es handle sich um eine Verherrlichung des russischen Diktators. Die entführten Mädchen verkörperten die von ihm eroberten Staaten. »Auf der anderen Seite des Platzes steht eine Kirche mit schwarz drapierten Säulen. Man wird morgen dort einen Trauergottesdienst feiern, in den ungeheueren Gewölben dieser Kirche ist die Unmasse von Gebeinen derer gesammelt, die in jenen mörderischen Kriegen fielen. Deutschland unter eine Religion zu bringen, hat den ersten mörderischen Dreißigjährigen Krieg hervorgebracht. Deutschland in eine politische Gestaltung zu gießen, hat den zweiten Mordkrieg veranlaßt, das Land fast zur Wüste gemacht und es fremden Gebietern untergeordnet.«

Ein Zitat in drittklassigem Deutsch. Aber ein erstklassiger Beweis für Grass' Behauptung im *Butt*, daß alles Geschehen schon vorgedruckt sei.

Kommen wir zum erleichternden Schluß. Nach allem, was wir gehört haben, ist mein Thema doch keine Totgeburt. Es hat Hand und Fuß und könnte im Brutkasten der Reflexion bedingt lebensfähig werden. Denn ich behaupte: Alles ist möglich, was sich der Mensch ausgedacht hat. Die Imagination ist die Voraussetzung künftiger Wirklichkeit. In dem Augenblick, da die Phantasie Wege zu einem utopischen Ziel sucht, ist die Möglichkeit wahrscheinlich, daß das Ziel erreicht wird. »Was du noch hoffen kannst, das wird noch stets geboren«, sagt Paul Fleming. Damit sind die Grenzen der Wirklichkeit zur Utopie gefallen. Ebenso wie in dem Augenblick, da Robert Oppenheimer bekannte, daß er als Physiker die Sünde kennengelernt habe, die Grenzen zwischen Physik und Metaphysik niedergerissen waren. Einigen wir uns darauf: Wenn die Phantasie auch keine Be-Weiskraft haben sollte, so ist sie doch als Weis-Kraft, als Hin-Weiskraft für die menschliche Existenz notwendig, lebensnotwendig. Sie muß deshalb in die Verantwortung genommen werden.

Versuch über die Dummheit

Der Vorteil der Klugheit besteht darin,
daß man sich dumm stellen kann.
Das Gegenteil ist schon schwieriger.
Kurt Tucholsky

Die erste Voraussetzung für die Dummheit ist die Trägheit oder Schwerfälligkeit des Wahrnehmungsvermögens. Da Trägheit den kreatürlichen Urzustand des Menschen darstellt, ist sie mit Behagen verbunden. Dummheit macht zufrieden. Sie kann sich erlauben, auf dem Liegeplatz eines Standpunkts zu beharren, der lebenslänglich nicht mehr aufgegeben zu werden braucht. Von diesem Standpunkt aus ist die Welt im Lot: So ist es, und so soll es bleiben. Während der Verstand den Menschen mobil macht, ihn zwingt, seinen Standpunkt immer wieder neu zu überprüfen und zu verändern, um Erkenntnisse und Erscheinungen der Existenz herumzugehen, sie von allen Seiten zu betrachten, das Sowohl-als-auch gegeneinander auszuspielen, die Umwelt und sich selbst unablässig in Frage zu stellen, genießt die Dummheit den Komfort des unveränderlichen Blickwinkels; sie wird bedient von der stets dienstbaren Sklavin Gewohnheit. Dummheit nimmt nur das wahr, wovon sie bestätigt wird. Während die Weisheit als höchste Stufe des menschlichen Verhaltens die Grenzen der Erkenntnis begreift und sich damit bescheidet, ist Dummheit unbescheiden und grenzenlos. Wo der Verstand die Pluralität der Erscheinungen erfaßt und sie als Möglichkeiten geistiger Auseinandersetzungen bejaht, erkennt die Dummheit nur ihresgleichen. Als Bestätigung ständigen Rechthabens sucht sie ihresgleichen auch im Fernsehprogramm und in der Politik. Sucht und findet sie. Keine Experimente! Denn Experimente bringen neue Erkenntnisse, fordern eine Revision des Standpunkts, verlangen Flexibilität und Mobilität. Des Dummen Standpunkt ist unumstößlich. Er macht ihn zum satten Mittelpunkt einer kopernikanischen Welt. Sein Horizont ist überschaubar und deckt sich mit dem Weltenhorizont. Was außerhalb dieses Horizonts liegt, ist entweder nicht existent oder falsch oder beides. »Tatkraft und Vertrauen«, verspricht ein politischer Slogan. Tatkraft ist eine Eigenschaft, deren sich auch Tarzan rühmen darf und die leichter verkäuflich ist als Vernunft. Vertrauen ist oft mit dem enthüllenden Adjektiv »rückhaltlos« verheiratet: haltloses, rückenverkrümmendes Vertrauen, das sich bisweilen bis zur Forderung »blinden Gehorsams« versteigt, eine Blindheit, die nicht nur träges, sondern gestörtes Wahrnehmungsvermögen voraussetzt. Der Verantwortungslosigkeit blinden Vertrauens entspricht die Vaterfigur des politischen Führers. Die Heimatliteratur hat die Idyllen dörflicher Hackordnung geschaffen, den behäbigen Herrn Bürgermeister, den gütigen Herrn Pfarrer, den klugen Herrn Lehrer; sie sind schon vor Zeiten ins Lesebuch eingegangen als programmierte Hierarchie in der Gemeinde und dann auf den Staat und auf den Betrieb übertragen worden. Sie spuken noch durch das Dialekthörspiel und durch den Fernsehschwank. Biedermeierlich gemalte Genrebilder, wilhelminisch in Wasseralfinger Gußeisen gegossen, lutheranische Leitbilder für den erziehungsgeschädigten Untertan, der die Bürde der Selbstverantwortung auf den Archetypen Thron und Altar abgelegt hat.

Die Dummheit, deren Voraussetzung geistige Trägheit ist, denkt, wenn überhaupt, dann konservativ. Sie möchte das von den Vätern und Kirchenvätern Ererbte möglichst ohne Erbschaftssteuer erhalten und bewahren vor bösem Feind und rotem Brand. Schon die Möglichkeit einer Reform macht den Dummen bösartig. Das Leitseil, an dem der aus Trägheit Dumme gegängelt wird, ist der Brauch. Man tut, was der Brauch ist, und man wählt, was der Brauch ist, was der Vater sagt, was der Gatte wählt, was der Pfarrer rät.

»Da hat der Vater gebremst, und da bremse ich auch, und wenn es den Berg hinaufgeht«, heißt eine in die Schriftsprache übersetzte schwäbische Redensart, die für solches Brauchtum typisch ist. Der böse Feind für solche Art der Dummheit ist nicht der äußere Feind, dem es zu begegnen gilt, wenn das Vaterland zu den Waffen ruft. Gefährlicher ist der interne Feind, der Andersartige, der als abartig gebrandmarkt wird. Anderssein in der Kirche, im Wirtshaus oder in der Häuslichkeit gilt als zersetzend. Zersetzend ist auch der, der von seinem Verstand Gebrauch macht und deshalb als Intellektueller deklariert wird. Weil nicht unbedingt dem Brauchtum folgend, gilt er als wurzellos. Ich zitiere als Marginalie ein Gedicht, das 1934 in der *Deutschen Drogisten-Zeitung* gedruckt worden ist, eine der wahrhaft umwerfenden Schöpfungen der damaligen Literatur:

Intellektuell
Hinweg mit diesem Wort, dem bösen.
Mit seinem jüdisch grellen Schein.
Nie kann ein Mann von deutschem Wesen
ein Intellektueller sein!

Die zweite Voraussetzung für die Dummheit ist die Unkenntnis von Tatsachen, deren Kenntnis zur Bildung eines Urteils nötig ist. Politische Willkür wird durch Informationsmangel erleichtert. Im Althochdeutschen waren »dumm« und »taub« Synonyma; in Dialektwendungen wie »taube Nuß« oder »taube Sau« ist dieselbe Bedeutung von »taub« und »dumm« noch lebendig. Taubheit gehört in eine Kategorie mit Blindheit des Gehorsams. Sie bedeutet freiwilligen Verzicht auf Informationsmaterial zur Urteilsbildung, ein Sich-Verschließen gegen Tatsachen. Dazu gehört auch das Verdrängen von historischen Gegebenheiten, zum Beispiel der Tatsache, daß der Zweite Weltkrieg von der von unseren Vätern gewählten deutschen Reichsregierung angezettelt und verloren worden ist, und der Tatsache, daß die Ostverträge eine Revision dieses damaligen dummen Wahlverhaltens einleiten wollten.

Man macht den Bürger zum Untertan, indem man ihm Informationen vorenthält. Man erhält ihn im Zustand der politischen Einfalt des Kindes, des in der Figur des Parzival geschilderten tumben Toren, in der Hilflosigkeit der Artikulation eines Kaspar Hauser. Nationalistische Schulbücher – ich denke da nicht nur an deutsche – haben das Ihrige dazu beigetragen, diesen Zustand des Nichtinformiertseins in Form eines törichten Nationalstolzes zu konservieren, um jene chauvinistische Borniertheit zu züchten, die eine Schwester der Dummheit ist. Daß Dummheit und Borniertheit bösartig machen, das sei nur, ohne den Ursachen nachzuspüren, vermerkt. Was in totalitären Staaten Informationsbeschränkung ist, das ist in demokratischen Staaten die vielleicht noch gefährlichere, weil weniger leicht durchschaubare Informationsverfälschung.

In jedem Einfluß politischer Parteien auf die Massenmedien sehe ich eine Gefährdung der Informationsmöglichkeiten. Das Häckselfutter emotional gefärbter Schlagzeilen, für Millionen wahlberechtigter Konsumenten neben dem Fernsehen die einzige Informationsquelle, wirkt auf das politische Urteilsvermögen keineswegs wachstumsfördernd. Diese Art Presse kommt der geistigen Trägheit entgegen. Sie stellt sich und ihre Nachrichten so dar, daß sie unkritisch hingenommen werden. Sie legt das Urteil so vor, daß das als Vorurteil vom Auge aufgenommen und unter Umdrehung des Verstands an das Unterbewußtsein weitergegeben, dort gespeichert und im Bedarfsfall von dort »wahr«genommen wird.

Merkwürdig, daß sich zwei Wörter, obwohl sie sich stark widersprechen, nur durch eine farblose Endung unterscheiden: *Bild* und *Bildung*. Diese Bildung, bei Goethe noch eine Tätigkeit des Bildners, hat ihre Bedeutung gewandelt. Man bezeichnet heute damit die Gesamtheit des vermittelten und aufgenommenen Wissens; für den Fall, daß dieses nicht allzu gewichtig ist, hat die Sprache den Trostpreis der »Herzensbildung« ausgesetzt. Unsere Großväter konnten noch eine Allgemeinbildung als Marschgepäck auf ihren Lebensweg fassen, buchstäblich fassen. Durch die Potenzierung des Wissensmaterials ist es heute wahrlich »unfaßbar« geworden; der Fachidiot ist als Kind unserer Zeit in der Ehe von Fachwissen und Allgemeinbeschränktheit gezeugt worden.

So hausbacken, so atavistisch für manchen von uns das Wort Bildung klingen mag: Bildung ist Voraussetzung für politische Urteilsbildung. Bildung ist das Verhütungsmittel gegen die Konservierung der Dummheit.

Die dritte Voraussetzung für die Dummheit ist die mangelhafte Schulung des Verstands. Sport ist nichts anderes als die serienmäßige Ausübung lästiger Bewegungen, die uns aus dem Behagen reißt, das körperliche Trägheit bereitet. Sport verhindert jedoch eine Atrophie der Muskeln und vermag deshalb den Körper länger funktionsfähig zu halten. Genauso muß der Verstand trainiert werden, damit er funktionsfähig bleibt. Der geistig Bewegliche ist mehr gegen arteriosklerotische Verstockungen und Altersstumpfsinn gefeit als der geistig Träge. Hatte im Althochdeutschen »dumm« auch die Bedeutung von »taub«, so entsprechen sich im Mittelhochdeutschen »dumm« gleich »stumpf« und »stumm«. Dumm ist also nicht nur der, der nicht hören, nicht wahrnehmen will; dumm ist auch der, der sich nicht auszudrücken vermag, der nicht artikulieren kann, der unmündig ist, den man bevormunden muß. Ist der bevormundete Untertan ein Züchtungsobjekt des ausbeutenden Despoten, so sollte der mündige

Bürger das Bildungssubjekt einer funktionierenden sozialen Demokratie sein. Der Stumme ist nicht fähig, seine Stimme als Wähler abzugeben. Um sich nicht zu übernehmen, übernimmt er vorgefaßte Meinungen. Je unpräziser politische Dogmen formuliert werden, je mehr sie emotional aufgeladen werden, um so mehr haben sie Chancen, von der Dummheit für wahr genommen zu werden. Glaubensbekenntnisse werden von ihr eher akzeptiert als klargesteckte politische Ziele.

Die Dummheit begnügt sich damit, Worte hinzunehmen, statt sie beim Wort zu nehmen. Wie dumm von den Göttern, mit ihr selbst vergebens zu kämpfen, statt mit ihr Geschäfte zu machen! Handelswährung ist das mit Emotionen aufgeladene Klischee. Denn der Dumme gibt seine Stimme ab wie früher den Zehnten, wenn der Abt oder der Fürst heute auch eine andere Firmenbezeichnung hat. Der Dumme ist nach wie vor bereit, dem zu dienen, der von ihm profitiert; daß er dabei am Ende der Dumme ist, das ist ja sein Schicksal, und das ist von Gott gegeben. Der Dumme glaubt dem Etikett, zum Beispiel wenn es einen theologischen Zungenschlag hat – Namen von Weinlagen wie Kirchenstück, Altärchen, Klostergarten, Liebfrauenmilch verkaufen sich gut, weil sie vermuten lassen, daß sie Beschiß ausschließen, daß sich hinter frommen Namen auch im Keller Gottes Hand statt Süßreserve verbirgt.

Es gehört zu den Gewohnheiten der Dummheit, das Wort mit den propagierten Wertvorstellungen aufzunehmen, die ihm beigepackt worden sind. So denkt der unkritische Wortkonsument bei dem Adjektiv »christlich« nicht an die sozialen Forderungen der Bergpredigt; er denkt eher an den Bonus der Gnade und meint, die sei ohne Gegenleistung schon dem zugesprochen, der dem Begriff »christlich« rein verbal politisch zustimmt. Und christlich, so glaubt er, ist alles, was sich so nennt, und unchristlich, so folgert er, alles, was nicht den Namen Christi im Schilde führt. Das Wort »christlich«, in einem Parteinamen profaniert, das war schon eine großartige Werbemasche, fast so gut wie »Klosterfrau Melissengeist«. Christlich, das spricht und verspricht selbst dem Lauesten, der sich Christ zu nennen wagt. Das Wort »rot« demonstriert keine fröhliche, sondern eine Schreckfarbe, die sich spontan mit dem Begriff »Gefahr« verquicken läßt. Und bei dem Wort »sozial« denkt der politisch Erziehungsgeschädigte nicht an die christliche Verpflichtung, den Nächsten zu

lieben; »Sozialisten«, so holt er aus seinem programmierten Unterbe-
wußtsein, das sind doch die Leute, die enteignen und sogar den
Schnecken ihre Häuser wegnehmen wollen. Und bei dem Wort
»Reformen« denkt er nur an die Gefahr, aus seinem bequemen
Komfortsessel im Mittelpunkt der Welt aufgescheucht zu werden.
Wenn es gelänge, den künftigen Bürger zum Civis, nicht zum
Bourgeois zu erziehen, auf dem Wege der Bildung den Gebrauch der
Vernunft, die Aufklärung bis in die sprachlichen Klischees der
landschaftlichen Gegebenheiten des letzten lauschigen Winkels, des
hintersten stillen Tals zu tragen, die liebenswürdige Einfalt des
Herzens in die nützlichere Einsicht des Verstandes umzumünzen
und aus dem unmündigen Beistimmer jenen mündigen Bürger zu
machen, der eigentlich Voraussetzung für die Wahlberechtigung sein
müßte, dann wäre eine Hoffnung für die Demokratie geschaffen, die
uns unsere politische Zukunft in besserem Licht sehen ließe.

Zum Lob der antiken Tragödie

Nicht von jenen antiken Tragödien sei hier die Rede, in denen Apollo
im Frack auf den Zug nach Ludwigshafen wartet und Kaiser Vespa-
sian, der eben die Mao-Bibel liest, um Feuer bittet.
Unser Lobgesang erschalle der echten antiken Tragödie, die nach
einer alten Faustregel des Theaters – »Bis Christi Geburt Sandalen,
von da an Schuhe« – in kreuzweis geschnürten Sandalen stattfindet.
Die Darsteller tragen wallende Nachthemden, und die Männer haben
zusätzlich einen Stoffrest aus dem letzten Ausverkauf malerisch über
die Schulter geworfen. Die Herren hören auf Hundenamen: Hektor,
Ajax und Nero, während die Damen wie Zigaretten, Hüftgürtel,
Versicherungsgesellschaften und Gasbadeöfen heißen: Juno, Venus,
Agrippina und Minerva.
In antiken Tragödien trabt Pegasus meist in fünffüßigen Jamben.
Wenn der Vers nicht gut zu Fuß ist, kann man ihm leicht mit
Füllwörtern wie »Ach«, »Traun« und »Sei's drum« auf die Beine
helfen. Eine Einheitssprache, die sich im Umgang mit Gymnasialleh-
rern leicht erlernen läßt, beherrscht die antike Tragödie. Man geht

nicht, sondern schreitet; führt nicht Kriege, sondern »obliegt dem Kriegshandwerk«; sagt statt »ich glaube«: »mich dünkt« und ersetzt das prosaische »langsam« mit »gemach«.

In der antiken Tragödie hat der Autor wie nirgendwo das Recht, die Leidenschaften rasen und die Greuel wuchern zu lassen. Auch die antiken Männer haben einen Busen, der jedoch zweckentfremdet Argwohn nährt, Böses ahnt, in seiner Tiefe Geheimnisse bewahrt oder in dem sich sonst allerlei Abstraktes tut.

Stets sind die Personen der Antike von hohem Stand: Könige, Halbgötter und Götter. Da lädt ein König den anderen zum Mahle. Er fragt den Kollegen natürlich nicht: »Schmeckt's?«, sondern erklärt heuchlerisch: »Das Mahl scheint Euch zu munden.« – »Nie hab' ich Köstlicheres gespeist«, erwidert der Gast, worauf ihn der Gastgeber kaltblütig aufklärt, er habe eben seine eigenen Zwillinge verzehrt. Damit ist irgendeine Rache aus grauer Vorzeit gekühlt, wo ein Großvater einem Bett blutschänderisch genaht. So etwas geschieht häufig, weil alle antiken Helden durch Jupiters Fehltritte und die Sitte, daß die Mörder die Frauen der Ermordeten heirateten, miteinander verwandt sind.

Die Antike ist so reich an Mord, Fürstenhochzeiten und Greueltaten, daß sie auch den anspruchsvollen Leser der Regenbogenpresse befriedigt. In unserer Zeit pflegt der Mörder erwischt und eingesperrt zu werden, und er gibt dann dramaturgisch nichts mehr her. In der antiken Tragödie wird er statt von der Polizei von Erinnyen verfolgt, die man recht dekorativ als Ballett in schwarzem Tüll auftreten lassen kann.

Die Aufführung der antiken Tragödie kostet nicht viel. Meist genügt – von Aischylos bis Wilder – eine Dekoration. Säulen, die wackeln, wenn man sich an sie lehnt, und die manchmal zukunftweisend abgebrochen, sind üblich. Statt auf Stühlen sitzen die antiken Helden auf Tempelstufen. Auch die Vegetation ist stets bescheiden, obwohl antike Tragödien im üppigen Mittelmeerklima spielen. Als erhabene Gewächse, die auch der unbegabteste Bühnenbildner stilisieren kann, werden Pinien und Zypressen bevorzugt, die sich, wenn es hoch kommt, zu einem schütteren Hain zusammenrotten. Einen am Mittelmeer ortsüblichen Kaktus ins antike Drama zu setzen, wäre unverzeihlich. Der Kaktus ist nicht heroisch genug.

Wenn ich aus all diesen Gründen jungen Autoren rate, mehr antike

Tragödien zu schreiben, werden sie einwenden, man könne darin das dramaturgisch so wichtige Telefon nicht benutzen. Gemach, Freund! Statt des Fernsprechers nimmt man einen Boten, der Briefträger, Zeitung, Fernsehen und Telefon ersetzt. »Ich bring' euch gute Kundschaft«, sagt der Bote, so daß dem Verkaufsleiter im Parkett das Herz höher schlägt. Häufiger ist allerdings der Unheilsbote, der auf die Bühne taumelt, zusammenbricht und wie die erste Seite unserer Tageszeitungen deprimierende Dinge meldet.

Der Bote ist manchmal auch als Sportberichter zu gebrauchen. Ist man zu faul, eine Schlacht auf der Bühne darzustellen, so läßt man einfach den Boten darüber berichten. Leicht könnte man das antike Drama auf die Spitze treiben und zur Wahrung der Aristotelischen Gesetze nichts als einen Boten auftreten lassen, der die ganze Geschichte dem Publikum erzählt.

Wie soll man in einem modernen Stück einen richtigen Krieg mit Panzerschlacht und Artillerie-Duell zeigen? Das wäre viel zu laut, zu gefährlich und zu kostspielig. Welche Möglichkeiten aber bietet die antike Tragödie, einen Krieg auf die Bühne zu bringen! Man kann ihn in leichtfaßliche Zweikämpfe auflösen. Vor dem Kampf beschimpfen sich die Helden und erzählen dabei ihre ganze Familiengeschichte, die meist auf Ödipus, den Erfinder des gleichnamigen Komplexes, oder auf Tantalus zurückgeht. Da beim Theaterpublikum fast sämtliche antiken Skandale als bekannt vorausgesetzt werden können, wagt der Abonnent in der fünften Parkettreihe beruhigt ein Schläfchen, ohne Furcht zu haben, daß er den Faden verliert.

Oft tritt ein Chor auf, der meist aus Greisen und alten Damen besteht, so daß das Theater Gelegenheit hat, seine Pensionäre wieder einmal zu beschäftigen. Häufig schaut der Chor in die Zukunft und vertritt damit die Rolle unserer beim Publikum so beliebten Meinungsforscher.

Wo es mit der Logik hapert, greifen die Götter ein. Da es für jede Branche einen zuständigen Gott gibt, kann man sie gegeneinander ausspielen und, da die antiken Götter stets zu allerlei Unfug und Allotria aufgelegt sind, gewaltig intrigieren lassen. Man nennt das Schicksal.

Wenn die Schauspieler im Nachthemd eurhythmisch schreiten, wenn die Jamben plätschern, entsteht im Publikum jene erhabene Langeweile, die so eng verwandt mit der Bildung ist. Jeder hat seinen kleinen humanistischen Minderwertigkeitskomplex, ob er nun kein Griechisch kann, in der Quarta durchgefallen ist oder in Latein »Kaum befriedigend« gehabt hat. Jeder wird applaudieren, um sein Verständnis für die hohen Güter unserer Kultur zu beweisen. Jeder wird das Stück weiterempfehlen – »Wenn ich mich schon gelangweilt habe, dann sollen sich die Pfuderers auch langweilen« –, und eine solche Empfehlung hat noch den Vorteil, daß sie ihren Urheber als gebildetes Mitglied der guten Gesellschaft kennzeichnet. Unsere jungen Autoren sollten deshalb viel mehr antike Tragödien schreiben. Es täte ihnen und ihrem bildungshungrigen Publikum gut.

Sprach-Spiele

Wie man ein böß alt Weib wird, ohne seine Tugendt zu verlieren

So die Jungfern in die Jahr geraten, da auff ihrem Venus-Berge ein gar zärtliches Vlies sprosset, überkömbt sie nit selten das Verlangen nach einem Knaben, denselben zu hertzen und zu küssen, auf selbigem Vliese und auch darumb herumb gestreichelt und geliebkoßt zu werden, und mangelt es solch leicht-sinnigen Weiberleut auch oft der Krafft, dem sündigen Verlangen des Liebsten, sey es im Grasse, oder sey es gar im Bette, genügenden Widerpart entgegen zu setzen. Vermögen sie solches nit, kömbt es zur vermaledeiten Kopulation, gestehet das Mägdelein dem schlimmen Buhlen zu, das Pfefferspiel mit ihr zu betreiben und findt, unter Anzeigung des Unverstands, gar selbst etliches Wohlgefallen daran, so dräuen allerley böße Molesten, alsda sind die gemeine Filtzlaus (Phthirius pubis), die schlimme Frantzosenkrankheit, vorzeitig und unerwünscht Kindbett, aber weit schlimmer, so die Pfefferbüchs, welchselbe den rammeligen Stößel geborgen, erneute Lußt verspüret, denselben widerumb, zu mächtigem Fleische aufferstanden, in sich auffzunehmen, und hanget sie mit immer größerem Verlangen dem Buhlen mit Leib und Seele an, wird nit selten von ihm verlassen, worauff sie sich nit will zurückbesinnen auff ein keusch und ehrbar Leben, sondern suchet alsobald einen anderen, und will ihr das nicht gelingen, ist sie offtmals auch bereit, sich selbst Freud anzutun und selbsthändig so recht Gottes Schöpfung am eigenen Leibe zu lobpreißen. Nun gibt es etliche, die zu solchem Schlusse kommen: Was soll's? Wen gehet solches an? Ist ein Mägdelein mit solchem Thun nit sich und auch anderen nützlich und thuet niemandem wehe? Ist aber so leichtfertig zu gedencken nit rathsam und verdienet alsbaldigen Widerspruch derer, die Tugendt und Ehrbarkeit nit nur zu ihrem Nutzen gebrauchen, sondern solchen Fürsatz auch bei anderen in Achtung zu halten stets bemühet sind. Ja, bey Weibern, so mit der Sünde gleich einem Schlachtensieg prangen, ist die Tugendt dahin, das Blümelein geknikket, bevor vor dem Altar ewige Treu gelobet, und alsda sind andere Weiber, so sich nit selber solcher Lußt erfreuen, dieselben betrachten das sündig Mensch mit scheelen Blicken, schütten über sie die Jauche gifftiger Red, denn sündig Thun erreget beim anderen eine Krankheit der Seele, den gemeinen Fotzenneid, so die Gelehrten invidiam vaginae communis nennen, und hat selbiger schon allerorten und allerzeit viel Elendt über die Welt gebracht, sind selbst gekrönte Häupter nit von ihm verschont geblieben, so die großmächtig Kaiserin Marie Theres, die ihren Untertanen keinerley Lußt außerhalb der Ehe vergunnet, auch jene Lisel auf Englands Thron, selbige neidet der Stuarts Marie ihre Liebhaber und ließ derselben dieserhalb das Haupt abschlagen und ist selbige eher durch ihr sündig Leben, als durch falschen Glauben zu frühzeitigem Hinschied gekommen.

Folget daraus: Die Jungfern mögen sich wohl hüten, dem Teuffel Wohllust sich hinzugeben, sie mögen die Lippen und die Beine fest verschließen, damit alles Verlangen austrücknet, sie mögen mit Abscheu an das zerzettelte Glied denken, so sich beim Manne erst mächtig rühret, alsobald er Begierde verspüret, darneben möge jedwelche Jungfer alles Thun vermeiden, so sündiges Begehren erreget, alsda sind aufgeilend Kleidung, so den Blick auf nackiges Fleisch nit verwehret, alsda ist auch Reinlichkeit des Körpers und wohlgefällig Düfften, so die Männer anziehet. Auch ist liebliche Red und Thun nicht rathsam, falle man aber im Gegentheile über andere her, so solches fröhlichen Leibes und Gemüths thun, was man selbst zu thuen sich nit vergunnt, nenne sie Metzen und Huren, bewahre aber selbst seine Tugendt und Jungfernschaft, bis einer kömbt, so vielleicht arm an Leibes- und an Liebes-Gaben sein mag, daderfür aber einen strotzenden Säckel voll Dukaten vorzuweißen hat und ein tugendthafft Wesen zur Ehe zu wünschen sich unterfängt. Dem gelobe und halte man die Treu. Nachdem man sich in der auf die Hochzeit folgenden Nacht mit Jammern und Klagen der Jungfernschafft begeben, lasse man den Gemahl wissen, daß mit ihm die Lußt zu theilen keinerley Bereitschafft sey, und erfülle man die ehelichen Pflichten mit augenscheinlichem Abscheu und dem Zwecke, alsobald ins Kindbett zu kommen, so solches jedoch offenkundig, erhebe man ein groß Wehgeschrei, wie krank einen der Gemahl mit der unverschambten Stößelei gemacht, welch Molesten er einem auferleget, lasse es ihn auch tüchtig entgelten und fodere von ihm Peltzwerk, Näschereien, Ringe und Kleinodien zum Troste. Ist das Kindlein zur Welt gebracht, so bewahre man weiterhin die ehelich Treu und entsage der Versuchung nach einem Galan, der im Bette und im Fleische größere Kurtzweil ahnen läßt als der Gemahl. Man gebe sich statt dessen der Völlerey hin, schlinge getrüffelte Pasteten, gestopfte Gäns und allerley Zucker- und Backwerk in sich hinein, so daß man mächtigen Leibs wird, der Gatte denselben nimmermehr begehrt und nach einer Buhlin Umschau hält. Hat er ein solch Lumpenmensch gefunden und man solches bemerckt, erhebe man wieder groß Wehklagen, heuchle Jalousie, lasse ihn jedoch gewähren, aber solches Gewähren teuer bezahlen. Die Kinder aber erziehe man in Furcht und Haß vor dem Teuffel Wohllust und vor den bößen Hexen, so mit ihm Umgang haben, und schildere ihnen beredt die schlimmen Folgen leiblicher Nachgiebigkeit.

Auf solche Weis wird man ein züchtig böß alt Weib, den Mit-Menschen ein Greuel, hat alsdann allerley Ursach zur Lästerey, bezichtige die Nachbarn unkeuscher Wort und Wercke, nenne die Männer geile Böcke und die Frauen läufige Hündinnen und bekömbt dergestalt eine hoh Meinung über sich selbst. Mögen die anderen die Lockungen des Fleisches genießen, mögen sie sich der Lußt hingeben, die größere Lußt für alte Weiber, so der Sünd immerdar männiglich widerstanden, und für leibarme Greise, denen die Aufferstehung des Fleisches niender sonderlich geglückt, sehen Leute von solcher Art andere das miteinander treiben, was man selbst zu treiben sich nit unterfangen, so neide und mißgunne man es jedwedem, verfolge ihn mit übler Nachred, fodere für solche Pranger und Scheitter-Hauffen, bezichtige sie des Umgangs mit dem Teuffel, und vermerke man den Schluß, daß man solche ehedem mit Recht als Hexen verbrannt.

Führet man also ein solch heiligmäßiges Leben in Tugendt und Keuschheit, und redt man über andere, so nit heiligmäßig leben, nichts als Unrat und Unflat, so gelanget man zu jener Lußt, die mehr kitzelt, als alle anderen Lüßte, sich über andere erhaben zu dünken, wohlgefälliger als solche Gestrauchelten zu sein und gelanget alsobald in den Zustand eines böß alten Weibes, ohne die Tugendt verloren zu haben.

Der Purzelbaum

»Hat die Freundin deines Onkels ihre Schularbeiten gemacht?« heißt eine Frage in dem spanischen Lehrbuch, das mich zur Zeit unterrichtet und belustigt. Mein Onkel ist zweiundachtzig Jahre alt. Ich schlage ihm vor, das Lehrbuch wegen übler Nachrede zu verklagen.

Der nächste Satz verlangt: »Sage mir, welche Bäume du bevorzugst!« Hm! Auch das kommt mir spanisch vor. Ich kann die Antwort nicht übersetzen. Ich bevorzuge nämlich Birken, Kirschbäume, Pinien, Palmen ohne Kübel und Purzelbäume.

Während jedoch Morgensterns Nasobem über die Literatur in den allwissenden Meyer eingegangen ist, steht der Purzelbaum kaum im Lexikon. Von der Wissenschaft nicht erfaßt, von der Literatur kaum festgehalten, von den wenigsten Wörterbüchern registriert, purzelt er sich so durchs Leben und ist deshalb einer Betrachtung wert.

Die Wurzeln des Purzelbaums sind nicht historisch nachgewiesen. Wäre der Baum der Erkenntnis ein Purzelbaum gewesen, wir säßen wohl heute noch im Paradies und nährten uns von Purzelfrüchten und Purzelbaumkuchen. David schlug Goliath, aber keinen Purzelbaum aus Freude über seinen Sieg. Archimedes kauerte wohl in Purzelbaumgrundstellung vor seinen Zeichnungen, verbat es sich aber, seine Circuli zu stören. Circulus wird immer mit dem Wort »Kreis« übersetzt. Ob Archimedes nicht den Purzelbaum damit meinte, der sich ja spiralenförmig vollzieht?

Sage mir, ob du gern purzelst, und ich sage dir, wer du bist. Männer, die gern Purzelbäume schlagen, sind mir sympathisch. Sie haben Humor. Sie sind kühn, denn sie setzen ihre Weltanschauung aufs Spiel. Der Purzelbaum versetzt nämlich das Weltbild in eine drehende Bewegung. Sicher schlug Galilei, bevor er sein trotziges »Und sie bewegt sich doch!« sprach, einen Purzelbaum.

Es ist nicht überliefert, ob Kolumbus in Amerika Tabakstauden gegen Purzelbäume getauscht hat. Ich kann mir auch nicht denken, daß der Purzelbaum in Amerika gedeiht. Sowenig wie in den Werken des sozialistischen Realismus. Oder können Sie sich Lenin purzelbäumend vorstellen? Viel eher noch Romeo und Julia, bei denen die Lerche statt auf einem Granatbaum auf einem Purzelbaum singen könnte.

Der Purzelbaum beschleunigt den Kreislauf. Er überschlägt den Krampf. Ein purzelbaumschlagender Vater ist ein großes Vergnügen für die Kinder. Er verliert das, was ihn von der Jugend trennt, nämlich das im Deutschen am zweithäufigsten gebrauchte Substantiv: die Würde. Manchmal verliert man beim Purzelbaum allerdings auch das Portemonnaie. So komme ich zu der paradoxen Feststellung, daß der lockere Purzelbaum das Familienleben festigt.

Hier liegt des Purzels Kern. Der Purzelbaum erhält jung. Er bleibt auf dem Boden der Tatsachen, die er gleichzeitig durch seine rotierende Bewegung verdreht. Er ist deshalb der Schalk unter den Bäumen.

Verlieren die Purzelbäume den Boden unter den Füßen, wachsen die Purzelbäume in den Himmel, so nennt man sie Salti. Da aber der Salto den unsympathischen Beinamen *mortale* hat, probiere ich ihn lieber nicht und lasse ihn aus dem Spiel. Der harmlose Purzelbaum dagegen geht selten oder nie tödlich aus.

Da habe ich eine Idee: Man sollte einmal eine *Freischütz*-Inszenierung machen, in der man den Wald vor lauter Purzelbäumen nicht sieht. Das wäre eine vergnügliche Sache!

Das bißfreudige Rotkäppchen

Es war einmal ein Kind, das hieß Rotkäppchen, weil es kein Käppchenmuffel war, sondern stets ein hautverträgliches Hütchen trug, das war röter als das röteste Rot unseres Lebens, dazu kochecht, absolut waschmaschinenfest, mit doppeltem Mittelstück und patentiertem Verschluß. Zu dem sprach die Mutter, eine nicht alltägliche Frau, die Kenner schätzen, da Skunksin ihr einen reinen Atem verleiht: »Mach mal Pause, pack den Tiger in den Tank und geh meilenweit zur rieselfreudigen Großmutter, denn sie ist krank, weil sie nicht bei der Mesallina Sach und Leben versichert ist. Wäre sie es, könnten wir, durch ihre Vorsorge vor Sorge geschützt, dem Schlimmsten ins Auge sehen, denn bei Unfalltod zahlt die Kasse für Leute, denen das Beste gut genug ist, sogar das Doppelte. Bring ihr ein paar verbrauchernahe Dinge des gehobenen Bedarfs: gaumendige Kartoffeln, Fleisch von glücklichen Ochsen, Käse vom Fuße der Alpen, ein Huhn, das goldene Eier legt, ein aktuelles Vollwaschmittel und einen mäßigen, aber regelmäßigen Wein von den Hessischen Anilin- und Kaliwerken – denn im Lande der Gourmets versteht man was vom Geist des Weines!«

»Aber was mache ich, wenn ich dem bösen Wolf begegne, der im Walde läuft und läuft und läuft?«

»Nimm zwei Tabletten Timidax, die Sonnenbrille für die Seele, gut gegen alle Schmerz- und Erregungszustände unserer modernen Zeit.«

»Alle sprechen vom Wetter – wir nicht!« sagte Rotkäppchen, griff zu dem Chefbehälter in Korbform, ein echtes Geschenk für den verwöhnten Anspruch, und machte sich auf den Weg, nicht ohne das Transistorgerät Marke Grünspan mitzunehmen, klangreiner als der klangreinste Brunstschrei des Hirsches, dem die Melodien so rahmig, so sahnig entwichen, daß die Vögelein auch in kritischen Tagen beschämt ihr Konzert einstellten.

Wie ein weißer Wirbelwind schritt das Kind aus, denn nicht umsonst trug es als guten Stern auf allen Straßen die atmungsaktiven Sandaletten Frischauf mit dem pilzhemmenden Mittel Fungol, dessen hochkarätige Tiefenwirkung alle Pfifferlinge am Wegrand verdorren ließ. Vom Wohlklang des Transistorgeräts für den neuen Ohrengeschmack angezogen, kam bald wie ein weißer Riese der Wolf, in dessen exklusivem Fell sich die Ideale der klassischen Körperkultur mit dem Schnitt der modernen Welt zu einem kraftvoll-herben Duftakzent von enganliegender, echter Eleganz vereinigten.

»Wohin des Wegs?« fragte der Wolf, funktionsgerichtet und kraftvoll aus der Tiefe wirksam.

»Zu meiner Großmutter, um ihr Genußmittel im Stil der neuen Zeit, aromareich und doch giftarm, zu bringen. Seit sie in der Bausparkasse Hebron prämiensparrt, wohnt sie in einer steuerbegünstigten Zweitwohnung im Stil der Erfolgreichen! Großmutter ist eine Reise wert!«

Mit einem fröhlichen Gang, wie ihn nur der täglich dreimalige Genuß von Milch, die müde Männer munter macht, vermittelt, machte sich der Wolf zur Großmutter, wo sich folgender Dialog entspann:

Jackie W., Großmutter: »Du hier, der große Klare aus dem Norden?«

Ihr Freund: »Zwei Worte, ein Bett.«

Jackie W., Großmutter: »Ja, ein hartes Bett für harte Männer!«

Als der Wolf die knackige Großmutter so liegen sah in ihrem hochmodischen Korselettchen mit Vorderverschluß ohne unzumutbare Wartezeiten, regte er mit zwei Tabletten Fressal die Galle seiner Leber an und verschlang die speiseröhrengerechte Frau mit einem ganz neuen Eßgefühl. In den Wolf hineinschlüpfen und sich wohlfühlen war für die Großmutter eins. Nehmt's leicht, macht euch ein paar schöne Stunden, dachte sie.

Großmutter macht's möglich, dachte er, legte sich in die extravagante Liege für die Frau von Format, deckte sich mottensicher zu und wartete mit unermüdlicher Wachkraft auf Rotkäppchen, das bald kam.

»Großmutter, warum hast du so ein rasierbereites Gesicht?«

»Weil ich das hautsympathische Capellovit mit dem Wirkstoffzusatz SB siebzehn benutze, der Haarwuchs für die Größen dieser Zeit bis tief ins Gesicht hinein garantiert!«

»Großmutter, was riechst du so streng?«

»Das ist der Duft der großen weiten Welt«, sagte der Wolf, sah mit dem Appetit, den Frauen lieben, auf das bißfreudige, gaumengerechte Rotkäppchen, sprang aus dem Bett, verspeiste es mit dem haftaktiven, senilodentgepflegten Gebiß und schlief ein.

Von Großmutters erregend temperamentvoller Armleuchte in antikem Stilempfinden angelockt, kam der bärenharte Förster an das gepflegte Eigenheim. Sein Hörgerät Silex für kultivierte Individualisten ließ ihn bald die Schnarchgeräusche wahrnehmen. Hatte der Wolf es doch unterlassen, den echten Bärensirup zu kaufen, von dem zwei Tropfen, über den Mund oder sonstwohin gestrichen, den Gentleman vor unerwünschten Körpergeräuschen schützen.

»Wer wird denn gleich in die Luft gehen!« sagte der Förster und griff zum neuzeitlichen Selbstoperierer Skalpin, der den schnittfesten Bauch des Wolfes wie eine sanfte Liebkosung magischer Hände aufschnitt. Zwingt Messer rein und Großmutter raus, dachte er. Und ja: Skalpin bleibt Skalpin – heraus sprangen Großmutter und Enkelin, so fröhlich und so gut gelaunt, vom Zauber des Besonderen umgeben.

»Darauf einen Salbeitee!« sagte Rotkäppchen.

»Ja, aber nur den mit dem Wanzenbild!« versetzte die Großmutter.

»Erst mal entspannen, der nächste Winter kommt bestimmt«, sagte
der Förster.

Und wenn sie täglich dreimal Haemikoltropfen nehmen, die den
Körper entschlacken und so darmaktiv wirken, sind sie noch nicht
gestorben, sondern heute noch marktgerecht.

Rotkäppchen,
in amtlichem Sprachgut
beinhaltet

Im Kinderanfall unserer Stadtgemeinde ist eine hierorts wohnhafte,
noch unbeschulte Minderjährige aktenkundig, welche durch ihre
unübliche Kopfbekleidung gewohnheitsmäßig Rotkäppchen genannt zu werden pflegt. Der Mutter besagter R. wurde seitens ihrer
Mutter ein Schreiben zustellig gemacht, in welchem dieselbe Mittei-
lung ihrer Krankheit und Pflegebedürftigkeit machte, worauf die
Mutter der R. dieser die Auflage machte, der Großmutter eine Sen-
dung von Nahrungs- und Genußmitteln zu Genesungszwecken zu-
zustellen.

Vor ihrer Inmarschsetzung wurde die R. seitens ihrer Mutter über
das Verbot betreffs Verlassens der Waldwege auf Kreisebene belehrt.
Dieselbe machte sich infolge Nichtbeachtung dieser Vorschrift straf-
fällig und begegnete beim Übertreten des amtlichen Blumenpflück-
verbotes einem polizeilich nicht gemeldeten Wolf ohne festen Wohnsitz. Dieser verlangte in gesetzwidriger Amtsanmaßung Einsichtnah-
me in das zu Transportzwecken von Konsumgütern dienende Korb-
behältnis und traf in Tötungsabsicht die Feststellung, daß die R. zu
ihrer verschwägerten und verwandten, im Baumbestand angemiete-
ten Großmutter eilend war.

Da seitens des Wolfes Verknappungen auf dem Ernährungssektor
vorherrschend waren, faßte er den Beschluß, bei der Großmutter der
R. unter Vorlage falscher Papiere vorsprachig zu werden. Weil

dieselbe wegen Augenleidens krank geschrieben war, gelang dem in Freßvorbereitung befindlichen Untier die diesfallsige Täuschungsabsicht, worauf es unter Verschlingung der Bettlägerigen einen strafbaren Mundraub zur Durchführung brachte.

Ferner täuschte das Tier bei der später eintreffenden R. seine Identität mit der Großmutter vor, stellte ersterer nach und in der Folge durch Zweitverschlingung der R. seinen Tötungsvorsatz erneut unter Beweis.

Der sich auf einem Dienstgang befindliche und im Forstwesen zuständige Waldbeamte B. vernahm Schnarchgeräusche und stellte deren Urheberschaft seitens des Tiermaules fest. Er reichte bei seiner vorgesetzten Dienststelle ein Tötungsgesuch ein, das dortseits zuschlägig beschieden und pro Schuß bezuschußt wurde. Nach Beschaffung einer Pulverschießvorrichtung zu Jagdzwecken gab er in wahrgenommener Einflußnahme auf das Raubwesen einen Schuß ab.

Dieses wurde in Fortführung der Raubtiervernichtungsaktion auf Kreisebene nach Empfangnahme des Geschosses ablebig. Die gespreizte Beinhaltung des Totgutes weckte in dem Schußgeber die Vermutung, daß der Leichnam Menschenmaterial beinhalte. Zwecks diesbezüglicher Feststellung öffnete er unter Zuhilfenahme eines Messers den Kadaver zur Totvermarktung und stieß hierbei auf die noch lebhafte R. nebst beigehefteter Großmutter. Durch die unverhoffte Wiederbelebung bemächtigte sich beider Personen ein gesteigertes, amtlich nicht zulässiges Lebensgefühl, dem sie durch groben Unfug, öffentliches Ärgernis erregenden Lärm und Nichtbeachtung anderer Polizeiverordnungen Ausdruck verliehen, was ihre Haftpflichtigmachung zur Folge hatte. Der Vorfall wurde von den kulturschaffenden Gebrüdern Grimm zu Protokoll genommen und starkbekinderten Familien in Märchenform zustellig gemacht.

Wenn die Beteiligten nicht durch Hinschied abgegangen und in Fortfall gekommen sind, sind dieselben derzeitig noch lebhaft.

Ortsbestimmungen

Wenn e em haus be
na ben i henna
ond du drussa

wenn du em haus bisch
na bisch du drenna
ond i hussa

i gang da berg nuff
nuffzuas muaß mer schnaufa
du kommsch zua mr ruff
ruffzuas schlaucht s meh

mir send obadroba
mir schtandet obadriber
d leit send ontadronta
mir gucket driberniber

i gang da berg nonter
ond denk hoimzuas em ra
i werd doch nonterkomma
ond du kommsch zua mr ronter
na bisch halt ronterkomma

er kommt net dromnom
ond schwätzt halt dromrom
schee sei s om Rom rom
i gang liaber ens Elsaß nom
iber da Rhei niber
dr Schwarzwald guckt riber

aber em grond isch
hiba wia driba
homma wia dromma
goht s riber ond niber
goht s dronter ond driber
ontersche ond ibersche
fersche ond hentersche

ond manchmol au ärschlengs
ond henterschefersche

em ruffzuas ond razuas
em nuffzuas ond nazuas
em romzuas ond nomzuas
goht s leba halt abersche
goht älls dronternonter

komm gang mr aweg.

Alt-Bayreuther Alphabet

Alle Arien anders, als die alten Ahnen ahnten. Alle Akte achtlos albern. Am Altare ahmen arme Affen nimmermehr nach ar'scher Art. Anstand, Anmut atmen anderwärts. Ach, der arge Alberich! Ahndet Asen Aug um Aug! Auch den Autor, welcher auszog aus der
Ärgerlichen Ära, ändert nimmer
Bleicher Blender, blinder Blödler blühend Blech und blut'gen Blust. Da bleibt selbst die Begum betrübt sonder Begehren bebend im Bett besser in Beirut statt Bayreuth fern der bösen Buben billig Beginnen. Das Bein am Ball berichtet *Bild* bißfest Boulez' baumelndes Bimbam im bibbernden Baß. Bitte ein Bier zum Butt! Bärtig beuen bärtige Barden den bumsenden Bären bissige Buhs und Bähs in die Bude. Bravo, braune Brüder, bremst das Gebrest! Brünnhildens brünstige Brüste breiten und brauen auf brennender Brücke in
C Cis und Ces cäsarisch. Ihre
Duften Düfte dämmen den dürftigen Durchfall. Du, die du die doofen Deppen, die dünnen Dicken durch Donners Deuchte dämonisierst, dreifach auf Draht dräuest dem Drachen, drosselst Druck nicht zu Dreck.
Ewig elend endet Erda unter der Esche. Der Eigner des eiternden Eies eifert eitel in Eis und in Eisen. Und auch
Eure Eule dient euch Eunuchen nimmermehr als Euterpens Euter. Europas Eumeniden
Finden fürwahr finsteres Festspiel-Finale. Forsche Feger verfäl-

schen des fernen Vorfahr'n Vermächtnis. Fodert füglich Vorfahrverbot für ferne verkomm'ne Verführer! Was faseln Fafner und Fasolt? Ihr Falken, fechtet mit Fahnen und Forte-Fagott, mit Flöte und Flinte und mit flammendem Fleiß flugs den flirrenden Flirt mit der Flaute. Flüchtet die Flegel, verfrachtet die freislichen Fressen der fremden Fratzen! Frischfrommfreie Freunde, friedet und freiet fröhlich die frierenden Friedel Fricka und Froh und Freia vom frostigen Frust des fremden Franken.

German'sche Götter im Gehrock, gierend nach Gold. Gunter, ein geiler Gauch. Gudrunes garstig Gedüfte. Genug! Gach gegangen des Geistes Gunst? Gemach! Gleisnerisch glimmt der glibbrige Glast in der glitschigen Glumse. Dahin der Glockenglorie Glück. Es grienet grieslich, es grauet grämlich am Grünen

Hügel, der hehren, holden Heimat, der hohen Helden heilem Himmel. Doch wer hütet heuer den hiesigen Hort? Wer hält hier das hurtige Hifthorn hoch? Wer härtet das Heil? Wer hievt Hagen und Hunding den Helm auf Hirn und Haupt? Wo Herr Hitler hockte, herbergten Heine und Hanslick haarig hinkend und höckrig häßliche Huren. Heiatoho hahaha hahei – Heuss hieß herzlos solches

Idiom idiotischen Irrsinn. Aber ihr irrt irreparabel. In ist immer das ideale Idol.

Jauchzt und jubelt, juchhei, Jüngling und Jungfrau und Jodler, jährlich im Juli japsend zur Jambenweihe; jagt und jätet jedoch jäh und jach jedes jüdische Jazzgejohle jener jammernden Julen unter Jupiterlampen. Junge, Junge, o daß doch Cosima

Käme und konterte, kündigte den kaputten Kerlen, die Kies küren, Kohlen karren und kehren Kunst zur Karikatur. Korrupte Kapitalisten! Kein König, kein Kaiser zur Kur. Selbst der kundige Kollo macht der Kunst den Kehraus. Kein Kleiber, kein Klemperer klagt klüglich klärend die Klarinette. Klimakterischer Klatsch klettert, klimmt kläglich und klimpert. Knute und Knast für den knarzenden Knauser, den knutschenden Knallkopf. Keiner krieche krötenhaft krumm, chronisch krank auf den

Lüsternen Leim lallender Laffen, lockerer Lügner. Lau, länglich und lustlos des Lindwurms Larve unter der Linde. Liebeslust labet leise lullend das Laster. Lässig leckt Lohe die lohende Locke am lieblichen Leib. Lauter Lärm längt unseres Leides Los.

Meidet mit Mut, minnigliche Maiden mit magdlicher Milch, die

minde Mode der miesen Mischpoche, den müden Mief, der mangelhaft mindert des Meisters Musik. Mein Michel, miete mit Mumm den
Mercedes. Manometer, mein Mime, mauschle mit Mäusen und Mam-
mon mitnichten. Mit

Niedlichen Nichten und neidenden Neffen, Neonazisten, nervt
die Notdurft, nahet euch Nothung, nehmt ihn nur neckend und
nickend zu Nutz und Nepp, nichtet die Not, narbt die Nacken der
nackten Nutten in Nibelheims Nest. Nein, nie und nimmer

Opfert Opas Opus. Obhütet die orphischen Oden der Ostinato-
Oktaven. Opponiert offensiv den obszönen Offerten obersten Ot-
terngezüchts. O Orthodoxe, Ortlinde oben ohne ist ostisch Opiat,
offen dem Ofenoxyd des Orkus. O Oheim Otto, orte den Odem
obligater Organe: Oboe und Orgel. Obacht, Omas Ohrwurm ope-
rieret vor Ort. Ohrfeigt orale Orgien, orchestralen Orgasmus. Einen
Orden dem ollen Obmann der Ordnung! Observiert objektiv Oasen

Öffentlich örtlicher Ödnis. Die Ökumene des öden

Peduzzis Partei piesackt pervers mit pimmeligem Pinsel des Pa-
triarchen Panoptikum. Papperlapapp! Der Part am Pult ein perfider
Patzer. Pfeift auf den Pfusch! Die Poesie, ein pausbackig Pummel,
paart sich pimpernd mit dem pingligen Piepmatz, der pfludert und
pflumpft pflichtig aufs Pflaster. Peter packt Paula per pedes parterre
am Po und verpaßt der Person zum puren Punsch pubertär die Pille.
Der Pauker pusselt am purpurnen Puls panischer Parzen. O Plage, o
Plunder! Im Plusquamperfekt plauscht plausibel der PEN-Präsident
proletarisch. Die Primadonna probiert preislich und präpariert den
Profit. Proper prangend in Prunk und Pracht

Quillt quirlig quecksilbern Gwineth' quinquillierender Quell.
Welch Quantum an Qualität, welch erquickende Quittung, welche
Quintessenz im Quorum. Quitt mit *Quick* qualifizieren sich querge-
quetschte Quinten. Der Querulanten qualmend Gequassel quakt
und quengelt Quark und Quatsch im Quadrat. Im Quodlibet wird
zur quietschenden Qual die Qualle. Quo vadit die

Reise zum Ring? Es rast der Rest, er reißt den Rost vom Rist.
Räudige Rocker, rallige Racker, rasende Rüpel richten mit ruppigem
Rüssel das Rheingold im rostigen Raster. Reißt euch am Riemen, ihr
Rinder! Rauh ruft der rüstige Rentner zum rechten Rückschritt: Rote
Rübe runter, mir reicht's! Rüstet den richtigen Ring, reihet rechtens
die runde Roßweide rittlings zu Roß und Reiter. Rettet die raren

Recken; richtig röhren die reifen Riesen, redliche Ruhe dem Rhein! Also raunen die Runen am Rand der Ruinen, rät auch Ruppel, der reisige Rabe.

Sahnig singet die satte Sippe: Siegfried, Siegmund, Sieglinde, Siegrune. Sie säen den Samen, sehen den Sinn in silbrigen Silben, sie salben der Sonne sauberen Saum. So sei's sonderlich sicher, sondere sich von sexuellem Gesockse, von Sauen, die suchen den sinnlichen Sud, sirmelnde Sympathisanten süßer Sucht. Stets stampfe stimmig der Stabreim, stoße stierig mit steifem Stößel starrsinnig stählern gegen Staustufen – welch starkes Stück! Streng streite der gestreßte Strauß mit strafendem Strahl straff gegen den Strich. Er

Schelte den schäbigen Schelm Chéreau, den schalen Schächer, der für Scheine Schirm und Schild in die Scheiße schiebt. Welch scheußlicher Scherz! Schlank und schlau schleckt die schlimme Schlange schludrig schlabbernden Schlunz im Schlamassel. Schlagt den Schlemmer, den Schlingel, den Schlackel ins Geschlinge des Geschlechts. Schmerzt solch schmutziger Schmus, solch schmierige Schmach nicht den schneidigen Schmidt? Wie ein schnöder Schnösel mit schnuckliger Schnauze schnickschnackend Schnitt macht! Zum schwieligen Schwure schwärmt in schweren, schwitzenden Schwaden, ihr Schweden und Schwaben, schwülstig zum Schwert wider das schweinern Geschweine. Schwichtet der schwulen Schwuchteln schwarzalbig, schwefelzwergig Geschwänz und Geschwätz. Mir schwant das. Hast du

Töne, tutende Tuba? Terror tost mit teuflischer Tücke in tuckerndem Takt. Tuckende Tunten tätscheln tändelnd teutscher Töchter tätige Titten. Tierisches Thema, tückischer Text kommt auf Touren nicht in die Tüte. Tauet die Tasten, tüchtet die Tempi! Tenor Tannhäuser, teile die Taten der Toten total im Tantenterzett. Der Toren Tun am Tatort ist Tort treuloser Tomaten; träger Trug in trivialem Trott. Trister Tristan, trunken von Trouble und Trauer im tragischen Trio, im trüben Traume, trockne trächtig die Tränen, trimm dich trommelnd in tremolierenden Trillern, trotze den trockenen, trunkenen Trotteln, Trollen und Tröpfen, traue traut der Trompete Triolen, denn

Uriger Urväter Urtrieb im Umlauf ufert zu unheil'gem Unfug. Der Uhu uzt rund um die Uhr zur Unzeit sein Urteil.

Überall übt üppiges Übel. Übrigens

V finde vorzüglich bei F (Vaueffbee Vaihingen) oder bei W. Vivat Venus, virulent in vibrato, virtuos, Violine, Viola, Violoncell.

Wer aber west wann wie wo weidlich wähnend in Wald auf Wiese? Wessen Wissen weist weise, wenn Winterreifen wichen dem Wonnemond, wo Wotan wandert in Wüsten, wie Woglinde wallet auf Wellen, wann Wellgunde wachet auf Wogen; weshalb Waltraute sich wappnet mit Waffen gegen 's Wehweh; wiewohl die weisen Walküren wispernd wahren und walten die wabernde Walstatt, wagelaweia, welch wuchtiger Wurf, welch wichtiger Wust! Wagners Werk weckt mit wehendem Wähnen die Würde Walhalls. Während der Wälsungen Wut Wälse, den wiehernden Wolf, wirft, wühlen wüste Weiber. Widerwärtige Wichte wählen wahrlich ein

X für ein U. X Mal zähmen x-beinige Xanthippen die Xenien mit

Yvonne unter Yggdrasil bei Ystad als Y-Achse der Welt sieh unter Ü. Unter J: Ying und Yang beim Yoga. Kein Yen für den Yankee am Yellowstone oder am Yukon. Aber jetzt zum

Z. Zwecklos zwacken und zwicken die zwitschernden Zwerge. Zwingt sie zum Zwist, zwiebelt die Zwitter und Zweifler. Inzwischen zankt mit zorniger Zeitung zäh gegen den unziemlichen Zustand, gegen Zoo und Zirkus und Zores. Seid auf Zack mit zuständiger Zunge. Zeiht sie der Zicken. Zollt nicht zagend und zullend zahme Zertifikate. Zeuget in Zimmerschlachten zynisch zement'ne Zensur. Zahlt nicht die Zeche der Zuhälterzunft. Laßt zögernd sie zappeln, zügelt den Zapfhahn, zagt mit dem Zaster, kein Zehner Zuschuß zum Zyklus. Zart, zickig und zuckrig ziemt sich der züchtige Zauber in zierlicher Zuflucht. Zeigt mit Zuschrift, Zuruf und Zuspruch euer Ziel: Zurück im Zuge der Zeit zum zeremoniellen Zuschnitt zopfiger Zirkel.

Mitbringsel

Etwas gegen die Spartaner

Seit meiner Jugend habe ich eine Antipathie gegen die Spartaner. Den Grundstein zu dieser Abneigung hat Professor Palmbach gelegt, ein fürs Militär untaugliches Männchen, das die Spartaner sicher nicht großgezogen, sondern in den Schneefeldern des Taygetos ausgesetzt hätten, wo sie mit ihren Kindern Unterkühlungsexperimente machten. Sein Kümmerwuchs hinderte Professor Palmbach nicht, einen Geschichtsunterricht voll Schwertgeklirr und Wogenprall zu geben. Seine erklärten Lieblinge waren die Spartaner, die das Wohlleben verachteten, nichts als Kriegsdienst im Kopf hatten und ihre Kinder vom siebten Lebensjahr an in Wehrertüchtigungslagern spartanisch erzogen.

Damals spaltete sich unsere Klasse in Athener und Spartaner. Die Athener hatten mehr im Kopf, die Spartaner mehr in den Beinen. Jene waren Individualisten, diese Hundertmeterläufer und Fußballspieler. Kein Wunder, daß wir Athener in den Pausenschlachten von den Spartanern vernichtend geschlagen wurden. Eine Erinnerung, die meine Aversion gegen Sparta bis hoch hinauf in meine besten Jahre wachgehalten hat.

Nun bot sich vor einiger Zeit eine Gelegenheit, meinen Zorn auf Sparta zu entladen. Auf einer Reise durch Griechenland kamen wir nach Mistra, einer verfallenen byzantinischen Stadt auf der Peloponnes, wo Goethe das Rendezvous zwischen Faust und Helena angesiedelt hat. Von Mistra aus sahen wir auf die bukolische Landschaft, die vom Spitzenmuster der Ölbaumplantagen überzogen und vom Eurotas durchschnitten ist, jenem Fluß, in dessen Wasser die Spartaner ausprobierten, ob ihre Kinder die nötige Widerstandskraft fürs Leben aufbrächten. In dieser heiteren Landschaft lag ein wahrhaft spartanischer Marktflecken: Sparta.

Dieses Sparta sah so ärmlich und nichtssagend wie ein Eisenbahnknotenpunkt aus, obgleich es von keiner Eisenbahnlinie einer Berührung wert gehalten wird. Kleine Häuser, rechtwinklig angelegte Straßen, ein Denkmal des Lykurg, ein viereckiger Marktplatz: Das ist Sparta. Die Sonne plagte das schläfrige Bebra Griechenlands. Ein genügsames Geschäft pries in einem poweren Schaufenster Damenmoden an: eine verschossene Bluse von bescheidener Herkunft, die aussah, als sei sie schon bei der Ankunft Lord Byrons in Kephallinia getragen worden, und einen Stapel Wäsche, wohl ein Restbestand einer Lieferung für die Barmherzigen Schwestern eines Meteoraklosters in Thessalien – das lag da herum, wie das Gesetz es befahl.

Wir setzten uns an einen schmuddeligen Tisch, den ein Café auf die Straße geschickt hatte. Ein Kellner, der in Trauer über den Niedergang Spartas zu sein schien, was sich in seiner ehemals weißen Schürze und unter seinen Fingernägeln kundtat, brachte uns einen Kaffee. Er schien uns für Kriminalisten zu halten, weil er freiwillig auf der angestoßenen Untertasse seine Fingerabdrücke hinterließ. In nichts erinnerte der Sohn Spartas, der eher einem Teppichhändler aus Smyrna glich, an seine Ahnen Menelaos und Lykurg.

Das ist also Sparta, meditierten wir verdrossen und schlürften das Getränk, das wie die berüchtigte Blutsuppe schmeckte. Während das in den Augen der Spartaner verweichlichte, degenerierte Athen noch heute floriert, ist das vom Heldentum übriggeblieben. So also sieht das Ergebnis heroischer Ideale aus!

»Ich möchte zu gern etwas über dieses klägliche Sparta schreiben«, sagte ich zu Barbara.

»Das kannst du nicht. Es ist unbeschreiblich. Wie ein Mensch, dessen Gesicht kein Gesicht ist.«

Ein Laden machte uns neugierig, weil sein Besitzer den stolzen Namen Leonidas im Schilde führte. Wir gingen hinein, aber nur die Enge des Büdchens erinnerte an die Thermopylen. Es roch recht kleinbürgerlich nach Petroleum, Mottenkugeln, Schmierseife und Fliegenleim. Eine Spartanerin, die kaum wie ihre Landsmännin Helena gefährdet war, von Paris geraubt zu werden, fragte uns mürrisch nach unseren Wünschen. Aus Verlegenheit kauften wir ein Stück Seife – »bitte die beste Toilettenseife, die Sie haben!«

Mißmutig fuhren wir durch die archaische Landschaft, durch Zitronen- und Orangenhaine nach dem Hafen Gythion zurück. Ich war verdrossen, weil ich keine Gelegenheit sah, das Hühnchen zu rupfen, das ich seit meiner Schulzeit mit den Spartanern rupfen wollte. So trostlos, so unangreifbar war dieses klägliche Überbleibsel einer kriegerischen Vergangenheit, daß es sich jeder satirischen Betrachtung entzog.

Ein Jahr nach diesem Besuch brach ein prächtiger Sommermorgen an, ein frisch gestrichener Tag voll Sonne und Vogelgezwitscher, ein

Tag, den man mit Gesang und Geplansche im Badezimmer begrüßt. Barbara spendierte ein neues Stück Seife. Ich wollte mich damit waschen – aber diese Seife vermochte den sonnigsten Sommer grau zu überschmieren. Sie roch wie Jonas, nachdem ihn der Walfisch ausgespien hatte. Sie hatte die klebrige Konsistenz von eingetrockneter Schuhwichse. Sie brannte auf der Haut wie Salzsäure.

So wenig die Seife zu schäumen vermochte, so sehr schäumte ich. Ich hielt sie Barbara unter die Nase.

»Wie kommt dieses Teufelszeug in unser Haus?«

»Ach, diese Seife – ich habe sie im hintersten Winkel des Badezimmerschranks gefunden. Es ist die, die wir damals in Sparta gekauft haben.«

Ein Leuchten ging über mein Gesicht. Teure Seife, sei gegrüßt! Spartanische Seife – endlich habe ich einen Anlaß, mir meinen Zorn auf Sparta, der seit Jahrzehnten in meinem Herzen brennt, von der Seele zu schreiben!

Orangen auf Mykonos

Es war auf Mykonos. Diese kleine griechische Insel, die zu den Kykladen gehört, ist einer der wonnigsten Flecke, die ich auf der Erde kenne. Um einen kleinen Hafen herum rotten sich kubische, spielzeughaft ineinander verschachtelte Häuser zusammen, die von ihren Besitzern jedes Jahr zu Ostern kalkweiß getüncht werden. Gegen den Hintergrund der grauen Insel, die sich wie ein Katzenrücken aus der See buckelt, ist es das gleißendste, reinste Weiß, das ich je in meinem Leben gesehen habe. Über den Häusern schwebt die zinnoberrote Kuppel einer kleinen Kirche, begleitet vom hellen Blau eines schlanken Turms. Der Ort ist umstanden von runden Türmen, deren Strohdach als fransige Perücke in die Stirn hängt, und diese Türme schlagen ein sperriges Rad; es sind Windmühlen, deren Flügel aus festgezurrten Segeln bestehen. Ich gab mich diesem Ort mit wohligem Behagen hin, genoß das dionysische Glücksgefühl, das diese Landschaft ausstrahlt, war mit meiner Umwelt und mit mir selbst versöhnt, schlenderte durch die Lichtfluten und Schattenfluchten, welche die Sonne kontrastreich aussparte, die Wirkung des blendenden Weiß raffiniert steigernd, schaute in ein paar Kirchen und trank in der kühlen Bar des Hotels Leto ein paar Gläser Ouzo: einen süßlichen Schnaps mit verführerischem Anisbukett. Ich sah auf den üppigen Garten des Hotels, in dessen Blüten sich von jedem Zimmer aus eine individualistische Steintreppe hinabstürzte, und es tat mir leid, daß unser Schiff schon in einer Stunde abfuhr und uns nicht gönnte, in diesem Tempel der Behaglichkeit eine Nacht zu verträumen.

Es war auf einer unserer Kreuzfahrten durchs östliche Mittelmeer. Draußen auf der Reede lag die »Jugoslavija«. Wir waren ausgebootet worden; ein kleiner Teil der Reisenden bummelte über die Insel, die meisten waren jedoch mit dem Motorboot nach Delos gefahren, um das Heiligtum des Apollon zu besichtigen. Am Nachmittag sollte die »Jugoslavija« weiterfahren, damit wir am anderen Tag in aller Frühe Piräus anlaufen könnten und bis zum Abend einen kleinen Eindruck von Athen bekämen.

Die Reisegesellschaft bestand aus sympathischen Leuten, die mehr aus kulturhistorischem Interesse als aus snobistischem Expansionsdrang reisten. Ich teilte die Kabine mit einem pensionierten geistlichen Herrn, der kein größeres Vergnügen kannte, als Halma zu spielen. Es war der einzige Mensch an Bord, den ich näher kannte. Mit den Tisch- und Kabinennachbarn verband mich nur eine unverbindliche, humanistisch verzierte Konversation; ich legte auch keinen Wert darauf, an Bord Reisebekanntschaften zu machen.

Mit einer Ausnahme vielleicht. Im Speisesaal saß am Nebentisch ein graziöses Wesen, das seine Kabine mit einer exzentrischen Dame teilen mußte, die sich als Lebensgefährtin eine Schildkröte erkoren hatte und immer auf der Suche nach ihrem islamischen Gebetsteppich war. Dem grazilen Wesen war ich etwas mehr als freundlich gesinnt. Es war immer gut gelaunt, fand für jede Situation eine treffende Bemerkung, verbreitete um sich eine ansteckende Fröhlichkeit und sah aus, als wittere es mit vibrierenden Nasenflügeln stets etwas Neues, Erfreuliches.

Ich hatte das Hotel Leto verlassen und schlenderte zu dem Platz am Hafen, wo die Schenken einladend kleine Tische ins Freie gestreut hatten. An einem dieser Tische saß die graziöse Dame. Sie trug eine weiße Bluse und einen violetten Rock. Ein breiter goldener Gürtel betone die schmale Taille. Vor ihr stand eine Schale mit Orangen. Ich muß gestehen, nichts schien mir besser in das verlockende Bild von Mykonos zu passen als dieses ansehnliche Wesen, dessen Anblick mein Wohlbefinden steigerte. Ich fragte artig, ob ich mich an ihren Tisch setzen dürfe, und sie nahm es mit einem Lächeln an. »Aber nehmen Sie die Sonnenbrille ab, Sie nordischer Barbar! Wie können Sie sich bloß diese herrlichen Farben von dunklen Gläsern vergraulen lassen«, sagte sie.

Ich mußte ihr recht geben und schob die Brille in die Brusttasche des Jacketts. Ich bestellte denselben bräunlich schimmernden, geharzten Wein, hinter dessen Geschmack ich erst später gekommen bin. Wir betrachteten gemeinsam das Bild, das sich vor uns entfaltete. In dem kleinen Fischerhafen lagen weiße Boote, ein paar davon waren auf den Strand gezogen und lagen kieloben, auf einem saß – weiß Gott, wie der hierhergekommen war – ein zahmer Pelikan, dessen Gefieder weiß, grau und rosa schimmerte; das Meer umschlang azurblau, von türkisgrünen Streifen durchsetzt, die Insel, und draußen lag schneeweiß die »Jugoslavija«, unser Schiff.

Ich hob mein Glas und trank meiner Nachbarin zu, die einen kräftigen Schluck nahm. »Sie sollten ein Abendkleid tragen, das dieselben Pastelltöne wie dieser Pelikan hat: Weiß, Grau und Rosa! Zu Ihrem schwarzen Haar würde es herrlich passen!« sagte ich.

Sie lachte. »Männer sind doch nie mit dem Augenblick zufrieden! Ich habe diese Orangen nur wegen ihrer Farbe auf den Tisch stellen lassen. Finden Sie nicht, daß die mich auch ganz gut kleiden?« Sie nahm eine der Früchte in die Hand und hielt sie in die Sonne. »Wollen Sie sie haben?«

»Ich fürchte, sie steht mir nicht so gut – und dann erinnert mich Ihr Angebot an eine Szene, die ich schon einmal erlebt habe!«

»Das ist unmöglich!« protestierte sie. »Unsere Situation ist von seraphischer Originalität! Es kann sich nur um ein Déjà-vu-Erlebnis handeln – so nennt man doch das Phänomen der psychischen Täuschung, wenn das Unterbewußtsein meldet, ein Erlebnis schon einmal gehabt zu haben. Aber erzählen Sie ruhig – ich bin auf meine Vorgängerin an diesem Tisch mit diesem Wein und in dieser Sonne viel zu neugierig! War sie wenigstens hübsch?«

»Recht hübsch, wenn auch nicht ganz so.«

»Was sind Sie für ein Mensch! Ich gebe Ihnen eine Chance für einen Flirt, und Sie erzählen mir, alles sei schon einmal dagewesen. Aber machen Sie weiter!«

»Ich war nämlich in der Jugendbewegung...«

Mein Vis-à-vis lachte. »Sie sehen gar nicht wie ein Zupfgeigenhansl aus. Ein gewesener Jugendbewegter! Und so was auf Mykonos... Natürlich haben Sie etwas Romantisches, etwas Sentimentales, das habe ich schon auf den ersten Blick bemerkt! Bekämpfen Sie es! Hier in dieser Luft ist das sehr gefährlich für einen Abenteurer aus dem Norden, der das Land der Griechen mit der Seele sucht! Aber ich habe Sie schon wieder unterbrochen.«

»Ich stehe nicht an, auch Ihnen gegenüber zu bekennen, daß Gabriele sehr hübsch war, wenn es auch nicht nur unhöflich, sondern geradezu unwahr wäre, sie mit Ihnen zu vergleichen. Ich war damals noch recht jung... Wir waren in einem Ferienlager. Sie gefiel nicht nur mir, sie gefiel allen Jungen gut. Sie war viel umschwärmt. Das störte mich etwas.«

»Wieviel besser treffen Sie es hier! Sie sehen mich nur in Gesellschaft einiger Orangen.«

Ich protestierte: »Aber erlauben Sie mal! Gestern abend in der Bar – meinen Sie, ich hätte nicht bemerkt, wie Sie mit dem Ersten Offizier geflirtet haben? Er hat Ihnen schandbar den Hof gemacht!«

»Ich finde es nicht schandbar, mir den Hof zu machen. Ich finde es schandbar, wenn man mir das ankreidet. Dieser Erste Offizier ist ziemlich töricht – und ich halte mich für ziemlich intelligent. Für eine Frau ist das schlimm. Ihr bleiben nur wenige Männer, mit denen sie flirten möchte. Aber erzählen Sie Ihre Geschichte zu Ende!«

»Am Abend, vor dem Schlafengehen, saßen wir oft auf der Bank, unter der alten Linde...«

»Ein deutsches Idyll! Fehlen nur noch die tanzenden Bauern – dann haben wir den Faust.« Sie drehte eine Orange in ihrer Hand. »Schauen Sie – da!« Sie zeigte zum Hafen, wo ein Fischerboot angelegt hatte. Der Fischer warf dem Pelikan silbrige Fischchen zu, die dieser mit seinem gelben Schnabel geschickt auffing.

»Und auf dieser Bank saß Gabriele«, fuhr ich fort. »Sie holte einen pausbäckigen Apfel aus der Tasche ihres Leinenkleids, drehte ihn so wohlgefällig wie Sie Ihre Orange, hielt ihn zwischen zwei Fingern und zeigte ihn uns Buben. ›Meine Großmutter hat ihn mir geschickt! Wer will ihn haben?‹ rief sie.«

»Ach, die Großmutter, die berühmte Schlange! Und natürlich riefen all die kleinen Adams ›Ich!‹, als Eva sie mit dem Apfel lockte. Und Sie riefen mit!«

Ich griff nach der Orange, sie gab sie aber nicht aus den Händen.

»Ich weiß nicht einmal, wie Sie heißen!« sagte ich.

»Mein Name paßt nicht in die Gegend! Geben Sie mir einen, der nach Mykonos paßt!«

»Vielleicht Kirke? Oder Penelope?«

»Meinen Sie, ich wolle Ihren halmaspielenden Kabinengefährten in ein Borstentier verwandeln? Und so lange warten wie Penelope – das liegt mir nicht.«

»Wie wäre es mit Aglaia?«

»Klingt hübsch! Wer war das?«

»Eine der drei Grazien!«

»Akzeptiert! Aber jetzt weiter im Text!«

»Sie haben recht: Alle wollten den Apfel haben. Aber sie warf ihn mir zu. Er war ein wenig warm, was mich aber nicht störte. Ich biß herzhaft hinein – aber der Bissen blieb mir im Hals stecken...«

»Er war vergiftet. Wie der von Schneewittchen.«

»Viel schlimmer! Er schmeckte nach dem Parfüm der Großmutter. Ganz penetrant nach Mottenpulver. Und ich mußte ihn wohl – nein: Ich mußte ihn übel hinunterwürgen!«

Draußen tutete die »Jugoslavija«. In einer Viertelstunde ging das letzte Boot.

»Wie ungalant. Den Apfel haben Sie gegessen. Aber meine Orange wollen Sie nicht!«

Wieder griff ich nach der Frucht, und wieder ließ sie sie nicht los. Sie schaute auf das Meer.

»Ist es nicht herrlich hier? Merkwürdig – unsere Augen sehen dasselbe. Nur mich selbst sehe ich nicht. So, wie ich in Ihrem Bild von Mykonos bin, so sind Sie in dem meinen!«

»Aber das Bild, das ich habe, ist schöner!«

»Das ist nett von Ihnen, daß Sie mir das sagen! Heute abend in der Bar möchte ich mit Ihnen tanzen!«

»Diese Insel und Sie... Ich muß mich hüten, nicht ganz andere Wünsche zu haben...« Ich lächelte ihr zu. Sie hatte ihre dunklen Augen zu einem ganz schmalen Spalt zusammengekniffen. »Kennen Sie Athen?« fragte ich.

»Nein! Ich habe mich darauf gefreut... Jetzt finde ich es auf einmal idiotisch, Athen im Cooktempo zu machen. Rauf auf die Akropolis, runter von der Akropolis, kurzer Halt am Dionysostheater, marsch-marsch durchs Nationalmuseum. Vergessen Sie nicht, einen Blick aufs Theseion zu werfen... Waren Sie schon in Athen?«

»Nein! Ich freue mich darauf. Obwohl ich nicht weiß, ob anderthalb Tage Mykonos...« Wir sahen uns an, und ich redete schnell weiter. »Aber wenn man hier bliebe... Dann sieht man nicht den Goldschatz von Mykenä, nicht das Mosaik des Pantokrator im Kloster von Daphni, nicht die Koren am Erechtheion und nicht die Reste der Metopen am Parthenon.«

»Ganz abgesehen davon, daß man nie mehr das Schiff erreichte...«

»Doch. Die ›Jugoslavija‹ läuft erst übermorgen mittag von Piräus aus. Und morgen abend geht ein Dampfer von hier nach Piräus. Übermorgen früh wären wir dort...«

Wieder tutete die »Jugoslavija«. Das letzte Motorboot fuhr zum Hafen, wo sich die Landsleute, die aus Delos zurück waren, in grauem Gewimmel um die Anlegestelle drängten.

»Unterschätzen Sie nicht meine Lust, Reisepläne umzustoßen«, sagte Aglaia.

»Man könnte...«

Mit einer heftigen Bewegung nahm Aglaia die Orange aus meiner Hand. »Man könnte, man müßte, man sollte... Reden Sie immer so viel im Konjunktiv?« Sie stand auf. »Kommen Sie – es ist höchste Zeit!«

Ich zog sie auf den Stuhl zurück. »Wir wollen hierbleiben«, sagte ich.

»Aber auf dem Schiff gibt es heute abend Hummer! Ich habe sie in der Küche liegen sehen. Ganz leid haben sie mir getan. Wo ich doch Hummer so gern esse!«

Drunten am Hafen legte das Boot ab.

Ich versuchte sie zu trösten. »Man müßte... wir müssen den Hummer zu dem Goldschatz von Mykenä legen. Und zu all den Sachen, die wir jetzt verpassen. Aber nehmen Sie den Verlust des Hummers nicht so tragisch: Jugoslawische Köche servieren ihn in einer warmen Sauce. Das ist gar nicht so empfehlenswert!«

Sie hob die Orange. »Wollen Sie sie haben? Ich verspreche Ihnen: Sie schmeckt bestimmt nicht nach Mottenpulver!«

Attischer Sommer

Mo d sonn s meer azonda hot
a goldener teppich uff de wella
eb sich dr Hymettos an bleierna
wolkakraga om da hals glegt hot
han e dei gsicht em wasser gseha.

i han a blatt thymian
zwischa de fenger verrieba
ond da ganza tag hent meine
fenger noch dir gschmeckt.

mo des mädle en dera tawern
des liad vom Theodorakis gsonga hot
mit schloificher schtemm
des liad vom alloisei
do han i di gheert ond se hot me
mit nacketem blick aguckt aus kohlaauga
ond en dem augablick bisch du
an augablick bei mir gwä.

en era waas em museum mit braunem
schtrich zoichnet d Aphrodite
do han i di gseha.

em rezina mo erscht ganz
leis d zong schtreichelt ond druff
iber se herfallt ond verfliagt
wia sell liad
do han i di gschmeckt.

mo dees reßle mit feichtem maul
ganz liab a schtickle brot aus meim
handteller gnomma hot
do han i di gschpirt.

barfuß am schtrand von Vouliagmeni
am hella morga mo d sonn aus de rote
federa gschlupft ond a maudricher mond

iber Ägina ausghängt gwä isch do hent deine
wellalippa meine fiaß gschtreichelt.

i ben en de neighopft. du hosch me
en deine wasserärm gnomma. du hosch me
gschtreichelt. koi härle hoor
isch meh zwischa ons gwä.

denn du bisch well sonn mond licht brot
liad wei blick waas blatt meer.

bisch Jokaschte, Leda, Aschpasia, Phyllis,
Daphne, Aphrodite, Eos, Alkmene.

ond was e sieh heer schmeck ond schpir
isch älles a schtickle von dir. bisch du.

Wir Söhne des Zeus

In einer Höhle am Ida ist der Göttervater Zeus aufgewachsen,
geschützt von dem gierigen Blick seines Vaters Kronos, der seine
Kinder zu fressen pflegte. Nach Kreta entführte er in Gestalt eines
zahmen weißen Stiers die am Strand spielende phönikische Königs-
tochter Europa, die unserem Kontinent den Namen gab. Ihr ältester
Sohn war der Kreterkönig Minos, dem wiederum ein Stier zum
Schicksal wurde. Zu diesem, von Poseidon aus dem Meer gesandt,
faßte seine Frau eine sodomitische Leidenschaft. Von ihm gebar sie
das Ungeheuer des Minotauros, halb Mensch, halb Stier, das im
Labyrinth von Knossos lebte und Menschen fraß. Hier blühte schon
Jahrhunderte vor Christus die minoische Kultur, zu deren verfeiner-
ter Symbolwelt der Stier gehört, in Kleinplastiken tausendfach dargestellt.

Europa war die Geliebte des Göttervaters Zeus, Sinnbild der
geistigen und der physischen Potenz, der seine erste schwangere Frau
verschlang und dann den Kontinent Europa mit Göttern, Halbgöt-
tern und Helden bevölkerte.

Wiege Europas, Wiege der Demokratie, ist Griechenland eine

Region, in der Wasser und Land sich in ständigem Wechselspiel ablösen. Meer und Küste, Halbinseln und Herden von Inseln. Land der Schiffebauer, der Händler, der Kolonisatoren, der Geistesexporteure. Die Insel mit ihrem Hafen erweist sich hier abgeschlossen und weltoffen als Wohnsitz des zur Kommunikation bereiten Individuums. Wie viele Inseln sind mit dem Schicksal einer Persönlichkeit verbunden. Ariadne auf Naxos, Sappho auf Lesbos, Odysseus von Ithaka. Delos, heiliger Geburtsort des Apollon, wo niemand mehr geboren werden und niemand sterben durfte. Johannes auf Patmos. Lord Byrons Landung auf Kephallinia. Kaiser Wilhelms des Großkotzigen Palast auf Korfu. Papadopoulos' Staatsgefängnis auf Jaros.

Inseln der Elemente. Wind, der sich in Mühlenflügeln fängt. Wasser, das gegen Fels brandet, das in sanften Wellen den Strand streichelt, das Schiffe auf den Rücken nimmt. Lava, die aus Kratern bricht. Sonnenfeuer, das die Erde verkarsten läßt, aber dort, wo sie kultiviert wird, den Ölbaum silbergrün prachtet und den Wein dunkelrot färbt.

Inselland der großen einzelnen. Der Lyriker Pindar, der Epiker Homer, der Dramatiker Aischylos, der Philosoph Sokrates, der Historiker Herodot. Der Satiriker Aristophanes. Der Theoretiker Aristoteles. Der Theologe Hesiod. Der Bildhauer Phidias. Der Staatsmann Perikles. Die Altphilologen haben uns griechische Geisteswissenschaften vermittelt, sie haben uns die Antike als eine abgeschlossene Epoche beigebracht, sie dachten in der Mehrzahl nicht daran, ihr Wissen und unser Wissen aus der Antike heraus weiterzuentwickeln. Sie verschwiegen uns, daß auch die Naturwissenschaften ihre Wurzeln in der Antike haben. Der Mathematiker Euklid. Der Arzt Hippokrates. Der Physiker Platon. Der Astronom Hipparch. Der Biologe Empedokles. Der Naturforscher Archimedes. Aber auch die Hetäre Aspasia und der Terrorist Herostrat.

Die griechischen Götter lebten in der Landschaft. Sie zeigten menschliche Schwächen. Für sie war das schönste Gottesgeschenk, die Liebe und, mit ihr verbunden, die Sexualität, nicht mit dem fatalen Begriff der Erbsünde verbunden. Zeus war ein Liebhaber und Schürzenjäger, der keinen Trick scheute, um eine Frau zu verführen und seine Frau zu betrügen. Er war ein Rollentauscher und Rollentäuscher, ein Zauberer und Versteller. Wenn es darum ging, eine Frau herumzukriegen, genierte er sich nicht einmal, in das leibliche Gewand ihres Ehemanns zu schlüpfen. Er spielte die Rolle des Schwans und des Stiers, er fiel als Goldregen und als Wolke in den Schoß der Erkorenen. Er spielte die Rolle eines Satyrn und seines Sohnes Apollon, um zum Ziel seiner erotischen Wünsche zu kommen. Dagegen gönnte er Apollon nicht den Besitz der Nymphe Daphne, die er in einen Lorbeerbaum verwandelte, als Apollon ihr nachstellte. Als der Vater des Zeus, Kronos, seinen Vater Uranos entmannte und dessen Gemächte ins Meer warf, entstand aus dem Samen und dem Meerschaum die lieblichste griechische Göttin, Aphrodite, die wiederum ihren Mann Hephaistos mit Ares betrog. Welche Geschichten, welche Skandale. Und wie lebt das alles noch in der griechischen Landschaft, wo sich Apollon, Gott der Künste, Freund der Musen, Beschützer der Herden und Vertilger der Feldmäuse, einen der schönsten Flecken der Erde für sein Heiligtum ausgesucht hat, Delphi, wo die drei Säulen des Tholos aus dem Katarakt der Ölbäume herausbrechen, der sich hinunter ins Meer ergießt.

Wo sich aber die heidnische Welt der Landschaft öffnete, wo Pan noch die Flöte bläst, die Nymphen baden und Silen bocksfüßig und trunken durchs Unterholz bricht, da zog sich das orthodoxe Christentum in die Unzugänglichkeit der Felsen zurück und schmückte seine Klöster mit den an die Wand gemalten Bilderbüchern frommer Legenden von Heiligen und Märtyrern. Auf einem der drei Finger an der Hand der Halbinsel Chalkidike, dem heiligen Berg Athos, entartete die Keuschheit zum Exzeß. Dort ist das Weib selbst in der Tierwelt nicht geduldet; keine Kuh, keine Ziege spenden Milch, kein Huhn legt ein Ei. Fast eine Gralswelt tut sich um die Felsentürme des Pindos auf, an denen und auf denen die Meteoraklöster hängen und kleben. Auf verwunschenen, nach Blüten und Wildkräutern duftenden Pfaden des Athos singen weibliche Vögel ein Spottlied, und die letzten Einsiedler leben gleich Johannes dem Täufer zwar nicht in der Wüste, aber in der Macchia und flüchten wie scheues Wild, wenn sie den Wanderer nahen hören.

Auf dem Schlachtfeld von Cannae

Auf den Spuren der staufischen Landsleute fuhren wir durch Apulien. Unvermutet wies uns ein Wegzeiger nach Cannae. In meinen halbgebildeten Vorstellungen hatte ich das berühmte Schlachtfeld etwas südlich von Rom gewähnt und war baß erstaunt, es nicht vor dessen Toren, sondern durch ein paar Hundert Kilometer und das Hindernis des Apennins abgelegen zu wissen.

Dieses Schlachtfeld, unserer Phantasie seit der Schulzeit vertraut, ganz unvermutet in Augenschein nehmen zu dürfen, das war eine der Überraschungen, an denen unsere Apulienfahrt wahrlich nicht arm war. Cannae war keine der Schlachten, die ich als Schüler besonders gern mochte. Vielleicht lag es an der schwer zu lernenden Jahreszahl 216. Da lobte ich mir Issus 333 – »drei, drei, drei, vor Issus Keilerei«. Die hatten wenigstens auf Schülerköpfe Rücksicht genommen, bevor sie sich die eigenen blutig schlugen! Aber Cannae... Professor Palmbach, unser Geschichtslehrer, tauchte wieder einmal aus meiner Erinnerung auf, jenes winzige Männlein, dessen Unterricht auf einem Fundament gebaut war, aus Ruhm, Held, Ehre und Schlacht in Gußeisen gegossen. Den Falken in der Geschichte gehörte seine Sympathie; die Tauben verachtete er wie jenen Quintus Fabius Maximus, der den Beinamen Cunctator, der Zauderer, bekam, weil er durch eine geschickte Politik die Bundesgenossen bei der Stange hielt und jede kriegerische Auseinandersetzung zu meiden wußte. Das war der Römer nicht würdig, dozierte Professor Palmbach, und sie wählten aus Protest den blutigen Varro zum Konsul, der Hannibal endlich eine Schlacht anbot, die zur verheerendsten Niederlage wurde. Auch mein Taktiklehrer von der Kriegsschule Potsdam kam mir wieder in den Sinn. Er schlug die Schlacht von Cannae auswendig am Sandkasten, mit der selbstverständlichen Eleganz, mit der Böhm den *Figaro* auswendig dirigiert.

Wir kamen an das Schlachtfeld, das mit einem unüberwindlichen Zaun aus Stacheldraht abgesperrt war. Minz meinte, es sei sehr klug, wenn auch ein wenig zu spät, das Betreten von Schlachtfeldern zu verbieten; wäre man schon früher darauf gekommen, wäre Rom viel erspart geblieben. Ein schwerer, dumpfer Geruch molestierte uns – immerhin waren an dieser Stelle sechzigtausend Römer und sechstausend Karthager gefallen. Bald entdeckten wir den Quell des Geruchs: Die Ölbäume und Weinstöcke, die neben dem Schlachtfeld üppig gediehen, waren mit dem Müll von Barletta gedüngt.

Wir gingen den Zaun entlang und sahen auf das hügelige Gelände, wo wohl das römische Lager gestanden hatte. Da wuchsen knorrige alte Ölbäume, und daneben waren Gebilde, die wie Gewächshäuser aussahen. Wir gingen weiter und blickten schließlich in die Ebene, die in ihrer leichten Übersichtlichkeit als Schlachtfeld geradezu geschaffen war. Da floß der Aufidus, der heute Ofanto heißt, eines jener mageren Bächlein, an die Feldherren ihre Truppen gern anlehnen, wenn sie eine Entscheidung herbeiführen wollen. Endlich kamen wir an ein Tor, wo sich ein wütender Mann und ein böser Hund wie einst Varro und Hannibal feindlich gegenüberstanden. Der Mann tat uns seinen Unmut kund: Er sei extra aus Biberach angereist; er sammle nämlich Schlachtfelder, und das von Cannae fehle ihm noch. Nun sei hier der Eintritt einfach verboten, und dieser Hund, der Cane von Cannae, verwehre selbst dem Unbefugten, der den Mut habe, sich über eine Verbotstafel hinwegzusetzen, den Zugang zum Schlachtfeld. Ich verwies den Landsmann auf eine Notrufsäule des Italienischen Automobilklubs, die tröstlich, aber auch viel zu spät neben dem Schlachtfeld errichtet war, und ging mit meinem Klan weiter, weil ich mich aus meinen Bubentagen an die Wahrscheinlichkeit erinnerte, daß jeder größere Zaun ein Schlupfloch besitze. Wir fanden es bald und krochen unter dem Stacheldraht durch.

Wir stellten fest, daß uns die Archäologen schon zuvorgekommen waren. Stellenweise war das Erdreich abgehoben. Betonierte Treppenstufen führten in Tiefen, die im Regenwasser ersoffen waren und aus denen es modrig roch. Wir stießen auf allerlei Grundrisse, uns so unverständlich wie die meisten Reste antiker Ausgrabungen. Was wie Gewächshäuser ausgesehen hatte, das waren große Planen, unter denen Skelette und Scherben lagen. Vielleicht waren es die Leichen der vornehmen Römer, denen Hannibal das Geschmeide abziehen ließ, das der Siegesbote Mago in Karthago aus Säcken vor den reichen Ratsherren ausleerte, um sich weitere Kriegskredite genehmigen zu lassen. Vergeblich! Die verweiblichten Karthager wollten den Krieg nicht verlängern.

Wir rekonstruierten an Ort und Stelle die Schlacht. Dort unten hatten achtzigtausend Römer in einer siebzig Reihen tiefen Schlacht-

ordnung den Karthagern gegenübergestanden. Aber Hannibal machte nicht nur den linken, sondern auch den rechten Flügel mit schwerer Reiterei stark. Die Karthager taten etwas Unerhörtes, indem sie
die überkommenen Spielregeln: Mann gegen Mann, Reihe gegen
Reihe, einfach nicht beachteten. Hasdrubals Reiterei umging die
erdrückende Übermacht und packte sie von hinten, eine Tatsache, die
Professor Palmbach den hinterhältigen Karthagern übel angerechnet
hatte, was wir als Schüler mit dem Hinweis konterten, Moltke bei
Sedan und Hindenburg bei Tannenberg hätten auch nichts anderes
getan. Aber was dort welsche Hinterhältigkeit, das war hier für
Professor Palmbach deutsche Kriegslist. Der wackere Mann brachte
uns bei, daß Rom, stahlhart trotz der Niederlage, nicht die Flinte ins
Korn geworfen habe. Von Staats wegen war die Trauer um die
sechzigtausend Toten auf dreißig Tage beschränkt. Geklagt werden
durfte nur zu Hause, nicht in der Öffentlichkeit, und um die Kampf-
moral zu heben, wurden sogar Menschenopfer dargebracht, die
Siebzehnjährigen eingezogen, Sklaven ins Heer aufgenommen und
die Unterhändler Karthagos nicht einmal empfangen – kurzum: Es
wurde dafür gesorgt, daß statt eines faulen Friedens der Krieg
fortgesetzt würde.

Uns war ziemlich flau zumute. Angesichts des Schlachtfelds von
Cannae stellten wir fest, daß die Menschheit in fast zweitausendzwei-
hundert Jahren eigentlich nicht viel dazugelernt hat.

Auf den Opuntien wuchsen stachlige Kakteenfeigen, und ich
bewies den Meinen, daß sie eßbar seien. Nachdem Hände und
Gaumen mit den haarfeinen Stacheln gespickt waren, die sich bei
jeder Bewegung unangenehm ins Fleisch einbohrten, fuhren wir, um
ein Schlachtfeld bereichert, nach Barletta weiter.

Die Gebeine der Barbara Blomberg

In Regensburg lebte der Bürgermeister Blomberg, dem eines Nachts
große Ehre widerfuhr. Während Kaiser Karl V. den Reichstag zu
Regensburg besuchte, geruhte er nämlich, bei der achtzehnjährigen
Tochter Barbara des Bürgermeisters zu ruhen. Neun Monate später
genas sie eines Knäbleins, das Bürger einen Kaisersproß, Herren

einen Bastard nannten. Als strahlender Jüngling und als christlicher Held ist er unter dem Namen Don Juan de Austria, Herr Hans von Österreich, in die Geschichte eingegangen. Er besiegte die Türken in der Seeschlacht von Lepanto; er wollte aus Tunis ein christliches Königreich machen; er war ein milder Statthalter der Niederlande; er plante die Befreiung und Inthronisation der Maria Stuart. Sein Halbbruder Philipp II. war ihm nicht wohlgesinnt und sabotierte manches seiner Vorhaben. Als Don Juan mit einunddreißig Jahren von der Pest dahingerafft wurde, wollte das Gerücht nicht verstummen, er sei keines natürlichen Todes gestorben.

Auch der Name seiner Mutter Barbara Blomberg ist lebendig. In Regensburg steht noch das Haus, worin sie mit dem Kaiser das Lager teilte; ein Schleppkahn des Bayerischen Lloyd trägt ihren Namen; Carl Zuckmayer hat ein Theaterstück über sie geschrieben.

In Spanien stießen wir immer wieder auf ihre und ihres Sohnes Spuren. In der Kathedrale von Barcelona hängt der Kruzifixus, den das Schiff des Don Juan in der Seeschlacht von Lepanto als Galionsfigur getragen hat. Im Prado in Madrid fanden wir Don Juans Porträt, von Velázquez gemalt. Wir wohnten im Palast von Jarandilla, wo der Kaiser, als er 1556 abgedankt hatte, darauf wartete, bis sein schwarz ausgeschlagener Palast neben dem Hieronymiten-Kloster in Yuste fertig wurde, wo er vom Bett aus auf den Altar der Kirche sehen konnte. Hier in Jarandilla erinnerte er sich an seinen Sohn, den er der Mutter hatte wegnehmen lassen und den sein Hausmeier Luis Quijada in Valladolid als seinen eigenen Sohn aufgezogen hatte. Der Kaiser ließ die Stiefeltern und den Sohn kommen; er war von ihm so entzückt, daß er sein Testament änderte, ihm eine kaiserliche Erziehung geben ließ und ihn gleichberechtigt mit seinem legitimen Sohn Philipp erklärte.

Karl V. starb ein Jahr später. Sein umdüsterter Sinn hatte den Appetit nicht geschmälert, denn er trug Sorge, daß die Stafetten funktionierten, die Fisch, Hummer und Austern von der Küste nach Yuste bringen mußten, ohne daß diese allzuviel an Frische einbüßten. Er ließ sich in einem einfachen Holzsarg unter der Kirche beisetzen und ruhte dort, bis er feierlich in den Escorial übergeführt wurde. Barbara Blomberg aber wurde nach Spanien geholt und managte des Sohnes Karriere in allerlei Betten mit vielerlei Kabalen und Intrigen, wie die Geschichtsschreiber zu berichten wissen.

In Santoña an der Nordküste, zwischen Santander und Bilbao, sei sie begraben, erfuhren wir auf unserer Reise. Aber dort kannte keiner ihren Namen. Ich fragte den Pfarrer, der mir sagte, im Kloster San Sebastián de Anó könne ich mehr erfahren. Es lag vor der Stadt, eine düstere Kaserne Gottes, die sich mit einer nur von wenigen schmalen Fensteröffnungen durchbrochenen Schildmauer gegen die Sonne, den Unglauben, die Welt, den Feind verteidigen zu müssen glaubt. Das Meer verweste im Sumpf. Brackwasser, ein paar Lastkähne, ein verwilderter Garten, Geruch nach Lagune und faulem Fisch. Eine ärmliche Kirche, in der ich Barbaras Grabplatte suchte. Ich meinte sie gefunden zu haben, aber die abgetretenen Buchstaben kündeten von einem Bruder Diego.

Ich forschte nach dem Eingang zum Kloster. Eine von üppigen Bäumen beschattete Treppe führte zu ihm hinauf. Sie sah aus wie ein Bühnenbild zu einer Oper von Verdi, *Macht des Schicksals* vielleicht. Eidechsen huschten, die Sonne malte flirrende Kringel durchs windbewegte Laub. Links vor der ehrwürdigen Pforte lag ein Besucherzimmer, das aussah, als wolle es Besucher verscheuchen, vergraulen: ein verkrüppelter Tisch, ein voller Aschbecher aus Preßglas darauf, drei arthritische Stühle, an der Wand ein paar fromme Drucke, ausgebleicht, die Farbe vom Licht abgeleckt. Ich zog die Glocke, die durch ein Gewölbe schepperte, und war darauf gefaßt, durch das Guckloch ein mißtrauisches Auge blinzeln zu sehen. Aber ein Monteur im Overall öffnete die Tür.

»Barbara Blomberg, si le gusta.«

Der Mann zuckte die Achseln, ließ die Tür offenstehen, verschwand im Gewölbe. Nach einiger Zeit kam ein Franziskaner. Er trug eine Nickelbrille, die unter dem Nasensteg mit Heftpflaster ausgepolstert war; das Pflaster war der einzige Komfort in dieser Umgebung. Er führte mich in ein helles Zimmer, dessen Wände mit Fotos der Klostergemeinschaft geschmückt waren; nur noch dreißig Mönche befanden sich in der großen Kaserne. Dem Bruder war die Dame Barbara Blomberg bekannt. Er verschwand für einen Augenblick und brachte eine Kreuzung aus Koffer und Cellokasten in schwarzem Leder, stellte den Behälter auf den Tisch und öffnete ihn. Er war mit violettem Samt ausgeschlagen; Gebeine kullerten heraus, Elle und Speiche mit Draht verbunden, ein kleiner Schädel, der noch drei Zähne zeigte, die Wirbel wie auf einem Schaschlikspieß auf einer

Stricknadel aneinandergereiht – Rippen, Gelenke, Knochen, Knöchelchen.

»Barbara Blomberg«, bewahrheitete der Bruder meinen Schrecken.

Das war von ihr übriggeblieben, der Regensburger Bürgerstochter, der Geliebten des Kaisers, von der Heldenmutter, die vom Hintergrund eines Klosters aus kräftig in der spanischen Politik mitgemischt hatte.

»Sie hat große Schmerzen gehabt, sie litt an Arthrose«, erklärte mir der Mönch und legte den Zeigefinger auf die höckrigen Wirbel der im Alter von siebzig Jahren verstorbenen Regensburgerin.

Ich weiß nicht, weshalb ihr nicht die Ruhe eines Grabs zugestanden wird. Ich weiß nicht, ob die Stadt Regensburg versucht hat, diese Gebeine zu bekommen, um sie würdig beizusetzen. Ich kam mir vor wie Hamlet vor dem Schädel Yoricks, aber ich vermochte nichts zu sagen. Ich empfand die Vergänglichkeit dessen, was einmal ein Stück Weltgeschichte gewesen war, während der Franziskaner die Gebeine mit der Hand zusammenrechte und sie in den violett ausgeschlagenen Behälter zurückkullern ließ.

Der Wolf von Andorra

Im Seewind schüttelte eine Palme ihren Kopf. Über meinen großen Zehen visierte ich die gotische Kirchenruine an, in deren Chor ein Wohnwagen stand. Barbara las in einem Buch. Die Wellen, die unsere Füße nicht ganz erreichten, waren geschwätzig, blau, klar und warm. Beinahe wäre es der fernen Band, die eine hitzige Rumba spielte, gelungen, uns die Faulheit aus dem Leib zu jagen, die vier anstrengende Wochen Spanien in uns aufgespeichert hatten.

Der Badestrand war von steilen Felsen eingefaßt. Ein Uniformierter der Zivilgarde in einem von schwarzem Wachstuch überzogenen Blechhelm patrouillierte und wachte darüber, daß unsere Moral nicht ins Stolpern komme. Sein Karabiner war geladen und gesichert. In der Strandhalle wurde gekegelt.

»Fischerdorf mit Rummel«, sagte Barbara.

Sie meinte Tossa an der Costa Brava, das in unserem Rücken lag und in das wir uns verliebt hatten. Die Sonne brannte. Ein Mann verkaufte kleine Langusten. Der Engländer neben uns faltete eine alte *Times* zusammen, schenkte seiner Frau einen Knurrlaut und stieg mit weißen, dünnen Beinen staksig ins Mittelmeer, das keinen Hai gegen ihn mobil machte. Von der Küste roch es nach Thunfisch und Olivenöl. Der Zivilgardist sah scheel auf die *Times* und dachte pflichtgemäß an Gibraltar.

»Sie sind stolz, eifersüchtig und geizig«, las Barbara vor.

»Geizig sind die Spanier nicht«, korrigierte ich streng.

Barbara ließ sich nicht beirren. »Sie sind stolz, eifersüchtig und geizig in bezug auf ihre Freiheit. Ihre Hauptbeschäftigung ist der Schmuggelhandel. Ihr Staat bildet das letzte Beispiel einer Feudalherrschaft in Europa. Seit elf Jahrhunderten oblagen sie nicht mehr dem Kriegshandwerk.«

»Gräßliches Deutsch – aber da müssen wir hin«, sagte ich.

»Ungefähr zweihundertfünfzig Kilometer von hier«, schätzte Barbara.

Am anderen Tag fuhren wir hin, verließen Spanien in Seo de Urgel und machten uns auf den Schlagbaum von Andorra gefaßt. Aber das kleine Bergvolk mit seinen fünftausendfünfhundert Seelen, wie der Reiseführer sie poetisch nennt, dessen unabhängiger Staat in ein Hochtal der Pyrenäen geklebt ist und zu dem keine Eisenbahn führt, schien sich gar nicht für unsere Ankunft zu interessieren. An der einzigen Zufahrtsstraße des Landes stand ein Herr in zivil wirkender Uniform, trug sein Koppel schief, einen feschen Schlips, keinen einzigen Orden und eine Baskenmütze. Er winkte uns freundlich zu.

»Das ist sicher der Landesherr über fünftausendfünfhundert Seelen, die dem Schmuggelhandel obliegen«, vermutete Barbara. Aber kurz zuvor hatte mich in Seo de Urgel José hinter der Theke belehrt. Gemeinsame Prinzregenten von Andorra seien der Bischof von Seo und der französische Staatspräsident als Rechtsnachfolger des Grafen von Foix. Andorras Generalrat bestehe aus vierundzwanzig Abgeordneten, die von den sechs Gemeinden gewählt würden. Seit elf Jahrhunderten habe niemand an der Verfassung gerüttelt.

Die Heimat des Friedens, der Freiheit und des Schmuggels bestand aus muntern Bächen, unzähligen Tabakfeldern und malerischen Bergen. Die düsteren Häuser waren aus schwarzen Steinen. Unter ihrem Dachvorsprung trockneten Tabakgirlanden. Romanische Kirchen, deren Grundriß vom Alter rheumatisch verzogen war, streckten schlanke Glockentürme in die Höhe und scharten winzige Dörfer um sich. In den Scheunen lag Tabak. In den Kirchen kauerten tausend Jahre alte Madonnen mit byzantinischen Gesichtern, verwunderten, runden Augen und einem stämmigen Jesuskind auf den Knien, das den Beschauer mit einer mächtigen Hand segnete. Unter dem bröckelnden Wandbewurf kamen die schönsten romanischen Fresken voll naiver Frömmigkeit hervor. Vor den Kirchen pflückten alte Frauen, die ein herbes Katalanisch sprachen, zähe Tabakblätter von holzigen Stengeln.

Das Tal von Andorra sah aus, als habe es tausend Jahre geschlafen und sei plötzlich von der Zivilisation überfallen worden. Offenbar war der Fremdenverkehr noch nicht lange ausgebrochen. Es schien uns, als besitze jeder Andorre – wie wir die Einwohner nannten, sicher war es falsch – einen Laden mit Andenken, ein Auto, eine Tankstelle und ein Hotel. In den Hotelzimmern hing Tabak. Wir kauften landeseigene Zigaretten, die so schwarz waren wie die Haare der Andalusier und die Seele eines Mädchenhändlers. Sie verbrannten rußig zu einer Art Holzkohle, verbreiteten einen üblen Geruch, machten die Zunge zu einem Reibeisen und hinterließen einen penetranten Mißgeschmack. Diese Zigaretten seien die Waffen, mit denen die Freiheit verteidigt werde, vermutete Barbara.

Ich erstand ein Paket Zigarren, made in Andorra, um sie zu Hause unerwünschtem Besuch anzubieten. Wer einmal bei mir ein andorrisches Eigengewächs geraucht hat, kommt nie mehr in mein Haus.

Wir übernachteten in dem Ort, den der Reiseführer den Hauptsitz des von alters her betriebenen Schmuggels nennt. Vor jedem Zimmer des freundlichen Hotels stand ein Spucknapf. In der Garage lag Tabak. Der Wirt sagte uns, wir sollten ruhig auf Tabak parken, es schade ihm nichts. Er bestätigte unsere Vermutung: Die Pflanzen, die hier in tausend Meter Höhe wachsen, werden nach Spanien geschmuggelt. Arme Spanier! Dieses Rauchwerk ist eine Rache an Europa.

Als Wiedergutmachung kochte uns der Patron eine köstliche Suppe aus Muscheln, Krabben und Tintenfischen. Er briet uns zarte Lammkoteletts, machte am Tisch Salat an und versicherte uns, daß der süffige Wein nicht in Andorra gewachsen und im Preis inbegrif-

182

fen sei. Das Mahl war nach den rauhen Küchensitten Spaniens ein
erster französischer Gruß. Weil es in den Pyrenäen sehr kühl war,
schienen wir die einzigen Fremden im Staat zu sein. Andorra ver-
wöhnte uns. Wir hatten den Eindruck, daß die Andorren über der
Gastfreundschaft in dieser Nacht den Schmuggel vergaßen.

Am anderen Morgen standen wir vor dem Parlament, einem
uralten, trutzigen Bauernhaus mit ausgetretenen Stufen und patrioti-
schen Inschriften. Ein liebenswürdiger Andorre zeigte uns ein Gruppenbild der Regierung. Da stand sie auf den Stufen des Parlaments
und wachte stolz, eifersüchtig und geizig über die Freiheit. In der
Mitte der freundliche Bischof von Seo, flankiert von operettenhaft
kostümierten Vertretern des Präsidenten der Französischen Republik im Hauptmannsrang und umgeben von Bauern, die merkwürdige Hüte mit dauergewellten Krempen, einen Umhang mit schwarzem Samtkragen und eine Amtskette mit mittelalterlichem Siegel
trugen. Als Seitenkulissen der Regierung dienten zwei Herren in
unmilitärisch wirkender Uniform mit schiefem Koppel. Den einen
hatten wir schon beim Betreten Andorras gesehen. Manchem Regie-
rungsmitglied waren wir schon auf der Straße begegnet.

Wir tankten billiges Benzin, das hier wie die Fahrzeuge weder Zoll
noch Steuer kostet, und fuhren auf einer Straße, die so alt und
unangetastet sein mochte wie die Landesverfassung in den Pyrenäen.

Die holprige Straße stieg ins Gebirge. Neben ihr weideten Herden
von Pferden, von Rindern und von Ziegen. Der Tabak kletterte mit
der Straße als Zumutung für jeden Raucher in die Kälte der Berge
hinauf. Auf der Paßhöhe von zweitausendvierhundert Metern trafen
wir Amerikaner, die uns fragten, ob es gefährlich sei. Wir sagten, die
Straße sei es nicht, um so mehr sei es der Tabak. Sie mißtrauten aber
den Andorren. Wir wußten nur Gutes über sie zu sagen.

Über eine kahle Bergkuppe trabte ein zottiges, mageres Tier der
französischen Grenze zu.

»Ein Wolf!« rief Barbara.

Er paßte nach Andorra. Die Amerikaner verschanzten sich in
ihrem Wagen. Die Straße stürzte sich kopfüber ins süße Frankreich
hinunter. Kurz vor der Grenze sahen wir den zweiten Uniformierten
mit schiefem Koppel, den wir vom Gruppenbild der Regierung her
kannten. Er winkte uns ein freundliches Lebewohl zu. Als wir vor
dem französischen Schlagbaum hielten, kam plötzlich der Wolf auf

uns zu. Er wedelte mit dem Schwanz, gab Pfötchen und bettelte Zucker.

»Schade«, sagte Barbara, »jetzt wird uns kein Mensch mehr den Wolf von Andorra glauben.«

Die Hüte von Shrewsbury

Ich bin ein ziemlich begeisterungsfähiger Mensch, der das Glück hat, zuweilen Dingen oder Personen zu begegnen, die in ihm lautes Wohlgefallen auslösen. Wenn mir aber zu einem weiblichen Wesen, von dem ich am Familientisch erzähle, besonders schwelgerische Worte einfallen, dann pflegt mich eine meiner Töchter als angegammelten Minnesänger zu brandmarken, indem sie Schiller zitiert: »Kommt zu Euch selbst, Mylord von Shrewsbury! Das müssen Reize sondergleichen sein, die einen Greis in solches Feuer setzen.« Das Zitat stammt aus *Maria Stuart,* wo die schieche Königin Elisabeth ihren Gefolgsmann, als er die schöne Maria Stuart mit allzu vielen schönen Reden preist, mit der obenerwähnten Ironie in die Schranken weist.

Einen Tag zuvor hatten wir die Westminster Abbey in London besucht, in der die beiden Frauenzimmer unter einem Dach begraben liegen, und uns ausgemalt, welche Szene damit wohl beim Jüngsten Gericht zu befürchten sei. Wir hatten im Tower festgestellt, daß Englands Geschichte auch nicht mit Dünnbier geschrieben worden ist und daß die Engländer zu den wenigen Völkern gehören, die Königinnen hinrichten ließen. Wir hatten uns am Beispiel der Königinnen Elisabeth und Viktoria klargemacht, wie sehr der Geschlechtsneid die Geschichte zu beeinflussen vermag.

Heute haben wir Birmingham hinter uns gelassen, dessen rauchende Schlote Zeugnis davon ablegen, welche Strafe es sein muß, im Atembereich dieser Stadt zu leben, und sind in das liebliche Wales gekommen, dessen pralle Landschaft aussieht, als sei ihr all der Saft zugeflossen, den die englische Küche aus dem Fleisch kocht und brät. Plötzlich sahen wir an der Autobahn einen Hinweis auf Shrewsbury, und das machte uns neugierig, die Grafschaft des beredten, vielzitierten Greises kennenzulernen.

Shrewsbury gehört zu den schrulligen Kleinstädten, die England liebenswürdig machen und die aussehen, als seien sie zum Schauplatz für Shakespeares oder Nicolais *Lustige Weiber von Windsor* gebaut worden. Ein Fluß, der sich um die Stadt schnörkelt. Frische, unge-schnaufte Luft. Kleinkarierte Fachwerkhäuser, die Winkel für Spitz-wegidyllen bilden. Gelbe Läden, weiße Fensterrahmen auf roten Backsteinmauern. Feingliedrige Wirtshausschilder, die sich zu Na-men und Bildern verschlingen. Einladende Pubs, die so tun, als gäbe es keinen streng geregelten Fahrplan für den Bierausschank. Beson-ders der Gasthof zum goldenen Löwen gab sich, als wäre darin die englische Küche genießbar. In der Spitalgasse sperrten drei Kranken-wagen ihre gähnenden Mäuler auf.

Wir machten einen Ladenbummel und betrachteten die Schaufen-ster voller Absurditäten. Ob es sich um Möbel, Lampen oder Wäsche handelte – die Stadt Shrewsbury machte aus all diesen Dingen Kostüme oder Versatzstücke für einen Bühnenschwank. Fasziniert aber waren wir von einem Hutladen, dessen Schaufenster uns lange fesselte. Denn hinter der Scheibe fand eine Rauferei poppiger Farben statt, die sich gegenseitig bissen. Geiles Gelb knallte gegen morbides Lila, verzuckertes Rosa gegen giftiges Grün, ochsenblütiges Rot gegen verschossenes Braun. Diese Farben waren den absonderlich-sten Formen zugeteilt: Blumen-, Koch- und Nachttöpfen, Fladen, Halbkugeln, Zylindern mit Troddeln, Quasten, Knöpfen, Bändern, Federn und Blumen aus Filz, Plastik, Samt, Stroh, Rips und Seide. Das Geschäft sah aus, als hätte sich Hieronymus Bosch mit Franz Kafka zusammengetan, um einen Hutsalon zu betreiben. Jeder dieser Hüte, einer nackten Frau aufgesetzt, hätte genügt, einen Witz aus ihr zu machen und Armeen von Männern in die Flucht zu treiben. Maria Stuart, mit einem dieser Hüte bedacht, wäre nimmermehr begehrt, Helena niemals geraubt, das Schneewittchen nie und nimmer ge-weckt worden. Emilia Galotti hätte ihre Unschuld behalten, Gret-chen ihren Spaziergang in Frau Marthes Garten allein machen müs-sen. Romeo wäre beim Anblick eines solchen Hutes auf Juliens Haupt vom Balkon gestürzt, Susanna im Bade nicht belauscht wor-den und Lots Töchtern die Blutschande erspart geblieben. Jeder dieser Hüte hätte genügt, Zuneigung zu entmannen und selbst die Brunst von Italienern zu löschen.

Die Fröhlichkeit angesichts dieses Schaufensters machte uns hungrig. Wir betraten ein Restaurant, wo eine freundliche alte Dame unsere Wünsche zu befriedigen versprach. Sie servierte ein Bier, das durch keinen Schaumhut verunstaltet war und ungefähr die gleiche Temperatur hatte wie die Suppe, die wiederum darauf hinwies, daß England von Wasser umgeben ist. Das Roastbeef stammte von einem Altersgenossen des Grafen Shrewsbury und wäre, sofern es genießbar gewesen, von der Soße ungenießbar gemacht worden. Die falben Teile eines Strohhuts in dünner Brühe wurden als Kohl deklariert, und grünliche Kartoffeln waren uns zu Ehren ganz frisch aufgewärmt. Die Erbsen hatten die Härte, die Elisabeth der schottischen Maria gegenüber bewies, aber die Größe von Kirschen. Man konnte mit ihnen höchstens die Gesetze des freien Falls demonstrieren, wobei sie nach hartem Aufschlag auf der nach Bohnerwachs duftenden schiefen Ebene des Bodens gen Süden rollten.

Aber das war bald vergessen, denn die englische Küche trachtet danach, durch ständige Wiederholung solchen Erlebnissen jeden Anflug von Originalität zu nehmen. Originell, platterdings unüberbietbar jedoch bleiben die Damenhüte von Shrewsbury. Und werde ich am häuslichen Mittagstisch wieder einmal in einem Preislied auf weibliche Schönheit durch den Hinweis auf Shrewsbury gehemmt, so werde ich nicht mehr mit dem Verweis der Elisabeth an den in Feuer geratenen Greis unterbrochen, sondern mit der Frage, ob die gepriesene Dame wohl dem Schmuck eines Hutes aus Shrewsbury gewachsen sei.

Gruß aus 71° 10′ 21″ nördlicher Breite

Geschtern sem-mer uff-m Nordkap gwä
s liegt uff era ensl
scho vor dr fähr a autoschlang
sechs schtond hättet mer waarta miassa
wenn net dr vadder kennsch n jo
dui schlang lenks iberholt hätt ond
sich ganz vorna neidruckt ond
drbei mit dr schtoßschtang
von onserm Mercedes

ema halbgreichta Deeschwole
an scheiwerfer zammadruckt hätt
dren Franzosa
a ogwäschener kerle
mit lange hoor ond ema bart
bei ehm a verzuddelts menschle
halt so Jusoschlamper
se hent händla wella
aber onser vadder kennsch n jo
hot bloß gsagt i nexverschtandewu
ond leckmehaltamarsch
so sem-mer emmer vornadra
lang vor de andre do gwä.

uff dera ensl nex wia schtoiner
ebbes gräsla ond moos ond
dr dag will net weicha
was dia do droba s ganz johr
am elektrischa schparet
dees mecht e net wissa
wenn dia schlawiner dia Labba
ebbes schaffa dätet
na kenntet se s
da dag vierazwanzich schtonda
grad rond om d uhr.

onterwegs send ons rentier verkomma
ganze herda p'häb neber dr schtroß
dr vadder hot se filma wella
erscht beim grasa na beim schprenga
aber dia rentier hent net renna wella
au mo r gschriea hot
sau domme kuah
hent se to
als seiet se daub bis mer
schtoiner noch ehne gschmissa hent
glaubsch net wia dia graifelt send
wia wenn dr deifel henter ne her wär.
do wird se glotza d tante Lisbeth

mit ihre langweiliche dias
von griechische tempel
wenn se den film agucka muaß
dr vadder hot gsagt
dia hoißet rentier
weil se sich rentieret
fascht nex hent se zom fressa
ond koin schtall ond gebet milch
ond floisch ond send sich net z guat
zom schliddafahra ganz ohne aschprich
onsere arbeiter kenntet sich dodra
a beischpiel nehma
hot onser vadder kennsch n jo
halt so filosofiert.

droba a parkplatz druckt voll
mit auto aber a dreckle
mit dr mitternachtssonn
schtondalang hent mer gwaartet
weil s dussa so frisch
ond zugich gwä isch
en dr Nordkap-Halle
gottsmillionisch viel leit
mer kennt grad moina
mer sei uff-m volksfescht
a luft grad zom schneida
s hot gschmeckt wia wem-mer
an walfisch mit backschtoikäs
eigschmiert hätt
fascht lauter auswärtiche
viel Amerikaner ebbes Engländer
a paar wilde aus Japan
jessasmäßich viel Deitsche
ond gottlob ebbes Schwoba
d eigeborene trauet sich scheint s
do gar nemme na
seit onsre soldata bei Narvik
dene s fell so verschlaga hent.

ond vor-em tisch wo mer s
zertifikat kriagt zom beweisa
daß mer dogwä isch
a baise drucketse
aber dr vadder kennsch n jo
hot d ellaboga nausdruckt
ond bufft ond mit de
gnagelte bergschtiefel vom opa
zu was dia jetzt guat send
a paar gottsallmächtich
uff d zeha treta
na hent mer ganz dapfer
onsern schtempel kriagt
»we was am Nordkap«
den hänget mer drhoim iber d sitzgrupp.

mer hent au eikauft
a rentierfell als bettvorleger
an boinerna kaschta
gschnitzt aus knocha
von verfrorene walroßjäger
an kloina eisbära aus echt marmor
a labbakapp fir d fasnet
ond a elchgweih fir onser kellerbar.

weil s dussa so zoga hot
hent mer bloß nausguckt
zom fenschter so gega zwelfe
aber d sonn dees luader
hot sich verschteckt
ond bloß a bißle
da wolkarock glupft
grad wia zom possa an schpalt zoigt
ond als kennt se s net verheba
a paar schtrahla
uff s meer falla lassa
a paar farbahäfa
auslaufa lassa

natrialt uff s wasser
rot blau lila orange ond grea
daß d wella sich gfärbt hent
aber s isch koi ordnong dren gwä
wia bei dene neimodische moler
mo am esel sein schwanz
en da farbahafa hänget ond lasset
ehn drmit bilder mola
fir onsre schteiergelder.

s isch halt au do droba
wia iberall a reachter bschiß
ond drhoim isch s am schenschta
weil mer woiß wo mer dra isch.

ond wenn net drei omnibissr voll
aus dr Schweiz
i woiß net daß dia leit
sich net z schwätza schenieret
mit so era schproch
sekt gsoffa hättet
d flasch so om märker siebzich
do droba nehmet se s
von de lebendiche
onser vadder kennsch n jo
hot hehlenga au
zwoi gläsla drvo gnomma
wenn dia leit net uff oimol
a liad agschtemmt hättet
aus voller kehl älles hot glotzt
– ein prosit ein prosit
der gemütlichkeit –
ond dr vadder mit eigschtemmt
wia gwohnt beim gsangverei Frohsenn
i wißt net zu was mir
jetzt au do droba gwä wäret.
aber do isch s oim trotzdem
so saukalt s gwä isch

uff oimol warm worda oms herz
ond mer hot gschpirt
daß iberall a schtickle hoimet isch
sogar uff-m Nordpol.

Weltweite Sommerfrische

Es ist nicht mehr die Zeit der Sommerfrische, wie sie noch unseren Großeltern beschert war. Musselin und Batist gehörten dazu, Reisetaschen, wie sie heute in billigen Antiquitätenlädchen gefragt sind, Rohrplattenkoffer oder längliche Korbbehältnisse, in deren Tragriemen der Sonnenschirm stak. So strömten die Städter im Familienverbund – vielleicht nur die Damen, während der Ernährer übers Wochenende nachkam – oder auch in Gesellschaft von Freunden sommers in den zum Luftkurort hochstilisierten Flecken in der Ruppiner Schweiz, im Thüringer Wald oder gar zu den lustigen Tirolern, um sich in ländlicher Natur aufzufrischen.

Im Zeitalter der Jumbos und der Blechkarawanen, der überquellenden Campingplätze, der vielstöckig in Beton gegossenen Deponien des Massentourismus lächeln wir wohl ein wenig hochnäsig, aber auch ein wenig nostalgisch beim Rückblick auf jenes bescheidene, so kleinkarierte Idyll. Lag nicht der Duft der kleinen, engen Welt über ihren geharkten Wanderwegen und Gartenlokalen, in denen Familien Kaffee kochen konnten, über den Uferpromenaden und Kurorchestern, über den pünktlichen, stopfenden Mahlzeiten, zwischen denen man eine Partie Mühle oder Krocket einlegte, wohl auch einen improvisierten Imbiß, orientierte sich doch der Erholungswert nicht zuletzt an ein paar zusätzlichen Pfunden?

Seit die Sommerfrische über Kleingolf und Trimmdichpfad, über geheizte Freibäder mit Reitgelegenheit und Diskothek mit Unterwassermassage verfügt, heißt sie Erholungszentrum. Ein idyllisches Plätzchen findet ihr immer noch, so ihr suchet. Solange die meisten Menschen es vorziehen, sich in den touristischen Pferchen an der Schwarzmeerküste oder an der Costa del Sol zusammenzurotten, dürfen Individualisten unbesorgt sein: Sobald sie aus dem großen

Reisestrom ausscheren, sich ein paar Meter rechts oder links in die Büsche schlagen, haben sie die Welt wieder für sich. Ein Geheimtip verrät hierzulande sogar noch einige Plätze, an denen kein Freilicht-Festival stattfindet. Das spießige Rüchlein hat übrigens auch über-lebt, allerdings nicht mehr ortsgebunden. Der Massentourismus trug es in seinem Reisegepäck rund um den Globus, so daß man es in den Ferienzentren der Bahamas ebenso inhalieren kann wie auf der Foto-Safari in Kenia oder beim Sonnenuntergang auf Kap Sunion. Keine Bange – es riecht heute fast überall ein bißchen nach Sommerfrische.

Es muß nicht immer karibisch sein

Weh uns, die wir keine Touristikmuffel sind! Wo ist noch ein weißer Fleck auf dem Globus, der eine Reise wert erschiene? Namibia, Mexiko, Ägypten, Indonesien – alles längst abgehakt. Die Karibik liegt als Reiseziel so nah, daß sie bereits eingemeindet ist, sprachlich zumindest. »Ick mach' im Herbst nache Karibe«, hörte ich neulich einen Berliner sagen. Aber es muß ja nicht immer karibisch sein. Gibt es nicht noch viele weiße Flecken auf der heimischen Landkarte? Sind sie weniger attraktiv, weil man sie ohne besonderen zeitlichen und materiellen Aufwand, ohne Visum und Impfpaß und Tropenhelm erreichen kann? Weil ihnen der Touch des Exotischen abgeht? Man sollte dann und wann eine kleine Reise machen, als globetrottender Kurzstreckenläufer im eigenen Land nach Neuem, Unbekanntem Ausschau halten.

Hübsch ist es, mit einer jungen Dame eine kleine Reise zu unter-nehmen. Ich meine jetzt, mit einer sehr jungen Dame. Anna wird fünf Jahre alt, und die Welt ist für sie noch so neu und so bunt wie ein Bilderbuch. Im Ulmer Münster will sie den lieben Gott sehen und tröstet sich über seine Abwesenheit mit dem Gedanken hinweg, daß er schon für Weihnachten so viel zu tun habe. Der Anblick der vespernden Engel reizt ihren Appetit. Wir stopfen uns mit Zwiebel-kuchen voll und fahren weiter zum Blautopf auf der Schwäbischen Alb, um der schönen Lau unsere Reverenz zu erweisen. Der den Blautopf säumende Wald ist voller Geheimnisse. Anna schaut nach

Zwergen, nach Rotkäppchen und Schneewittchen, und in einer roten Wegschnecke wittert sie einen verzauberten Prinzen.

Auch alten Ehepaaren – vom zwanzigsten Jahr vor der Silberhochzeit an – ist die kleine, improvisierte Reise zu empfehlen. Den Alltag hinter sich lassen auf touristischen Nebenstraßen. Städtchen entdekken wie Sögel mit dem Jagdschlößchen Clemenswerth oder Mölln mit seinen verwinkelten Gäßchen am See oder Murrhardt mit seiner kleinen Walterichskapelle, einem Musterbeispiel stilreiner Romanik, und seiner »Sonne-Post«, die eine kulinarische Wallfahrt wert ist. Im April am menschenleeren Strand von Sylt spazieren oder im wundersam verwaisten Totengrund in der Lüneburger Heide. In Berlin am Samstagnachmittag auf den Trödel gehen oder im Café Einstein erkunden, ob und wie sich das legendäre Romanische Café fortsetzen läßt. In Ahlen, seither nur durch das vergessene Ahlener Programm bekannt, Töttchen entdecken, eine recht wohlschmeckende Spezialität. Man kann sich aber auch ins Abenteuer stürzen und in Baden-Baden Fortunen versuchen.

Wie schön ist die kleine Herrenpartie. Walter und ich trafen uns am Niederrhein. Wir hatten uns Jahre nicht gesehen und brachten es dennoch fertig, den Trunk erst ans Ende des Tagesprogramms zu setzen. Wir sahen uns ein paar Wasserburgen an, standen vor dem figurenwimmelnden Schnitzaltar in Kalkar, blickten bei Emmerich auf den mit Schiffen beladenen Rhein, genossen die eindrucksvolle Parklandschaft und fanden in Xanten, wo Siegfried geboren sein soll, auf einem großen Platz ein kleines Hotel. Wir saßen unter bunten Sonnenschirmen, langsam kroch der Abend über den Platz, und die Glocken des Doms begannen zu läuten. Wir aßen Hecht und Lachs, der Wein machte unsere Zungen erst flink und dann ein wenig ungelenk, im Dom spielte jetzt die Orgel. Wir lachten viel und dröhnend. Was wir uns noch erzählten, konnte sich nicht mehr in der umnebelten Erinnerung festsetzen. Spät und glücklich schoben wir uns gegenseitig die Treppe hinauf, ließen die Mutter Jung-Siegfrieds hochleben und ernannten sie zur Ehrenbürgerin von Xanten.

Neulich fragte mich Dorothee, ob ich Buxheim kennte. Dorothee ist ein patentes Mädchen. Ich nehme es ihr nicht einmal übel, wenn sie den Rückspiegel verstellt, um ihr Make-up aufzufrischen. Man kann mit ihr Pferde stehlen oder ein wenig flirten, braucht aber weder das eine noch das andere zu tun. Wir wollten in Unterjoch frische

Allgäuer Luft schnappen und uns vergewissern, ob auf dem Einstein, der mit dem Berliner Café soviel zu tun hat wie mit der Relativitätstheorie, die Welt noch in Ordnung sei. Diese jahreszeitlich verrutschte Welt, in der die Gemsen mitten im Juni zwischen Soltanellen und Schlüsselblumen, Aurikeln, Frauenmantel, Bärlapp, Schusternagel, Seidelbast, Germer, Edelweiß, Knabenkraut, Kugelblümchen und Mehlprimeln lustwandeln. Auf der Fahrt nach Unterjoch pflückten wir am Wegesrand ein paar Blüten des oberschwäbischen Barock: die Klosterkirche in Ochsenhausen, die Kirche in Rot an der Rot, in der wir im vergangenen Jahr mit einem festlichen Konzert HAP Grieshabers siebzigsten Geburtstag gefeiert hatten, die nahe gelegene bäuerliche Friedhofskirche, in der die Engel aus den Deckenfresken heraus zu halsbrecherischen Bauchlandungen ansetzen.

Wieso kannte ich die Kartause von Buxheim nicht? Hatte nicht einmal von ihr gehört? Das ehemalige Kloster bei Memmingen, 1402 gegründet und von 1548 bis 1803 einzige Reichskartause, ist zwar als gotische Anlage noch erkennbar, präsentiert sich aber heute als eine hinreißende Gala-Vorstellung von Barock und Rokoko in einer Anmut und Heiterkeit, daß dem Eintretenden das Herz aufgeht, er sich ein paar Zentimeter über den Boden gelupft fühlt. Solches Wunder ist den Gebrüdern Dominikus und Johann Baptist Zimmermann zu danken. Im Refektorium in der Pfarrkirche, in den fast dreihundert Meter langen Gängen und vor allem in der kleinen Annakapelle haben sie wahrhaft himmlischer Eleganz Einlaß verschafft.

Also dann – gute Reise in unbekannte Nähe. Es muß ja nicht Buxheim sein. Buxtehude hält übrigens auch sehr viel mehr, als der geflügelte Imperativ verspricht.

Daumenzeichen

Nun winken sie wieder, weisen Pappschilder mit Ortsnamen vor, recken etwas mürrische Daumen in diese oder jene Fahrtrichtung. Solange die Ferien an den Schulen und Universitäten andauern, haben die Anhalter Hochsaison. Allein oder in kleinen Klumpen säumen sie die Autobahneinfahrten, tummeln sich aber nicht nur auf den Europastraßen, sondern sind neuerdings auch auf den Nebensträßchen zwischen Hinter- und Vordertupfingen stark im Vormarsch. Immer sind sie jung, meist männlichen Geschlechts und langhaarig, oft ein bißchen ungelenk oder auch muffig nach langer Warterei. Sie pflegen aber rasch aufzutauen und erzählen nach den ersten drei Sätzen über Wetter und Reiseziel gern ihre Lebensgeschichte, berichten von seltsamen Eltern, Geschwistern, Freundinnen. Früher bin ich an ihnen vorbeigefahren, hieß es doch, sie hätten meist eine Kanone im Rucksack und in der Verkleidung als Krankenschwester raubmörderische Absichten; zumindest seien sie nicht gewaschen. Sollte das wohl ein Vorurteil sein? Wäre ich nicht ein saturierter Bürger, sondern selbst noch Pennäler, würde ich dann nicht auch zur Subkultur dieser malerischen Straßengewächse zählen? Oder mein Sohn, wenn ich einen hätte – dürfte er, in staubiger Hitze schmachtend, im Nieselregen vor sich hin schimmelnd, ein Trauma gegen leere Straßenkreuzer züchten? Als mir diese Frage durch den Kopf schoß, konnte ich nur noch all meinen Mut zusammennehmen, mir die Nase zuklemmen und anhalten. Seither habe ich nun schon unzählige Tramper mitgenommen, junge Menschen aus aller Herren Ländern, dumme und gescheite, graue und farbige, nette und weniger nette. Bereut habe ich es noch nie. Gewiß, dieser geschwätzige Diskjockey aus Pfullingen mit seiner gräßlichen Angeberei war schon eine rechte Kugelfuhr. Aber wenn ich an den kleinen tschechischen Studenten denke, den ich in jenen Augusttagen 1968 ein Stück des Weges fuhr und der mich später besuchte; oder an John, den Kanadier, der am Rande der Sahara zustieg und mit dem wir uns spontan so gut verstanden, daß er seine Reiseroute umschmiß, um uns ein paar Tage zu begleiten; oder an die junge amerikanische Lehrerin, die nach ein paar Monaten Griechenland nun umzog mit ihrer gesamten Habe – dem Freund mit Rucksack und zwei Täschchen, eines mit Büchern gefüllt –, wenn ich an all die Gespräche mit jungen Leuten denke, an all die Streiflichter aus fremden Welten, die mir sonst verschlossen geblieben wären, dann kann ich nur sagen: Die Anhalterei ist eine gute Erfindung für alle Beteiligten.

Der Schwarzwald ist kein schwarzer Wald

Am Schwarzwald ist schon der Name falsch. Er ist nämlich kein in sich geschlossener Wald, sondern ein rhythmisches Ensemble von Wald und Wiese, von Weinberg und Wasser. Und seine dominierende Farbe ist nicht etwa Schwarz, sondern Grün. Alle Sprachklischees von Waldesdom und Schattengrund und Wolfsschlucht und Fichtenhain treffen ihn nicht. Er musiziert die schönsten Variationen zum Thema Grün, die wir weit und breit finden. Lindes Grün, mit dem sich zärtliche Lärchen im Frühling beflaggen. Die vitriolfarbene Patina von Flechten, die an alter Baumhaut schmarotzen. Smaragdene Grasperücken, die über Sandsteine gestülpt sind. Farbtöne von Oliv bis Türkis auf Wiesenhängen. Das kräftige Blattgrün der Buchen im Sommerkleid. Flaschengrün der Tannen, Kiefern und Douglasien. Goldgrün in den sonnenbefluteten Katarakten der Weinberge. Giftgrüne Raupen, die sich auf Blättern buckeln.

Grün als Augenweide; Grün, das einlädt, sich fallen zu lassen und im Gras zu baden. Es zu erwandern auf flachen Wegen, den Schritt dem Tal anpassend, die Buckel und Hügel und Berge horizontal und bequem zu umrunden oder die Höhenlinien schweißtreibend rechtwinklig zu schneiden und auf Gipfel zu steigen, die weite Blicke ins Rheintal, auf die Vogesen, auf die Alpen präsentieren. Durch die Urweltlandschaften am Wild- und Hohlohsee zu wandern, über deren verschilfte Ufer die Wildenten flattern. Den Erlkönig zu ahnen, wenn der Novembernebel die am Boden kriechenden Föhren, die gestürzten Stämme zu Spukgestalten verzaubert.

Wenn Grün ruchbar wäre, röche es frisch. Aber natürlich bleibt es nicht beim Grundton Grün. Geranien auf den Fenstersimsen nachgedunkelter Schwarzwaldhäuser, deren wohlige Proportionen nicht wie Eigenheimsiedlungen Landschaft verhindern, sondern sie herausputzen. Breite Walmdächer über braunen Schindeln behüten den Bewohner und seine Umwelt. Im Sommer blauer Himmel, zuweilen tauben- und schiefergraue Wolkenwände. Schneepfühl im Winter. Blütentupfen von Mandel-, Apfel- und Kirschbäumen im Frühling. Rebstöcke und Laubbäume, im Herbst zu Gelb und Rot entflammt, ins Braun hinübertrauernd, wechseln fast täglich das Kleid. Das dunkle Violett von Tollkirsche und Heidelbeere.

Freilich, da und dort straft der Schwarzwald seinen Namen nicht Lügen. Man stößt auf Kohleplatten, wo vor einem Jahrhundert die Meiler der Köhler standen, die die junge Industrie mit Holzkohle belieferten. Auf schwarze Salbeöfen, wo aus Harz, Teer und Holz die Karrensalbe destilliert wurde, die für Fuhrwerke so wichtig war wie heute das Schmieröl für Autos. Schwarzes Gefieder der Raben und der Samtglanz des Auerhahns, den man allerdings fast nur noch in Gehegen sehen kann.

Der Schwarzwald ist eine Elementarlandschaft, für die sich die Beiwörter anmutig und lieblich anbieten. Teamwork von Schöpfer und Mensch. Urlandschaft, von Adam so einfühlsam erforstet und ergärtnert, daß die Schöpfung erhalten blieb, nur diskret kultiviert wurde, behutsam gehegt wird. Das Gegenteil von jenen Urbanisationen, die brutal in die Landschaft eingreifen, marktschreierisch die Natur überrumpeln, sie mit Ballungsräumen und Infrastrukturen vergewaltigen. Der Schwarzwald ist kein Produkt des Tourismus. Er integriert den fremden Gast. Er läßt nicht wie kommerzielle Meeresstrände Menschenmassen wuchern. Der schrecklichen Wortgirlande »Fremdenverkehrsindustrie« widerspricht er. Sein Komfort wächst aus der Landschaft und aus dem eingeborenen Menschenschlag, der Gastfreundschaft nicht verkauft. Schwaben und Alemannen sind ein Stamm, nur durch eine Lautverschiebung, ein paar Grenzen und ein andersartiges Mißtrauen verschieden. Aber dem Gast gegenüber sind sie gleich. Sie drängen sich ihm nicht auf. Sie respektieren seinen individuellen Freiheitsraum. Sie verwöhnen ihn diskret. Wo der Schwarzwälder früher seine Kuh hatte, hat er jetzt seinen Gast. Ich meine das nicht räumlich, ich meine das fürsorglich. Ein Gespräch mit einem Eingesessenen, sei er Holzfäller, Wirt, Pfarrer oder Omnibuschauffeur, demonstriert die Sprachkraft und die Bildhaftigkeit der Mundart.

Das Holz, Träger des Grüns, eines der edelsten Naturprodukte, ernährt neben dem Laubwerk auch den Schwarzwälder. Waldlehrpfade erzählen seine Kulturgeschichte, lösen die vagen Sammelbegriffe Baum und Busch und Gras in Wissen um die Pluralität der Natur auf, erklären Humus und Farn, Huflattich und Vogelbeere, Erle und Tanne, Kohlenmeiler und Klemmerhaufen, Kriechföhre und Holunder, Harz und Teer, Marder und Specht. So wird aus dem Sammelbegriff Wald für den Wanderer ein Bukett von Naturerfahrung. Rohstoff Holz für Tischplatte und Salatbesteck, für Musikinstrument und Madonna. »Dia hot Holz vorm Haus«, sagt man von einem drallen Weibsbild, dessen Herzer (Busen) aus dem Ausschnitt drängen. Und: »Wer koi Herz hussa hot, der hot au koi Herz drenna.«

Elementare Landschaft. Der Wein, der die Elemente in sich vereinigt: das Feuer der Sonne, die Duftstoffe der Erde. Rebwurzeln, die das Wasser aus dem Boden saugen. Weinblätter, die die Luft atmen. Schwere goldfarbene Ruländer, frische Klingelberger, Weißherbst im Bronzeton, blutdunkle Spätburgunder.

Bäder und Brunnen. Seen: der sagenumwobene, stille Krater des Mummelsees, der belebte Schluchsee mit weißen Segeln und einem temperierten Schwimmbad, das ein Stück des Sees ist. Heilquellen. Kräftige Sole, heiße Thermen, schmerzlindernd, aggressive Mineralwässer, auf alle möglichen Krankheiten wie auf den Mann dressiert.

Baden und Schwimmen und Wandern schärfen den Appetit. Das lukullische Elsaß mit seiner Küchenraffinesse, die solide Schweiz mit ihrem Sinn für Qualität sind nahe. Im Schwarzwald floriert die beste Küche der Bundesrepublik. Treffpunkte der Gourmets. Aber in fast allen einfachen Wirtschäftle kann man gut und preiswert essen und trinken. Schneckensüpple, Süßwasserfische, Wild mit sämigem Sößle, das die Spätzle umschmeichelt. Besonders fein geräucherte Forelle; Schinken und Speck mit Wacholdergeschmack. Froschschenkel, Himbeerwasser, Kirschengeist, den ein Druckfehler auf dem Etikett nicht schlecht in Kirchengeist umtaufte. Für Schleckermäuler das Dolce-Fortissimo einer Schwarzwälder Kirschtorte.

Wenn ich das Wort Schwarzwald höre, dann sehe ich violette Heidelbeeren in weißer Milch, sehe Rehe über Waldwege springen, sehe die heilige Veronika in der Villinger Kanzelbalustrade zweifelnd dreingucken, ob sie das Schweißtuch in die Wäscherei oder in den Devotionalienhandel geben solle, sehe die Fasnetsmasken durchs Rottweiler Tor drängen, sehe das Filigran des Freiburger Münsters. Ich höre Bäche rauschen, Brunnen plätschern, das Klingen von Weingläsern, das Klicken der Roulettkugel im Baden-Badener Kasino, Kirchenglocken und das eintönig singende Gleiten meiner Skier im Schnee. Ich rieche eine Wiese nach dem Gewitterregen, eine Rahmsauce zum Rehfilet, den blumigen Duft eines Klingelbergers aus der Ortenau und zwischen den Fingern zerriebene Tannennadeln. Ich schmecke die Würze von Steinpilzen, in Öl gebackene Holunderblüten, mild geräucherten Speck. Ich fühle Gräser meine Hand streicheln, federnden Moosboden unter meinen Füßen, einen Frauenarm, auf den die Sonne brennt, Thermalwasser meine Haut umbizzeln. Denn der Schwarzwald ist eine sinnliche Landschaft, die lieblich aktiviert, die Behagen schafft und mit sehr zärtlicher Gebärde das in Streß geschnürte Alltagsgewand von seinen Besuchern abstreift.

Porträt der Donau

Die Donau ist eine Dame von nobler Herkunft. Im Park des Fürsten von Fürstenberg zu Donaueschingen heiraten die Schwarzwaldbäche Brigach und Breg und heißen jetzt Donau. Das Mädle schlägt in seiner Jugend landschaftlich ganz schön über die Stränge, ist undicht, läßt Wasser, das zwölf Kilometer weiter südlich aus dem Aachtopf in den Bodensee fremdgeht und im Rhein zur Nordsee eilt. In der alten Reichsstadt Ulm spiegelt sie das Münster, lupft den Rock, verläßt ihr Heimatländle, behält bis Regensburg ihre Jungfräulichkeit und hat erst von da an Verkehr. Zuvor aber sträubt sie sich, beißt sich in ihrer Pubertät in die Felsen des Fränkischen Jura und wird erst unter dem Joch der Regensburger Steinbrücke fügsam. Jetzt läßt sie sich willig die schweren Schiffe der zungenbrecherischen Donaudampfschifffahrtsgesellschaft auf den Buckel packen. Gleich hinter Regensburg sieht sie den griechischen Tempel mit dem germanischen Namen Walhalla auf der Höhe liegen. Das weckt in ihr die Sehnsucht nach dem Süden. Sie ändert ihren Lauf; von Böhmerwald und Alpen sanft geleitet, strebt sie jetzt mit leiser Südtendenz nach Osten und wird dafür mit vielen barocken Fassaden und Zwiebeltürmen belohnt. In der alten Bischofsstadt Passau nimmt sie Ilz und Inn in sich auf und bildet eine Trikolore, das blaue Wasser der Ilz, ihr eigenes braunes und das türkisgrüne des Inn unvermischt nebeneinander führend, bevor sie über eine Staustufe Österreich betritt. Sie katzbuckelt ums liebliche Mühlviertel, fließt an Linz vorbei, äußert ungebärdig ihren ledigen Unwillen noch einmal in den Strudeln von Grein und weicht der Wachau zuliebe wieder ein wenig nach Norden ab, weil ihr Wein als Beruhigungsmittel verschrieben worden ist. Stift Melk grüßt mit seiner prächtigen Fassade, Bruckner orgelt, Weinberge hängen wie Schabracken an ihren Ufern, sie murmelt das Nibelungenlied und hat Strohkränze ausgesteckt, die zum Heurigen laden. Sie spiegelt Wien und den Steffel, Mozart, Beethoven und Brahms musizieren ihr zu, aber sie ist gar nicht so blau, wie sie Johann Strauß verdreivierteltaktet, sondern braun, und wenn es novembert, nimmt sie die Morbidezza von Wien mit: Nebel um die Jugendstilmonumente des Stadtparks, der jetzt statt von Amerikanern von Kolkraben bevölkert ist, Qualtingergeraunze, Wagnertrompeten aus der Staatsoper und Brueghels Winterbild vom Bethlehemitischen Kindermord im Kunsthistorischen Museum.

Hinter Wien läßt sie sich Zeit und stößt das Tor zum Balkan auf. Die Slowakei schiebt sich mit der Schulter ans Donauufer und sagt Grüße vom Soldaten Schwejk, der dem Druck der Mächtigen durch nachgiebige Naivität standhielt. Rechts Fischerhäuser auf Stelzen, aufgehängte Fangnetze. Ungarn legt seine alte Haupt-Preßburg an die Donau und löst am rechten Ufer Österreich ab. Von Esztergom herunter blickt klassizistisch streng die ehemalige Krönungskirche der ungarischen Könige, die Donau beugt das Knie und nimmt schnurgeraden Kurs auf Süden, um Budapest nicht auszulassen. Das Land erinnert an Gulasch und Paprika und Borstenvieh und Schweinespeck, Csárdásfürstin und Zigeunerbaron und bietet Städtenamen wie Székesfehérvár an, von denen zehn zum Auswendiglernen als Strafarbeit für Schulkinder genügen.

Budapest kündigt sich schon lange vorher mit Ruderbooten, Kanus, Wochenendhäusern, Schwimmern und Brücken an. Dann fährt das Parlament vorbei, ein Beispiel großartigen, ungemein pittoresken Kitsches, die Zitadelle, die Fischerbastei, die Burg, der Gellértberg, die Kettenbrücke. K. u. k.-Erinnerungen unter bröckelnden Fassaden. Zigeunermusik und Fischpörkölt. Und damit der Abschied leichter werde, ein abscheuliches Siegesdenkmal.

Madame Donau wird geruhsam, spaziert füllig und träge durch die Pußta, putzt sich mit unerhörten Sonnenuntergängen heraus und läßt Ziehbrunnen gegen den Himmel stochern. An den Ufern kleine Mühlen und Gänseherden. Auf dem Strom Raddampfer, Schlepper und Frachtkähne aus aller Herren Ländern. Nun betritt die Donau

Jugoslawien. Sonnenblumenfelder und romantische Dörflein in der Batschka erinnern an die Zeit, da Maria Theresia deutsche Soldaten und Siedler auf Ulmer Schachteln die Donau herunter kommandierte. Peterwardein soll König Etzels Residenz gewesen sein, und eine Brucken zwischen Stadt und Festung Belgrad erinnert an Prinz Eugen, den edlen Ritter. Kuppeln demonstrieren, daß wir jetzt in den Bereich des russisch-orthodoxen Glaubens geraten. Mächtige Weiden, Akazien und Pappeln verschönen das Donauufer. Bisweilen verzweigt sich der Fluß, umarmt eine Insel. Rumänien schiebt sich ans nördliche Donauufer. Und immer wieder Wachttürme als Symbol brüderlichen Mißtrauens. Bald nehmen die Ausläufer der Karpaten und die der Alpen den Fluß in die Zange. Auf einen Felsen mitten im Strom ließ ein Sultan seine ungetreue Gattin schmieden; mit ihrem Bekenntnis »Babakei – ich bereue« gab sie dem Felsen seinen Namen. Die Burg Golubac, der Felsen Greden verstellen dem Fluß den Weg, verengen sein Tal, daß es einer norwegischen Fjordlandschaft gleicht, bis schließlich nach dem Korsett des Eisernen Tors die Donau wieder frei atmen, frei fließen kann. Eine Straße, die Kaiser Trajan gebaut hat, begleitet den Fluß ein Stück Wegs. Und nun tritt Bulgarien, an der Donau aufgehängt wie an einer Wäscheleine, dem Fluß zur Seite, der jetzt für lange Zeit Rumänien und Bulgarien trennt und beweist, wie töricht die Bezeichnung »natürliche Grenze« ist. Denn ein Fluß trennt die Landschaft nicht. Ein Flußtal bindet wie ein Scharnier die Uferlandschaften zusammen.

Auwälder, ausgefressene Ufer, Eichen, unter deren mächtigen Kronen sich Schweine mästen. Schafe, Pferde, Rinder, Gänse in Herden, von Hirten behütet. Weiße Büffel mit gebogenen Hörnern. Moor und Urwald und Mais und Sonnenblumen. Auf den Sandbänken ein Vogelparadies: Fischreiher, Trappen, Rohrdommeln, Flamingos, Enten, Möwen, Kormorane.

Die Donau wendet sich wieder nach Norden. Ihr Schritt wird unsicher. Sie verästelt sich, zerteilt das Land, tapst dahin und dorthin, bildet Inseln, die Baltas heißen, in deren Sumpf und Dickicht fast ausgestorbene Tiere vor dem Menschen sicher sind. Sie trägt nun schon Seeschiffe aus dem Schwarzen Meer auf ihrem alten, krummen Rücken. Der Pruth dringt von Norden auf sie ein und stößt sie dem Tod im Schwarzen Meer entgegen. An ihrem Ufer stehen Öltürme. In den kleinen Dörfern islamieren Kuppeln und Minarette. In Bessarabien tritt die Sowjetunion mit mächtigem Eroberertritt ans Ufer. Der Fluß wird schizophren. Er spaltet sich in viele Arme, schiebt immer wieder neue Inseln vor sich her, bruddelt noch etwas aus seiner Ulmer Jugend vor sich hin. Schwarzes Moorwasser und grünes Flußwasser vermögen sich nicht mehr zu mischen. Schwerfällig und aufgespalten ersäuft der Fluß im Meer, in das er noch viele Kilometer hinaus seine Spur zieht.

Notizen des Soltauer Stadtschreibers

Seit dem 1. September bin ich Gast der Stadt Soltau, Bürger auf Zeit, Mieter zum Nulltarif im zweiten Stock einer Mühle, die sich zu einer Bibliothek ausgewachsen hat. Mit einem Arbeitsstipendium von monatlich fünfhundert Mark bin ich dabei: einer der zehn Anwärter verschiedensten Geschlechts auf den mit zehntausend Mark dotierten Soltauer Autorenpreis.

Wenn ich zum Fenster hinausschaue, sehe ich auf den Mühlenweg, der in einem kuriosen Muster gepflastert ist. Die roten Ziegelhäuser, die locker Spalier stehen, sprechen nicht von Armut. Sie gönnen sich Abstand vom Nachbarn, lassen Platz für Bäume. Birke, Lärche, Apfelbaum, Eiche, Buche und Weide haben sich in den zehn Wochen, die ich hier wohne, vom Grün der ballernden Lodenmantelmafia ins Bunte der Herbstkollektion hinübergeputzt: gelber Schimmer, rostbrauner Hauch, rote Tupfen. Das die Straße beherrschende, behäbige Haus hat, als wolle es sich von Frans Hals porträtieren lassen, eine vielfach geknickte, eng anliegende Matronenhaube in Form eines Walmdachs übergezogen, was es zur Glucke, Hüterin, Aufseherin aufwertet. Der wohlproportionierte, mächtige Kirchturm am Ende der Straße schwingt sich in einer eleganten Spitze himmelwärts. Das schräggestellte Kirchendach trägt als graziösen Höcker ein Häubchen, das wie das Kind eines bayrischen Zwiebelturms aussieht. Der Färbermonat Oktober hat sich zurückgehalten. Er läßt den Liebermann-Akkord aus Grün und Rot draußen noch dominieren. Die Luft ist so klar, als sei sie aus der Toskana importiert und protestiere gegen die bevorstehende Inthronisierung des November.

Ich fühle mich wohl. Meine Bedingung, um keinen noch so verlockenden Literaturpreis irgend etwas müssen zu müssen, ist akzeptiert worden. Man erwartet lediglich von mir, daß ich einen Text zum Autorenwettbewerb einreiche. Daß ich mich mit einem Leseabend vorstelle. *Man*: Das ist die auch in der äußeren Erscheinung buchenswerte, agile Bibliotheksleiterin, die mich taktvoll gegen die Umwelt abschirmt, wenn ich Ruhe brauche, und mir Umwelt vermittelt, wenn ich des Umgangs mit meinen Romanfiguren müde bin. *Man* ist der bedächtige, verbindliche Kreisdirektor. *Man* ist der clevere, wortgewandte Landrat, im Hauptberuf Buchhändler. Er stellt mich aus, versorgt mich zum Nulltarif mit Periodika meiner Wahl: *Spiegel* und *Zeit*; er hat mir einen stummen literarischen Willkomm bereitet. *Man* ist der intellektuelle, angenehm auf Form achtende Stadtdirektor. Seine Dis-tanz, die er in der S-prache zwischen s und t, s und p wahrt, ents-pricht der Dis-tanz, die er im Umgang mit den Bürgern zu pflegen gewohnt oder gehalten ist. Auf seine Frage, wie er mich anreden solle, schlage ich ihm schlicht »Thaddäus Troll« vor. »Also, Herr Troll.« – »Nein, ohne Herr bitte.« Er schaut mich so konsterniert an, als hätte ich ihm das Du aufgenötigt. Aus der Reserve, die *man* mir zunächst entgegenbringt und der ich mit hierorts unüblicher Ironie begegne, wird bald so etwas, was ich kritische Sympathie nennen möchte. *Man* gehört zwar einer Partei an, in der Schriftsteller so selten sind wie Pennbrüder, mit zwei n und mit einem n. Dennoch respektiert *man* den anderen Standpunkt, toleriert sogar die zuweilen überpointierte Gesellschaftskritik, die der Gastbürger sich schuldig zu sein glaubt, der in Soltau die fragwürdigen politischen Hilfswörter *rechts* und *links* neu orten muß. Denn als links wird hierorts schon ein liberales CDU-Mitglied bezeichnet. Den vierten in der Soltauer Hackordnung, den Bürgermeister, im Hauptberuf Rechtsanwalt, habe ich nur kurz auf einem bäuerlichen Polterabend kennengelernt. Er gab sich dort so, wie der Abend hieß, und gehört nicht der ortsüblichen Partei, sondern einer rechten Splittergruppe an.

Mein Appartement, geschmackvoll, behaglich und funktionell möbliert, besteht aus einem kombinierten, holzverkleideten Arbeits- und Wohnraum. Die Heizung verwöhnt und taut auf. Nur die geräumige Schlafnische widerspricht dem zölibatären Charakter der *Dichterwohnung*, wie sie sich auf dem Klingelschild nennt. Das Bad ist planschfreundlich, warm und geräumig. Das schräge Dach über der Wanne verhindert, daß der Poet mit kalten Brausegüssen die Musenküsse vom Leibe schrubbt.

Wenn ich zum Fenster hinausschaue, sehe ich die Böhme unter einer Brücke hervorkriechen, über ein Wehr stolpern, fallen, das Mühlrad vermissen, das sich an dieser Stelle von ihr drehen ließ, meergrün aufgischten, sich um meinen Angelplatz schmiegen, von dem ich noch keinen Gebrauch gemacht habe, und behäbig in die Breite gehen. Die Ufer sind von einer Baumkulisse bestanden, deren Wipfel variable Spitzenmuster gegen den brennenden Himmel halten. Die Zweige filtern die Sonnenstrahlen. Der Fluß ist mit Lichtkringeln und Wildenten gefleckt. Eine hölzerne Brücke setzt in graziösem Sprung darüber. Noch mehr ins Ostasiatische als diese Vedute verfremdet ein Nußbaum, der sich knapp vor mein Fenster gestellt hat, die Aussicht. Während er ein Stockwerk tiefer seinen Striptease noch nicht beendet hat, zeichnet er sich meinem Blick als skelettierende Grafik vor. Aber seine prallen Knospen machen jeden Zweig zur Kreuzblume, bringen in das Bild entlaubter Vergänglichkeit Hoffnung auf den Frühling.

Ein anderes Fenster schrägt sich über meinem Bett. Genau hier pflegt die Sonne aus den Federn zu kriechen und weckt mich an wolkenlosen Tagen mit violett getöntem Licht, dem ein Orange beigemischt ist. Jeden Tag steht sie ein paar Minuten später auf. Täglich sitzt der Punkt tiefer, den sie am Fensterrahmen schneidet. Sitze ich beim Frühstück, so illuminiert sie den reichlich gedeckten Tisch. Nach meiner Morgenandacht, die NDR 3 mit einer Lesung aus Joseph Roth, Stevenson oder Wilhelm Raabe abhält, hat sie meinen Arbeitsplatz erreicht und überträgt die Nußbaumzweige auf meinen Schreibtisch.

Die Böhme läßt mich an böhmische Dörfer und böhmische Küche denken. Und an den erleuchteten Schuster Jakob zu Görlitz, der in seiner *Aurora* Gott als Urgrund aller Dinge sieht. *Böhme*, das ist ein guter Name für einen stillen Fluß, der sich in die Heide hinausschlängelt und mich oft zu Spaziergängen entlang seinen kapriziös gewundenen Ufern verlockt. Aber vor meinem Fenster gibt die Böhme keine Ruhe. Sie quittiert ihren vergeblichen Fall mit einem Tosen, das so laut ist und so technisiert klingt, daß sie mich entgegen dem wohligen Rauschen meines heimischen Rohrbachs stört.

So angenehm gebettet die Stadt in der Heide liegt, Soltau hört sich nicht gut an. Fünf Straßen stoßen wie Lanzen in das Fleisch der Stadt und penetrieren sie. Das Zentrum ist wund gegraben, der Verkehr quält sich mühselig durch arteriosklerotisch verengte Nebenstraßen, meine Mühle bebt und dröhnt vom frühen Morgen bis in die späten Abendstunden. Die militärischen Übungsplätze, die ein Drittel des Kreises aufgefressen haben, liefern Kriegslärm, das Jaulen der Düsenjäger alarmiert das Nervensystem. Die Rasenmähmaschine im Stadtpark sirrt dazu quälende, bürgerfreundliche Leistung.

Doch die Luft im nahen Böhmewald ist kühl, frisch. Am schönsten aber riecht es auf dem Markt. Nach Dill, Petersilie, Sellerie. Nach Äpfeln und Orangen. Nach Lauch und Würsten. Nach frisch geräucherter Forelle, Makrele und Aal.

Der Biedersinn der Soltauer Küche tut sich mit den Verlockungen des Soltauer Marktes zusammen, um den literarischen Gastarbeiter zu verführen, in seiner handlichen Küche auch Umgang mit der Muse der Kochkunst zu pflegen, dessen Folgen, an der heimischen Küche gemessen, mühelos Höchstleistungen sind. Und auch ein Weintrinker wie ich tut sich schwer, wenn er nicht seinen für den Manuskriptausstoß nötigen Kraftstoff aus weinfreundlicheren Zonen hat vorausschicken lassen. Denn aller in Soltau ausgeschenkte Wein ist schwer zuckerkrank. Lokalgetränk ist ein Schnaps namens *Ratzeputz*, der so radikal schmeckt, wie er heißt.

Drei Monate lang, drei Monate kurz war ich Stadtschreiber in Soltau, ein Titel, den ich mir angemaßt habe. Der September hatte einen stattlichen Restposten Hochsommer nachgeliefert, er trieb mich in seniler Bettflucht schon früh um sechs Uhr in das einladende Freibad, dessen Chlorzusatz indessen alles tat, um mir wie ein Nessushemd das Vergnügen zu verleiden. Anscheinend bin ich dünnhäutiger als die Einheimischen.

Ich spüre die Aura, die meine drei Vorgänger in der Dichterwohnung hinterlassen haben. Es waren nacheinander zwei Kolleginnen, die teils der Poesie, teils der Natur, der dargebotenen und der eigenen, nachgingen und die in der Stadt wohl gelitten waren. Vor mir ein junger Kollege, den die konservativen Verkrustungen schabten und der darunter die braunen Flecken freizukratzen versuchte. Im typisch Kleinstädtischen meinte er das typisch Soltauische zu erkennen. Da es mit typisch deutschem Ernst und deutscher Gründlichkeit vorgebracht wurde, provozierte es zunächst den allgemeinen Unmut, dann die Begeisterung der Jugend, endlich eine öffentliche Diskussion mit sechshundert Zuhörern unter dem Titel: »Kann man in Soltau leben?« Sie ließ fast alle Beteiligten unbefriedigt. Schließlich brachte ein rechtsradikaler Stadtrat den Antrag ein, die im Landkreis ansässigen Kulturvereine oder die Bevölkerung selbst mit der Einladung an Schriftsteller zu betrauen, weil es »nicht dem Wohle des Landkreises diene, wenn die eingeladenen Autoren wegen ihrer politischen Einstellung die Bevölkerung beschimpften und in der Öffentlichkeit herabwürdigten«. Weiter forderte der Mahner: »Schriftsteller, die sich nur im Kreise einer revolutionär gesinnten Bevölkerung wohl fühlen, mögen ihren Beschäftigungsort nach Teheran verlegen.« Solch harsche und intolerante Formulierungen, die geeignet waren, die virulenten braunen Vorurteile gegen Soltau zu stärken, förderten die Toleranz und einigten Amtsträger, Bevölkerung, demokratische Parteien, aufmüpfige Jugend und Lokalpresse, brachten den literarischen Gastarbeitern nachträglichen Sympathiezuschlag und der unbefriedigenden Massendiskussion nachträglichen Wertzuwachs ein. In Soltau seien, so schrieb man ihnen, durch ihr Engagement Diskussionen in Gang gekommen, verhärtete Strukturen erweicht worden. Man könne heute offener und erfolgreicher über die Schwïerigkeiten vor allem der Jugend sprechen. Der Mahner zog seinen Antrag nach Engagement von Hofsängern zurück.

Ich fühle mich in die Diskussionen mit den Bürgern, nicht aber in den Sängerstreit in der Waldmühle verwickelt. Obwohl mich das Reizklima ständig herausfordert, fühle ich mich wohl. Ich probiere neue Arbeitsmethoden aus. Ich habe die Wände mit Papierbahnen behängt. Kurz ist der allmorgendliche Kampf gegen die Faulheit, die den Heimarbeiter der papierverarbeitenden Industrie bisweilen so müde macht, daß er den ganzen Tag nichts produzieren kann. Die Papierbahnen lenken ab, reizen mich, auf jeder einen Lebenslauf meiner Romanfiguren zu skizzieren, auszumalen, fortzuspinnen, sie miteinander in Beziehung zu bringen, die Handlung zu verweben, auf Schreibpapier zu übertragen. Die Personen meiner Phantasie leben mit mir in Klausur, fangen manchmal auch gegen meinen Willen etwas miteinander an, machen sich selbständig. Was sich in Monaten, in Jahren in mir angestapelt hat, bricht heraus: Zeugungs- und Geburtsvorgang in einem.

Zuweilen, wenn ich des ständigen Umgangs mit erdichteten Personen müde bin, suche ich die Umwelt zu erfahren. Werkle in der behaglichen, von viel Jugend frequentierten Bibliothek. Besuche Markt, Schule, Kirche, Kneipe, Stadtpark, Klub, Hochzeit, Sauna, Jahrmarkt, Gericht, Schwimmbad und Heide. Teile mein Schicksal als Aboriginal – denn mein Stamm, die Sueben, saßen ja hier, bevor sie auf die Völkerwanderung gingen – mit den Neubewohnern, denen Luther die Muttersprache des Dialekts genommen hat. Höre die Endmoränen des *nööch*, des *tscha* und des *tschüs*, den Hiatus zwischen s und t, s und p, den meine verbindlichere Muttersprache durch Erweichung des s zum sch tötet. Stelle Ähnlichkeiten fest: Auch der Niedersachse ist maulfaul, neigt aber dennoch zum kleinstädtischen Klatsch. Mißtraut der Freundlichkeit, obwohl ich hier viel mehr davon erfahre als in meiner Heimat. Ist konservativ, jedoch mehr aus Traditionsbewußtsein als aus Bequemlichkeit und Knauserigkeit wie meine Landsleute. Soltau ist mir wesensfremd. Es lullt mich nicht ein. Es fordert mich dauernd zum Widerspruch heraus. Und dennoch – oder gar deshalb – lebe ich hier in angeregter Kreativität. Stadt, Menschen, Landschaft fließen bewußt und unbewußt in das ein, was ich schreibe.

Der Straßenknotenpunkt Soltau ist auch eine Gleissammelstelle. Wohin man mit dem Auto fährt, wohin man wandert, überall stößt man auf Eisenbahngleise. Sie sind allgegenwärtig, sie erwecken den Eindruck, als werde die Stadt von zahlreichen Eisenbahnlinien ständig umfahren. Aber der Fahrplan ist dürftig. Er suggeriert, in Soltau herrsche permanente Aus- und Einreisesperre.

Bisweilen fällt mir das Dach auf den Kopf, die Kleinstadt auf die Nerven. Dann büchse ich aus: nach Hamburg, Hannover, Bremen, Berlin, Kopenhagen. Soltau bietet sich als Sprungbrett an. Und freue mich nach spätestens drei Tagen aufs Heimkommen, wobei das Wort *Heim* Soltau meint.

In Soltau hat noch nie Literatur stattgefunden. Weder ist hier ein Schreiber geboren noch gar einer begraben; nicht einmal der viel mißbrauchte Löns hat es besungen. Aber die Stadt ist viel mehr als Lüneburg ein Synonym für Heide, die jedoch selbst von der Romantik als »öde, dürre Strecke« mißachtet worden ist. Eichendorff, Gotthelf, Madame de Staël haben nur abschätzig über sie geschrieben. Positiv beschrieben wurde sie von Andersen und von Turnvater

Jahn. Literarisch entdeckt wurde sie aber eigentlich erst von der Marlitt in der *Gartenlaube,* und sie blieb dann der Tummelplatz der Trivialliteratur, die verklärte Lieblingslandschaft des deutschen Gemüts, reduziert auf ein fades Idyll, bevölkert mit völkischen Sprößlingen, im fanatischen Glauben an den blut- und schollegebundenen deutschen Menschen aus einer Ehe von Wagnerhelden mit Frauenschaftsmüttern gezeugt. Das Heideprinzeßchen. Das Heidejahr. Heideschulmeister Uwe Karsten. Der Heidezauber. Die Heideklause.

Die Erika-Blüte der Marschlieder, zwei-drei, ist vorüber. Ihre Frucht sind nicht »Versonnenheiten, die zu nichts führen«, wie sie Benn noch empfunden hat. Man muß sie neu erfahren, sie von den »Grün ist die Heide«-Vorurteilen befreien: wo der Mümmel mannt, das Röslein schlägt, die Schnucke schnuckelt, der Löns rauscht, die Birke schmettert, die Lüne burgt, der Förster brünftet, der Machandel schießt, das Bienlein braust, die Kanone summt, der Korn äugt, Odin blüht, der Panzer blüht, der Jäger sabbert, der Wurm schnalzt, der Honig gurrt, die Düse jagt, der Schütze seimt und die Schnulze gleist.

Ich habe die Heide anders erlebt, ganz anders. Ich habe sie im Blutrausch erlebt, in ihrer frechen, geilen Hurenfarbe zwischen Purpur und Violett, nein, Lila. Herden von Omnibussen erbrechen sich da auf den Parkplätzen, deren Ausflüsse gezäunt, kanalisiert und verstopft sind. Das Disneyland des Heideparks bildet einen Amüsierpferch. Inzwischen weiß ich, wie ich zu Fuß oder mit dem Fahrrad die Heide erfahre, erwandere, ohne einen Menschen zu treffen. Ich habe den September mit goldenem Licht und mit von den wehenden Fäden des Altweibersommers bedrohtem Bienengesumm genossen. Wie der Herbst sehr zärtlich die exaltierte Farbe des blühenden Heidekrauts ins Erträgliche mildert, das Steppengras gilbt, die Blütendolden bräunt, das Violett hintergründig macht. Die Birke flaggt aus, die Eiche wirft Pergament ab, die Eberesche bietet knallrote Vogelbeeren an, in zypressenhafter Würde stolzt der Wacholder. Der Wind streichelt das hohe Gras, ein Silberglanz liegt über dem maisgelben Flattermeer. Die sich sanft gegen den Horizont buckelnde Landschaft musiziert in bittersüßer Melancholie: Chopin und Debussy.

Aber auch Kafka. Die Geräusche einer fernen Schlacht. Kanonen-

donner und Panzergerassel. Nackte Baumskelette, zermalmt von
geharnischten Wagen, die Erde verwundet und aufgewühlt. Denn die
Heide ist angefressen von Barbarei und Kultur. Von Panzer und
Pflug. Von Bauer und Förster. Von Rodung und Aufforstung. Um
sich zu erhalten, braucht sie Schafe, die selten geworden sind. Nur
dort, wo sie alles zerbeißen, was hochwachsen will, da gedeiht sie,
nutzlos und unfruchtbar – blühender, stiller, dürrer Protest gegen
Leistung und Ordnung.

Das Lamm, christliches Symbol, der Widder, alttestamentliche
Opfergabe, der Schafbock als Tier des Pan, sie schaffen und erhalten,
zerstören und schützen, auf den gammelhaarigen und schneckenge-
hörnten Typ Heidschnucke gebracht, ein Stück urtümliche Landschaft.

Erkenntnis des dankbaren Schreibgastes: Heimat ist für ihn nicht
mehr die Landschaft, in die er geboren wurde. Die ist zerstört
worden, zubetoniert in grimmigem schwäbischem Fleiß, der kein
Gras mehr wachsen läßt, von Hölderlins Geburtshaus am mittleren
bis zu Hölderlins Grab am oberen Neckar. Heimat ist für ihn
angemessene Umwelt, Ort, wo man ihm freundlich begegnet, wo er
sich wohl fühlt, wo er sich aber auch gezwungen sieht, in ständigem
Scheuern an der Umwelt sich selbst zu ändern. Heimat ist pluralisier-
bar: Aus Heimaten kann man nicht vertrieben werden.

Wenn Heimat Vergangenheit und Zukunft, Ziel von Erinnerungen
und Wünschen ist, wenn Abschied von ihr Heimweh macht, dann ist
mir meine Klause, die Stadt Soltau, die Heide zur Heimat geworden.

Lüneburger Heide 1979

Auf der Lüneburger Heide,
in dem wunderschönen Land
ging ich auf und ging ich unter,
allerlei am Weg ich fand.

Zermalmt, zerbrochen, zerschmettert,
Wald, zu Kleinholz geschlagen,

umgelegt, zerrissen, zerfetzt,
verblichene Baumskelette.

Komm hinter den Stacheldraht,
mein Heideprinzeßchen,
Schöffin beim Standgericht.
Über den gebrandmarkten Wald
kam ein junger Wandersmann,
trug ein grünes, grünes Kleid,
fuhr im geharnischten Sichelwagen,
dessen Krallenketten
den Boden zerpflügen,
aufwühlen, kahlfressen.
Stampfte das Nashorn
mit mächtigen Schultern,
schob, stieß, brach die Knochen,
rodete aus, entwurzelte, schlug kahl,
hob aus der Erde, verwüstete,
machte nieder und bahnte
den Trimmdichpfad des Todes.
Valleri, vallera
und juchheirassassa,
bester Schatz, bester Schatz,
denn du weißt es, weißt es ja,
daß der Wald, der Umweltzerstörer,
die Heide erstickt hat im
Samenflug von Birke und Kiefer,
zerfressen den geilen Purpurteppich.

Darum schickte der große Bruder,
um Natur zu schützen gegen Natur,
die gepanzerten Herden.

Und die Bracken, und die bellen,
und die Büchse, und die knallt,
rote Hirsche wolln wir jagen
in dem grünen, grünen Wald.
Feuerejakulationen aus dem

Phallus der ehernen Schnucken,
Lustschrei der Folterknechte.
Hörst du die stählernen Bienen summen,
mein Mümmelmann, die
sirrende Sichel der stymphalischen Vögel,
anschwellend zum Heulen der Todessirenen?
Hörst du das Rasseln, das Dröhnen,
das Geröchel aus Bergen-Belsen,
das nächtliche Rumpeln und Poltern,
hörst du die Ouvertüre, die
künftige Schlachten verspricht?

Füsiliert, arkebusiert,
aus dem Wege geräumt die
streunende Birke im Leichenhemd,
die Landfahrerin, ihr Haar im
Schlammsee vom Froste verfilzt.
Vor dem Hünengrab im Sperrmüll
der Kriegsmoräne die geschundene Fichte,
in deren Rinde der Borkenkäfer
des Todes Hieroglyphen geschnitten.

Wotans Eiche, ins Gras gebissen,
braun und raschelnd ihr Blattpergament
mit vertrocknetem Aderngerüst.
Vom Mörser zermalmt
die blutenden Dolden
der Ebereschen.
Der Wald, auf dem Feld
der Ehre gefallen.
Von der großen Armee
abberufen zur großen Armee.
Er starb den Soldatentod.
Das Urteil, vollstreckt.
Erstochen, gemetzelt, vergiftet.
Denn er war unser.
Auf dem Schindanger,
unter dem das Gift schwärt,

ruht er in Frieden
bis zum nächsten Kriege,
und aus seinen Gebeinen erblüht,
warte nur, balde,
das Blutbad der Heiderosen.
Valleri, vallera
und juchheirassassa,
bester Schatz, bester Schatz,
denn du weißt es, weißt es ja.

Schwabenländisches

Stammeseigenschaften

Uffrichtich ond gradraus
– solang mer koin schada drvo hot –
guatmiatich bis dortnaus
– aber net wenn s om s geld goht –
wenn s sei muaß saugrob
– solang nex uff-m schpiel schtoht –
dees isch dr schwob.

Ein schwäbischer Radikaler

Die württembergische Geschichte ist eine Geschichte der Schandta-
ten des regierenden Mittelmaßes gegen den schöpferischen Geist.
Mißachtung, Hunger, Verfolgung, Haft, Berufsverbot, Vertreibung
oder Tod für Jörg Ratgeb, Nikodemus Frischlin, Kepler, Schiller,
Hegel, Hölderlin, Schubart, Mörike, Herwegh, Hesse, Brecht und
Einstein. Diese radikalen Söhne des Landes, die sich bemühten, den
Dingen an die Wurzel, der Wahrheit auf den Grund zu gehen, waren
in ihrer Heimat immer unerwünscht. Erst nach ihrem Tod schmückten sich die Verfolger des Geistes heuchlerisch mit »unserem Schiller« und »unserem Hölderlin«.

Johannes Nefflen, den ich hier beschreibe, nannte den Hohenasperg den »Ölberg Württembergs«. Wahrlich, er ist der schwäbische
Olymp, Zwangsherberge für schwäbische Freiheitskämpfer, grausig-
stes Idyll, das sich dieses Land schuf; ein Orientierungspunkt, drei-
hundertsechsundfünfzig Meter über dem Meeresspiegel mit weitem
Blick über die schwäbische Landschaft, mit tiefem Blick in die
württembergische Vergangenheit. Justinus Kerner schrieb: »Das
Merkwürdigste dabei war mir daselbst des Dichters Schubart Gefängnis. Es stand auf dem höchsten Punkte dieses Berges und heißt
das Belvedere, denn die Aussicht auf ihm ist prachtvoll. Der größte
Teil Württembergs, besonders die Gefilde des Neckars mit ihren
Städten, Dörfern und Burgen liegen hier im schönsten Licht ausge-

breitet. Der arme Sänger saß tief unten in einem Gewölbe, wo nur wenig Licht und Luft, jedenfalls keine Aussicht ins Freie war. Welche Tantalusqualen müssen ihm die Ausbrüche von Bewunderung und Freude der Besucher dieses Belvedere über ihm beim Anblick dieser schönen Natur gewesen sein, drangen sie zu ihm hinab in den dunklen, verlassenen Kerker, in welchem er so viele Jahre saß.«

Johannes Nefflen teilte mit ihm achtzig Jahre später für zwanzig Monate das Los. 1789, im Jahr der Revolution, in Oberstenfeld geboren, wurde er 1815 Schultheiß in Pleidelsheim. 1831 in den Landtag gewählt, schloß er sich, seiner Zeit als Demokrat weit voraus, der Opposition um Uhland, Pfizer und Römer an. Er stimmte gegen die Regierung. Von nun an galt er als Radikaler, als regierungs- und königsfeindlich, außerhalb der Metternichschen Grundordnung stehend. Er wurde observiert. Erkenntnisse gegen ihn wurden gesammelt. Die Klage, die gegen ihn erhoben wurde, reichte nicht aus. Zweimal wurde er freigesprochen. Die Politbürokratie sammelte Stroh und Holz zur Verbrennung des Ketzers. 1837 bekam er von höchster Stelle den Wink, »er möge sein Amt, das ihm unter den obwaltenden Umständen ja doch nur zur Last sein müsse, aufgeben und eine andere Beschäftigung suchen, die seinen Anlagen und Neigungen noch mehr entspreche, etwa die Verwaltung eines größeren Bauerngutes«. Ein Manuskript wurde beschlagnahmt und vernichtet. Was Nefflen angekreidet wurde, war die Aufklärung des Volkes zum besseren Neuen und der Kampf gegen die Machthaber, die das schlimme Alte zusammen mit ihren Pfründen erhalten wissen wollten – ein Zweifrontenkrieg gegen die Übergriffe der Herrschenden und gegen die Dummheit und Stumpfheit der Untertanen, die auf dem Standpunkt stehen: »Was brauchet mir ebbes Neis en onserm Ländle, solang mer no gnuag alts Glomp hent.« Die Folgen waren Denunziation, Beschattung, Anklage, Isolierhaft ohne Urteil, Berufsverbot, Bücherverbrennung. 1848 gelang Nefflen die Flucht nach Straßburg. Er versuchte die badische Revolution nach Württemberg zu importieren. Er wartete auf die Gründung einer deutschen Republik. Aber ihm blieb nur die Resignation und die Emigration nach Amerika, wo er 1858 starb.

Seine einzige Schuld waren seine dichterische Begabung, seine Fähigkeit, die Sprache des Volkes zu sprechen und von diesem verstanden zu werden, seine Zivilcourage und seine Fähigkeit, Mißstände satirisch zu geißeln. »Die Satire wirkt sehr verschieden, und die Ursache davon liegt in der mehrfachen Art des Genusses; sie ist hierin den Distelköpfen gleich, denn bei diesen kommt es sehr darauf an, ob ein Distelfink seine Nahrung daraus pickt oder ob ein heiß-hungriger Wolf im Eselstalle davon ein Maul voll nimmt.« Sein Aufpasser und Denunziant hieß Wolf.

Im Vorspruch zu seinen Gedichten heißt es:

»Für Hoch- und Wohlgeboren, Hochwürdig und Gelehrt
Seid ihr nicht auserkoren, ist euch kein Kleid beschert;
Nicht fein das Tuch am Rocke, in Wolle zwar gefärbt,
Doch ist's nicht dekadieret – die Höschen sind gegerbt.«

Glaubensbekenntnis

Em herza
ben e katholisch
s gwissa han e
von ema schtondabruader
tauft ben e
evangelisch
em wesa ben e
a proteschtant
mit meinera kirch
ko-n-e net viel afanga
se isch mr
net proteschtantisch gnuag
s isch ehra eba net gegäba.

so ben e als chrischt
halt so ebbes
wi-a ökumenischer
Gaisburger Marsch:
evangelische grombieraschnitz
a katholischs siadfloisch
ganz oigene schpätzla

mit-ma schtiftlersgschmäckle
gschmälzte zweifelszwiebel
driber ond dees älles
en era labbricha
pietischtischa briah.

i han a baar freind
mo pfarrer send
sottiche ond sottiche
da kraga henta ond
da kraga vorna offa
glaubensgenossa mo halt
so guat s goht
ihr leba
noch dr bergpredicht
ausrichtet
ond ihre schäfla
d sälichkeit net
bloß driba gonnet
au ebbes hiba.

oin drvo han e
i ko s halt schier
net verwaarta
gfrogt
– wann moinsch
isch d Ökumene
amol net bloß
a gschwätz
wann moinsch
daß d evangelisch
ond d katholisch
kirch zammaganget? –

r hot sich
am hals kratzt
ond gsagt
– am Jengschta Tag

aber d
Effangelisch Landeskirch
erscht obeds –.

Schwäbische Weinprobe

Arbeitsgemeinschaft – welch abstraktes, schaffiges, gemeines Wort
für bacchantisches Gewese; stattgefunden im, nein: zu Schloß
Neuenstein; gastgegeben von Kraft Fürst zu Hohenlohe-Öhringen.
Die »Arbeitsgemeinschaft der Weingüter Württemberg-Baden« behauptet von sich selber, die Wein-Gutsbesitzer zu umfassen, die sich
noch nicht an den mächtigen Busen der Genossenschaften geflüchtet
haben. Sie bedient sich auch nicht des Slogans »Kenner trinken
Württemberger« und der Zeichnung eines Mannes, der, wie ein zu
Wohlstand gekommener Fürsorgezögling aussehend, genüßlich etwas aus einem Glase schlabbert. Dem Gesichtsausdruck dieses eti-
kettenverschandelnden Mannes nach könnte es eine Mischung aus
Distelöl und Haarwasser sein.
    Betrachtet man diese Arbeitsgemeinschaft soziologisch, so kommt
man zu dem Schluß, der schwäbische Wein sei wahrlich des Schwei-
ßes der Edlen wert, denn ein Herzog, Fürsten, Grafen und Barone
bilden die Mehrzahl und lassen nur noch wenige Plätze für bürgerliche Partner frei wie den Herrn Eisfink in Asperg, der die Welt bis
nach Sydney mit dem beliefert, was früher schlicht Schanktisch hieß
und heute blitzend technisierte Kühl- und Zapfanlagen sind; für den
Herrn Kern in Oberderdingen, der seinen Wein in echt schwäbischer
Untertreibung sündenfürchtend Kernlestee (Hagebuttentee) nennt;
und für die Stadt Stuttgart, für die der Besitz von Weinbergen zwar
das Prestige hebt, aber den Beutel schwächt, weil dort hinter jedem
Weinstock, wie die Konkurrenz lästert, ein kostenaufwendiger
Amtsrat sitze.
    Zur Arbeitsgemeinschaft gehört auch das Haus Württemberg,
dessen Hofkammerweine einen guten Ruf haben. Herzog Carl, der in
einer Monarchie als Thronfolger heute König von Württemberg
wäre, repräsentiert bei der Weinprobe die Hofkammer; andere

Weingutsbesitzer sind die Fürsten Hohenlohe-Öhringen und Hohenlohe-Weikersheim sowie die Grafen Bentzel-Sturmfeder, Adelmann und Neipperg und die Freiherren von Gemmingen, Göler und Weiler. Manche von ihnen stammen aus älteren Geschlechtern als die Württemberger und waren bis 1806 reichsunmittelbar. Erst Napoleon, der den dicken Friedrich zum König machte, was sich dieser etwas kosten ließ, schlug sie zum und unters Königreich. Während aber zur vielgepriesenen Stauferzeit der fränkische und der schwäbische Adel, des ständig gleichen Friedens und der ständig gleichen Frauen müde, unter dem Vorwand von Kreuzzügen jene gehobenen Kegelausflüge mitmachten, wobei auch gründlich okkupiert, geplündert und gehurt wurde, nährten sich die Württemberger lieber zu Hause redlich, da etwas erheiratend, dort etwas erbend, so daß sie auf legalem Weg ein ansehnliches Herrschaftsgebiet zusammenscharrten und -scharten.

König Wilhelm dem Ersten schließlich waren dann seine Schlösser zu teuer. Er vermachte sie dem Staat, behielt aber den Nießbrauch; deshalb lagern noch heute in den tiefen Kellern des Stuttgarter Alten Schlosses die Weine der Hofkammer. Und all die Landesväter, Diplomaten und Feldherren aus den schwäbischen und fränkischen Geschlechtern brachten von ihren Reisen und Feldzügen nebst fremden Frauen auch fremde Reben mit: Trollinger, Traminer , Burgunder, Muskateller. So hat Württemberg eine der farbigsten Weinpaletten aller deutschen Weinlandschaften. Freilich dezimierte die Erbteilung den Besitz an Weingütern, aber heute ist es so, daß nicht mehr die Weinberge, sondern die Flaschen verteilt werden, und an Flaschen bleibt für jeden etwas übrig.

Vor der Weinprobe Schloßbesichtigung. Schloß Neuenstein gehört dem Fürsten zu Hohenlohe-Öhringen; es ist 1610 gebaut worden. Eine Art Hofsänger führt, nicht wie üblich ein Unterdespot; er preist Herrschaft und Schloß mit viel schönen Reden. Zwei Barockengel mit segnend erhobenem Arm werden nutzbringend eingesetzt: Sie halten das Seil, das allzu naseweises Publikum in Schranken hält. Fürst Heinrich August hat eine Schlacht verloren; in seiner Büste ist die Brust blutig aufgerissen und enthält in natura einen Granatsplitter, den er mit ehernem Gleichmut erträgt.

Schließlich beginnt die Weinprobe unter gotischen Spitzbögen; sie ist wie immer ein Rededuell zwischen den Grafen Adelmann und

Neipperg, den Herrmann Mostar zum Grafen Kneipperg umgetauft hat. Hier wird man Zeuge, wie der Wein die Zungen seiner Produzenten beflügelt, wie er sie auf Pegasus' Rücken lupft und sie von den Musen beküssen läßt. Das schlägt sich schon im Weinangebot des Grafen Neipperg nieder. Da ist ein Müller-Thurgau aus dem Burgwingert, der »Zur Flasche, Schätzchen!« bittet; da ist ein Riesling Kabinett, von dem der Graf oppositionell behauptet: »Obwohl Kabinettsmitglied, nicht ohne Qualität«; ein Traminer ist »eine feinfleischig flitzende Forelle, nackelig schnalzend im Bach«, und dessen Spätlese ist gekeltert »aus Trauben mit aristokratischer Eigenschaft: edelfaul«. Seinen Lemberger nennt der Graf einen »zur Ader gelassenen Weinberg«, und der Lemberger Auslese »entrückt aus der Nüchternheit des Alltages in zeitlose Seligkeit«.

Das Trinken und Preisen die Leiter hinauf begann mit einem Schozacher Portugieser des Grafen Bentzel, süffig, herb, flüchtig. Graf Neipperg sagte, über Portugieser wisse er nicht Bescheid; es sei eine despektierliche Bezeichnung. Er stieg über einen weichen, lieblichen Brüssele Muskattrollinger des Grafen Adelmann zu einem schweren Trollinger des Fürsten Hohenlohe-Öhringen Verrenberger Verrenberg, wobei er über die drei Möglichkeiten der Vernichtung meditierte, welche die Vorsilbe *ver-* anzeige: verrecken, versaufen, verheiraten.

Der Weinbau wurde als Spiegelbild unseres Wohlstands herangezogen; das Bewahren der Weinberge hätten sich alte Familien, die wie perennierendes Unkraut weiterwuchern, zur Aufgabe gemacht. Weiter ging es mit einem Asperger Trollinger, der in großen Jahren große Weine bringt; einem Rosswager Forstgrube Schwarzriesling, schwer und süffig; einem Oberderdinger Kupferhalde mit viel Verspätung: Spätburgunder Spätlese mit Brombeerton, den Graf Neipperg »breit, hinten auf der Zunge und oben auf dem Gaumen maulfüllend« nannte; und schließlich einem Verrenberger Verrenberg Spätburgunder Auslese mit fülligem, überzeugendem Süßton als Krönung der Rotweine.

Graf Adelmann geriet ins Schwärmen, sprach vom Wein als ältestem, kultiviertestem Rauschgift der Menschheit, das die Elemente, die das Jahr beeinflussen, in glorifizierter Form aufnehme und zurückschenke. »Seien Sie gnädig mit der Hausbackenheit unseres Weines, der sich der europäischen Uniformierung widersetzt.«

Und weiter zum Weißen. Weinproben wirken kalauerfördernd. Riesling, der »mit stolzer Armut prunkt«. Graf Neipperg erzählt, wie früher die Weine bei Nacht zur Ulmer Schachtel, die sie donauabwärts führte, geschmuggelt worden seien, damit sie nicht in die Hände der württembergischen Häscher fielen. Graf Adelmann kontert, wenn Käufer und Häscher gewußt hätten, um welche Qualität es sich handle, wären die Weine wahrscheinlich heute noch in der Kelter. Beim Burg Ravensburger Löchle, Riesling Kabinett, dem rassigen Prototyp eines Weißweins, denkt Graf Neipperg an Götz von Berlichingen, und Graf Adelmann schlägt eine Kreuzung des Ravensburger Löchle mit seinem Brüssele Spitze Süßmund, einem »Wein von spiritueller Eleganz«, zu einem Adelmund Graf zu Süßlöchle vor. Der Maulbronner Eilfingerberg der Hofkammer wird als ein kolossaler Körper, der die Brust vorwölbt, gepriesen. Am Hornberger Traminer lobt Graf Neipperg die »ölige Breite, die die Zunge im Maul erschlaffen läßt«, und Graf Adelmann schlägt vor, solche Weine solle man als Aperitif reichen statt der mit einem Zahnstocher durchlöcherten und entjungferten Olive, die in Wermut zwangsgebadet werde, was jeden Pflanzenschutzverein auf die Barrikaden treiben müsse.

Als der Brüssele Müller-Thurgau Beerenauslese des Grafen Adelmann verkostet wurde, wunderte sich der Neipperger, daß ein Mann mit so erstaunlich niederem Bildungsgrad so erstaunlich gute Weine zuwege bringe, die selbst den Erzeuger ins Sabbern brächten, und beim Hohenbeilsteiner Schloßgut Riesling Trockenbeerenauslese (hundertzweiundsechzig Öchslegrade) geriet man ins Transzendentale: Er sei ein Geflecht um den eigenen Glorienschein.

Soweit, so gut. So lange, so angerauscht. Als Report begann's; als Mythos endet's. Dionysos ist mein Zeuge. Als ein Muskateller Schwarzriesling und ein Traminer Spätburgunder Eiswein und ein 1980er, den's noch gar nicht gibt, und und und serviert, verkostet und ungeheuer beleidigend besungen wurden – ich weiß es nicht, wer wem einen Handschuh zuwarf. Die Öchslegrade kletterten, die Sabberer wurden zu Poeten. Die Geparden der Hohenloher sprangen aus dem Zwinger, und die Herren warfen sich vor, die Bauern hätten 1525 vergessen, die jeweiligen Vorfahren in Weinsberg durch die Spieße zu jagen, was heute noch sehr abträglich für den Verbraucher sei und und und und.

Der Autor weiß nicht mehr, war es ein Bleistift, mit dem ein Graf den anderen ritzte, war es Blut oder Spätburgunder, was da floß; es begannen sich Haufen zu bilden, die Barone gerieten zuerst aneinander, Graf Neipperg griff den Grafen Adelmann mit einer Hellebarde an, die ihm das trügerische Aussehen eines Nachtwächters verlieh. Helme blitzten, Visiere klappten herunter, der Autor ergriff zu seiner Verteidigung einen mächtigen Morgenstern, eine an einer Kette befestigte, gestachelte Kugel, mit der man gemeinhin Schädel zertrümmert. Eine Kettenbrücke rasselte herunter. Die Fürsten Hohenlohe gaben sich zunächst gelassen; immerhin schickte der von Öhringen seine schöne Frau vom dräuenden Kampfplatz; eine Trompete schmetterte Alarm; der Herzog von Württemberg empfahl Zurückhaltung, da es sich zunächst um eine Fehde von Duodezfürsten handle; dennoch Massaker, Geschepper der Rüstungen, Klirren der Schwerter richardwagnerisch, Weingutsbesitzer, sich ausrotten wollend. Während der Vertreter der *Esslinger Zeitung* vergeblich die Unterwerfungsurkunde der Stadt Stuttgart vorwies, flossen Schwarzriesling und Lemberger und Brombeerfarbe und Blut in eins. Und während Hera Herakles säugte, versehentlich mit Wein, während sich Danaes Goldregen in Trollinger verwandelte, während Aphrodite ihren Alabasterleib in Muskateller badete, endet dieser Text, dideldum, dulljöh ...

Kenner trinken Württemberger

Wenn d en a wirtschaft kommsch
ond mechtsch an wei
– brenget Se mr an herba durchgorena –
ond d kellnere secht – nehmet Se den
der wird viel tronka –
na laß d fenger drvo
ond bschtell dr liaber a bier.

em johr siebzeahhondertondsechs hent se
z Schtuagert em kiafer Hansjakob Erni

223

wega hochverpönter Verfälschung des Weines
da Kopf rontergschlaga.
dees send no zeita gwä. heit
labbret se ond pantschet se ond zuckret se
da wei ond schtoppet n en dr gärong
ond mantschet siaßreserve dronternei.
sißreserve: dees schmeckt wia sich s aheert
mer kriagt scho vom heera babbiche lippa
ond a Haberschlachter ond a Uhlbacher
ond a Weiler ond a Brackaheimer
ond a Trollenger ond a Schwarzriasleng
schmeckt dr oi wia dr ander
noch eigschlofene diakonissa
wi-a mädle ohne dutt ond ohne futt.
se saget: dees sei
dr allgemeine publikomsgschmack
aber beim wei pfeif e
uff s allgemeine publikom
i be au gega d todesschtrof
aber wenn dia saukerle dia dreckete
mo da wei versiaßet daß r schmeckt
wia diabetikersaich an eunuchagseff
ohne kopf ond ohne schwanz
wenn dia dalgete labbel ihr lebtag zur schtrof
ihr oigena bombolesbriah saufa miaßtet
vo mir aus kennt ehne
s fegfeier drfir erlassa werda.

ond den mo dees gsetz
em bondestag eibrenga tät
den tät i wähla

ond wenn r grad vo Raottaburg wär.

224

Weinfluß Neckar

Der Neckar bringt es relativ nicht weit. Er bleibt im Ländle und nährt sich redlich. Er wagt sich nicht auf eigenen Füßen ans Meer. In Mannheim teilt er sich dem Rhein mit. Er hat einen viel kürzeren Lebenslauf als die Donau. Aber was er dabei erlebt! Im Gegensatz zur Donau ist er ein Proletenkind, im Moor geboren, nahe der nüchternen und fleißigen Stadt Schwenningen. Er rutscht auf allen vieren der Reichsstadt Rottweil entgegen, er liegt ihr zu Füßen, glotzt auf ihre mittelalterliche Silhouette und erfreut sich am Maskentreiben ihrer Fasnet. Im Lauf seines kurzen Lebens sammelt er noch drei Reichsstädte zum Quartett: Esslingen mit seinem mittelalterlichen Stadtkern, das fröhliche Heilbronn und Bad Wimpfen auf dem Berg und im Tal, mit Romantik und Gotik aufs malerischste geschmückt. Er umarmt zwei Wiegen der Weltliteratur: Schillers Geburtsstadt Marbach, Hölderlins Lauffen. Aber auch die zeitgenössische Literatur ist am Neckar beheimatet: Der ehemalige fürstliche Witwensitz Nürtingen hat Klaus Harpprecht und Peter Härtling geprägt. Vom Neckar ging eine technische Revolution aus, auf ihm fuhr das erste Motorboot der Welt, an seinen Ufern probierte Gottlieb Daimler das erste Auto auf der Straße von Cannstatt nach Untertürkheim aus. Carl Benz wirkte in Ladenburg, Robert Bosch in Stuttgart. Aber nicht nur das über die ganze Welt verbreitete Verkehrschaos hat seine Wurzeln am Neckar. Berührt er nur die Peripherie von Stuttgart, weil er es nicht auch noch verantworten kann, daß die Teilung in eine sozialistische und eine kapitalistische Welt dort ihren Ursprung hatte? Hegel ist Stuttgarter. Und ohne seine Philosophie kein dialektischer Materialismus, kein Marx, kein Lenin, kein Stalin, kein Mao. Zum Ausgleich für so viel Entzweiendes wurde aber in Cannstatt auch eine Erfindung gemacht, die zwei Hälften zu Schutz und Trutze brüderlich zusammenhält: der moderne Büstenhalter. *Alt Heidelberg, du feine* und *O Tübingen, du wunderschönes Nest* – die Gelehrsamkeit ließ sich in zwei der ältesten deutschen Universitäten am Neckar nieder. Aber auch zwei an Romantik arme und an Wissen neureiche Universitäten, Mannheim und Stuttgart, hängen am Neckar. Eine Waffenschmiede in Oberndorf und Räderwerke vom Fahrrad bis zum Wankelgetriebe in Neckarsulm.

Der zeitgenössische Poet des Neckars, Otto Rombach, vergleicht den Fluß sehr treffend mit einer tausend Jahre alten Rebwurzel. Denn hier haben die Römer – ihre Neckarkastelle standen in Köngen, Cannstatt und Ladenburg – das schönste Geschenk einer Besatzung hinterlassen: den Wein. Freilich, er ist etwas neckarabwärts gewandert. Die berühmten Essiglagen am oberen Neckar gibt es nicht mehr. Vorbei die Anekdote aus der Zeit, da die Beeren noch mit den Füßen getreten wurden, von dem Weingärtnerstöchterle, das im Riesling zu Schaden kam. »Vatter, i han bluatige Fiaß!« – »Na gang nom en da Trollenger.« Trollingertrauben, die nichts mit den Trollen zu tun haben, sondern von ihrem Ursprungsland Tirol abgeleitet sind, gedeihen in Fülle im Neckarland. Sie geben einen hellroten, leichten, süffigen und, wenn sie von guten Kellermeistern behandelt werden, herben Wein mit Bodegfährtle, also Bodengeschmack.

Der Neckar und seine Nebenflüsse mit dem Fleisch der Lande, die von ihnen genährt werden, bilden das größte Weinbaugebiet in Deutschland. Hier muß man vespern und Viertele trinken. Aber um Gottes willen nicht wespern, sondern feschpern, und neutral, denn ganz schlimm ist die Wesper. Ein Viertele zum Vesper ist zuwenig, wenn aber mehr, dann keineswegs Vierteles, sondern Viertela, am besten im Henkelglas. Dazu Kräuterkäse, Preßsack, Leberkäs – in dem so viel Leber zu sein braucht wie Hund im Hundekuchen –, Peitschenstecken, hausgemachte Würste.

Es lohnt, den Neckar zu begleiten, zu Fuß, mit dem Fahrrad, mit der Eisenbahn, im Auto. Denn von Rottweil an wird auf der Karte die Straße, die ihn bei der Hand nimmt, grün, was bedeutet, daß sich der junge Neckar herausgeputzt hat. Gemächlich im Lauf, von Kapellen, Hügeln, Kirchen, Wirtshäusern und Pappeln gesäumt. Er muß sich anstrengen, denn links lockt den Gefährten der Schwarzwald, rechts die Alb zu Seitensprüngen. Vor der frommen Bischofsstadt Rottenburg nimmt er etwas Weihwasser mit, kurz vor Tübingen schon kratzt die Industrie an seiner Lieblichkeit, vor Schreck wird er jetzt evangelisch. In der Universitätsstadt grüßt ihn eine prächtige Häuserzeile, markiert vom Hölderlinturm, überragt von Stiftskirche und Schloß; eine Straße verführt nach dem gotischen Schloß und Kloster Bebenhausen und in den Schönbuch. Aber nun beginnt der Kampf der Natur mit der Industrie, die ihm bald aus dem Filstal entgegenströmt und ihn einen ärgerlichen Haken schlagen läßt. Von Esslingen an streiten sich Weinberge und Fabriken um Platz an seinen Ufern. Man muß dabei wissen, daß sich hier, im schwäbischen Unterland, der Eingeborene um jedes durch Erbteilungen verkleinerte Stückle abgeplagt und abgeschunden hat, daß jeder Quadratmeter bebaut und gepflegt, aber auch ererbt und erstritten worden ist. Hier riecht es nach Schweiß, Kraut, Akazienblüten, Laugenbrezeln, Bohnerwachs, Dieselöl und Wein. Hier wird der Neckar zum Knecht und Packesel der Industrie.

Aber schon die Stuttgarter Neckarvororte wollen das nicht wahrhaben und schmücken ihren Fluß mit Weinbergen. Er windet sich dankbar, frißt sich durch bizarre Steinbrüche und Felsgebilde, hält sich da und dort die Nase zu, bis er den Arbeitskittel wieder auszieht, bis ihn die Natur wieder hat, bis sich die Rems in ihn verströmt und den Passagier der weißen Neckarschiffe, die er jetzt nebst Lastkähnen und Schleppern huckepack genommen hat, zu einem Landgang und Weinausflug verlockt ins berühmte Remstal mit der Karolingerstadt Waiblingen als Torwächter. Nun begleitet ihn die Weinstraße, damit der Neckarwanderer nicht abtrünnig wird. Links abgelegen das als Fürstenabsteige gebaute Ludwigsburg mit Schloß und Barockgarten, dahinter der Hohenasperg, auf dem viel eigenwilliger Geist, der in diesem Land gedeiht wie der Wein, in Ketten gehalten worden ist. Marbach mit Schillers Geburtshaus, Nationalmuseum, Literaturarchiv. Und wieder eine mittelalterliche Silhouette, die zum Vespern, Bleiben, Besichtigen einlädt, der Weinort Besigheim. Zwischen diesem und Lauffen wirbt das anmutige Gäu, Heuss' weinliebliche Heimat, den Touristen ab, das Zisterzienserkloster Maulbronn, von Hesse haßliebend besungen.

Wer aber dem Neckar treu bleibt, den geleitet er ins fröhliche Heilbronn mit seiner Kilianskirche und dem Rathaus, wo wieder der Abwanderungsversuchungen viele sind. Doch wir bleiben am Nekkar bei Burgen und Schlössern, bei Wein, Brot und Salz, das hier gefördert wird und das unser Leibeswohl in Solbädern fördert. Und mit der Stadtsilhouette von Wimpfen, die noch vor ein paar Jahren wohl die schönste in Deutschland war, heben nun des Neckars beste Jahre an. Ritterstift und Kaiserpfalz in Wimpfen selbst. Und an Hügeln vorbei, mit Weinbergen behangen, oft mit einem Käpple aus Wald, Burg an Burg, Schloß an Schloß, viele davon, die uns Speis und Trank und Herberge anbieten, Rittermahl und Holzbibliothek, aber einfach auch Stille und Noblesse, Komfort und Tradition, wenn uns auch der Schloßherr nebenbei erzählt, daß der Vorfahr über einen eigenen Galgen verfügt hat.

Wohlig badet sich der in die Jahre gekommene Neckar im Wiesengrün, spiegelt Hügelketten, Kirchtürme und hat es plötzlich gar nicht mehr eilig, sich im Rhein zu ersäufen. Er schmiegt sich an die Flanken des Katzenbuckels, des Aussichtsbergs im Odenwald, den er streichelt, verwöhnt uns noch mit dem Stadtbild Neckarsteinachs und ist bald in Heidelberg, das sich mit dem roten Sandstein von Brücke und Schloß selber preist – »verweile doch, du bist so schön «. Ein Blick auf die Bergstraße, das römische Ladenburg und endlich Mannheim, Schillers Fluchtort, Schloß und Nationaltheater, eine behäbige, bürgerliche Stadt, quadratisch so übersichtlich angelegt, daß nachts in das Einbahngewirr dieses Schachbretts mit dem Auto zu geraten ein labyrinthischer Alptraum wird. Der Neckar aber fließt daran vorbei, wendet sich noch einmal um, blickt zurück auf Wald und Weinberg, auf Schloßhotel und Weinwirtschäftle, auf Museen und Theater, auf Kirchen und Kapellen, auf Wanderwege und Uferpromenaden, auf Kirchweih und Weinfest. Er sagt: »Jetzt könnt ihr mir alle mal den Buckel runterrutschen«, eine feinere Art des Götzzitats. Und richtig: Er streift die Lastkähne von seinem Rücken und übergibt sie dem kräftigen Vater Rhein, mit dem er von da an das Bett teilt.

»Sodele!« sagt er jetzt. Dieses Wort kann man kaum übersetzen. Es drückt die befriedigende Beendigung einer Tätigkeit aus, ob diese nun in der Werkhalle, am Schreibtisch oder im Bett stattgefunden hat. Sodele!

Suchen und finden

Ein schwäbischer Schaffer hatte aus einem arg steinigen Burren einen blühenden Garten gemacht. Der Herr Pfarrer sah das mit Wohlgefallen und meinte anerkennend: »Ei, was Sie mit Hilfe unseres Herrn aus dieser Wildnis gemacht haben, das ischt ja wirklich aller Ehren wert.« Darauf der Kompagnon des lieben Gottes: »Ja, ond Sia hättet dia Wüschtenei seha solla, solang's onser Herr no alloi gschafft hot.«

Diese Anekdote, die schwäbisches Selbstbewußtsein, verbunden mit Abneigung gegen Salbaderei, kennzeichnet, könnte auf der Schwäbischen Alb spielen, die früher Rauhe Alb hieß, nicht etwa, weil Klima, Winde und Sprache besonders rauh, besonders räs wären, sondern weil auf dem wasserarmen, steinigen Boden einfach nichts gedeihen wollte. Hier war das Armenhaus des Deutschen Reiches. Aber umsichtige Landesherren, um ihre Schäflein auch weltlich besorgte Pfarrer und weitsichtige Gewerbereformer wie Ferdinand Steinbeis haben schwäbische Frömmigkeit, Fleiß, Anspruchslosigkeit und Tüftlertum als Energiequellen entdeckt und dort eine Heim-, Klein- und Mittelindustrie geschaffen, die sich zwar in der Landschaft versteckte, auf dem Weltmarkt aber sich sehen lassen konnte. Hergestellt wurden Uhren und Musikinstrumente, Waagen und Textilien, Spielzeug und optische Geräte; ferner betrieb man Bergbau und beutete Steinbrüche aus.

Zwar kennen die Einheimischen schon lange die herbe Schönheit des Wanderparadieses, zwar hat es der Schwäbische Albverein gründlich mit Wanderwegen, Rastplätzen, Schutzhütten, Lehrpfaden, Parkplätzen und Heimatpflege durchorganisiert und aufs präziseste geädert – aber der Ruf dieser Erholungslandschaft ist noch nicht weit genug gedrungen und verheißt dem Touristen emphatische Entdeckerfreuden. Die zerklüftete Bastion besteht aus hellem Kalkstein, bäumt sich in einem steile Buchten und Schluchten bildenden Trauf aus der Ebene auf, ist mit Laubwäldern, vornehmlich Buchen, aber auch Eichen, bedeckt, bildet bizarre, zum Klettern einladende Felsklippen, fällt aber sanft in Maaren, Wacholderheiden, Silberdistelwiesen, Trockentälern, Vulkanschloten, Schafweiden und karstigen Äckern zum teils behäbigen, teils cañonartigen Tal der oberen Donau ab.

Das Kapital der Alb ist ihre erholsame Stille, ihr Reiz für den Touristen das Suchen und Finden. Der einstmalige Meeresboden birgt versteinerte Urtiere und Urpflanzen: Farne und Schachtelhalme, Seelilien, Ichthyosaurier und Ammoniten, deren schneckenartige Gehäuse man in jedem Steinbruch findet. Der Wanderer auf der Alb wird zum Fossiliensammler und Hobbygeologen. Das Museum Hauff in Holzmaden hat die schönsten Ausgrabungen im Besitz.

Suchen und finden. Von den über tausend Höhlen ist noch nicht die Hälfte erforscht und ergründet. In ihnen, Zufluchtsstätten für den

Steinzeitmenschen, tut sich unsere Urgeschichte kund. Knochen von Bär, Mammut, Wisent, Nashorn, Affe und Geier. Wundersame Gebilde der Tropfsteine. Manche Höhlen bequem begehbar und beleuchtet, eine mit dem Kahn erfahrbar, viele noch gefährlich unbepfadet. Unterirdische Dome, Wasserläufe, Seen, Gewölbe, Schlupfgänge. *Rulaman* und Hauffs *Lichtenstein* machen sie zum Schauplatz von frühen und späten Geschichten. Aber schon die Entdeckung jeder Höhle ist eine fesselnde Geschichte für sich.

Die Alb ist porös, läßt das Wasser versickern und es in romantischen Quellgumpen wieder zutage treten, deren schönster der Blautopf in Blaubeuren ist, an den sich ein gotisches Kloster mit einem der herrlichsten Schnitzaltäre und die alte Stadt anschließen. Die Alb ist von der Natur unterminiert und birgt Geheimnisse aus über fünfzig Jahrtausenden.

So konservativ ihre Bewohner sind, so wandelbar ist sie im Jahreslauf. Ein später Frühling entlockt ihr zarte Farben. Im Sommer ist sie frei vom bedrückenden Dunst, liefert sie Frische. Im Herbst wird sie verschwenderisch. Sie wechselt täglich das Kleid. Ihr dezent grünes Kostüm, das dekorativ zum Kalkweiß der Felsen kontrastiert, verfärbt sie in jähes Gelb, flammendes Rot. Feuerfarben, die durch die Täler und über die Berge lodern. Dann entschließt sie sich zu dezentem Braun und falbem Strohgelb, bevor sie im novemberlichen Striptease ihr Laubwerk abwirft, sich für den Wintersport freimacht und den nackten Leib mit Eis und Schnee für den Frühling tiefgefrieren läßt.

Suchen und finden. Ruinen mit staufischen Buckelquadern, Schlösser, Burgen und Kapellen. Alte Städte mit verschiedener Geschichte und verschiedenen Gesichtern. Ulm, Reutlingen, Sigmaringen, Heidenheim. Die Kaiserberge und der Hohenzollern. Kunsthistorische Kleinodien, wie die barocke Klosterkirche von Neresheim, das Renaissanceschloß in Urach, das gotische Heiligkreuzmünster und die romanische Johanneskirche in Schwäbisch Gmünd. Stille Badeorte, die die Gesundheit fördern. Heiße Thermen zum Schwimmen unterm Dach und im Freien. Marktplätze und Fachwerk. Schluchten und Wasserfälle. Das Gestüt Marbach. Gediegene Landgasthöfe mit schwäbischen Spezialitäten: Maultaschen, Linsen und Spätzle, Schlachtplatte, Rostbraten, Reh und Lamm. Obstlerschnaps, Apfelmost, Tälesswein, Bier, Skilaufen und Reiten.

Wird der Schwarzwald in vielen Liedern und Geschichten gepriesen, so hat die Alb noch keinen Sänger gefunden, wenn man den auf der Achalm hausenden Holzschneider HAP Grieshaber ausnimmt, der ihre Formen ins Pflanzliche und Menschliche überträgt, oder die Lyrikerin Margarete Hannsmann, die Städte und Menschen ebenso poetisch wie realistisch porträtiert. Suchen und finden. Den Älbler entdecken. Zum Beispiel in Bad Boll. Dort stand eine Wiege der Mission und des Pietismus. Heute ist es Sitz einer lebendigen evangelischen Akademie. In Bad Boll wirkte der Pfarrer Blumhardt der Jüngere, der ein Freund von August Bebel war. Und als der starb, sagte Blumhardt: »Jetzt wird dr Auguscht domm gucka.« Ein bißchen ätsch und schadenfroh, aber der Gnade des Herrn gewiß, die sicher auch dem glaubenslosen Freund zuteil werde. Oder Tiberius Fundel, das Original, Müller und ehemaliger Landtagsabgeordneter aus dem romantischen Lautertal, der ein bildhaftes Schwäbisch spricht. Etwa so: »Der isch so geizich, daß ehn jeder Furz reut, weil er moint, er miaßt's Gschmäckle no omsonscht dreigeba.« (Der Schwabe hat nur vier Sinne; Geruch und Geschmack sind eins.) Der Bere Fundel, in Sprache, Gemüt und Hilfsbereitschaft verschwenderisch, der in Deutschlands dunkelster Zeit als gläubiger Christ und eigener Kopf mit seiner Meinung nicht hinterm Berg hielt, Gestapo-Spitzel zwang, ausländische Sender zu hören, Juden und Zwangsarbeiter beschützte, den Kreisleiter von Münsingen zum Paulus und Emigranten machte und in der Hungerzeit für nicht immer ganz rechtmäßigen, aber gerechten Ausgleich zwischen Produzenten und Konsumenten sorgte. Im Bauerntheater in Hayingen lernt man den Älbler auf der Naturbühne und im Publikum kennen.

Der Schwabe besteht aus einem Sack voll Widersprüchen. Hegels These und Antithese sind in ihm verkörpert. Er hat die Lebensaufgabe, das eine oder andere in sich verkümmern zu lassen oder in einem langen Reifeprozeß zur Synthese, zur harmonischen Ausgewogenheit der Gegensätze seines Wesens zu finden. Man sagt von ihm, daß er erst mit vierzig gescheit werde. Die schwäbische Alb entspricht diesem Phänotyp. Auch sie neigt zu Extremen. Herbstbunt und winterweiß, verkarstet und quellenverklärt, frostklirrend und sommerbesonnt, Felsgezack und Orchideenwiese, Bärenknochen und Schwalbenflug, Höhlendunkel und Sonnenbrand, Stauferruine und Spielzeugfabrik, Ichthyosaurier und Drachenflieger.

Wer jedoch das Idyll sucht, anmutiges Gleichmaß, Urlaub für den Individualisten, dem bietet sich der Schwäbische Wald mit seiner Ausstrahlung ins anmutige Hohenlohe an. Eine Landschaft, die dem Charakter ihrer Bewohner entspricht, altes fränkisches Stammes- und Sprachgebiet. Ist der Schwabe ein Eigenbrötler, Sinnierer, Sektierer, Bruddler, Brettlesbohrer und Tüftler, eigensinnig, wortkarg, rechtschaffen und fleißig, so ist der Franke ein Genießer, Schlitzohr, Babbler und Schelm, wendig, freundlich, tolerant, anpassungsfähig. Er setzt dem lutherischen »Hier stehe ich, ich kann nicht anders« sein »Man muß sich halt arrangieren« entgegen. Er hat es aus seiner Geschichte gelernt. Denn im Hohenlohischen gab es um 1300 nicht weniger als zweihundertsiebzig Burgen und Rittersitze, und die Herren wechselten oft und schnell, verkauften, verheirateten, verpachteten und verpfändeten Land und Leibeigentum, und die Untertanen wurden gezwungen, vielerlei Herren karges Brot zu essen und vielerlei Herren Ruhmeslied zu singen, bis die aus Freien Reichsstädten, Duodezfürstentümern und Propsteien bestehende Landschaft endlich 1805 an das ungeliebte Königreich Württemberg fiel, das sie zunächst als riesigen Kolonialblinddarm ausräumte und vor sich hin gammeln ließ. Vom Verkehr umgangen, von der Industrie gemieden, blieb es so eine köstliche späte Frucht für den Fremdenverkehr, der auch den Namen Schwäbischer Wald geprägt hat. Der Schwäbische Wald besteht aus einer Vielfalt von Hügeln, Mischwäldern, Tälern, Feldern, Weinbergen, Burgen und Schlössern, hat sich als Blume an den Hut das Hohenlohe gesteckt, wird von den Flußgeschwistern Kocher und Jagst fast im Gleichschritt parallel und im Süden von der etwas eigenwilligeren Murr durchflossen. Das Land ist lieblich, anmutig und anheimelnd, zutraulich, behaglich und idyllisch, wie sich die Straße nennt, die seinen südwestlichen Teil umkreist. Total dezentralisiert, besteht es aus einem Sternbild von Kulturmittelpünktchen. Da ist Murrhardt mit seinen römischen, romanischen, gastronomischen, theosophischen und anthroposophischen Bezügen, Heimat des Tiermalers Zügel und des schwäbischsten aller schwäbischen Maler, Reinhold Nägele. Da ist Schwäbisch Hall mit seiner Michaelskirche, die ihren Treppenkatarakt auf den kostbaren Marktplatz ausgießt, einen der schönsten Freilichttheater-Spielplätze, auf dem sich allsommerlich die Schauspieler tummeln. Da ist das fromme Ellwangen mit dem Kern der Stifts- und der Jesuitenkirche, der sich in einem wohligen, baumbestandenen Halbkreis die schönen alten Häuser, die wie aus dem Spielzeugschächtele genommen sind, vom Leib hält und über der Stadt das Schloß und die Wallfahrtskirche wie zwei Schmucklaternen ausgehängt hat. Da ist das mittelalterliche Stadtbild von Vellberg und die reich ausgestattete Schmucktruhe der Comburg. Da sind die Residenzen Waldenburg und Langenburg und Öhringen und Neuenstein, noch von den Herrschaften bewohnt, die sich musisch und leutselig geben und Geschäfte mit der Titulatur Hofbäcker und Hofapotheke nobilitieren. Idyll aus *Kleinem Hofkonzert* und Spitzweg.

Der Adel sowie die Gastarbeiter im Ländle sind auch die billigsten und besten Denkmalpfleger. Der eine hält Schloß und Burg mit enormem Aufwand instand, die anderen bewohnen die für Eingeborene nicht mehr zumutbaren, nur äußerlich heimeligen Fachwerkhäuser alter Städte. Viele der Burgen und Schlösser sind gastlich geöffnet. Doyen der hohenlohischen adligen Gastronomen ist der liebenswürdige Maler Baron von Stetten. In Jagsthausen, beim fränkischen Ritter Götz von Berlichingen – legendär dadurch geworden, daß Goethe ihm den schwäbischen Gruß (der viel älter ist als der *Götz)* in den Mund gelegt und die klassische Literatur durch diesen Analeffekt volkstümlich gemacht hat –, kann man speisen und wohnen und hat den Götz gleich doppelt im Haus: zum einen den Nachkommen als Burgbesitzer und Gastgeber, zum anderen in Goethes Schauspiel, das allsommerlich im Burghof gespielt wird.

Gesegnetes Ländle, das den Touristen einlädt, sich der zärtlich verniedlichenden Endsilbe -le recht häufig zu bedienen, wie es sogar die Geographie tut, die einen Teil dieses Gebiets Berglen benamst hat. Anschmiegsame Landschaft, in der es maielet und blühelet und köchelet und weinelet, und dies gleich doppelt: in den Keltern im Bottwartal, am Kocher und an der Jagst und im Roman *Die Heilige und ihr Narr* der Poetin dieses idyllischen Winkels, der Pfarrfrau Agnes Günther, bei der die Liebe weinelet und herzelet und seelelet und weit weniger herzhaft ist, als es bei den Franken der Brauch. Geschmeidige Landschaft, in der nichts mit dem Kopf durch die Wand will, die wie ihre Bewohner so gar nichts Trotziges und Unbedingtes hat. Ausgenommen eine Hinterlassenschaft aus der Mittelmeerzone: der Limes, die Grenzlinie, die das Land achtzig Kilometer lang schnurgerade mit Schneise, Palisadenzaun, Graben

und Wall durchschnitt, alle paar hundert Meter mit einem Wacht-
turm bestückte und mit einer Kette von Kastellen reichliche Römer-
funde und ein Stück Nachdenklichkeit über das Wesen von Mauern
hinterlassen hat.

Volkslied

Jetzt gang i ans brünnele
trenk aber net
weil ganz en dr näche
von dem brennele
d Gebriader Zaininger & Co
ihren gifticha schlamm
von dr aluminiumproduktzio
hehlenga nachts
en da bach neikippet
ond s oim von dem brenneleswasser
kotzich wird ond mer
s abweicha kriagt
drom gang i ans brünnele
trenk aber net
do suach i mein herztausicha schatz
find ehn aber net
weil nämlich
mei herztausicher schatz
etzt mit ema Porschefahrer goht
dem wo d Cheerio-Bar gheert
denn wo alle brünnlein fließen
da muß man trihinken
an whisky soda om sechzeah mark
oder an liadricha wei
marke Ahr-Schwärmer
d flasch om nainasechzich ond
wenn ich mein schatz nicht rufen darf
tu ich ihm wihinken

234

wenn r so em scheiwerfer schtoht
em rota licht en dr Cheerio-Bar
ond em schtriptihs
sei nackigs fiedle zoigt
ond mer meim schatz bloß
mit ema blaua lappa rufen darf
ju ja rufen darf
tu ich ihm wihinken.

In Oberschwaben musizieren
die Steine

Die Bewohner von Baden-Württemberg sind ständig bereit, sich auf
ein besonders intimes Verhältnis zum lieben Gott zu berufen. Deshalb unterschieben sie diesem auch die Absicht, daß ihr Ländle eine
Sonderanfertigung der Schöpfung gewesen sei. In Oberschwaben
habe der Schöpfer noch einmal eine Musterkollektion landschaftli-
cher Schönheiten zum Park vereinigt und ein Versucherle Hochge-
birge aufgetürmt – wobei ein Versucherle nichts mit dem Malefiz-
Satan zu tun hat, sondern soviel wie ein norddeutsches Kosthäpp-
chen bedeutet –; im Bodensee ein Stückle Meer geschaffen und seine
Ufer mit den Schabracken der Weinberge behangen; die weitfahren-
de Donau als anmutiges Jungfräulein entspringen und sie in ihrer
Jugend Kapriolen schlagen lassen, wobei er ihre Ufer mit Felsen,
Burgen und Schlössern bestückte; die Vulkanberge im Hegau in
Busenform aufgehäufelt; die Gletscher über das Oberland geschickt,
damit sie Moor und Ried und Seen und Endmoränen hinterließen;
das Land mit Kirchen übersät, da ein wenig Wald, dort ein paar
Äckerle eingestreut und das Ganze recht buckelig gemacht, damit
sich die Industrie verkriechen könne und nicht das ganze Land-
schaftsbild versaue, und hinter jeder der vielen Kurven und Kuppen
eine neue, andere Landschaft versteckt, so daß der Eingeborene und
der Wandersmann sich an der Vielfalt der Schöpfung erfreuten. Zum
Ausgleich für so viel Wonne, so sagen die Badener, habe dann Gott
den Schwaben erschaffen.

Eine heitere Landschaft also. Am heitersten in dem Trapez zwischen Donau, Iller, Bodensee und Hegau, wo die Steine musizieren und die Heiligen tanzen. Dieser Landstrich, der bis 1805 weder zu Württemberg noch zu Baden gehörte, ist die Heimat der Oberschwaben und lappt ins Alemannische über. Die Grenzen sind fließend. Vielfältig wie die Landschaft ist auch ihre Geschichte. Das Gebiet bestand bis zum Reichsdeputationshauptschluß, als der größere Teil an Württemberg, der kleinere an dessen spätere Braut Baden fiel, ein politischer Fleckerlteppich aus Freien Reichsstädten, österreichischen Erblanden, kleinen Fürstentümern, Erzstiften, Deutschordensgebiet, Grafschaften, Reichsabteien, ja sogar reichsfreien Bauernhöfen. Dennoch ist das Land großzügig, prächtig, reich, frei und weit. Kunst und Landschaft verbinden sich hier wie nirgendwo in Deutschland.

Die liebliche Bodenseeinsel Reichenau mit ihren drei romanischen Kirchen bildete zusammen mit dem Kloster Sankt Gallen die Wiege des mitteleuropäischen Christentums. Ihre Schwester, die Mainau, ist eine Blüteninsel, die vom Frühling vier Wochen früher als die Norddeutsche Tiefebene besucht wird. Betrachtet man den Bodensee aus der Segelflugperspektive, so sieht er wie ein Hase aus. Den Schwanzstummel bildet die Bucht zwischen Bregenz und Lindau. Die Taille sitzt zwischen Friedrichshafen und Romanshorn. Der Bodanrück trennt die Ohren ab. Wie Clips sitzen die beiden Inseln und die Stadt Konstanz in den Löffeln. Links ist der Hase schlitzohrig; von der Stadt Radolfzell und der Halbinsel Mettnau in Gnaden- und Zeller See gespalten, läuft er im Untersee in den Oberrhein aus. Wie Flöhe wuseln die weißen **Segel** über den Hasen, stetig kraulen die grauen Bodenseeschiffe sein Fell. Bodensee: Wein und Fisch und Obst und Blüten und Kunst und Bad und Sport. Romantische Städte mit heimeligen Wirtschaften, Sonne und Lieblichkeit, und dahinter der Postkartenprospekt der Alpen. Der Bodensee ist verbindlich und verbindend. Bei einem Vetterlesfest der Bodensee-Anrainer brachten diese ihre Spezialitäten mit. Der Badener seinen Seewein. Der Schweizer seinen Käse. Der Österreicher Mehlspeisen. Der Bayer Gselchtes, Knödel und Bier. Und der Schwabe seinen Bruder, damit das viele Zeug auch wegkommt. Man ist verwandt, alle Anrainer sind Alemannen. Man neckt sich und versteht sich. Aber man pflegt auch die Unterschiede.

Der Bodensee bietet soviel Abwechslung wie sein Hinterland Oberschwaben. Dort wohnt ein fröhlicher, munterer, genießerischer Menschenschlag, vom Katholizismus geprägt, mit Sinn für Farbe, mit Freude an Theater, Vermummung, Fasnacht. Der ironische und erotische Christoph Martin Wieland, der wortgewandte Erzähler Martin Walser, der bilderreich wuchernde Abraham a Santa Clara – sie sind Söhne dieses Landstrichs. Sie können mit der Sprache graziös und schwelgerisch umgehen. Rokoko und Barock. Hier lebte der Pfarrer, Schneider und Bauer Michael Jung, der seine verstorbenen Pfarrkinder am Grab mit Liedern zur Laute besang. Kein Wunder, wenn man behauptet, eine Beerdigung in Schussenried sei relativ lustiger als die Stuttgarter Fasnacht. Auf diese Stadt Schussenried hat mein verstorbener Freund Herrmann Mostar kurz nach dem Krieg einen der schönsten Schüttelreime gemacht, die ich kenne:

> Als Ruth von ihrem Russen schied,
> Da ging sie heim nach Schussenried.
> Dort drang aus allen Rissen Schutt.
> Das Leben ist beschissen, Ruth!

In Oberschwaben bieten die Kirchen Vorstellungen des Welttheaters an. Geistiges wird nicht sinnbildlich, sondern sinnlich greifbar dargestellt. Engel als elegante Hermaphroditen. Gezierte Heilige und Märtyrer, die eher Ballettänzern denn Asketen gleichen. Wollüstig kokett spreizen sie die Zehen. Die übermütigen und flatterhaften Putten sehen nicht so aus, als dienten sie einem autoritären Regime. Licht und Farbe machen den Kirchenraum schwerelos. Früchte, Geranke, Geflecht und Gepflanze lösen die Wände auf. Beichtstühle laden mit Moosfelsen und Palmen zur seelischen Einkehr. In den Deckengemälden öffnet sich ein Paradies der Seligen. Die Grundrisse schwingen im Menuett. Kirchen, Schlösser, Klosterbibliotheken, aus der Landschaft herausgewachsen, in die Landschaft hineingebettet. Land der Madonnen. Die liebste ist mir die von Deuchelried: elegant, schmalhüftig, schwebend, tänzerisch, bei aller Leidenschaft zart. Sie weiß, wie man Gold und Brokat trägt. Die Füße berühren kaum Mond und Schlange, auf denen sie schwebt. Der Sternenkranz ist wie ein modischer Dekor. Die Hände sind beredt. Die Rechte verbirgt den Busen, während die Linke in einer einladenden Bewegung ihrer Wirkung bewußt die Finger spreizt.

All das schildere ich, weil es aus der Landschaft herausgewachsen, weil es übertragbar und beispielhaft ist. Wer sich nicht für Kirchen und Klöster, für musizierende Steine und tanzende Heilige interessiert, möge sich an der Landschaft gütlich tun, welche die Oberschwäbische Barockstraße säumt: eine Kette von dreihundertfünfzehn Kilometer Länge, an der gut drei Dutzend Perlen hängen, von denen nur die graziöse Klosterkirche Zwiefalten, die schönste Dorfkirche der Welt in Steinhausen und das Kloster Weingarten mit seiner wuchtigen Fassade genannt seien. Die Perlenkette ist nach Westen Salem und Birnau zu und nach Osten ins bayrische Ottobeuren beliebig zu verlängern. Während im pietistischen Unterland der Glaube, vom »tiefgrabenden Ernst« getragen, den »bösen Scherzgeist« überwinden sollte, während dort die Erde als Jammertal durchlitten werden muß, widerlegten im Oberland Kunst und Natur diese These, wurde das Evangelium mit Freude verkündet, beschränkte sich die Askese auf die Fastenzeit, folgte auf die innere die äußere Einkehr. Im verträumten, langsam verschilfenden Federsee lebt die köstlichste Fastenspeise, der beste Süßwasserfisch, der Waller. Ihn mit Mandelbutter und Meerrettichrahm zu verspeisen, macht auch den Freitag genüßlich. Wenn ich das Dreieck zwischen Tettnang, Bad Wurzach und Saulgau durchfahre, werde ich immer etwas verdrossen, was bei uns »ogattig« heißt, weil ich dort allein fünf Wirtschaften kenne, in denen zu mahlzeiten fast so unvergeßlich bleibt wie das Lächeln der Madonna von Deuchelried, die den Gast dankbar für die Gaben Gottes macht. Aber man kann doch beim besten Willen zum Mittagsmahl nur einmal dankbeten!

Was es im Oberland zu tun gibt? Durchs Moor wandern, Gräsle und Kräutle beobachten lernen wie der Moormaler Sepp Mahler aus Bad Wurzach. Im Moor baden, entweder in den braunen Schwimmbädern oder in den Heilbädern die Elemente Erde und Wasser vereinigt genießen und wirken lassen. Im Allgäu einen der vielen Badeseen aussuchen, die wie Sommersprossen im anmutigen Gesicht der Moränenlandschaft verteilt sind. Kühe weiden sehen und bimmeln hören. In einer Käserei zugucken, wie der Käse gekocht wird, sich belehren lassen, wie die Löcher ohne Bohren in den Käse kommen – und natürlich ein Mordstrumm Allgäuer, der merkwürdigerweise Schweizer oder Emmentaler heißt, frisch von der Quelle kaufen und es als Mitbringsel heimnehmen. Kässpätzle versuchen –

eines der wuchtigsten Gerichte, die ich kenne. Nach Friedrichshafen fahren und das Zeppelinmuseum besichtigen – der Zeppelin, monströse Elefantiasis schwäbischer Tüftelei, Freudsches Symbol. Etwas im Ahnenklatsch forschen und auf den dicken König Friedrich stoßen, der seinen Stallmeister namens Zeppelin so liebte, daß er nach beider Tod die königlichen Gebeine mit denen des Lieblings vermischen lassen wollte. Erlauchten Ahnenklatsch findet man hierzulande genug; sind doch die Habsburger, die Hohenzollern, die Staufer, die Welfen, die Zähringer alemannischen Ursprungs. Das Land erwandern und erfahren. Ein wenig der Geschichte, viel der Kunstgeschichte nachgehen. Persönlichkeiten wie dem Bauernschlächter Jörg von Waldburg und dem Architekten Dominikus Zimmermann nachspüren. Auf einem großzügigen Bauernhof wohnen – denn oberschwäbische Bauern kannten keine Erbteilung; der Gescheiteste behielt den Hof, die weniger Intelligenten wurden Pfarrer oder Lehrer, spöttelt der Oberschwabe HAP Grieshaber.

Wenn ich das Wort Oberschwaben höre, sehe ich sandfarbene Kühe wiederkäuend auf einer Wiese, die von gelbem Löwenzahn gesprenkelt ist. Vollmond, aufgehängt an einem italienischen Himmel über dem Marktplatz von Wangen, auf dem Gotik, Renaissance und Barock ein architektonisches Trio spielen. Goldgeränderte Plusterwolken über dem fernen Gebiß der Alpen, vor denen der Wind einen lindgrünen Vorhang aus Blütenstaub hochwirbelt. Mit dem Wort Allgäu höre ich die knorrige Sprache der Bauern, den Singsang der Anpreiser, das Quietschen der Ferkel auf einem Markt. Höre den schleppenden Sprechchor alter Frauen das Ave Maria über die Kirchenschwelle tragen. Wenn ich Oberschwaben höre, rieche ich Alpenkräuter, Käse, Weihrauch und frisches Brot. Ich schmecke fleischige Brätknödel in einer kräftigen Rinderbühe, schmecke den firnen Schnee von den Bergen, von denen der Wind eine Ahnung nach Oberschwaben trägt. Wenn ich Oberschwaben höre, fühle ich Moorboden unter den Schuhen federn, Riedgras an meinen Jeans reiben und kühles Wasser aus Brunnenrohren durch meine Finger rieseln.

O Heimatland

Zletzscht hot dr Herrgott
s Schwobaland gschaffa ond sich drbei
no amol gottsallmächtich miah gä.
em Allgai a paar berg uffbeigt
drvor a schtickle meer da Bodasee nagschittet
dem liaba jengferle dr Donau
zur mitgift gä a traulichs tal.
da Schwarzwald gschaffa dockelich ond kiahl
ond tiaf ond schtill mit tanna schträuch
moor berg ond seea wia aus-m schächtele
ond obegreiflich giatich wia r isch
an toil drvo au no de Badenser gschenkt

wär s net dr Herrgott hieß mer s lomperei.

r hot da Necker en da letta graba
hot wengert an sei Ufer ghängt
d Rauh Alb mit heehla woida holder
schof ond felsa bosselt fir da Albverei.
daß r dees liablich ländle om da Kocher
ond om d Jagscht so oifach de Franka
iberläßt dees hätt etzt freilich
au net grad miassa sei. aber so isch r eba.

drfir hot r des Schwobaland mit burga kircha
kleeschter schlesser gschprenkelt
zom possa grad do wo mer katholisch isch
an haufa humus nakarrt. drfir hot dr deifel
schtoiner de evangelische
uff d felder gschmissa.
hot do a Freia Reichsschtadt dort hoimeliche
neschter derfer hefter flecka nagschtreit
äckerla wiesla burra hecka bächla gompa
ond grad gnuag wald fir fuchs reh wiesel
marder dachs ond has. hot s ganze na

recht bucklet gmacht daß henter jedem
buckel an andera landschaft aug ond
gmiat ond herz ond seel erfrischa ka.
mo er na fertich gwä isch hot r
d händ am schaffschurz abgwischt ond hot
gsagt – i moin dees sei fei gar net schlecht –.

na send dia andere schtämm ond velker
mo koi so scheene hoimet kriagt hent
neidisch worda. se hent delegazione
gwählt hent se zom Herrgott gschickt
ge proteschtiera. dees verschtoße gega
s naturrecht von dr chancegleichheit
dr oi häb älles ond dr ander nex.

dodruffna hot halt onser Herrgott
zom ausgleich d architekta gschickt.
ond weil em Schwobaland von alters her
de mendere meh hent z saga wia de gscheite
hot mer de liadriche meh ärbet gä
wia dene mo ihr gschäft verschtanda hent.

se send ans werk. de kloikarierte hent
kloikarierte siedlonga baut. heisla ois
wia s andere wenn d an balla hosch fendsch
nemme wo de wohnsch. verwachsene
heisledubbel mit blende fenschteraigla
ohne wempera ond braua
ond s kappadach wi-a schtompets hiatle
uff-m-a uffblosena meckel. wem-mer s sieht
kennt mer grad moina dene derfer
sei s schlecht worda ond se hättet dia
siedlonga breckelesweis en s land neikotzt.

de ander art von architekta hot sich
verkauft an handel ond gewerbe. se hent
dia alte schtroßa mit paläscht
aus glas ond beto

fir banka ond fir schparkassa versaut.
se protzet zwischa de fachwerkheiser
wia wenn a schießbud en dr lotterie
s groß los hätt gwonna.

en Schtuagert hent se aus de alte plätz
verkehrsvertoiler gmacht. zwoi tiafe schluchta
durch da schtadtkern gschlaga mo koi
autofahrer woiß
wia neikomma wia nauskomma
ond koi passant wia durchkomma ond so isch
etzet älles so verkomma daß d Schtuagerter
hoimetvertrieba gern aus Schtuagert flichtet.

andre hent s land mit maschta iberzoga
wo s am schenschta isch menschter ond dom
fir kraftwerk ond fir d millverbrennong baut
ond aus-m Neckerwasser hent se
a reachte saichbriah gmacht. hent en da
Bodasee neigschissa daß mer dia bäch
ond fliss ond seea baldvoll ens schpital
to miaßt uff d intensifschtazio
zur kinschtlicha beatmong.

dia freche wolkakratzer mo de bickela
ond bergla da hals zuadrucket an Rems
Murr ond em Neckertal. hochhaus silo
betokubus mo d schtadtsilwett verschneidet
ond kircha daß s m deifel drvor graust.

dees älles hot dr Herrgott miassa macha lassa
aus seim paradiesgärtle dem Schwobaland
daß dia mo moinet se häbet net gnuag kriagt
ihr goscha haltet ond da neid verhebet.

so hent mir etzt a bißle schteppe wiaschte
a schtick Mänhättn ond au mir send
en onserm ländle vor-m hemmel hussa
mer sieht halt iberall wia s menschelet.

ond wenn mir Schwoba onsere kender etzt
zoiga mechtet wia schee des ländle amol
gwä isch vor dr hoimsuachong durch
d architekta schultes kreisbaumeischter
ond au gmoiderät durch
banka ond durch eikaufs-center
na miasset mer halt ens Elsaß niber
drweilsch s von Schwoba no net uffkauft isch.

Beiläufig bemerkt

Der Schein trügt

Das liebliche Mädchenbildnis auf der Vorderseite des Fünfmarkscheins verleiht dieser Banknote einen zusätzlichen ästhetischen Wert. Der Dürerfreund erfreut sich an diesem Anblick: Ein akkurater Scheitel teilt das Haar, das hinten von einem sittsamen Häubchen gehalten wird und sich seitlich in zarten Kräusellöckchen auflöst, die der Künstler mit ungemeiner Liebe gemalt hat. Unter der edlen Wölbung der Brauen sucht ein sanfter Blick die Weite. Ein bescheidenes Geschmeide ziert den Hals. Der Ansatz der Brust ist leider durch die rote Seriennummer der Banknote verunstaltet. Auf der rechten Schulter, unmittelbar unter der Unterschrift eines führenden Herrn der Deutschen Bundesbank, sitzt eine kokette Schleife. Nur den skeptischen Betrachter weiblicher Reize wird die kräftige Nase und der volle, sinnliche Mund nachdenklich stimmen.

Kein Geringerer als Meister Albrecht Dürer hat dieses holde Frauenbildnis gemalt, dessen Original im Kunsthistorischen Museum in Wien hängt. Es ist wohl das lieblichste und anmutigste Porträt, das der Meister geschaffen hat. Wie liebevoll ist das Fleisch dargestellt, mit welcher Zärtlichkeit vertieft sich der Künstler in das duftige Haar, mit welcher Eleganz konturiert er die Schleife, an welcher man bemerkt, daß das Bild leider unvollendet ist.

»Dies Bildnis ist bezaubernd schön!« mag der Laie bewundernd ausrufen. Der Kenner freilich, der erfahren hat, daß sich menschliche Leichtfertigkeit oft genug hinter äußerer Anmut tarnt, sieht diesen Schein mit Unbehagen. Denn er weiß, daß er trügt. Jahrelang hat er die Banknote nur widerwillig in die Hand genommen und zu der Gedankenlosigkeit, mit der die Bundesbank ein öffentliches Zahlungsmittel dekoriert hat, geschwiegen. Nun, da trotz aller Sittenverderbnis Stimmen für die Sauberkeit unseres öffentlichen Lebens glücklicherweise noch nicht verstummt sind, muß auch er dies Schweigen brechen. Die Öffentlichkeit hat ein Recht darauf, zu wissen, was jeder Kunsthistoriker weiß und was sich hinter diesem *Bildnis einer Venezianerin* verbirgt. Denn die Dargestellte gehört zu einer Gattung von Damen, denen wir leider auch hierzulande nur zu oft nachts auf den Straßen begegnen und die in der Renaissance die schöne Lagunenstadt Venedig zu Tausenden bevölkerten.

Auf seiner Reise nach Venedig lernte Dürer 1505 die dargestellte Person kennen. Es war wohl eine flüchtige Begegnung, die nur kurzes Verweilen gestattete, eine Beziehung, die von dem Meister wohl bald abgebrochen wurde, was in der Natur der Sache liegt und was der unfertige Zustand des Bildes beweisen mag. In Nürnberg hatte Dürer eine brave Gattin hinterlassen, von der Freund Pirckheimer sagte, sie sei »nagend eifersüchtig und keifend fromm, so daß er bei ihr weder Tag noch Nacht Ruhe oder Frieden haben konnte«. Aus Dürers Briefen an denselben Freund geht hervor, daß der Meister dagegen in Venedig in Kreise geriet, die ihn Wert auf recht äußerliche Dinge legen ließen: Er wurde auffallend eitel, zeigte übertriebene Freude an neuerworbenen Gewändern und besuchte gar eine Tanzschule. Kein Zweifel, daß sich ein schönes Fräulein seiner liebend annahm und daß es sich bei der auf dem Geldschein Dargestellten um eine venezianische Kurtisane handelt, was im Jahrbuch der Kunsthistorischen Sammlungen in Wien (Band 36, Heft III) mit wissenschaftlicher Akribie und Sachlichkeit nachgewiesen wird.

Gewiß ist es löblich, daß die Bundesbank auf ihren Banknoten Meisterwerken deutscher Kunst einen Ehrenplatz im Portemonnaie einräumt. Muß aber das ahnungslose Auge der Hausfrau, muß der arglose Blick des Kindes, dem man ein Scherflein zur Befriedigung moderner Kleinstverbraucherwünsche zusteckt, mit dem Anblick des Lasters konfrontiert werden? Wohin würde es führen, wenn alle Geldscheine mit Bildnissen skandalumwitterter Damen, über deren Namen und Taten unsere Illustrierten leider nur zu ausführlich berichten, verunziert würden? Es ist freilich beklagenswert, daß selbst große Künstler in der Darstellung des Lasters mehr Vergnügen finden als in der Darstellung der Tugend. Wäre es nicht dennoch ratsamer, Banknoten statt mit im Sujet fragwürdigen Kunstwerken mit Fotos von Männern und Frauen zu schmücken, die sich im Kampf um die Tugend einen Namen gemacht haben?

Wir wollen nicht mit moralischer Entrüstung zur Aktion »Sauberer Geldschein« aufrufen. Wir wollen die Bundesbank nicht auffordern, die anrüchige Dame aus dem Verkehr zu ziehen. Wenn diese Mahnung nur den Erfolg hat, daß sittlich denkende Naturen den trügenden Schein höflich, aber bestimmt zurückweisen und statt dessen zum Fünfmarkstück greifen, den der weniger anrüchige Bundesadler schmückt, dann wäre dieser Betrachtung Lohnes genug.

Tennisballgeflüster

Binnen zehn Minuten sind die blütenweißen Socken ziegelrot getönt, die Kehle ist trocken, das Herz trommelt auf dem gleichnamigen Fell. Was manche Leute so schön daran finden, auf einem schattenlosen, staubigen Platz einem weißen Ball nachzujagen, ihn über das Netz hinweg dem Spielkameraden so zu servieren, daß der ihn möglichst nicht kriegt? Sich die Lunge aus dem Leibe zu rennen. Den anderen noch mehr aus der Puste zu bringen. Schwitzend und japsend in einer Art Zwinger auf streng begrenztem Feld die Bälle ins Netz zu dreschen oder über die weiße Linie hinaus ins Out. Sie alsbald wieder einzusammeln, um den Tanz von vorn zu beginnen. Den Ballwechsel mit lapidarem Wortwechsel zu begleiten: Fünfzehn – dreißig – aus – zweiter Satz...

Was die Leute so schön daran finden... Manche scheuen wohl deshalb keine Strapaze, weil sie wähnen, mit dem Ausweis eines exklusiven Tennisklubs – und welcher Klub dünkte sich nicht exklusiv? – den Nachweis in der Hand zu haben, daß sie etwas Besseres seien. Bürgen bürgen dafür. Für was sollten sie sonst auch bürgen? Andere mißbrauchen den Tennisplatz als Tummelfeld für ihren Ehrgeiz. Mit Anfängern verkehren sie nicht, weil sie sich sonst ihren Schlag verderben. Als schlechte Verlierer pflegen sie notfalls ein bißchen zu mogeln. Die Bälle des Gegners sind im Zweifelsfall immer knapp außerhalb der Legalität. Die nicht in einen Sieg umgedeutete Niederlage löst Wut aus.

Nun, der Mehrzahl der passionierten Tennisspieler dürfte es Spaß machen, zu beobachten, wieviel Psychologisches da mitspielt, wie rasch sich der neue Partner entpuppt oder wie sich Ehequalität in einem Doppel spiegelt. Ein kleines Nebenprodukt des großen Vergnügens, das offenbar darin besteht, sich spielend zu verausgaben. Spielend werden auf dem Tennisplatz Spannung und körperliches Wohlbefinden eingehandelt. Der Homo ludens, der in jedem von uns angelegte »spielende Mensch«, oft geradeso unterdrückt wie der innere Schweinehund – hier kann er sich entfalten: Lust produzieren an schweißgebadeter Eleganz, an flinken Etüden der Konzentration, der Körperbeherrschung, des schlagfertigen Reaktionsvermögens, der taktischen Phantasie.

Lob des Gärtners

Der Hobbygärtner übt seine Tätigkeit nicht aus schnödem Gewinn-
streben, sondern einfach »nur so« aus. Die Nur-Soisten sind so
prächtige Leute, daß sie eigentlich eine Interessengemeinschaft der
nicht am Zweck Interessierten bilden sollten. Der Gärtner lebt im
Einklang mit der Natur und ihrem Schöpfer. Wenn er Blumen
pflanzt, versucht er die ästhetischen, wenn er Gemüse pflanzt, die
alimentierenden Möglichkeiten der Natur zu wecken. Der Gärtner
ist eine durch und durch friedliche, bewahrende Natur. In Sonnenhut
und grüner Schürze hat er die Absicht, mit der nährenden Gießkan-
ne, dem ordnenden Rechen, der lockernden Hacke, dem gründlichen
Spaten, der zähmenden Gartenschere die Welt zu verschönern, zu
kultivieren, das Paradies wiederherzustellen. In einer von der Bewe-
gungsneurose heimgesuchten, unruhigen Welt, in der nicht nur das
Wandern des Müllers Lust ist, bleibt er seßhaft. Und wenn er an den
Osterfeiertagen in seinem Gärtle dottergelbe Osterglocken und For-
sythien mit eiweißfarbenen Narzissen und lindgrünem Laub zum
Strauß bindet und sich an der Ruhe erfreut, empfindet er das erhebende Gefühl – vor allem wenn er dann und wann das Radio einschaltet,
um die Verkehrsdurchsagen zu genießen –, daß er der vernünftige Pol
einer Welt ist, um den sich alles dreht, um den herum zehn Millionen
geschuckter Esel in Blechwürmern auf Bundesstraßen und Autobahnen je nach Laune Merkurs rasen, schleichen oder gar gestaut werden, um ihre Lungen mit Abgasen zu füllen.

   Der Gärtner mit seinem friedfertigen und genügsamen Gemüt ist
so naiv, daß er sogar das glaubt, was auf Samentüten abgebildet ist. Er
befriedigt in seinem Garten der Lüste kindliche Urlüste, die auf
schwäbisch grubla, dreckla, läbbera, zündla heißen. Wer anderer als
der Gärtner kennt die Wollust, einen Komposthaufen anzulegen, zu
pflegen und zu mehren? Da gilt es schon in der Küche organischen
Unflat von anorganischem Unrat zu trennen. Glas, Plastik, Korken,
Folien, Silberpapier sind dem Kompostler ein Greuel. Er teilt den
Abfall in Gerechte und Ungerechte: umweltfreundliche Papierguk-
ken rechts, umweltfeindliche Plastiktüten links. Gemüseabfälle, ver-
welkte Blumen, Asche, abgeschnittene Zweige erfreuen des Kom-
postlers Herz. Er weiß, daß seine Zigarrenasche kostbarer natürli-

cher Dung ist, und spendet sie fast rituell einem Rosenstrauch. Oder gar die Barthaare aus seinem Rasierapparat, reines Hornmehl, dediziert er galant dem verwöhnten Orangenbäumchen, das nur an Sonnentagen ins Freie gebracht wird. Fischgerippe, Eierschalen, Knochen, Zeitungspapier und die Strünke vergammelter Königskerzen und Sonnenblumen stürzen ihn in schwere Zweifel: Wird der Komposthaufen wacker genug sein, solch kräftige Kost zu verdauen? Verwesliches ist ihm sympathischer als Unverwesliches, ein Hundertmarkschein lieber als eine Silbermünze, nicht weil er mehr Wert hat, sondern weil er kein Fremdkörper in seinem Komposthaufen wäre. In Alpträumen erlebt er, wie Übeltäter seinen Komposthaufen mit einer zerlegten Schreibmaschine schänden.

Er pflegt seinen Kompost, indem er ihm Kalk, Torf, Hornmehl zusetzt. Er wässert ihn mit gespeichertem Regenwasser, er schlägt bisweilen heimlich, wenn es niemand sieht, auch seinen kleinen Beitrag aus dem eigenen Wasserhaushalt ab. Er macht ein Feuer und verbrennt darin die organischen Stoffe, von denen er meint, sein Komposthaufen könne sie nicht verkraften. Er arbeitet ihn tüchtig durcheinander zu einem Wurmparadies, zu einem Schöpfungsbrei. Aber daraus göttergleich Menschen zu schaffen, dazu wäre ihm der Kompost viel zu schade. Wenn er solches im Schilde führte, bliebe er lieber bei der alten, konservativen Methode.

Kleines Rasenstück

Ich weiß nicht, wie das die Dichter machen. Kaum liegen sie im Grase – man beachte das e; unsereins liegt höchstens im Gras –, da bekömmt ihre Seele schon Flügel. Ein Quadratmeter Wiese am Wegesrand wirkt auf einen Poeten reimlösend. Ihm wird eichendörfflich zumute. Seine Gedanken bewegen sich im Jambentrab. Er greift zum Kugelschreiber und gestaltet Erhabenes.

Nicht daß mir auf einer Wiese nichts einfiele. Aber wenn ich mir so den Klatschmohn betrachte, dann denke ich weder an Morgenröte noch an Karminlippen. Der Klatschmohn erweckt in mir lediglich Gedankenverbindungen zu Ohrfeigen, Tante Ottilie, Opiumschmuggel und Salatöl. Das alles ist weder erhaben noch poetisch. Auch Tante Ottilie nicht, was für die hinzugefügt sei, die sie nicht kennen.

Ich weiß, was Sie jetzt einwenden. Ja, ja, das *Kleine Rasenstück* von Dürer! Aber es ist nicht überliefert, ob der Meister erhabene Gedanken hatte, als er es porträtierte. Es ist gut möglich, daß er sich dabei überlegte, wann wohl die Dürerin wieder einmal Kartoffelknödel mit Geselchtem koche. Wenn er schon Kartoffeln gekannt hätte.

Ich habe den Versuch gemacht, mich ins Gras gelegt und meine Gedanken beim Anblick eines Rasenstücks registriert. Aber ich wage kaum, diese Gedanken niederzuschreiben.

Es gibt zweierlei Möglichkeiten, so dachte ich mir, eine Wiese in gemähtem Zustand zu verwerten: Entweder verfüttert man das gedörrte Gras als Heu, oder man verkauft es in kleinen Päckchen als Gesundheitstee. Gesundheitstee heißt so, weil der Hersteller dabei finanziell gesundet.

Das hier sind Kamillen. Zwischen den Fingern zerrieben duften sie angenehm. Abgekochte Kamillen sind gut gegen Entzündungen. Ich persönlich ziehe Erdbeerbowle als Getränk vor. Aha, Erdbeeren wachsen hier auch. Sie zu sammeln ist schwierig, weil sie so tiefstaplerisch gedeihen. Man hätte für Barbara eine Erdbeerbowle ansetzen und sagen sollen: »Jede Erdbeere, die auf der Bowle schwimmt, war ein Bückling für dich!« Denn auch in der Markthalle gekaufte Erdbeeren sind stumm und können keinen Bückling Lügen strafen.

Das hier ist Wolfsmilch. Ihr Saft ist gut gegen Warzen. Ich habe keine, kann also im Gegensatz zu Romulus und Remus auf Wolfsmilch verzichten. Daneben wächst Salbei mit wolligen Blättern und blauen Blüten. Riecht ebenfalls angenehm. Salbeiblättertee soll gesund sein. Aber ich ziehe es vor, die Blätter um Aal zu wickeln und ihn dann zu braten. Schmeckt deliziös!

Da kommt eine Ameise. Ameisen sind gut gegen Rheumatismus. Sind aber unsympathische Tiere. So fleißig, so geschäftig! Bienen sind auch fleißig und gut gegen Rheumatismus, aber komischerweise sympathisch. Sehen aus, als besöffen sie sich am Nektar. Ameisen dagegen machen einen ausgesprochen abstinenten Eindruck.

Man sollte doch im Gras viel mehr an Waldesdom und Wolkenstrom denken. Wenn ich jetzt ins Gras beiße – dumme Redensart! Das da ist Wiesenschaumkraut. Sieht wirklich sehr duftig aus. Wie nett, wenn sich eine Nymphe darin badete. Aber Liebe auf der Wiese – ich weiß nicht! Die abstinenten Ameisen hätten sicher was dagegen.

Die Glockenblume hat sich elegant in zartes Violett gekleidet. In ihren Blütenkelch sind fünf tiefe Dekolletés eingeschnitten und fünf scharfe Falten gebügelt. »Glockenblumen läuten den Frühling ein – Herz hinein.« Bißchen spät, dieser Reim, außerdem falsch und ziemlich blöd.

Viel Gras gibt es auf einer Wiese. Das da sieht wollig und aufgeplustert wie ein Pfeifenreiniger aus. Sein Nachbar zittert leise vor sich hin. Hat vielleicht Lebensangst wie Pudding; der zittert auch. Das da ist Sauerampfer, den haben wir als Kinder gegessen, und da unten wachsen Binsen, ein Zeichen, daß dort ein Bächlein in die Binsen geht; aber das ist eine Binsenwahrheit.

Der Mensch im Gras scheint von blutdürstigen Tieren als Tankstelle betrachtet zu werden. Da kommt schon wieder so ein Biest angeflogen, das man bei uns zulande Bremsen nennt. Warum Bremse? Kann ein Flugzeug, kann luftfahrendes Getier überhaupt bremsen? Die häßliche schwarze Mücke setzt sich auf meinen Arm. Da sie ein schlechter Starter ist, kann man sie leicht erlegen. Klatsch! Weidmannsheil!

Jetzt möchte ich bloß wissen, was die im Gras werkelnden Dichter machen, wenn sie von einem solchen Tier gestochen werden. Ob sich da in ihren Lobgesang auf den Busen der Allmutter Natur eine kleine Dissonanz einschleicht? Ein unreines Reimerl vielleicht? Denn daß ein Mückenstich den Poeten aus Pegasus' Sattel zu heben oder eine Bremse den dichterischen Geistesflug zu bremsen vermag – das will ich doch nicht glauben!

Waldesluhuhust

Man geht wieder in den Wald. Genauer gesagt: Man fährt in denselben. Wo noch vor wenigen Jahren dann und wann ein einsamer Wandergesell, ein Weidmann oder ein Schwammerlsucher zu gewärtigen war, da rotten sich heute größere Abordnungen unserer Massengesellschaft zusammen. Zum Heil der Erstgenannten dringen sie allerdings kaum fünf Meter in den Wald ein, bleiben eine Randerscheinung. Sie bilden Schwerpunkte, forstamtlich begünstigte Ballungszentren an vorprogrammierten Stationen. Und dies nur am Wochenende. Denn da muß das Auto bewegt werden, so, wie man früher, noch dazu täglich, die Pferde bewegen mußte. Ob's stürmt oder schneit, ob der Verkehr auf den Autobahnen zusammenbricht – was sein muß, muß sein. Es kommt nur darauf an, das Beste daraus zu machen.

Wald ist gut. Viele kleine Rousseaus, geistige Nachkommen des französischen Philosophen, der in der ausgehenden Belle époque das Schlagwort »Retour à la nature« – zurück zur Natur – erfunden hat, empfehlen seinen Ozongehalt, sein augenfreundliches Chlorophyll, seinen hohen Erholungswert, seine beruhigende, atmungsaktive Wirkung auf Nerven und Kreislauf, die dem gehetzten Großstädter echte Gesundheit vermitteln. Der Staat sorgt für forstlichen Freizeitkomfort in Gestalt von Park- und Rastplätzen, Bänke, Papierkörbe und Feuerstellen für Würste am Spieß inklusive. Hier läßt sich's wohl sein. Man zieht das fehlende Mobiliar aus dem Kofferraum – Liegen, Klappstühle, Tische, Fußbänkchen, Sofakissen – und bleibt in Tuchfühlung mit den Nachbarn, die sich ebenso einrichten. Man döst oder hält ein Schwätzchen, blättert in der Illustrierten, verjagt mit dem Transistorradio die Ameisen, Rotkehlchen, Salamander und Rehe, packt den Picknickkoffer aus, schlägt sich den Bauch voll, reizt auf sechsunddreißig, trinkt noch ein Bierchen, hängt blaue Rauchkringel an rotes Staudenfeuerkraut oder wie das Zeug heißt, schirmt so die Nase ab gegen den lästigen Geruch von Waldmeister. Oder ist es Bärenlauch? Ist ja schnuppe, Fichtennadelspray riecht jedenfalls besser. Kurz und gut: Wald ist gar nicht so übel. Man muß ihn nur überlisten, ihn umfunktionieren, mit dem persönlichen Mief aufladen. Neulich sah ich einen in der Gegend von meinem Häuschen im Schwäbischen Wald, der hatte einen Transistor-Fernseher neben dem Auto und starrte mit Kind und Kegel in die Röhre. Da störte der Wald überhaupt nicht mehr. Wirklich wahr.

Wer hat denn den Kalender verschaukelt?

Schneeglöckchen sind noch halbwegs zuverlässig. Wenn sie über Nacht und ganz unangemeldet in des Nachbars Vorgärtchen auftauchen, so darf man mit Fug annehmen, daß sich der Winter früher oder später auf die Strümpfe macht, dem Lenz das Feld überlassend. Winter trägt man heute nach Möglichkeit mini. Der eine schiebt ihn bis zum ersten Niesanfall vor sich her, indem er ihm den warmen Mantel verweigert und beharrlich das Schiebedach offen läßt, der andere, indem er dem enteilenden Herbst in Tunesien eine sommerliche Fortsetzung anhängt. Auf ähnliche Weise sucht man ihn vorzeitig loszuwerden. Wenn Kinder ihn satt haben, bestehen sie darauf, Kniestrümpfe anzuziehen. Den Schneeglöckchen kann man auch nur trauen, wenn man sie in einem Gartenbeet antrifft. Erdbeeren für die Januarbowle sind etwas kostspieliger, und südafrikanische Spargel sind im Gegensatz zum heimischen Qualitätsgemüse nicht frisch gestochen. Wer die Spargelzeit auf hochgelegenen Skihütten verbringt, muß halt im November mit zweiter Wahl vorliebnehmen.

Im März sah ich auf einem Balkon einen Weihnachtsbaum. Sind die Leute aber mal früh dran mit den Weihnachtsvorbereitungen, ging es mir durch den Kopf. Ob die Weihnachtsbäume jetzt auch mit Datumsstempel geliefert werden? Beim Näherkommen entpuppte sich der Baum als ein ausgedientes Requisit des vergangenen Festes. Spät sind sie dran, dachte ich jetzt. Denn ich hatte bereits eine Ausstellung mit progressivem Weihnachtsschmuck für das bevorstehende Fest gesehen, während mein Kaufmann doch fast bis zum Fasching säumte, bis er endlich die Ostereier feilbot. Da haben es die Blumenverkäufer schwerer: Noch um Aschermittwoch sind mit dem Muttertag kaum Geschäfte zu machen. Und das Moosgebinde zum Totensonntag, beliebig haltbar, geht vor den Sommerferien nicht recht weg. Dafür lassen die Gärtner zum ersten Advent den weißen Flieder wieder blühen und läuten das neue Jahr mit Maiglöckchen ein. Worte in den Wind – aber in welchen, bitte? Ist jetzt Saison für den Sommerwind, oder ist das Modell für den Herbstwind schon auf dem Markt? Ach, man hat uns den ganzen Kalender verschaukelt. Lebte Haydn heute, er müßte seine *Jahreszeiten* aleatorisch komponieren, ihren zeitlichen Ablauf dem Zufall überlassen und auf die *Schöpfung* pfeifen. Oder ist es vielleicht kein Zufall, wenn man uns nicht nur zur Weihnachtszeit zum Konsum von Ostereiern animiert?

Das Strichmännchen

»Ich kann dich so schlecht malen«, sagt meine Tochter Minz. »Weißt du, ich male einfach die Wand, hinter der du stehst!« So fängt das an. Nicht lange nach der etwas windschief gegen alle statischen Gesetze gestrichelten Wand, die ein indirektes Porträt darstellt, entsteht das erste direkte Konterfei en face, gekennzeichnet durch den klassischen Reim: Punkt, Punkt, Komma, Strich – fertig ist das Mondgesicht, wobei während des Aufsagens der zweiten Zeile der Inhalt der ersten in einem mehr oder weniger gelungenen Kreis zusammengehalten wird. Das Mondgesicht – man halte ihm zugute, daß es auf so schwachem Versfuß steht – präsentiert gewissermaßen die zweite Stufe kindlicher Porträtstudien. Trotzdem hat es etwas absolut Vollendetes, Endgültiges. Der Mensch erwirbt die Fähigkeit, Mondgesichter zu produzieren, bereits in zartestem Alter, ja oftmals bringt er es in dieser Kunst schon sehr früh zu einer Meisterschaft, die er trotz aller Anstrengungen seiner Lebtag nicht mehr zu überbieten vermag.

Obwohl nach einem scheinbar simplen Rezept verfertigt, hat das Mondgesicht tausend und aber tausend Gesichter. Es kommt nämlich ganz darauf an, wie man die Augenpunkte zueinander stellt, eng zusammen, was ihnen einen dümmlichen, womöglich leicht kriminellen Zug verleiht, oder weit auseinander, wodurch sie gespenstisch dreinschauen; wie man den Nasenstrich und den Mundstrich anordnet, wobei sich eine leicht asymmetrische Tendenz empfiehlt. Der Mundstrich gewinnt besonders, wenn man ihn je nach Belieben konkav oder konvex krümmt. Und wie man zuletzt das abschließende Rund oder Oval, mit anderen Worten, wie man die Form der Birne gestaltet. So gleicht kein Mondgesicht dem anderen, ein jedes hat vielmehr einen ganz individuellen, urtümlichen Ausdruck. Gewisse Experten für moderne Kunst sollten diese radikale Reduktion des menschlichen Antlitzes auf lunare Signale erst einmal einer tiefschürfenden Analyse unterziehen, dann wüßten wir, weshalb wir es in unserem kindlichen Ringen um schöpferische Gestaltung so sehen und nicht anders sehen. Man denke nur an Samuel Becketts Bühnenfiguren! Sieht seine *Endspiel*-Mannschaft nicht ganz so aus, als sei sie nach dieser Manier porträtiert?

Während Becketts Figuren in ihrem Untergestell mehr oder minder verkümmert, ja teilweise amputiert sind, kann man das Mondgesicht in südlicher Richtung ergänzen: zwei parallele Striche, anschließend ein größeres Oval, noch weiter südlich zwei längere Striche, die ad libitum in je einer Knolle ihren Abschluß finden können. Und schließlich zwei Striche zur Rechten wie zur Linken an das obere Rund des Ovals gehängt, mündend in je fünf fächerförmig angeordnete, sehr kurze Striche. Das Männchen ist fertig!

Das Strichmännchen (nicht zu verwechseln mit jenem Mädchen, das unter oder, präziser gesagt, auf der gleichen Vorsilbe läuft) ist so alt wie der spielende Mensch und so jung wie das Kind, das es unter schöpferischen Strapazen zum ersten Mal erschafft. Wohl hat es ein paar anatomische Mängel, aber es ist unsterblich. Der Einlaß in die Museen und Galerien ist ihm verwehrt, aber man darf sicher sein, daß es auch hier die ihm so vertrauten Hintertürchen gefunden und sich auf irgendeinem Aktendeckel in Archiven des Louvre ebenso dreist eingenistet hat wie in der Albertina oder in den Uffizien.

Das Strichmännchen gedeiht unter der Äquatorsonne ebensogut wie in den eisgekühlten Regionen jenseits des Polarkreises. Es ist weder national noch politisch oder konfessionell gebunden. Es spukt in den Schlössern des schottischen Hochadels so unbefangen herum wie in den Zigeunerhöhlen vor Almería. Obwohl von Haus aus scheu und zurückhaltend – es entzieht sich den Blicken des fremden Betrachters mit der Gschamigkeit einer marokkanischen Haremsdame –, nimmt es mit Vorliebe an stundenlangen Sitzungen, Konferenzen und allen Arten von Tagungen teil. In Parlamentsgebäuden ist es fast heimischer als in Kinderzimmern und Schulklassen. Als Schwarzhörer geistert es durch die Hörsäle der Universitäten, und vielen Gerichtsverhandlungen wohnt es in aller Verborgenheit bei. Dafür gibt es sogar ein schauriges Beispiel aus der Geschichte: Es sind jene Löschblätter aus der Zeit der Französischen Revolution, welche die Geschworenen bei den tödlichen Sitzungen des Revolutionsgerichtes in ihrer Langeweile vollgekritzelt haben.

Das Strichmännchen hat seine größte Chance, wo immer der Mensch zum Zuhören verurteilt ist. Es steht mit seinem Erzeuger sozusagen in unerlaubten Beziehungen und verbirgt sich deshalb am Rande des Terminkalenders, in Aktendeckeln, auf der Rückseite einer Zigarettenschachtel, in Stenoblocks oder auf Protokollen. Sein jeweiliger Vater pflegt in den Augenblicken seiner Entstehung die Stirn aus Tarnungsgründen in bedeutsame Falten zu legen und seinem Gesicht einen Ausdruck besonders angespannten Nachdenkens zu verleihen. Die lässig kritzelnde Hand hat sich offenbar selbständig gemacht. So sehr scheint der Fraktionsführer, der Quartaner, der Ausschußvorsitzende, der Cheflektor oder wer es nun immer sei, in tiefes Sinnen versunken, daß sich das Spiel seiner emanzipierten Rechten jeder Kontrolle entzieht. Dabei kann es dann auch passieren, daß sich das Strichmännchen ganz gewaltig aufplustert. Plötzlich trägt es auf seinem Kopf die Zipfelmütze des deutschen Michel, läßt sich einen Rauschebart wachsen, erscheint im Zylinder oder schwenkt einen Regenschirm. Vielleicht leiht es sich die ein wenig abstehenden Ohren und das Monokel des Vortragenden, streckt es im Schutze seiner Anonymität irgend jemandem die Zunge heraus, oder es wächst ihm gar eine Blase aus dem Mund, in der man das Wort »Idiot« lesen kann.

Von seinem Erzeuger wird das Strichmännchen meist wie ein illegitimes Kind behandelt, dessen man sich ein bißchen schämt und zu dem man sich nicht gern öffentlich bekennt. Sein Schicksal erfüllt sich meist sehr schnell in einem Papierkorb. Denn wenn das Männchen erst einmal fertig ist, so hat es seine Schuldigkeit getan, die darin besteht, seinen Erzeuger für ein paar schwache Minuten von der Pflicht zu entbinden, vernünftig, ernsthaft und womöglich erwachsen zu sein. Es vermittelt auch dem soignierten Endfünfziger mit den weißen Schläfen das wollüstige Gefühl des Schule-Schwänzens mitten im Klassenzimmer. Sein närrisches Aussehen macht schmunzeln und fördert die gute Laune, es befreit den verstohlen Kritzelnden für ein paar Atemzüge vom Zugriff der Langeweile, wenn nicht vor schlimmeren Empfindungen. Das Strichmännchen lenkt von der Wirklichkeit ab und führt in die Gefilde der Phantasie, es erheitert und tröstet, es stimmt freundlich und vermag nicht selten durch seinen heimlichen Auftritt das Klima einer Konferenz auf das angenehmste zu regulieren.

Punkt, Punkt – es sind die Kontrapunkte gegen den tierischen Ernst. Komma, Strich – es ist eine Interpunktion für per Fließband gelieferte Wichtigkeiten. Das Mondgesicht ist fix und fertig.

Lob der Kurzsichtigkeit

Wenn der Kurzsichtige der Welt überdrüssig wird, so braucht er nicht nach Strick oder Gift zu greifen. Er nimmt einfach die Brille ab. Hat er vorher die Welt durch die Glasprothese mit den scharfen Augen eines Naturwissenschaftlers gesehen, für den es kein Geheimnis gibt, so sieht er sie jetzt mit dem verschleierten Blick des Dichters. Die harten Umrisse verschwimmen, Farbflecken gehen ineinander über wie in einem Aquarell von Nolde, die Gegensätze gleichen sich an, verdämmern in zarten Übergängen, und die harte Wirklichkeit ist mit einem Schlag verzaubert. Freundlich vermählen sich Baum und Ruine und Wiese und Schornsteinfeger zu einem Farbakkord. Eine Hornisse sieht aus wie ein Maikäfer, der Maikäfer ist nur am Motorengeräusch von einem Düsenjäger zu unterscheiden; und solange die Hornisse nicht sticht, der Maikäfer nichts fallen läßt und der Düsenjäger nicht jagt, ist alles friedlich und gut. Die Welt sieht aus, als sei sie von Impressionisten gemalt. Der Kurzsichtige braucht kein Tränklein aus der Hexenküche, um Venus in jedem Weibe zu sehen. Und kein Psychologe hat noch ergründen können, ob Kurzsichtige deshalb beim Küssen die Brille abnehmen.

Für den Kurzsichtigen verliert das Gegenständliche seine Wichtigkeit. Ohne Brille gesehen sieht ein Harzer Käse wie ein Döschen aus lauterem Golde aus, und wenn man dem Kurzsichtigen die Nase zuhält, ist die Illusion noch kräftiger. Vielleicht waren die Kurzsichtigen so weitsichtig, daß sie die gegenstandslose Malerei erfunden haben. Denn ein Miró oder ein Klee wirken auf den Kurzsichtigen auch nicht anders als ein Grünewald oder ein Watteau, ohne Brille betrachtet.

Die Illusion ist die Krücke, an der wir durch die Gefilde der rauhen Wirklichkeit humpeln. Der Kurzsichtige braucht weder Frankenwein noch Phantasie, weder Frauen noch Fernsehen, um sich Illusionen hinzugeben. Er verzaubert die Welt, indem er seine Brille in die obere Jackentasche schiebt. Dann vermag er sogar Musik zu sehen. Das Sinfonieorchester ist ein optischer Akkord aus schwarzen Fräkken, braunen Streichern und golden blitzenden Blasinstrumenten, von Meister Schlegelmann eurhythmisiert. Der Klaviervirtuose sieht aus wie ein schwarzer Löwe, der mit mächtigen Prankenhieben aus einem Sarg das Opus 53 zaubert.

Mit der Brille auf der Nase ist der Kurzsichtige ein Mensch wie du und ich, wenn man vom Ästhetischen absieht. Denn ein namhafter Kunsthistoriker, nach dem schrecklichsten Anblick seines Lebens befragt, antwortete ohne Zögern: »Nackte Frau mit Brille!«, eine Behauptung, deren Richtigkeit Kenner und Optiker bezweifeln.

Nimmt man einem Brillenträger bei einem Wortwechsel die Gläser ab, so wird er wehrlos wie der geblendete Polyphem. Glänzt er in Gesellschaft durch geistvolle Bonmots, so wird er entbrillt hilflos wie der geschorene Simson. Er wirft Weingläser um, steckt seine Nase in Schüsseln, damit er die Suppe nicht mit der Bowle verwechselt, und hält die Dame des Hauses für ihre Großmutter. Ist er dann nicht viel liebenswerter, als wenn er mit dem Vorwitz des Intellektuellen die Unterhaltung an sich reißt?

Das größte Kompliment meines Lebens habe ich meiner Brille zu verdanken. Am Strand von Ostia bat mich ein langbeiniges, ebenso schönes wie junges Mädchen, einmal durch meine Brille sehen zu dürfen. Sie tat es, kniff die Augen zusammen und sagte: »Wie klug müssen Sie sein, daß Sie durch dieses Instrument die Welt richtig sehen können.« Goethe hatte eine Abneigung gegen Brillenträger. Seine Schwiegertochter Ottilie riet einem Besucher, »keine Brille zu tragen, da ihm dieses etwas sehr Unangenehmes ist«.

Der Kurzsichtige ist friedlich, weil er sich bei Raufhändeln durch das Gestell vor seinen Augen behindert fühlt und, falls er sich dessen entledigt, statt des Gegners leicht den eigenen Verbündeten schlägt. Die Politiker sollten deshalb weitsichtig genug sein, um in künftigen Kriegen nur die Kurzsichtigen, die ihre Brille abgegeben haben, marschieren zu lassen. Sie würden Freund und Feind verwechseln, eine Kognakflasche für eine Handgranate, eine Atombombe für eine Blumenvase und das Zielbild im Radargerät für einen Lustspielfilm mit Charlie Chaplin halten. Es wäre ein Krieg der Illusionen, der größere Verluste illusorisch machte.

Vom neuen Kalender

Da hängt er nun an der Wand, der Zeitgenosse des neuen Jahres, und schreibt uns das Datum vor. Er trägt noch einen dicken Blätterbauch mitten im kalten Winter. Wir sind ihm mit unseren guten Vorsätzen zuvorgekommen. Denn der Frühling der guten Vorsätze fällt in den Dezember. Sie blühen am üppigsten am Silvesterabend, aber selten tragen sie Früchte. Ihr Herbst beginnt mit dem Fall der ersten Kalenderblätter in den Papierkorb. Dann werden sie bis zum Jahresende in die Tiefkühltruhe gepackt.

Wir beladen den Kalender mit Hoffnungen und Ahnungen, und von Tag zu Tag, während sich Zukunft und Vergangenheit schneiden, verwandelt er unsere Zukunftsvisionen in gegenwärtige Gewißheit. Er teilt jedem seine Zeit zu, und wenn einer behauptet, er habe keine, so ist das eine Lüge, weil das Jahr und die Stunde für jeden gleich lang sind. Nur weiß keiner, wieviel er davon noch erleben wird. Chronos, der Gott der Zeit, ist der Vater des Kalenders. Er hält das Stundenglas, durch das der Sand rinnt, Zeichen der Vergänglichkeit, und die Hippe, die den Halm schneidet, das Lebendige zur Chronik macht. Mit der Anmaßung der Ewigkeit die Zeitläufte begleitend, verkörpert der Kalender die Daten. Datum heißt das Gegebene, das in der Vergangenheit Festgeschriebene, welches in der Zukunft ungewiß ist.

Der Kalendermacher macht den Kalender, aber nicht das Wetter. Er ist nicht allwissend. Der ewige Kalender vermag von jedem Datum vorauszusagen, auf welchen Wochentag es fällt. Manch einer lügt wie ein Kalendermacher. Der Hundertjährige Kalender taugt weniger zum Wetterpropheten als ein Laubfrosch. Er vermag nur die Tage, Wochen, Monate, Jahre vorauszubestimmen, nicht aber das Geschehen. Er verkörpert das Fließen, die Vergänglichkeit. Auch in seiner äußeren Form stellt er den Wandel dar. War einstmals der Kalender ein nüchterner Geselle, ein Handbuch, das dem Bauern Märkte, Messen, Brut- und Trächtigkeitsdauer kundtat, mit harmlosen Geschichten, Wetterregeln, Volksweisheiten und erbaulichen Sprüchen aufwartete, so hat er sich heute zum Schmuckstück der Buchdruckerkunst gemausert, hat sich auf Flora, Fauna, Kochrezepte, Pas de deux, Grafik, Poesie und weiß nicht was spezialisiert. Eine Kalenderindustrie hat sich entwickelt, die schon ein Jahr im voraus auf vollen Touren läuft. Auch die Bauernregeln, notwendiger Bestandteil nostalgischer Kalender, sollte man heute weiter fassen.

> Der April ist nicht zu gut,
> er schneit dem Bauern auf den Hut.

Ergänze:

> Drum wehr des Schicksals blinden Lauf
> und laß die Winterreifen drauf.

Winterreifen wichen dem Wonnemond, Wonnemond gipfelt in der Regel:

> Ist der Monat Mai zu Ende,
> zahlt Hoechst die höchste Dividende.

Und schließlich zum Jahresabschluß:

> Vor des Dezembers Eiseswut
> wahrt Frostschutz dich im Kühler gut.

Aber das ist Schnee vom vergangenen Jahr, denn inzwischen haben die Silvesterglocken den zum Skelett abgemagerten alten Kalender zu Grabe geläutet. Und während wir den dickbäuchigen neuen aufblättern, sind die Kalendermacher schon emsig am Werkeln, den für das nächste Jahr maßzuschneidern. Für sie ist der heurige das, was für uns der vergangene: ein alter Hut.

Ersonnen und versponnen

Wie die Tiere ins Paradies kamen

Ihr meint wohl, es sei selbstverständlich, daß auf den himmlischen Wiesen Lämmer und Kälblein grasen, daß im Paradies Bienchen summen, Vögel singen und Fische in den Bächen schwimmen. Aber ich will euch erzählen, daß mehr als einmal im Himmel Streit über die Frage ausbrach, ob die Tiere auch die ewige Seligkeit erlangen sollten wie die Guten unter den Menschen. Denn der Herr hatte nach dem Sündenfall auch die Tiere aus dem Paradies vertrieben, und wenn es nicht überliefert wird, so ist es die Schuld der Schriftgelehrten, denn die waren schon sehr alt und vergeßlich, als sie die heiligen Bücher schrieben.

Zuerst durften also nur die Menschen ins Paradies eingehen. Die Tiere mußten sich auf einer großen, freien Wiese vor den Himmels-pforten tummeln. Denn sie hatten ja nichts Böses getan, und deshalb konnte sie der Herr nicht einfach ins Fegfeuer oder gar in die Hölle schicken. Das Paradies aber war nach der Vertreibung Adams und Evas von den Engeln ausgefegt worden, und Gottvater fürchtete, die unvernünftigen Tiere würden Lärm und Unordnung in den Himmels-garten bringen. Sie mußten deshalb vor den marmornen Mauern und den goldenen Toren des Paradieses bleiben, und als gar Sankt Peter zum himmlischen Türhüter bestimmt wurde, sah er scharf darauf, daß nicht einmal eine Maus oder ein Spinnlein ins Paradies kamen, denn er war sehr genau und hielt sich streng an seine Vorschriften. Nur die Giraffe konnte über die Mauern sehen und pflückte sogar manchmal von den himmlischen Bäumen ein Birnlein oder ein paar Datteln, worüber Sankt Peter jedesmal sehr ungehalten war.

Nun war eines Tages der heilige Hieronymus gestorben, und aus Kummer darüber war ihm sein getreuer Löwe wenige Stunden später nachgefolgt. In langen Sätzen sprang er dem Heiligen nach, der sich oben auf dem steilen und steinigen Wege zum Paradies ein wenig verschnaufte und sich den Schweiß von der Stirn wischte, denn er war sein Lebtag schlecht zu Fuß gewesen. Bald hatte ihn der Löwe eingeholt, und die Wiedersehensfreude war groß. Sie trotteten selb-and weiter bergan, und als sie an die Paradiespforte kamen, wollte Sankt Peter den Heiligen gleich einlassen; der Löwe aber, so sagte er streng, habe hier keinen Zutritt.

Darüber war Hieronymus sehr aufgebracht, und nur weil er ein Heiliger war, unterdrückte er einen Fluch und sagte: »Potzsapperment! Wenn mein Löwe nicht mit mir gehen darf, dann habe auch ich nichts im Paradies zu suchen, und damit Punktum.« Darüber entstand ein heftiger Wortwechsel. Die beiden Heiligen stritten so laut, und der Löwe knurrte und brummte dazu, daß der Lärm bis zum Thron Gottvaters drang. Auf einer feurigen Wolke fuhr er ans Paradiestor und fragte, was der unhimmlische Lärm zu bedeuten habe. Artig erklärten ihm die beiden Heiligen ihren Standpunkt. Gottvater runzelte die Stirn. Er konnte Hieronymus doch nicht einfach ins Fegfeuer oder in die Hölle schicken, denn schließlich war er ein Heiliger, und der hätte sich unter den verdammten Seelen mit seinem Glorienschein schlecht ausgenommen. So sagte der Herr, Hieronymus solle den Löwen in seinem Namen eben ausnahmsweise mit ins Paradies nehmen, aber es sei eine besondere Gnade, und er wolle sich das als Sonderfall ausgebeten haben. Und auf seiner feurigen Wolke fuhr er wieder in die paradiesischen Gärten zurück. Der Löwe aber brummte – höhnisch, wie es Sankt Peter schien – und sprang freudig mit seinem Herrn in die Gefilde der ewigen Seligkeit. Hieronymus hatte zuerst viel Mühe, den Himmelsinsassen die Angst vor dem Tier zu nehmen; besonders Sankt Josef, der eine etwas ängstliche Natur war, machte lange Zeit um Hieronymus und seinen treuen Begleiter einen weiten Bogen.

Die Anzahl der Tiere auf den Wiesen vor dem Paradies wuchs täglich. Sankt Peter hielt sich streng an sein Gebot, und einen Salamander, der eines Tages unter der Pforte durchzuschlüpfen versuchte, verbannte er sogar als Feuersalamander in die ewige Verdammnis. Die Tiere, die ganz ohne Aufsicht waren, trieben allerlei Unfug, und oft hallte der Himmel wider vom Gebrüll der Tiger, vom Kreischen der Papageien und vom Zirpen der Grillen, die vor den Toren ihr ungebundenes Leben führten.

Bis eines Tages der heilige Franz an die Himmelspforte klopfte. Die Tiere hatten ihn voll Freude vor den Mauern begrüßt; er hatte zu ihnen gepredigt und versprochen, er werde alles tun, damit auch sie der ewigen Seligkeit teilhaftig würden. Ihr könnt euch denken, was da für ein Lärmen und Jubeln anhob! Ganz verstört öffnete Petrus die Pforte. Gottvater ließ es sich nicht nehmen, den heiligen Franz persönlich zu begrüßen, und erwartete ihn am Himmelstor. Franziskus war sehr erregt. Ohne grüß Gott zu sagen, fing er gleich zu fragen an. Wozu er den Vögeln das Evangelium gepredigt habe? Und ob er dem grimmigen Wolf von Gubbio gute Sitten für die Katz beigebracht? Er bitte dringend, daß alle Tiere ins Paradies eingelassen würden, und zwar sofort.

Gottvater, der gar nicht gewohnt war, solche Reden zu hören, und der sich schon längst Gedanken darüber gemacht hatte, ob man die Tiere nicht auch billigerweise ins Paradies einlassen sollte, ward schon schwankend. Nicht umsonst hatte er damals alle Tierarten und nur eine Menschenart vor der Sintflut verschont. Aber da wetterte Sankt Petrus bereits los. Potz Blitz, die unvernünftigen Tiere sollten Einlaß ins Paradies bekommen? Da würden sich die Kirchenväter und Propheten mit Recht zurückgesetzt und in ihrer Arbeit behindert fühlen. Aber der heilige Franz unterbrach ihn. Er wisse wohl, sagte er, warum Sankt Peter so gegen die Tiere eingenommen sei, und er lächelte Gottvater zu. Petrus habe dem Hahn eben noch nicht verziehen, daß er damals dreimal krähte, als der da – und er deutete mit seinen hageren Fingern auf den Torwächter – seinen Meister verriet. »Papperlapapp«, brummte Petrus, denn er war an seiner empfindlichsten Stelle getroffen, und ging mürrisch von dannen.

Nun aber fing Franziskus erst recht zu drängen an. Was die armen Tiere von den Menschen auszustehen hätten, erzählte er Gottvater. Von den Bernhardinerhunden, die schwere, vollbepackte Wagen ziehen müßten, von den Tanzbären, denen ein Ring durch die Nase gezogen werde, und von den vielen Tieren, die der Mensch verspeise, wohingegen das Tier sich nur in seltenen Fällen vom Menschen nähre. Von einigen Heiligen wußte Franziskus zu berichten, daß sie so manches Rindsbrätlein, manches Spanferkel, manch fetten Aal und manches gebratene Täubchen verzehrt hätten, bevor sie sich mit Wurzeln und Kräutern und wildem Honig sättigten. Stehe Sankt Laurentius nicht vor allem deshalb in so hohem Ansehen als Märtyrer, weil man ihn über dem Feuer geröstet habe? Wieviel armen Tierlein geschehe ähnliches! Gottvater solle nur an die Krebse denken, welche die Menschen lebend ins kochende Wasser zu werfen pflegten, und an die Frösche, denen sie die Schenkel ausrissen.

Von den vielen Argumenten beeindruckt, ließ sich Gottvater schließlich überzeugen. Ich denke mir, es mag dabei auch mitgespielt haben, daß ihn die Gesellschaft der sittsamen Heiligen und der sanften Engel mit der Zeit ein wenig langweilte und er sich nach dem Ungestüm der Tiere sehnte. Diese waren während der Rede des Heiligen ganz still geworden und stellten sich einträchtig hinter ihrem Fürsprech auf. Als der Herr aber sprach: »Es sei«, brachen sie alle voll wilder Freude in das Paradies ein: der Jaguar in langen, geschmeidigen Sätzen, der Walfisch durch den tiefen Fluß, der vom Paradies auf die Wiesen vor den Mauern strömte; der Floh hüpfte in großen Sprüngen; das Schlänglein ringelte sich geschwind; die Schnecke kam ganz außer Atem, und ein Dromedar war so stürmisch, daß es den heiligen Franz, der inmitten des drängenden Gewimmels stand, beinahe umgestoßen hätte. Nur die Giraffe hatte ein schlechtes Gewissen; ganz zaghaft trat sie ein und ging noch lange Zeit Sankt Peter aus dem Wege, wo sie nur konnte.

So hatten nun alle Tiere Platz im Himmelreich gefunden. Jedenfalls schien es so – bis plötzlich von der Paradiespforte her ein Bellen und Winseln ertönte. Es war ein kleiner, struppiger grauer Dackel, der sich während der großen Tierversammlung um Franziskus in einem Dachsbau herumgetrieben hatte und nun um Einlaß bat. Sankt Peter wollte das Tor, das er nur einen Spaltbreit geöffnet hatte, schon wieder schließen, weil er meinte, den übrigen Himmelsbewohnern den Anblick eines derart heruntergekommenen Vagabunden ersparen zu müssen. Da erschien Gottvater, dem die klagenden Laute nicht entgangen waren, an der Pforte. Als der Hund all den Glanz und die Herrlichkeit des himmlischen Vaters sah, machte er ein Männchen, wie er das auf Erden getan hatte, wenn er seinem Herrn eine Freude machen wollte. Gottvater, von diesem Bild gerührt, lächelte. »Komm, Grauer«, sagte er dann, »komm mit mir.« Und mit fröhlichem Bellen und schwanzwedelnd ging der kleine, struppige graue Dackel in das Paradies ein.

Der Herr aber bereute nie seinen Entschluß, die Tiere zur ewigen Seligkeit zugelassen zu haben. Sie wurden ihm liebe Freunde. Vor allem Esel und Hund hatte er ins Herz geschlossen, und er ließ sie stets ganz nahe bei seinem Thron sein.

Der himmlische Computer

Die weltweite Forderung, die Gesellschaft zu verändern, wirkte sich selbst im Paradies aus. Der Anspruch auf Mitbestimmung ging vom Mittelbau der Heiligen und Engel aus, die für gemäßigte Reformen eintraten; viel radikaler aber waren einfache Seelen, die, kaum vom Fegefeuer zur Himmelsreife geglüht, geradezu revolutionäre Ideen äußerten. Das Präsidium oben im Himmel regiere autoritär, während es unten auf Erden die Zügel arg lasch schleifen lasse, seit die Menschen mit der Erfindung der Kernspaltung den Weltuntergang in eigene Verantwortung übernommen hätten und jederzeit in der Lage wären, mit Hilfe der gehorteten Nuklearwaffen Gottes Schöpfung in die Luft zu sprengen.

Harte Kritik übte der Unterbau auch an der himmlischen Buchführung. Die Taten der Menschen würden willkürlich und subjektiv registriert. Wallfahrten, Fürbitten und Totenmessen bereinigten zu großzügig das himmlische Schuldenkonto schlimmer Sünder; Petrus, Chef der Buchhaltung und der Rezeption, übe sein Amt nach veralteten Prinzipien aus, was bei seiner unbewältigten Vergangenheit kein Wunder sei, denn er habe das Trauma des dreimaligen Hahnenschreis immer noch nicht verarbeitet. »Im Himmel menschelet es arg«, faßte die Seele eines schwäbischen Uhrmachers das allgemeine Unbehagen in einem Satz zusammen.

Es wurde genährt durch Nachrichten aus der Hölle, wo man die mangelnde Arbeitsmoral der Teufel hinter dem großsprecherischen Begriff »Strafrechtsreform« tarnte. Die Gewerkschaft Pech und Schwefel hatte nämlich das freie Wochenende und die Vierzig-Stunden-Woche für das höllische Personal durchgesetzt, und selbst christliche Feiertage wie der Buß- und Bettag, oben kaum beachtet, wurden unten streng eingehalten. Zwei Tage in der Woche wurde die Hölle nicht geheizt, und auch der Montag war für die armen Seelen ein Tag der Ausspannung, da es lange dauerte, bis das übliche Betriebsklima wiederhergestellt war. Was von konservativen Himmelskreisen als Granatenschlamperei ausgelegt wurde, funktionierte man in der Hölle in den Begriff *Humanisierung des Strafvollzugs* um.

Der als Mitbestimmungsorgan zugelassene himmlische Senat bestand aus zwei Heiligen, zwei Engeln und drei Vertretern des Unterbaus: den Seelen eines Lokomotivführers, einer Sozialhelferin und eines Sektreisenden, dem das Fegefeuer erlassen worden war, weil er auf Erden seinen eigenen Sekt getrunken hatte. Der Senat schlug dem Präsidium die Anschaffung eines Computers vor, der die Taten jedes Menschen speichern und nach dessen Hinschied entscheiden solle, ob er rechts unter die Schafe oder links unter die Böcke einzureihen sei. Der Vorschlag wurde heftig kritisiert. Wenn einem Computer in einem medizinischen Zentrum ein Rechenfehler unterlaufe, so sei das weiter nicht schlimm und führe nur zum leiblichen Tod einiger Dutzend Patienten, wohingegen ein fehlerhafter Computer im Himmel die schwerere Verantwortung für eine irrtümliche ewige Verdammnis trage. Trotz diesem Einwand beschloß das Präsidium, ein elektronisches Rechengerät zunächst probeweise einzuführen, und bestellte ein solches bei IBM über eine Scheinfirma. Auf dem Transport zu dieser wurde der Computer in den Himmel entführt. Der Knall, der bei seinem leiblichen Durchbruch durch die Schallmauer entstand, war das letzte, was man auf Erden von ihm hörte. Zur Begleichung der Rechnung regnete es eine dicke Schicht purer Goldstücke in den Werkshof; da diese jedoch nicht ordnungsgemäß verbucht werden konnten und darüber hinaus auch noch ein großer Prozeß über das Eigentumsrecht an diesem Goldregen zwischen Geschäftsleitung, Betriebsrat, Land und Gemeinde ins Rollen kam, der ganze Generationen von Rechtsanwälten zu Wohlstand brachte, galt der Computer als gestohlen und die Rechnung als unbeglichen, was für die Firma keinen Verlust bedeutete, da eine Transportversicherung für den Schaden aufkam.

Im Paradies indessen ging man daran, den Computer zu programmieren. Dazu wurden zwei Kommissionen gebildet. Die erste arbeitete ein Punktsystem für gute Werke aus; ihr Vorsitzender war der heilige Pfarrer Jean-Baptiste von Ars, seine Stellvertreterin die heilige Elisabeth. Von den Mitgliedern der Kommission Sünden - Vorsitzender Paulus, Stellvertreter die heilige Afra – wurde eine intime Kenntnis der Materie erwartet; deshalb nahm man in diese Kommission vor allem Persönlichkeiten auf, die auf ein gewisses Vorleben vor ihrer Bekehrung zurückblicken konnten. Es soll hier nicht verschwiegen werden, daß die Sitzungen der Kommission Gute Werke weit weniger kurzweilig waren als die Sitzungen der Kommission Sünden, deren Mitglieder sich darin überboten, immer neue Variationen und Kombinationen von Sünden auszudenken, welche die Diskussion um den Punktwert recht fesselnd machten. Die Protokolle der Gute-Werke-Kommission wurden kaum gelesen, während die der Sündenkommission als Ersatz für fehlende erotische Literatur von Hand zu Hand gingen und Gegenstand vieler anregender paradiesischer Unterhaltungen bildeten.

Dann wurde der Computer zunächst mit den Bewertungstabellen gefüttert; anschließend wurden die Taten aller lebenden Menschen eingespeichert. Eine Hochrechnung über den vermutlichen Jahresausstoß an guten Seelen indes brachte ein niederschmetterndes Ergebnis. Nach dem eingespeicherten Bewertungsschema hatte die Hölle einen solchen Ansturm zu erwarten, daß sie sich nur durch einen Numerus clausus vor Überfüllung schützen konnte, während für das Paradies in kürzester Zeit ernsthafte Nachwuchssorgen zu befürchten waren.

Eine neue Kommission wurde berufen; Kirchenrechtler, die im Paradies allerdings nur in geringer Zahl verfügbar und nach irdischen Maßstäben unterrepräsentiert waren, wurden als Sachverständige zugezogen. Man kritisierte das Bewertungssystem. Die guten Taten seien zu niedrig, die Sünden zu hoch bewertet worden. Man schlug einen achtzigprozentigen allgemeinen Sündennachlaß vor, was als zu schematisch abgelehnt wurde, bis die schlichte gute Seele einer Weißnäherin aus Montbéliard den Fehler fand: Man hatte vergessen, den Begriff der Gnade einzuprogrammieren.

So war man zwar einen wesentlichen Schritt weitergekommen, strauchelte dann aber doch. Die würdigen Kirchenlehrer wußten zwar den Begriff der Gnade ziemlich genau zu definieren; ihn jedoch in eine mathematische Formel zu bringen, die ihn für den Computer faßbar gemacht hätte, gelang keinem der Sachverständigen. Man beschloß also, irdische Wissenschaftler zu befragen, was auf einen günstigen Zeitpunkt fiel, denn in Little Rock, Arkansas fand gerade ein Kybernetikerkongreß statt, der Wissenschaftler aus Ost und West vereinigte, so daß bei einer Befragung wenigstens der politische Proporz gewahrt blieb. Wie aber die Verbindung aufnehmen, da kein direkter Draht zur Erde vorhanden war? Einen Engel zu schicken – solch himmlisches Federvieh hätte man doch nur für einen läppischen Einfall einer Werbeagentur fürs Weihnachtsgeschäft gehalten. So beschloß man, die Frage nach der mathematischen Definition des

Begriffs Gnade durch eine Art Pfingstwunder an die Kybernetiker zu stellen. Aber wo man Klärung, Bewußtseinserhellung erwartet hatte, da vollzogen sich diese auf ganz unerwarteten Ebenen. Durch den himmlischen Einfluß erkannten die Kybernetiker die Fragwürdigkeit ihres Tuns, ließen davon ab und wandten sich anderen, sinnvolleren Tätigkeiten zu. Vor allem die in militärischen Diensten stehenden Raumfahrt- und Raketenforscher sahen ein, daß ihre Arbeit destruktiv gewesen war, und schauten sich nun nach konstruktiver Tätigkeit um. Zwar brachte der darauf folgende Zusammenbruch der Rüstungsindustrie vielen Aktionären herben Verlust. Auf der anderen Seite aber flossen nun alle Gelder, die für die total unrentable militärische Forschung und Aufrüstung ausgegeben worden waren, der Herstellung von Konsumgütern zu; die Arbeitszeit konnte verkürzt, die Löhne konnten erhöht werden, das Angebot an Lebensqualität wuchs, der Wohlstand breitete sich bis in die letzten Entwicklungsländer aus, kein Mensch auf der Welt brauchte mehr zu hungern oder zu frieren.

So hatte die wunderbare Anfrage der himmlischen Computerkommission zwar der Menschheit reichen Segen und dem Himmel indirekt auch wieder Nutzen gebracht, da bei dem allgemeinen Wohlbehagen die Zahl der Sünden und Verbrechen stark zurückging; aber auch die Ratlosigkeit über den Gnadenbegriff hatte sie nur noch vergrößert. Man kam also bald zu der Erkenntnis, daß der Computer für den Himmel nicht geeignet sei und daß nichts anderes übrigbleibe, als die Taten der Menschen mit den alten, konservativen Methoden zu messen. Es galt nun vor allem, den Stau von Seelen, der sich während der Jahre der Experimente in den zugigen himmlischen Wartehallen angesammelt hatte, in einer raschen und großzügigen Abfertigung aufzulösen. Den Computer stellte man eines Nachts mit Hilfe eines erneuten Wunders in den Werkhof der IBM zurück.

Dort staunte man nicht schlecht und dachte, die vermeintlichen Diebe hätten, von Gewissensqualen übermannt, das Gerät zurückgebracht, das inzwischen allerdings durch den Fortschritt der Wissenschaft höchstens noch im Himmel brauchbar war, da es auf Erden nur noch Schrottwert hatte. Man schenkte es daher dem Deutschen Museum in München, wo es seitdem mit dem Vermerk »Bitte den Gegenstand nicht berühren« ausgestellt ist.

Besucher, die dieses Gebot nicht beachteten, hatten – da dem

Computer noch die segensreiche Auswirkung seiner jahrelangen Verwendung am himmlischen Standort anhaftete – merkwürdige Erlebnisse. Ein Mädchen, das lispelte, verlor über Nacht seinen Sprachfehler; die Gattin eines Kunsthändlers, die Kontaktschwierigkeiten in der Ehe hatte, brauchte von Stund an die Couch des Psychotherapeuten nicht mehr zu strapazieren; einem Bankräuber, der im Deutschen Museum Materialstudien machte, wurde das gesamte Handwerkszeug aus dem Auto gestohlen.

Da die Betroffenen ihre Erlebnisse jedoch weder mit dem Berühren des Gegenstands in Zusammenhang brachten noch weitererzählten, ahnt niemand die geheime Kraft des Rechengeräts, das zu dumm war, das Wesen der Gnade zu begreifen.

Wie Pater Basil den Regenwurm züchtete

Es ist an der Zeit, eines zu Unrecht vergessenen Mannes zu gedenken, der sich hohe Verdienste um den heimischen Gartenbau erworben hat. Es ist der 1595 als Sohn eines Bauern zu Winterstettenstadt in Oberschwaben geborene Ambros Schnürle, in dem sich, typisch schwäbisch, widersprechende Eigenschaften vereinten: aufmüpfiger Protest, in den Erblanden des Bauernschlächters Graf Georg von Waldburg zu leben, neben einem friedfertigen Gemüt, das sich am wohlsten in zurückgezogener Beschaulichkeit fühlte; Hang zur Bodenständigkeit neben dem Drang, die Welt zu erfahren und zu verbessern. So war Ambros Schnürle geradezu für ein Leben als Prämonstratensermönch vorbestimmt. Unter dem Klosternamen Basil trat er 1614 in das Kloster Schussenried ein und hatte das Glück, daß dort der durch seine Flugversuche berühmt gewordene Prior Mohr sich seiner annahm. Pater Basil interessierte sich vor allem für angewandte Zoologie und Botanik und betreute bald den Klostergarten und den Hühnerstall. Beim kritischen Beobachten der nach Würmernahrung suchenden Hennen stellte er zu seinem Leidwesen fest, daß der in Württemberg heimische Bodenwurm *Eisenio foetida* »ein schleckig Leckermaul« sei, weil er nur in Komposthaufen und feuchter Gartenerde lebte, statt den Lößboden zu bearbeiten, »selbiger Letten Durchlüftung und Durchmischung durch den Wurm so bitter nöthig hätt«. Alle Versuche, den Mistwurm auf Lößboden umzusiedeln, schlugen zu Pater Basils Verdruß fehl. Als 1623 die Congregatio de propaganda fide in Rom gegründet und das Kloster Schussenried aufgefordert wurde, einen oder mehrere Patres zu Missionszwecken den Benediktinern zu überstellen, bot Prior Mohr, der die Fähigkeit Pater Basils zum Wanderapostolat früh erkannt hatte, diesem diese Berufung an, der so drei Jahre zur Mission nach Westafrika kam. Auch dort widmete er sich neben der Heidenerweckung der Bodenkultur, lehrte die Eingeborenen den Anbau von Feldfrüchten und oblag seinen Studien über dortige Bodenwürmer, zumal diese durch ihre natürliche Wehrlosigkeit und ihre absolute Friedfertigkeit dem Naturell des Forschers verwandt waren. Dieser stieß dabei zu seinem Erstaunen auf den *Megascolides enormis,* der eine Länge zwischen einem und drei Metern erreicht. So groß seine Freude an der Missionsarbeit war und so gern er dieserhalben in Afrika geblieben wäre – stärker noch war der Ehrgeiz, den Riesenwurm im Schwabenland zu beheimaten und ihn auf die Penetrierung harten und kargen Bodens anzusetzen. So kehrte er 1626 in sein Heimatkloster zurück, dessen Prior, sein Gönner, allerdings ein Jahr zuvor gestorben war. Als einziges Gepäck brachte er einen mit feuchtem Laub angefüllten Beutel mit, in dem zwanzig Exemplare des afrikanischen Riesenwurms westen, deren größter eine Länge von »schiergar zehn wirttembergisch Fuß« (2,386 Meter) erreichte.

Pater Basil war nicht der erste Klosterinsasse, der sich mit Ringelwürmern befaßte. Durch Aristoteles angeregt, der sie als »Eingeweide der Erde« bezeichnete, verfaßte schon die im 15. Jahrhundert lebende englische Benediktinernonne Juliana Berners eine frühe, sehr klare Anweisung, wie man Angelwürmer findet und benutzt. Pater Basil indessen war seiner Zeit in der Wurmforschung weit voraus. Denn der britische Naturforscher Gilbert White schrieb erst hundert Jahre später: »Ohne sie würde die Erde bald kalt, hart und fest ohne jede Gare und folglich steril werden.« Und der große Charles Darwin hat erst 1881 seine berühmten Untersuchungen zur »Bildung von Humus durch die Tätigkeit von Würmern« veröffentlicht und nachgewiesen, daß die Lumbriziden vermodernde Pflanzenteile, die mit Erde vermischt ihren Darm durchlaufen, in Humus verwandeln und die Durchatmung, Durchlüftung, Durchwärmung und natürliche Düngung vornehmen. Darwin schreibt: »Es ist zweifelhaft, ob es noch andere Tiere gibt, die in der Geschichte der Erde eine so große Rolle gespielt haben wie diese niedrigen organischen Geschöpfe.« Und er schließt: »Der Pflug ist eine der ältesten und wichtigsten menschlichen Erfindungen. Aber lange bevor es den Pflug gegeben hat, ist das Land bereits regelmäßig gepflügt worden, und zwar von den Bodenwürmern, und so wird es auch heute noch von ihnen gepflügt.«

Pater Basil wußte das nicht, aber er ahnte es. Er war zunächst um die Vermehrung seiner exotischen Mitbringsel bemüht und glaubte, wie es heute noch Laien tun, ein Ringelwurm, den der Spaten in zwei Teile teilt, könne nun zweifach leben. In Wirklichkeit bedeutet für den Bodenwurm der Verlust von mehr als sechzehn Ringen das Todesurteil. So verringerte sich der Bestand an Würmern, zumal die Schussenrieder Mitbrüder seine Megascoliden als »garstig Wurmschlang« bezeichneten und ihnen als Nachkömmlingen der teuflischen Schlange aus dem Paradies, die am Sündenfall schuldig war, nach dem Leben trachteten. Der fromme Pater hatte das instinktive Gefühl, ein weibliches Wesen, in dessen natürlicher Bestimmung es liege, Leben zu erhalten und zu mehren, könne ihm in seiner Not besser helfen als jeder seiner Mitbrüder. Da aber schon im Jahr 1140 den Prämonstratenserinnen, einem beschaulichen Frauenorden, der sich ursprünglich mit Vorliebe in Doppelklöstern neben den Herrenkonventen niederließ, solche Nachbarschaft verboten worden, war Pater Basil auf weltlichen Rat angewiesen. Er fand ihn in der Jungfer Regula Regner aus Hopferbach, die indessen eher eine Abneigung gegen die Klosterinsassen hatte, da ihr Urgroßvater nach der Plünderung des Klosters 1525 von ihnen aufs Rad geflochten worden war. Dennoch vermochte Pater Basil bei der Dienstmagd das Interesse für seine Experimente zu wecken. Die Jungfer fand bald heraus, daß die Würmer Zwitter waren, daß der Sattel auf ihrem Rücken der Fortpflanzung diente und daß sie sich zwecks Vornahme derselben Sattel an Sattel mit den Köpfen in umgekehrter Richtung eng aneinanderschmiegten. Sie versuchte solches auch zwischen Mistwurm und Riesenwurm künstlich zu erzielen und hatte Erfolg. Die Kreuzung gelang. Aus den in der Länge so verschiedenen Tieren entwickelte sich der gemeine Regenwurm, *Lumbricus terrestris,* dem im Gegensatz zum Mistwurm der ausgetrocknete Lehmboden für seine Arbeit und seine Nahrung nicht zu gering war.

Pater Basil nannte ihn »reger Wurm«, nicht etwa seiner Mitarbeiterin Regula Regner zu Ehren, sondern nach seinem Lieblingschoral, dem damals viel gesungenen Kirchenlied *Die Seel wird itzund rege*. Der Volksmund verballhornte allerdings diesen regen Wurm zum Regenwurm, eine sinnlose Bezeichnung, da der Wurm ja durch den Regen an das für ihn tödliche Tageslicht getrieben wird, das seine roten Blutzellen zersetzt. Aber durch Goethe ist die falsche Bezeichnung in die Literatur eingeführt worden, wenn Faust verächtlich von Wagner gleichnishaft sagt, daß dieser »mit gierger Hand nach Schätzen gräbt und froh ist, wenn er Regenwürmer findet«.

So segensreich der Regenwurm für die Güter des Klosters Schussenried war, so tragisch sollte er für jene werden, die ihn gezüchtet hatten. Denn der Erfahrungsaustausch auf dem Vermehrungssektor hatte auch persönliche Folgen. Das vorgenannte Beilager fand auch zwischen dem Forscherpaar statt, allerdings nicht mit voneinander abgewandten Köpfen, und innerhalb der kurzen Zeit von fünf Jahren schenkte, wie es im Roten Buch des Klosters heißt, »die Jungfer Regner dem Ew. Patri Basilio drei Büblin und zween Metzen«. Damit war Pater Basil für das Klosterleben nicht mehr tragbar. Der Abt entband ihn von den Gelübden unter der Bedingung, daß er »hinförderst des Umgangs mit dem Gewürm entsage und dem Kloster selbiges zum beliebigen Nießbrauch hinterlasse«, und entließ ihn aus dem geistlichen Stand. Die Theorie zeitgenössischer Theologen, die Jungfer habe sich durch die Verführung des Paters lediglich für die Hinrichtung ihres Urgroßvaters von geistlicher Hand rächen wollen, ist jedoch nicht haltbar. Pater Basil, jetzt wieder Ambros Schnürle, heiratete nämlich die Regula Regner, und sie wanderten mit ihren Kindern, denen zweifellos noch weitere folgten, nach Westafrika aus, dorthin, wo der Pater vor Jahren missionarisch tätig gewesen war. Ihre Spur allerdings verlor sich.

Dem Kloster Schussenried aber und dem ganzen katholischen Schwaben gereichte der Regenwurm zu großem Gewinn. Da nach dem Augsburger Religionsfrieden von 1555 der Grundsatz galt: »Cuius regio eius religio«, zu deutsch: »Der Grundherr bestimmt das Glaubensbekenntnis seiner Untertanen«, schwäbisch: »Wia dr Herr, so 's Gscherr«, wurden Zuchtstämme von Regenwürmern nur an katholische Herrschaftsgebiete abgegeben. So findet die Feststellung des ehemaligen Landrats Walter Münch aus Wangen ihre leichte Erklärung: »Katholisch ist man überall dort, wo der Humus tiefer als zwanzig Zentimeter ist.« Dies liegt an der Arbeit des Regenwurms, der fähig ist, sich auf 1¼ Tonnen Wurmgewicht pro Hektar zu vermehren und jährlich 25 Tonnen Humus zu schaffen. Gelingt es, pro Hektar 7,5 Tonnen Regenwürmer zu kultivieren, so steigert sich der Ernteertrag um 200 Prozent.

Inzwischen hat der gemeine Regenwurm allerdings die Glaubensgrenzen überschritten. Doch immer noch ist die größere Fruchtbarkeit ehemals katholischen Bodens festzustellen, zumal es einzelne pietistische Gemeinden gab, die den katholischen Wurm verfolgten und vertilgten, weil sie ihm nachsagten, er fresse Pflanzenwurzeln ab. Aber erst eine derzeit an der Universität Hohenheim entstehende Dissertation wird nachweisen, daß sich Schussenried nicht nur der Flugversuche des Priors Mohr, der musikalischen Tätigkeit Konradin Kreutzers und der architektonischen Mitarbeit von Dominikus Zimmermann rühmen kann. Dem vergessenen Pater Basil Schnürle hat das katholische Schwaben nicht weniger zu verdanken wie der protestantische Landesteil dem unvergessenen pietistischen Pfarrer Philipp Matthäus Hahn, der in verarmten Alb- und Schwarzwalddörfern durch die Unterweisung in der Feinmechanik Arbeitsplätze in der Uhren-, der Textil- und der Waagenindustrie geschaffen hat.

Postskriptum
Mit dieser Geschichte, die Thaddäus Troll unter dem Titel »Vom Paradiesgärtlein zum Garten der Lüste« bei einer Tagung vor Gartenbau-Fachleuten während der Bundesgartenschau 1977 in Stuttgart zum besten gab, scheint unser Autor einige Verwirrung unter Ökologen und Regenwurm-Forschern gestiftet zu haben. So richtete ein Biologieprofessor, der sich seit dreißig Jahren auf ebendiesem Spezialgebiet betätigt hatte, in großer Verunsicherung folgende Anfrage an den »sehr geehrten Herrn Dr. Bayer«:
»[. . .] So habe ich mich auch mit der Geschichte der Ansichten über Regenwürmer befaßt, die als schädlich galten, bis im 18. und besonders im 19. Jahrhundert langsam erkannt wurde, daß es sich um nützliche Tiere handelt. Nach bisheriger Annahme begann der Durchbruch mit der Schilderung eines englischen Landpfarrers im

Jahre 1777, der durch Beobachtungen in seinem Pfarrgarten etwa zur gleichen Ansicht über diese Tiere gelangte, welche die Wissenschaft heute vertritt. Beim Stöbern in der Landesbibliothek Coburg, die eine Sammlung alter Gartenbauliteratur enthält, kam ich vor ein paar Jahren auf die Idee, ob nicht in deutschen Klosterbibliotheken schon aus früherer Zeit Aufzeichnungen ähnlicher Art vorhanden sein könnten. Auf den Rat von Professor Franz, der den Lehrstuhl für Agrargeschichte in Hohenheim innehatte, befragte ich im Jahre 1973 ein paar Klosterbibliotheken, jedoch ohne Erfolg. Nun erfahre ich aus Ihrem Vortrag, daß es ein solches Manuskript offenbar tatsächlich gibt. Die Umfrage bei einigen Hohenheimer Kollegen ergab allerdings Fehlanzeige: Niemand wußte von einer Dissertation, die dort über die Arbeiten des Pater Basil aus Schussenried zur Zeit angefertigt würde. Wenn es damals wirklich solche Beobachtungen gegeben hat, wäre dies eine Sensation in ›Regenwurmkreisen‹. Deshalb bitte ich Sie um die Freundlichkeit, mir Näheres mitzuteilen. Ist das Ganze eine dichterische Vision, oder beruhen Ihre Angaben auf Wirklichkeit? Für eine baldige Antwort wäre ich Ihnen dankbar. Wie sie ausfallen mag – ich bin gespannt.«

Auf dieses Echo aus solch unerwarteter Ecke war der Geschichtenerzähler Thaddäus Troll nicht gefaßt. Sonst lobten oder schimpften nur die Feuilletonisten. Er fühlte sich auf nie geahnte Weise geehrt und antwortete prompt:

»Sehr geehrter Herr Professor, Ihr freundlicher Brief bedeutet für mich ein Kompliment. Es gehört zu meinen literarischen Steckenpferden, Erfinder zu erfinden, allerdings nicht ohne mich mit der Materie genau zu befassen. So auch mit dem englischen Landpfarrer, der die Nützlichkeit der Regenwürmer entdeckt hat. Den Pater Basil habe ich erfunden und ihn anscheinend so lebensnah dargestellt, daß ihm viele gescheite Leser Leben eingehaucht haben. Ich hoffe, Sie nehmen mir meine Kapriolen nicht übel. Wenn Sie vom Erfinder der Brezel und von dem des Fußballs hören oder lesen werden: Beide sind metaphysische Geistesverwandte des Pater Basil. Nichtsdestoweniger: Der Briefschreiber existiert und grüßt Sie auf das freundlichste.«

Wie man Erfahrungen sammelt

Kaum aus dem Ei geschlüpft, faßte ein flaumiges Küken namens Pinse den Entschluß, den Erfahrungen erwachsener Hühner nicht zu trauen, sondern im Selbstunterricht durch Schaden klug zu werden. Dies, obwohl seine Mutter, die Henne Berta, eine so kluge Glucke war, daß ihre Ratschläge zuweilen in der Zeitung gedruckt wurden. Als das Hühnchen die Eierschalen abgestreift hatte, sprach die Mutter: »Mein liebes Pinsenkind, ich möchte dir einige Erfahrungen mit auf den Lebensweg geben, die ich mir zum Teil selbst erworben, zum Teil von meinen Vorfahren übernommen habe. Wenn du meine Ratschläge befolgst, kannst du dir manchen Kummer und manchen Schmerz ersparen. Geh nie ins Wasser, denn ein Huhn im Wasser macht sich schlecht, ausgenommen in totem Zustand als Rohmaterial für eine Suppe. Starkstromleitungen sind ungesund. Nimm dich in acht vor Autos, denn sie sind flinker und härter als du. Hähne sind untreu. Verliebe dich aber eher in einen untreuen Mann als in gar keinen. Mach nicht jede Mode mit. Und hüte dich vor den Füchsen. Sie sehen zwar hübsch aus, meinen es aber nicht gut mit dir.«

»Liebe Mutter«, sagte Pinse, »das war vielleicht in deiner Jugend so. Aber die Zeiten haben sich geändert und die Hühner auch.«

»Wenn du meinst«, gluckste die Mutter resigniert, denn sie wußte, daß es keinen Zweck hatte, mit Halbwüchsigen zu debattieren.

Zum Schwimmwettbewerb des Wassersportvereins Junger Enten meldete sich Pinse. Kaum war sie vom Sprungbrett gehopst, da fühlte sie sich so elend und jämmerlich, daß sie zu sterben meinte. Wer weiß, was geschehen wäre, hätte nicht ein Gänserich, der als Bademeister angestellt war, sie aus dem Wasser gezogen und gerettet. Unter dem Hohngeschnatter des Publikums nahm das blamierte Hühnchen Reißaus. »Manchmal scheinen die Erwachsenen doch recht zu haben«, registrierte es und beschloß, in Zukunft das Wasser zu meiden.

Ein paar Tage später entdeckte Pinse eine Hochspannungsleitung. Ob sie wirklich so ungesund war? Das Hühnchen wollte auf einen der Drähte fliegen, aber so sehr es sich mühte, seine flatterhaften Versuche trugen es kaum einige Meter vom Boden weg. Seine Mitschwestern hielten sich den Bauch vor Gackern. Wer weiß, dachte Pinse, Mutter hat mir das nur so gesagt, weil sie neidisch geworden wäre, wenn ich oben auf dem Mast säße und die ganze Vogelwelt mich bewunderte. Aber wie ist es mit Autos? Sind sie wirklich härter als Küken? An der Straßenecke stand ein alter Ford. Pinse hackte ihn, aber der Schnabel tat ihr so weh, daß sie einen Tag lang kaum »Piep« sagen konnte. Eine Woche später stand sie an der Allee und wartete, bis ein Auto kam. Flink wie ein Igel wollte sie kurz vor den Rädern über die Straße rennen. Der Mann am Steuer erschrak und bremste so scharf, daß er durch die Scheibe flog. Hahaha, folgerte Pinse, da hat sich Mutter aber geirrt! Nicht das Auto ist für Hühner, sondern Hühner sind für Menschen gefährlich. Stolz auf diese Erfahrung warf sie sich in die Brust. Da näherte sich ihr ein Hahn mit geschwollenem Kamm, machte artige und etwas ungeduldige Kratzfüße und sagte: »Tock-tock-tock.«

»Gick-gick-gick!« erwiderte Pinse aufgeregt.

»Kikeriki!« triumphierte der Hahn.

»Jetzt müssen Sie mich aber auch heiraten«, sagte Pinse.

Der Hahn war sprachlos, schüttelte indigniert das Gefieder, nahm einen Wurm zur Stärkung und wandte sich spornstreichs einer alten Leghenne namens Emmeline zu, um ihr mit genau denselben Methoden und genau demselben Erfolg den Hof zu machen wie der verlassenen Pinse.

Wenige Wochen später las das inzwischen herangewachsene Küken in einem Modeheft, im nächsten Winter trügen elegante Geschöpfe keine Federn. Pinse weinte bitterlich, weil sie keine Möglichkeit sah, diese Mode mitzumachen, und beneidete eine Gans, die von der Bäuerin gerupft wurde.

»Lieber eine tote Gans nach der Mode als ein lebendiges altmodisches Huhn sein«, jammerte sie. »Kein Wunder, daß mir der Gockel untreu geworden ist!«

An einem hellen Vormittag nahte sich der Fuchs der Wiese, auf welcher Pinse scharrte. Als er das liebe, dicke Ding sah, lief ihm das Wasser im Maul zusammen; er wagte jedoch nicht, es zu entführen, weil er fürchtete, es alarmiere mit seinem Angstgegacker den ganzen Hof.

»Wollen Sie nicht mit in meinen Bau kommen?« fragte der Fuchs mit süßen Worten. »Ich habe eine tolle Schallplattensammlung.«

»Wie schön Sie sind!« antwortete Pinse. »Aber auf den Trick mit den Schallplatten falle ich nicht herein. Ich gehe mit einem alleinstehenden Herrn nur in die Wohnung, wenn er mich heiratet.«

»Klar«, sagte der Fuchs, »ich werde Sie vor den Altar führen. Und die Amsel wird dazu den Hochzeitsmarsch aus dem ›Sommernachtstraum‹ pfeifen.« Er warf dem Huhn einen begehrlichen Blick zu.

Wie er mich liebt, der feurige Mann! dachte Pinse. »Ich mache eine tolle Partie, ich heirate einen Fuchs!« rief sie ihren Mitschwestern zu, die mit erschrecktem Gegacker flohen. Die sind bloß neidisch, wähnte sie und ging mit dem Fuchs in den Wald.

»Bitte nach Ihnen!« sagte der Fuchs vor seinem Bau.

»Sie sind ein vollendeter Kavalier – aber hoffentlich werden Sie jetzt nichts Schlimmes von mir denken«, antwortete Pinse ebenso geschmeichelt wie verlegen.

Man hat nie mehr etwas von ihr gehört. Nur Malwine, ein ältliches alleinstehendes Huhn, das kurz vor der Beerdigung im Kochtopf stand, seufzte: »Pinse muß eine sehr glückliche Ehe führen. Seit sie mit diesem Rotpelz verheiratet ist, ist sie noch nicht einmal ausgegangen!«

Moral und Nutzanwendung: »Die eigene Erfahrung hat den Vorzug völliger Gewißheit.« (Schopenhauer)

Der geisteskranke Roboter

Die Familie Dubelstein hatte den Onkel nie so recht gemocht, denn er war ein schrulliger alter Herr, der es zu nichts Rechtem gebracht hatte. »Er ist mit Phantasie gestraft«, pflegte Herr Dubelstein von ihm zu sagen.

Onkel Baltus beschäftigte sich in seinen jungen Jahren vorwiegend mit Liebe, später mit Schlaf. In der freien Zeit, die ihm diese beiden Tätigkeiten ließen, machte er Erfindungen. So war es kein Wunder, daß er ohne Altersversorgung und Bankkonto starb.

Die Dubelsteins dagegen waren ehrenwerte Bürger, die sich auf dem Fundament von Plüsch und Boden eine sichere Existenz aufgebaut hatten. Um so mehr staunten sie, als ihnen nach dem Tod des Onkels der Notar eröffnete, Baltus habe sie zu Alleinerben eingesetzt. Er habe jedoch nichts hinterlassen als einen Roboter. Das sei ein von sechsundsiebzig Röhren gesteuertes elektronisches Gehirn, das komplizierte Aufgaben lösen und als unentbehrliche Hilfe in guten und schweren Zeiten dienen könne.

Der Computer, dem die Dubelsteins anfänglich mißtrauten, als sei er ein leibhaftiger Nachkomme des unberechenbaren Baltus, wurde in der guten Stube montiert. Es war ein großer Apparat mit beweglichen Stahlarmen. Durch eine Scheibe sah man in sein Inneres, wo Zahnräder ineinandergriffen, elektrische Birnen aufleuchteten und sich ein Geflecht von bunten Kabeln verzopfte. Eine Klappe, ähnlich der eines Briefkastens, sah wie ein breites und feixendes Maul aus. Der Roboter konnte auf Bild und auf Ton geschaltet werden. Bei Bild erschienen seine Denkergebnisse in zierlicher Leuchtschrift auf einer Scheibe aus Mattglas. Auf Ton geschaltet, sprach der Roboter mit heiserer, krächzender Stimme wie ein in die Jahre gekommenes Freudenmädchen.

In den ersten Tagen stellten die Dubelsteins ihrem Roboter nur leichte Rechenaufgaben, die er mit schnarrendem Geräusch, aufblitzenden Lämpchen und einem leisen Klingeln löste. Als ihn jedoch am Samstag Frau Dubelstein nach einem preiswerten und guten Sonntagsessen fragte, antwortete er so prompt, geschickt und gewissenhaft, daß die Familie erst jetzt merkte, welch kostbaren Schatz der sonst so nichtsnutzige Onkel hinterlassen hatte.

Dubelsteins nannten ihren Roboter jetzt familiär Robby und gaben ihm mehr und mehr Arbeit. Er machte die Schulaufgaben für die Kinder, entwarf Geschäftsbriefe und stellte Rezepte gegen Schnupfen und Magenverstimmung aus. Man brauchte nur die Prospekte der Fremdenverkehrsvereine in seine Klappe zu werfen, und schon wenige Minuten später hatte Robby nach einem komplizierten Punktsystem die billigste und schönste Urlaubsreise für die Familie vorprogrammiert.

Herr Dubelstein gewöhnte sich ab, die Morgenzeitung zu lesen. Er warf sie Robby ins Maul, und kurz danach gab dieser einen Leitartikel über die Lage von sich, mit dessen Extrakt Herr Dubelstein sich seiner Gesinnung an keinem Stammtisch zu schämen brauchte. Robbys Meinung war so geschickt mit »einerseits wohl« und »andererseits aber auch wieder nicht« abgestimmt, daß sie niemandem weh tat und bei keinem Vorgesetzten Anstoß erregte.

Das elektronische Gehirn löste die schwierigsten Hausaufgaben für die Kinder. Es wog den Charakter des Götz von Berlichingen gegen den des Michael Kohlhaas ab und unterstrich das Ganze mit trefflichen Zitaten aus den beiden entsprechenden Werken unter besonderer Berücksichtigung der Weltanschauung des Dichters. Frau Dubelstein brauchte Robby nur mit ein paar Fernsehkritiken zu füttern, und schon bildete das elektronische Gehirn daraus ein Gesamturteil, mit dem sie in jeder Gesellschaft einer Unterhaltung über die Programmprobleme des ZDF gewachsen war. Selbst eine Wahl bedeutete für den Roboter keine Qual. Er leuchtete den Dubelsteins die Partei zu, welche die beste Gewähr für die Sicherung der überkommenen geistigen und leiblichen Güter und den zuverlässigsten Schutz gegen alle Experimente wie soziale und kulturelle Neuerungen versprach.

Robby wurde für Dubelsteins immer unentbehrlicher. Dodo und Dora, die Töchter des Hauses, fragten ihn sogar in Liebesangelegenheiten um Rat. Auch darin versagte der Roboter nicht. Seine Ratschläge auf streng verstandesmäßiger Grundlage bewahrten die Mädchen vor aller Dummheit und Unvernunft, welche die Liebe so aufregend machen, und bereitete sie schon frühzeitig auf eine strapazierfähige Vernunftehe vor.

Der Computer nahm den Dubelsteins immer mehr von der Last des Denkens. Robby wurde von Tag zu Tag selbständiger. Er erinnerte an die Geburtstage der Verwandtschaft. Ohne Anleitung schaltete er dasjenige Fernsehprogramm ein, das die geringsten Ansprüche an die geistige Kapazität stellte. Hatten Dubelsteins Besuch, so setzten sie ihn mit dem Rücken zu Robby. Mühelos und ohne daß der Gast es merkte, konnten dann die Gastgeber ihren Beitrag zur Konversation von Robbys Leuchtschirm ablesen. Beim Skatspiel sah Robby den Gästen in die Karten und leuchtete Herrn Dubelstein zu, was er ausspielen solle.

Das elektronische Gehirn versagte nur selten. Einmal mutete ihm Frau Dubelstein zu, Geschirr abzuwaschen. Sie warf ihm einige schmutzige Teller in die Klappe. Die spuckte er unter gräßlichem Gepolter wieder aus. Ein andermal schüttete ihm Dodo eine halbe Flasche Steinhäger ins Maul. Einen halben Tag war Robby außer sich vor Übermut. Er schlug Frau Dubelstein am hellen Werktag vor, Champagnerkraut mit Ananas und Sahne zu kochen. Er behauptete, drei mal drei sei achtzehn. Das berühmte Götz-Zitat legte er der Frau von Stein in den Mund. Dodo gab er den Rat, mit einem jungen Mann ohne Vermögen zu zelten. Doch schon am anderen Tag arbeitete er wieder zuverlässig. In einem Punkt brachte er es allerdings nie auf menschliche Vollkommenheit. Da er keine Phantasie hatte, konnte er nicht lügen. Er war völlig ratlos, als ihn Herr Dubelstein einmal fragte, was er seiner Frau vorschwindeln solle, um zu einem unbeaufsichtigten Abend zu kommen.

Eines Abends schob ihm Dodo, um ihn zu prüfen, das Telefonbuch in den Rachen. Schon nach zwei Stunden hatte es Robby mit einem elektronischen Lichtstrahl abgetastet und verarbeitet. Auf dem Leuchtschirm erschien sein Urteil: »Sehr spannend, aber zu viele Personen und zuwenig Handlung.«

Von da an gaben ihm die Dubelsteins regelmäßig Lektüre. Uwe Johnsons Werke las er in kürzerer Zeit als die Logarithmentafel, die er allerdings fesselnder fand. Er las den *Faust* und das *Kapital* von Marx, die *Fromme Helene* und den *Bayern-Kurier*.

Bis eines Tages das Ehepaar Dubelstein auf den Einfall kam, wieder einmal Schach zu spielen. Beide fragten dabei, des Denkens völlig entwöhnt, Robby um Rat. So kam eine Partie zustande, die der Roboter gegen sich selbst spielte. Sie stand am siebzehnten Tag noch unentschieden, da Robby ja unfehlbar war. Schließlich lief er heiß. Man hörte in seinem Innenleben Kupplungen kratzen, verdächtige Klopfgeräusche, aufgeregtes Klingeln und sah, wie die Röhren erst blitzten und dann glühten. Aber die Dubelsteins bemerkten die Warnsignale nicht. Sie machten nur kurze Schlaf- und Essenspausen und spielten weiter.

Da gab Robby plötzlich Frau Dubelstein den Rat, Striptease zu spielen, und Herrn Dubelstein den Befehl, sich auf den Striptease einzulassen. Seine Leuchtschrift zitterte wirre Sätze. Aus dem Lautsprecher krächzte von serieller Musik untermalter Unsinn.

Die Dubelsteins holten erst einen Mechaniker. Der stand dem Unglück fassungslos gegenüber. Dann konsultierten sie einen Nervenarzt, der feststellte, Robby habe sich wahrscheinlich in seiner Jugend in ein Zirkuspferd verliebt. Dadurch sei ein Komplex entstanden, der, verstärkt durch die geistige Anstrengung beim Schachspiel, zu einer Bewußtseinsspaltung geführt habe. Robby sei unheilbar geisteskrank.

Das war ein harter Schlag für die Familie. Denn wie die Natur die Muskeln verkümmern läßt, wenn sie nicht benutzt werden, so litten die Dubelsteins, weil ihnen Robby alle Denkarbeit abgenommen hatte, an einer Atrophie des zerebralen Nervensystems. Volkstümlich ausgedrückt: an Hirnschwund.

Da wir aber bei dieser Geschichte keinesfalls auf das Happy-End verzichten wollen, sei sie kühn zu Ende geführt. Die beiden Dubelsteintöchter, geistig zum Skelett abgemagert, stellten keinerlei Ansprüche an ihre Freier, hatten deshalb eine reiche Auswahl, machten glänzende Partien und wurden vorbildliche Ehefrauen. Frau Dubelstein, von allen guten Geistern verlassen, schrieb erfolgreiche Drehbücher für Pornofilme. Herr Dubelstein, der das hemmende Denkvermögen eingebüßt hatte, beschloß, Politiker zu werden. Da seine Wahlreden bar jeder Logik waren, hatten sie starke Wirkung. Er stieg auf der politischen Stufenleiter steil empor, kam zu hohen Ehren und ging schließlich in die Unsterblichkeit ein, weil es ihm gelang, einen Krieg gewaltigen Ausmaßes zu entfesseln und zu verlieren.

Die Tücke des Objekts

Der Ipser Trachtenverein war vollzählig angetreten. Die Feuerwehrkapelle spielte den Ländler *Stramme Buam*. Die Jodlergruppe Geschwister Zöfferli juhute ihren beim letzten Heimatfest preisgekrönten Gemsenbrunst-Jodler. Bürgermeister Zirngibler betrat das Podium und hielt eine Rede. Die Gemeinde Ips, so sagte er, wisse die Ehre wohl zu würdigen, daß Ingenieur Barufczik gerade sie dazu auserkoren habe, hier sein bahnbrechendes Experiment zu wagen. Im Ehrenbuch der Technik, in dem die Siege des Fortschritts über die Natur verzeichnet seien, würden heute für alle Zeiten die Namen Barufczik und Ips mit goldenen Lettern unauslöschlich eingetragen.

Ingenieur Barufczik lächelte, und der Dorffotograf knipste ihn vor seiner Klettermaschine, die startbereit am felsigen Fuß des Piz Schroffen aufgestellt war. Der Apparat, mit dessen Hilfe den steilsten Berg im Freizeitanzug zu ersteigen sich der Ingenieur rühmte, glich einem aufrechtstehenden Glassarg. Auf seiner Rückseite sah man

vierundzwanzig paarig angeordnete, mit Gummisaugnäpfen verse-
hene Füße und acht Greifarme, die auch als Steigeisen verwendbar
waren. Unter der mit Scheibenwischer und Fernsehempfänger ausge-
statteten Kabine saß der hundertfünfzigpferdige Dieselmotor, der
das Gehwerk in Bewegung setzte. Eine einfache Steuervorrichtung in
der Kabine erlaubte es dem Insassen, die Klettermaschine sich kreuz
und quer in den Felsen tummeln zu lassen. Verchromte Stoßstangen
gaben dem Kletterwerk die schnittige Linie für den verwöhnten
Verbrauchergeschmack.

Bevor Ingenieur Barufczik die Kabine betrat, hielt er eine kleine
Ansprache. Die Zeiten, so sagte er, da man mit Bergausrüstungen in
den Fels gezogen sei, um die unwegsamen Riesen zu bezwingen,
seien vorbei. Das Klettern sei nicht mehr ein Vorrecht dünner
Bevölkerungsschichten. Durch die Erfindung der Klettermaschine
stehe jetzt jeder Berg breitesten, ja selbst gehbehinderten Volkskrei-
sen offen. Mit Absicht habe er die Nordwand des Piz Schroffen
gewählt, die als unbesteigbar gelte, um an ihr zu zeigen, daß es für den
Menschengeist kein Hindernis gebe, wenn er sich die Technik nutz-
bar mache. Er danke der Gemeinde Ips für ihre Unterstützung und
bitte die Frau Bürgermeister, die Klettermaschine auf den Namen
»Max« zu taufen, bevor er mit dem Aufstieg beginne.

Frau Zirngibler tat wie geheißen, zerschmetterte an der vorderen
Stoßstange eine Flasche Ipser Bürgerbräu, und Ingenieur Barufczik
stieg in die Kabine. Er schaltete zuerst das Fernsehgerät ein, das
gerade Catarina Valente showte. Dann schnallte er sich den Fall-
schirm um, ohne den die Bergpolizei den Aufstieg nicht gestatten
wollte. Barufczik trug einen eleganten Einreiher, Sandalen mit Griff-
sohlen und einen Schlips, auf dem kleine Bergsteiger alter Art mit
Rucksack, Eispickel, Steigeisen und Seil aufgedruckt waren. Er
drückte auf den Starterknopf. Die Feuerwehrkapelle intonierte den
Marsch *Auf los geht's los.* Maxens kurze, aber stämmige Füßchen
bewegten sich, saugten sich am Fels fest, und langsam wie ein großes
Insekt erklomm die Maschine Schritt für Schritt die fast senkrechte
Felswand.

Das war der größte Augenblick in der Geschichte der Gemeinde
Ips, und mit Max stiegen die Hoffnungen der Bevölkerung in Höhen,
die unerreichbar schienen. Denn bis dahin war Ips ein Stiefkind des
Fremdenverkehrs gewesen. Kein Heilwasser, keine Skipiste, kein

Kneippbad, kein Moor und kein Gelübde aus Pestzeiten machten den Ort für Fremde attraktiv. Der unüberwindliche Piz Schroffen eignete sich weder für schattige Spazierwege noch für zünftigen Bergsport. Es gab nur zwei Gasthöfe, die wenig Komfort anzubieten hatten. »Zum alten Zöllner – neu renoviert« und »Zum wilden Mann – eigene Schlachtung«, priesen sie sich an.

Aber das sollte jetzt anders werden. Barufczik, der von den Gebirgsvereinen als Schänder der Bergeinsamkeit wütend angegriffen worden war, verkörperte die Hoffnung von Ips. Die Gemeinde hatte beschlossen, einen größeren Kredit aufzunehmen, um sofort, nachdem das Experiment geglückt wäre, sechs numerierte Klettermaschinen anzuschaffen. Der Bürgermeister sah schon argentinische Rindfleischkönige, indische Maharadschas und arabische Ölscheichs mit Harem maschinell den Piz Schroffen besteigen. Jedes Jahr sollte ein großes Wettklettern stattfinden. Oberlehrer Pimpfl war für den Auftrag vorgesehen, ein Festspiel *Kletterwurzen* zu schreiben. In des Bürgermeisters Schreibtisch schlummerte schon der Werbevers:

> Sei kein Gips-
> Kopf! Kletter in Ips!

Die Bevölkerung starrte bei solchen erhebenden Gedanken in die Felsen, wo Max Schritt für Schritt mit unheimlicher Sicherheit und flottem Tempo die fast senkrechte Wand hinaufstieg.

Er kletterte und kletterte und war schließlich nur noch durchs Fernglas zu sehen. In siebenunddreißig Minuten war es soweit. Die Feuerwehrkapelle blies einen Tusch. Die Bevölkerung von Ips brach in Jubel aus. Auf dem Gipfel entstieg Ingenieur Barufczik der Kabine. Er entrollte die Kreisflagge, legte ein Gipfelbuch an, in das er sich als erster einschrieb, und blinkte mit dem Rückspiegel des Klettermax übermütig auf den Hauptplatz von Ips hinunter. Dort stand der Oxner-Sepp in der begeisterten Menge und sagte: »Raufklettern is leicht – i will sehn, wia er wieder runterkimmt!« Wegen dieser defätistischen Äußerung hätte der Volkszorn ihn zweifellos verprügelt, wenn er weniger kräftig gewesen wäre.

Ingenieur Barufczik schien es auf dem Gipfel zu gefallen. Er machte keine Anstalten, zurückzukommen. Die Bevölkerung, die an diesem Tag nicht zum Mittagessen ging, wurde hungrig und etwas ungeduldig. Da sagte der Oxner-Sepp, der auch etwas von Motoren

verstand, denn er war Grobschmied: »An Rückwärtsgang hab i bei
dem Ding net g'sehn!«

Dieser zweite Einwurf erregte weniger Ärgernis als betretenes
Nachdenken. Barufczik blinkte wieder. Dazu schwenkte er die
Kreisflagge. Und schließlich merkte es einer und rief: »Der gibt ja das
Bergnotzeichen!«

Da wurde es allen klar, daß Barufczik wie gewisse Feldherrn nur an
den Vormarsch gedacht, aber vergessen hatte, den Rückzug zu
organisieren. Die Klettermaschine war eine wunderbare Erfindung –
aber leider hatte sie wirklich keinen Rückwärtsgang. Der Bürgermeister, der alle Felle, die man den Fremden in kommenden Jahren hatte
übers Ohr ziehen wollen, davonschwimmen sah, machte zwar den
Einwand, man könne mit dem Ding vielleicht kopfüber herunterklet-
tern, aber dann dachte er an die Haremsdamen, die künftig Kur- und
Klettergäste in Ips sein sollten, und er wagte kaum zu hoffen, daß
man diesen verwöhnten Wesen einen solchen verdrehten Sport zumuten könne.

Inzwischen hatten sich die jungen Männer des Dorfes so bergfest
und wetterhart wie die Menschen auf Barufcziks Schlips angezogen
und sich zu einer Rettungsexpedition formiert. Die Verpflichtung,
ein Menschenleben zu retten, trieb sie zu bergsteigerischer Höchst-
leistung, und so gelang es an diesem Tag, was noch nie gelungen war:
Die Nordwand des Piz Schroffen wurde auch ohne Maschine be-
zwungen.

Ingenieur Barufczik verlangte zwar kategorisch, daß auch der
Klettermax gerettet werde, aber das lehnte die Rettungsmannschaft
rundweg ab. Sie packte den erschöpften Ingenieur in eine Zeltbahn,
seilte ihn ab und stieg mit ihm zu Tal. Im »Wilden Mann« gab der
Ingenieur für seine Rettung eine Runde Enzian aus. Die Kunde von
der Ersteigung des Piz Schroffen durch den Klettermax ging durch
die ganze Weltpresse, und Barufczik galt als ein Vorkämpfer des
Alpinismus. Von seinen Rettern sprach kein Mensch.

Die Klettermaschine kam allerdings nicht mehr aufs Fließband.
Der Einbau eines Rückwärtsgangs, so erklärte Ingenieur Barufczik,
mache eine Serienfabrikation unrentabel.

Mit einem guten Glas kann man heute noch auf dem Gipfel des Piz
Schroffen die von Wind und Wetter zerstörten Reste des Klettermax
sehen. Nur der Scheibenwischer fehlt. Den hat der Oxner-Sepp bei

der Rettung des Ingenieur heimlich ausgebaut und später an sein Kammerfenster montiert. Wenn es sonntags regnet und der Oxner-Sepp spazierenschaut, sieht man den Scheibenwischer flink über das Kammerfenster laufen.

Tobias und die Lügner

Tobias ging im Walde so für sich hin, als ihn plötzlich ein klägliches Winseln aus seinen Betrachtungen riß. Er lief den Tönen nach und entdeckte einen braunen Airedale-Terrier, der sich in einer Schlinge verfangen hatte, wie sie Wilderer auszulegen pflegen. Tobias befreite das Tier und war nicht wenig erstaunt, als es vor ihm sitzenblieb, das Maul öffnete und sagte: »Ich danke Ihnen, mein Herr. Sie sehen in mir nicht etwa einen icksbeliebigen Hund, sondern den staatlich geprüften Oberzauberer Abuhel, den es gelüstet, in der Gestalt eines Hundes zu lustwandeln. Leider war mir die Zauberformel für Schlingenlösen entfallen. Ich wäre eines elenden Todes gestorben, wenn Sie, verehrter Herr, mich nicht befreit hätten. Als Dank sei Ihnen ein Wunsch gewährt, der sich erfüllen wird.«

Tobias, kein Materialist, besann sich nicht lange und sagte: »Ich möchte, daß morgen für alle Menschen, die in meiner Stadt wohnen und die eine Lüge sagen oder schreiben, die Schwerkraft aufgehoben ist.«

»Es sei«, sprach Abuhel und war wie vom Waldboden verschlungen.

Am anderen Tag ereigneten sich in der Stadt merkwürdige Dinge. Es begann damit, daß Tobias' Reinemachefrau, ihm einen guten Morgen wünschend, sagte, sie sei heute schon eine Stunde früher gekommen, als er noch tief geschlafen habe. Da flog sie wie ein Luftballon gegen die Decke, wo sie mit dem Staubsauger hing, bis es nachts zwölf Uhr schlug. Der dickbäuchige Herr Knotzke, der Tobias hundert Mark schuldete, ihm auf der Straße begegnete, beide Hände schüttelte und sagte: »Wie freue ich mich, Sie wieder einmal zu sehen«, freute sich nicht lange, denn kaum hatte er den Satz ausgesprochen, so flog er in die Luft, und der Wind trug ihn von dannen.

Es ging in der Stadt turbulent zu. Bei den Zeitungen löste sich ein Setzer nach dem anderen von seinem Arbeitsplatz und flog davon, den in aller Frühe verschwundenen Redakteuren nach. Als der Chefredakteur mit dem Kultusminister telefonierte und ihm sagte, seine Pläne zur Hochschulreform seien wirklich fortschrittlich, da brach die Verbindung plötzlich ab, weil der Redakteur so heftig nach oben gezerrt wurde, daß die Telefonleitung riß. Kleine silberne Halbmonde flimmerten in der Morgensonne himmelwärts; es war der Buchstabe C einer Partei, die diesen Buchstaben wahrhaft vergeblich in ihren Schildern führte.

Um die Mittagszeit stand fast niemand mehr auf dem Boden der Tatsachen. Im Parlament flog ein Redner nach dem anderen gegen die Kuppel, in der die Abgeordneten in dicken Trauben hingen. Und als ein Parteiführer seine Ansprache mit den Worten begann: »Meine Partei steht unumwunden auf dem Boden echter Demokratie« und ihm seine Spezis den befohlenen einstimmigen Beifall zollten, durchbrach die Fraktion geschlossen das Glasdach des Sitzungssaales und wurde ohne Fristenlösung zur Freude des Landes vom Westwind in den bösen Osten abgetrieben. Die Menschen entschwebten wie Vogelschwärme, oder sie hingen, wenn sie das Glück hatten, sich in geschlossenen Räumen zu befinden, an deren oberen Grenzflächen. Einzig ein paar Nonnen, ein pensionierter Beamter und zwei schlohweiße Unternehmer blieben der Schwerkraft unterworfen; als jedoch der eine von ihnen so unvorsichtig war, an diesem Tag seine Steuererklärung abzugeben, kam auch er in den Genuß der Schwerelosigkeit. Briefschreiber lösten sich spätestens bei der Schlußfloskel »mit vorzüglicher Hochachtung« von ihren Sitzen. Schon kurz nach Sonnenaufgang waren alle Syndici von Interessenverbänden in höheren Regionen, ganz zu schweigen von denen, die an diesem Tag eidesstattliche Erklärungen abgaben. Ein verhinderter Bundeskanzler, der sagte, in der Opposition fühle er sich unter guten Parteifreunden richtig wohl, wurde schon bei den ersten Worten so heftig nach oben gerissen, daß er mit einem gewaltigen Knall die Schallmauer durchbrach. Aber auch der Regierungssprecher, der erklärte, Abgeordnete stimmten ohne Fraktionszwang nur nach ihrem Gewissen ab, glich einem startenden Hubschrauber. Väter, die sich über die Zeugnisse ihrer Kinder erregten und sich, ihre Sprößlinge mahnend, an ihre eigenen, viel besseren erinnerten, bezahlten diesen trügerischen Blick in die Vergangenheit mit einer vom Plafond geschlagenen Beule. Alte Damen, die bis zum Nachmittagskaffee den Boden unter den Füßen behalten hatten, schwebten mit kleinen spitzen Schreien und raschelnden Röcken nach oben, als sie das zweite Stück Kuchen mit der Begründung ablehnten, sie seien schon satt. Drei Zeugen vor Gericht brachen sich beim Eid, nach oben getrieben, ein bis zwei Schwurfinger.

Am Abend war die Stadt wie ausgestorben. Der Tag hatte selbst in die Reihen der Geistlichkeit schwere Lücken gerissen. Ein Pastor wurde nur vom Kanzelhimmel davon abgehalten, ins Kirchenschiff zu entschweben, als er beim stillen Gebet bis vierzig zählte. Ein Maler, der heftig stotterte und deshalb bis zum Abend auf dem Boden geblieben war, flog noch davon, als er ein Schild »Gasthof Adler nur 5 Minuten« malte. Der Schwerkraft unterworfen blieben nur ein paar Kinder, die noch nicht sprechen konnten, alle Tiere, drei Straßenmädchen, fast alle Dichter, die Insassen des Irrenhauses außer dem Pflegepersonal, einige Schauspieler und die Betrunkenen, die letzteren teilweise sogar recht heftig.

Tobias selbst hielt sich recht und schlecht bis kurz vor Mitternacht, als er zu sich selbst sagte, er habe diesen Wunsch geäußert, nicht um seine Mitmenschen zu blamieren, sondern um sie zu bessern. Da flog er sanft gegen den leise klirrenden Kronleuchter.

Schlag zwölf Uhr kamen sie dann alle wieder herunter. Wer aber glaubt, daß seither in der Stadt weniger gelogen wird, der irrt sich.

Mord an Jeff Leyermann

»Ich habe Jeff Leyermann getötet«, sagte Fräulein Winz. Ihr Gesicht war fahl und hatte einen Stich ins Grüne. Ihre Zähne klapperten. Sie sank auf einen Sessel, dessen Federn unheimlich knarrten.

Frank Klix sprang auf.

»Ich gratuliere mir!« rief er enthusiastisch und ging federnden Schritts durchs Zimmer. »Fräulein Winz, für dieses Zugeständnis könnte ich Sie küssen.«

»Tun Sie es doch«, flüsterte Ingemaria tonlos. »In Kurzgeschichten werden Sekretärinnen immer von ihrem Chef geküßt.«

»Aber nicht in den meinigen«, tadelte Frank Klix und rieb sich die Hände.

Der berühmte Kriminalschriftsteller war überglücklich. Der große Wurf war ihm gelungen. Er hatte sein Meisterwerk geschrieben, einen Kriminalroman, der, wie üblich, bis zur letzten Seite die Frage offenließ, wer der Täter sei. Auf Seite eins war Jeff Leyermann, Chef des Förstäbrill-Trusts, ermordet worden. Auf vierhundertsiebzig Seiten lenkte der Schriftsteller den Verdacht der Täterschaft abwechselnd auf alle auftretenden Figuren: auf Ralph Maria Mamatschi, den Fabrikanten leicht verdaulicher Musik, auf die Filmschauspielerin Mona Pomona, genannt die falbe Katze, auf Hermann Mottenpelz, Wirt der Hafenschenke »Zur Gelben Eule« – bis sich schließlich auf der letzten Seite das Netz zusammengezogen und der Indizienbeweis eindeutig feststand. Die so böse Verdächtigten entpuppten sich als Unschuldsengel. Frank Klix, Meister einer raffinierten Kriminalpsychologie, hatte die Knoten so kunstvoll geknüpft, daß schließlich kein anderer im Netz saß und für die Täterschaft in Betracht kam als der Leser des Buches. Fräulein Winz, die den Roman in die Maschine geschrieben hatte, war das erste Opfer der aufregenden Lektüre.

Der Roman, dessen zugkräftiger Titel *Du bist der Mörder!* hieß, wurde ein Bestseller. Seine Wirkung war durchschlagend. Schon während des Drucks meldeten sich die Setzer und Drucker bei der Polizei und erklärten sich durch das Buch des Mords an Jeff Leyermann überführt. Der Verlagsleiter floh ins Ausland, um der Gerechtigkeit zu entgehen. Frau Klix versteckte sich nach der Lektüre des neuesten Werks ihres Mannes im Keller. Ein Rezensent ging ins Kloster, andere traten der Heilsarmee bei. Die Polizei war voll und ganz damit beschäftigt, die Geständnisse der Klix-Leser zu protokollieren, die sich selbst des Mords an Jeff Leyermann bezichtigten. Ganz gegen seine Gewohnheit griff der Polizeipräsident zu diesem Buch, das ihm so viel Arbeit brachte. Ein paar Tage später schrieb er eine Postkarte von der Costa Brava, er grüße herzlich und hoffe, nicht ausgeliefert zu werden. Schließlich nahm sich die Staatsanwaltschaft des Falles Jeff Leyermann an. Nach der Lektüre des Buches verurteilten sich die Richter und Staatsanwälte gegenseitig zu lebenslänglichem Zuchthaus, obwohl die Verteidiger in leidenschaftlichen Plädoyers Freispruch beantragt hatten, da sie selbst die Täter seien.

Eine Welle des Schuldbewußtseins ging durch die Leserschaft. Die

Individualschuld summierte sich zur Kollektivschuld. Die Bußfertigkeit überschwemmte das Geschäftsleben und lähmte die Wirtschaft. Die Leser des Klixschen Kriminalromans schlossen sich zur Interessengemeinschaft der mutmaßlichen Leyermann-Mörder zusammen und gaben eine Zeitschrift heraus. Nur bei einem Minister blieb die Lektüre ohne Wirkung. Er habe so viel auf dem Kerbholz, meinte er im Familienkreis, daß auch der Fall Leyermann sein abgehärtetes Gewissen nicht beunruhigen könne. Die Redaktionen der Zeitungen und Zeitschriften erstickten in Tatsachenberichten: »Wie ich Jeff Leyermann tötete« – »Ich klage mich an« – »Ich bin der Mörder Leyermanns«.

Schließlich wurde selbst Frank Klix die Wirkung seines Buches unheimlich. Lange saß und sann er. Kaum hatte er das Denken beendet, da setzte er sich schon an seinen Schreibtisch und schrieb *Der Prozeß Leyermann*. In diesem Buch stand kein anderer als der Leser des ersten Bandes vor Gericht. Frank Klix schrieb so spannend, daß die Illusion des Lesers, sein eigener Fall werde hier behandelt, vollkommen war. Nachdem es bis zur zweitletzten Seite für den Leser hoffnungslos ausgesehen hatte und ihn der Verteidiger schonend auf lebenslängliches Zuchthaus vorbereitete, schloß das Werk mit einem überraschenden Freispruch.

Die Psychose löste sich, als dieser Band auf den Markt kam. Fräulein Winz bekam als erste frische Farbe, trug den Kopf höher und trat aus der Interessengemeinschaft aus, in der sie den Ehrennamen »Leyermannmörderin Nummer eins« bekommen hatte. Frau Klix las das Manuskript im dunklen Keller und kehrte erleichtert aus ihrem Versteck in die Arme ihres Mannes zurück. Nur der Polizeipräsident blieb in Spanien, da die Ausfuhr des Buches verboten war.

Für dieses Werk wurde Frank Klix als Anwärter für den Nobelpreis vorgeschlagen. Außerdem wurde er von einer großen Partei als Wahlkampfpromoter engagiert, weil er die Fähigkeit bewiesen hatte, Furcht und Schrecken zu verbreiten, und sich auf diese Weise als geeignet erwies, den ängstlichen Wähler konservativ zu stimmen.

Das Urteil des Paris

Aphrodite tupfte sich ein wenig »Mon espoir« hinters Ohrläppchen, bestieg einen unruhig stampfenden Zentauren und schäkerte mit ihm, als er sie trabend durch die elysischen Gefilde trug. Recht spät kamen sie zum Café Heureka, wo die Kolleginnen Hera und Pallas Athene schon auf der Terrasse ihren Nektar tranken.

»Haben Sie gehört? Sie duzt sich mit ihm«, zischelte Hera zu Pallas und nahm ihr Lorgnon auf die spitze Nase. »Dieses Dekolleté – eine Person ist das!«

»Wenn auf den Olympischen Spielen der Geist bewertet würde, bekäme die auch keine Goldmedaille«, sagte Pallas maliziös, denn sie war stolz darauf, daß sie bei Professor Sokrates promoviert hatte.

Aphrodite begrüßte die Kolleginnen und bestellte einen Eisnektar und eine Ambrosiatorte.

Die Damen plauderten über Kollegen, Bekannte, Kleider und Dienstboten. Hera fand die Preise der Weberei Geschwister Parzen skandalös, und Pallas sprach lobend über Xanthippe, wie Frauen gerne über andere lobend sprechen, die von der Natur nicht allzu reichhaltig mit äußeren Vorzügen ausgestattet sind. »Eine reizende Frau, nicht hübsch, aber klug und häuslich, schlicht und vornehm. Sie trägt einen Knoten wie ich.«

Aphrodite beklagte sich über Hermes, den olympischen Boten. »Er erlaubt sich mir gegenüber Freiheiten, die unerhört sind.«

»Er denkt eben, erhört zu werden«, sagte Hera boshaft. »Männer erlauben sich immer die Freiheiten, die Frauen ihnen zugestehen. Gegen mich benimmt er sich tadellos.«

»Na ja«, meinte Aphrodite und schaute Hera mit leicht nach unten gezogenen Mundwinkeln an.

In diesem Augenblick kam die Göttin der Zwietracht am Tisch vorbei und warf einen goldenen Apfel mit der Aufschrift »Der Schönsten« auf die Marmorplatte. Hera nahm den Apfel an sich und rief der unedlen Spenderin ein »Vergelt's Zeus!« nach.

»Aber erlauben Sie mal, der Apfel ist doch an mich adressiert«, sagte Pallas.

»Die Damen irren, er gehört selbstverständlich mir!« rief Aphrodite und griff nach dem Apfel.

Bald entstand ein solcher Lärm, daß der Geschäftsführer kam. »Meine Damen, ich muß doch sehr bitten. Der Ruf unseres Hauses...«

Doch die Göttinnen ließen ihn nicht zu Ende reden.

»Wollen die Damen nicht einen Schiedsrichter sprechen lassen?« riet der Geschäftsführer. »Mir selbst verbieten leider die Gepflogenheiten unseres Hauses, mich in Meinungsverschiedenheiten der Gäste einzumischen.«

»Einen Schiedsrichter!« riefen die drei olympischen Damen, und da gerade der Hirte Paris mit seiner Schafherde die Straße herabkam, ließen sie ihn kommen.

»Treten Sie ruhig näher, junger Mann, und stehen Sie bequem. Können Sie Schiedsrichter spielen?« fragte ihn Hera.

Paris rieb sich sein stoppliges Kinn. »Ich bin zwar selbst Fußballer und habe in dem Match Sparta gegen Syrakus um den Cup der Antike Verteidiger gespielt – aber Schiedsrichter – nee...«

»Es handelt sich hier nicht um einen Vulgärsport, sondern um eine Schönheitskonkurrenz«, fiel ihm Pallas ins Wort. »Sie sollen der Schönsten von uns dreien diesen goldenen Apfel geben.«

Paris stand flegelig da und kratzte sich am Kopf; er war so verlegen, wie Männer zu sein pflegen, wenn sie in Liebesdingen zu einer Entscheidung gedrängt werden. »Eine ist doch so schön wie die andere. Warum wollen denn die Damen das wissen?«

»Nur so aus Daffke«, sagte Aphrodite, denn sie liebte bisweilen den Jargon.

»Mann, seien Sie nicht so feige, entscheiden Sie sich!« rief Pallas ungeduldig.

»Hören Sie mal gut zu«, redete ihm Hera ein. »Ich mache Sie gleich darauf aufmerksam, daß ich mit Zeus, der auch Ihr direkter Vorgesetzter ist, verheiratet bin. Sollten Sie mir den Apfel zuerkennen, so bin ich bereit, ein gutes Wort bei ihm einzulegen. Sie können durch unsere Beziehungen was werden. Vielleicht beim Fernsehen. Die BBC will die ›Ilias‹ verfarbfilmen und sucht einen Naturburschen für die Rolle des Ajax. Das wär 'ne Rolle für Sie. Also urteilen Sie ganz objektiv und geben Sie mir schon den Apfel!«

»Aber meine Beste, das ist ja Beeinflussung!« protestierte Pallas, und ihre Stimme überschlug sich.

»Den Apfel bekommt doch die Schönste«, sagte Aphrodite.

»Den Apfel bekomme ich!« befahl Hera.

»Bei allem Wohlwollen – da können Sie doch wirklich keinen Anspruch darauf erheben, meine Gnädigste. Sie haben zwar Herzensbildung, aber bei Ihrer etwas fülligen Figur..«, zwitscherte Aphrodite und setzte hinzu: »Aus gutem Grund ist Juno rund!«

»Ich bin die Göttin der Weisheit«, stellte sich Pallas vor. »Es ist der Geist, der sich den Körper baut, sagen schon die jungen Römer. Der Apfel gehört also unstreitig mir. Sollten Sie ihn mir zuerkennen, so gebe ich Ihnen Weisheit. Ich lasse Sie vielleicht Amerika entdecken. Oder die Atombombe erfinden. Oder den Erreger der menschlichen Dummheit. Auch mit Memoiren können Sie viel Geld verdienen und etwas auf die hohe Kante legen.«

»Ich bin die Göttin der Schönheit«, empfahl sich Aphrodite und zeigte ein Stückchen Bein. »Welcher anderen soll der Apfel gehören als mir! Also entscheiden Sie sich ganz voreingenommen und geben Sie ihn gleich her! Als Lohn sollen Sie eine gute Partie machen – die schönste Frau der Welt soll die Ihre werden!«

Da fuhr Hera auf. »Sie, Sie und den Apfel bekommen, Sie Person! Was sind Sie denn überhaupt für eine geborene? Herkunft dunkel, was? Die Schaumgeborene, daß ich nicht lache! Und Sie, ausgerechnet Sie mit Ihrer Vergangenheit wollen den Apfel!«

»Aber verlieren Sie doch nicht die Kontenance«, hauchte Aphrodite und wurde grün vor Ärger. »Zorn macht alt und häßlich! Und Sie mußten sich über Ihren Herrn Gemahl schon so viel erzürnen, meine Liebe. Ich erinnere nur an den Leda-Skandal und an die Sache mit Europa. Na, ich kann es Ihrem Gemahl nicht übelnehmen. Wer zu Hause nur trockenes Brot hat, nascht Pastete gern aus fremden Töpfen!«

Während sich Hera und Aphrodite zankten, lächelte Paris genießerisch. Die schönste Frau, dachte er, das ist was Handfestes, das ist ein Angebot. Über sein sommersprossiges Gesicht ging ein breites Grinsen, als er Aphrodite den Apfel reichte, die ihn mit einem triumphierenden Girren in ihre Krokodilledertasche schob.

»So weit kommt das noch!« rief Hera zornig und schlug auf den Tisch.

»Ober, zahlen!« verlangte Pallas.

Aphrodite schnalzte kapriziös mit den Fingern und zündete sich eine Zigarette an.

Als am Abend Hera immer noch zornbebend in den Palast ihres Mannes kam, saß der gerade über einem Kreuzworträtsel. »Prometheus, Feuer!« rief er wütend, denn die Pfeife war ihm ausgegangen, und er suchte vergeblich eine Novelle von Storm mit acht Buchstaben, von der er natürlich nichts wissen konnte, denn *Immensee* war ja damals noch nicht verfilmt. So paßte die Erzählung seiner Gattin in seine schlechte Stimmung. »Bei mir!« fluchte er. »Die Menschen sollen es büßen!« Er klopfte seine Pfeife aus, so daß ganze Blitzbündel erdwärts fuhren, und setzte den Trojanischen Krieg auf den Dienstplan der Menschheit.

Theaterkrach in Syrakus

Aischylos war wütend. Die sizilianische Sonne brannte in das Theater von Syrakus. Auf dem kahlen Kopf des Dichters standen Schweißperlen.

»Eine Schmiere ist das!« sagte er zu seinem Regieassistenten, dem schönen Diomedes. »Bitte noch einmal der Chor: ›Du Fürst aus starker Väter Zeit! Du Fürst in Zeit und Ewigkeit!‹« rief er zur Orchestra hinüber.

Mißmutig hob der Chor an, den toten König Dareios zu beschwören. Aischylos hörte nur mit halbem Ohr zu. Ihm hing dieses Theater von Syrakus trotz dem schönen Blick auf die tempelbestückte Stadt, auf den lebhaften Hafen und auf den pfeiferauchenden Ätna zum Hals heraus. Hieron, der kunstsinnige Tyrann, hatte den Dichter eingeladen, seine *Perser* selbst zu inszenieren. Aischylos war dieser Einladung nur zu gern gefolgt. Er konnte dem verwöhnten Diomedes endlich eine Reise bieten. Und er sah eine Weile nichts von Athen, wo dieser Sophokles seine Hand frevelnd nach dem Lorbeer des Dramatikers ausgestreckt hatte. Dieser junge Fant mit der quäkenden Stimme, die ihn zum Schauspieler unfähig macht; dieser bühnenfremde Phantast, der den Chor mit Bayreuther Größenwahn um drei Mann verstärkt; dieser Freudianer, der mit Psychologie Furcht und Mitleid erregen will; dieser Verleumder, der im Café Parnaß den Kritikern erzählt, Aischylos' Dramen seien schwülstig; dieser schäbige Zivilist, den man, ohne daß er jemals Pulverdampf geschmeckt, ehrenhalber zum Feldherrn ernannt hat!

So hatte sich Aischylos von Athen in die Provinz eingeschifft und leitete nun die Probe im größten Theater des Altertums. Aber was war das für ein Theater! Kratos, der Darsteller des Dareios, zeigte Starallüren, als habe er einen Fünfjahresvertrag mit dem italienischen Fernsehen in der Tasche. Sein Griechisch klang wie das eines Höhlenmenschen von Pantalica. In Athen hätte man einen solchen Schmieranten durch ein Scherbengericht verbannt. Und hier in Syrakus – da ist so etwas der Abgott der höheren Söhne! Im Chor klappte ein müder Greis ständig nach. Der Chorführer konnte seinen Text nicht und schwamm wie ein schiffbrüchiger Perser bei Salamis. Und während hier probiert wird, waschen die Weiber im Nymphäum, dieser verdammten Quelle, die mitten im Theatergelände liegt, ihre schmutzige Wäsche!

»Diomedes, sei so lieb und bring diese schnatternden Gänse zur Räson! Ein Saftladen ist das – die machen mich noch wahnsinnig!«

Diomedes rekelte sich hoch, und Aischylos sah ihm wohlgefällig nach, wie er mit seinen langen Beinen die Stufen des Theaters emporstieg. Dann wandte er sich wieder zur Bühne, wo eben der Geist des Dareios mißmutig aus seinem Grabmal kletterte und mit seinem sizilianischen Dialekt der griechischen Sprache Gewalt antat.

»Halt!« rief Aischylos. »Bitte noch einmal zurück bis: ›Dareios, Vater, mild und rein, Dareios, komm, erschein, erschein‹!«

Die Choristen sahen sich maliziös an. Sie leierten ihren Text herunter, während Kratos im Krönungsornat des Dareios gelassen auf seinem Grabmal stand. Der Inspizient ließ donnern, blitzen und die Erde erbeben.

»Donner und Doria – das ist das müdeste Erdbeben, das mir je vorgekommen ist«, schimpfte Aischylos.

Die Choristen gingen so ächzend in die Knie, daß ihnen der Dichter am liebsten eine Badekur in Ischia verordnet hätte.

»Da, da! Ah, ah! Ha!« rief der Chor und blickte auf den Geist des toten Königs, der leiernd seinen Text sprach: »Getreueste meiner Treuen! Jugendfreunde! Des Reichs Berater! Sagt, was ist geschehn?«

»Halt!« rief Aischylos. »Kratos, du sprichst diese hehren Worte wie ein Galeerensklave bei der Feier seines fünfzigjährigen Berufsjubiläums. Mehr Ausdruck bitte! Mehr königliche Würde! Mehr Pathos! Ungefähr so...«

Der Dichter donnerte und rollte den Text wie Klaus Kinski.

Kratos protestierte: »Aber verehrter Meister – ich bin doch tot! Und wenn ich tot bin, kann ich nicht wie ein Meininger deklamieren. Überhaupt, was soll das? Ich habe in meinem Leben noch nie einen Toten gespielt. Das ist nicht mein Fach – das steht nicht in meinem Vertrag!«

Aischylos stand auf und trat dicht an die Szene heran. »Ich will dir etwas sagen. Du bist ein Theaterbeamter und kein Schauspieler. Du darfst die erste Geistererscheinung der Theatergeschichte spielen und kommst mir mit deinem albernen Vertrag! Bei der Uraufführung in Athen haben sich die Schauspieler um diese Rolle gerissen. Ich stelle dich auf den Kothurn, damit deine kurzen Beine nicht auffallen. Und was kommt bei dir? Statt königlicher Würde hast du die Attitüde eines Steinbrucharbeiters in den Latomien und die zerfende Stimme einer Xanthippe!«

Kratos kam nach vorn. »Ich werde sauer, wenn Autoren Regie führen! Merken Sie nicht, daß ich nur markiere? Wenn ich mich jetzt schon verausgabe, habe ich morgen nichts mehr auf dem Kasten. Wenn Sie nichts vom Theater verstehen, dann bleiben Sie gefälligst in Athen, Sie Antisizilist!«

Diomedes legte besänftigend die Hand auf die Schulter des Meisters. Aber Aischylos war nicht mehr zu halten. »Ich verbitte mir das! Ich habe den Prometheus gespielt, als du noch nicht Mama sagen konntest! Ich habe bei Marathon gekämpft, als sie dir noch in der Hilfsschule den Satz des Pythagoras eingebleut haben. Ich werde mich beim Tyrannen beschweren!«

Kratos lenkte ein. »Beim Zeus, seien Sie doch nicht so empfindlich, Meister! Schließlich sind Ihre ›Perser‹ ein Zeitstück, ein dramatisierter Kriegsbericht. Das muß man realistisch spielen. Da kann man nicht mit Pathos und Schwulst kommen. Ich verstehe schließlich auch etwas vom Theater! Kennen Sie meine Kritiken? Haben Sie die Ode gehört, die Pindar auf mich gesungen hat? Aber das Stück war auch eine Dichtung – von Sophokles!«

Aischylos' Stirn runzelte sich. Er wischte sich den Schweiß mit dem Ärmel vom Kopfe und wollte gerade den Mund auftun, da rief der Theaterportier: »Der Tyrann!«

Alles neigte die Knie, als Hieron mit seinem Gefolge die Stufen herabstieg. »Na, was gibt's? Theaterkrach? Das ist ein gutes Zeichen für die Premiere!«

»Milder, gerechter, weiser Tyrann!« begann Aischylos.

Aber Hieron ließ ihn nicht ausreden. Er bat den Chorführer, ihm über den Streit zu berichten. Adrostos war ein alter Theaterhase und ein guter Psychologe, der den Vorfall bagatellisierte.

Hieron sprach ein Machtwort: »Meister, Sie als Dichter sind doch der Vernünftigere – Sie sollten die labile Psyche der Schauspieler kennen! Und von dir, Kratos, bitte ich mir Disziplin aus! Im Theater und in der Politik kommt man nur mit Autorität durch. Was der Regisseur sagt, wird gemacht – und damit basta. Verstanden? Wenn es euch nicht paßt, streiche ich ganz einfach die Theaterzuschüsse. So – und jetzt Schluß mit der Probe! Ihr scheint mir alle mit den Nerven herunter zu sein.«

Der Tyrann zog den Dichter auf die Seite. »Nichts für ungut, Meister! Und seien Sie nett zu diesem Kratos. Er ist der Busenfreund des Bankiers Parmenion, und Sie wissen, wie wichtig der für meine Tyrannei ist. Ich habe übrigens Ihr Stück gelesen. Es ist ein Knüller! Großartig bescheiden, wie Sie das Lob der siegreichen Griechen den besiegten Persern in den Mund legen! Das ist propagandistisch sehr wirkungsvoll. Bloß die Figur des Xerxes möchte ich ein wenig anders gezeichnet haben. Den müssen Sie mir umarbeiten. Weniger frevlerisch, weniger größenwahnsinnig, weniger vermessen, dafür liebenswürdiger und volkstümlicher. Sie wissen, wegen der Parallelen! Unsere Tyrannis hier ist noch keine dreißig Jahre alt, und wir müssen sie auch im Theater festigen. Also, seien Sie verständig und machen Sie mir einen netten Perserkönig. Dafür dürfen Sie den Persern noch etwas Sinnenlust geben. Für die Gage, die Sie hier bekommen – ganz abgesehen von den Tantiemen –, ist das schließlich nicht mehr als recht und billig.«

Aischylos wehrte sich. »Hoheit – ich bin ein aufrechter Grieche! Ich habe bei Marathon, bei Salamis und bei Plataiai gekämpft! Ich verkaufe meine Gesinnung nicht!«

Hieron lächelte. »Potz Blitz – ich habe schließlich auch eine Seeschlacht gewonnen! Sie erinnern sich: Vierhundertvierundsiebzig vor Christus bei Cumae. Sie haben gegen die Perser gekämpft, ich an leitender Stelle gegen die Etrusker. Wir beide sind alte Seebären. Und das bißchen Umschreiben – das kann doch einen Seemann nicht erschüttern! Wachs ist geduldig. Wir leben ja nicht mehr in der Steinzeit, wo man seine Meinung in den Felsen schlagen mußte. Seien Sie vernünftig – ich bitte um etwas mehr Ausgewogenheit. Sonst müßte ich Ihre ›Perser‹ absetzen und etwas von Sophokles spielen. Und das wollen Sie doch sicher nicht!«

Grollend bat Aischylos, sich verabschieden zu dürfen. Er stieg die Stufen empor, stellte fest, daß man mit den Wölfen heulen müsse, und setzte sich auf ein Stück verbrannten Rasens hoch über Syrakus, um den Charakter des Xerxes zu glätten.

Als er in die Wachstafel kritzelte, flog ein Adler über die Bucht von Syrakus. In seinen Fängen hielt er eine Schildkröte. Als der Adler, der etwas kurzsichtig war, die Glatze des Dichters sah, meinte er, es sei ein Fels, und wollte darauf landen. Erst im letzten Augenblick bemerkte er seinen Irrtum und ließ vor Schreck die Schildkröte fallen.

»Au!« schrie der Dichter und rieb sich den Kopf, auf dem eine Beule aufblühte. Er flüchtete zu Diomedes und erzählte ihm den Unfall. Dabei kam ihm eine Idee.

»Diomedes«, sagte er, »ich bin ein alter Herr. Wenn Zeus mich eines Tages durch einen Schlagfluß zu sich rufen sollte, so ist das kein rühmliches Ende. Verbreite du dann die Story, ein Adler habe mich mit einer Schildkröte erschlagen. Das gibt Publicity. Das ist Stoff für Sage und Literaturgeschichte. Du wirst sehen – dann gehen meine Stücke wie warme Semmeln!«

»Das hat noch lange Zeit, Meister«, tröstete Diomedes den väterlichen Freund und legte ihm eine kalte Kompresse auf die Beule.

Was machen wir mit dem Mond?

Wir haben ihn noch nicht, den Mond, aber die Technik hat ihn unserer Begehrlichkeit schon so nahe gebracht, daß wir uns überlegen müssen, was wir mit ihm anfangen wollen. Bald wird er uns wie ein Lottogewinn in den Schoß fallen, und es ist menschlich, einen Besitz zu verteilen, bevor man sich über ihn freut. Der stille Gefährte nächtlicher Wanderer, das silberne Traumboot am nachtdunklen

Himmel, von Li Tai-pe bis Bert Brecht besungen, das trauliche Requisit der Romantik, der unerreichbare Port unserer Sehnsucht ist von den Physikern in stratosphärische Griffweite gerückt worden. Gestern noch angedichtet, wird der Mond morgen schon angeschossen. Statt Ziel schwärmerischer Gedanken ist er bald Landeplatz für Raketen. Brachten uns unlängst noch Verse dem Mond näher, so tun es jetzt Formeln, Treibsätze und Sprengköpfe. *Peterchens Mondfahrt* ist vom Weihnachtsmärchen in die Realität degradiert. Ja, was machen wir jetzt bloß mit dem Mond?

Wie wäre es mit einem Naturschutzgebiet? Mit einem Reservat für bedeutende Persönlichkeiten? All die Probleme, die auf der Erde so üppig gezüchtet werden, könnte man dann auf dem Mond zu lösen versuchen.

Die übergroße Mehrzahl der Menschen hat den guten Willen und die Fähigkeit, freundlich und friedlich miteinander und nebeneinander zu leben. Weniger aus edlen Motiven als aus der nüchternen Überlegung, daß man auf die Dauer viel mehr vom Frieden profitiert, als wenn man sich mit den radikalen Mitteln durchzusetzen versucht, über die wir heute verfügen, um uns das Leben nicht nur schwer, sondern unmöglich zu machen. Die meisten von uns sind davon überzeugt, daß einer dieselben Rechte wie der andere hat, auch wenn Paß, Hautfarbe, Sprache oder gar das Gebetbuch verschieden sind.

Ist es aber nicht merkwürdig, daß sich in den meisten Staaten die Mehrheit von der Minderheit beherrschen läßt? Vielleicht sind die wenigen, die nicht friedlich und freundlich miteinander auskommen können, die Bedeutenden, vielleicht ist es die Elite; wer weiß es. Sie wollen gern in die Geschichte eingehen. Sie päppeln auf unsere Kosten die Probleme groß, die das Lesen der ersten Seite von Tageszeitungen so unbehaglich machen. Ihnen bedeuten Ehre und Ruhm mehr als Nachsicht und Frieden. Sie schüren Ost-West-Konflikte, proklamieren eine Politik der starken Hand und erfinden die raffiniertesten Waffen, mit denen man auf einen Schlag möglichst viele Mitmenschen ausrotten kann. Sie machen Tierschutzgesetze und stellen im gleichen Augenblick befriedigt fest, daß man mit ihrer Bombe von heute tausendmal soviel Menschen atomisieren, verbrennen, zerfetzen und verkrüppeln kann wie mit der Bombe von gestern.

Wie wäre es nun, wenn wir, die wir nicht ins Geschichtsbuch noch sonstwie eingehen wollen, dieser internationalen Elite den Mond als

Versuchsfeld überließen? Wenn wir sie dort oben aufrüsten, patriotische Reden in allen Sprachen halten, Rassenvorurteile pflegen, nationale Symbole heiligen, Nationalhymnen singen, Aufmarsch- und Evakuierungspläne zeichnen, Fahnen grüßen und das Land der Väter wiedererobern ließen? Was wäre das für ein Leben auf dem Mond! Da wird geschult und gedrillt, dementiert und demontiert, verplant, ausgerichtet und auf Vordermann gebracht. Da rechnet man mit Menschenmaterial und verkündet Dogmen, streitet sich um die Weltanschauung und verleiht Orden, ehrt Helden, klopft Griffe und bläst zum Zapfenstreich. Bedeutende Männer aus unserer bedeutenden Vergangenheit gründen Traditionsvereine und errichten Denkmäler für ihre Idole. Da finden Fürstenhochzeiten und Skandale statt, jeden Tag wird eine Miß Mond gewählt und anschließend ohne Protest eines Menschenschutzvereins vom Bildschirm auf die Mondkolonisatoren losgelassen. Da werden Schildmützen getragen, und vor dem, der eine solche Schildmütze trägt, müssen die anderen strammstehen und ihm Ehre bezeigen. Da verwaltet, vereinnahmt, registriert, verplant und katalogisiert die Bürokratie sich selbst, und ein Beamter zeugt zu seiner eigenen Verwaltung zwei weitere. Da werden stundenlange Festreden gehalten, da lobt man sich gegenseitig noch höher in den Himmel, da werden Vereine gegründet und Diskussionen veranstaltet, bei denen alle reden dürfen, die nichts zu sagen haben und sich so gern reden hören. Da wird bekehrt und umgezogen, geschoben und gewuchert, aufgerüstet und abgemurkst, und die Lohn-Preis-Spiralen kommen überhaupt nicht mehr zur Ruhe. Da werden Interessen vertreten, Handelsspannen vergrößert, Parteilinien gezogen, Lebensrechte verteidigt und Andersdenkende als Radikale verteufelt.

Und wir einfachen Leute, die wir nicht bedeutend genug sind, um in diesem bedeutenden Spiel mitmachen zu wollen, sind dann ganz unter uns. Die Erde ist entrümpelt. Jetzt wird das Mondkalb von starken Händen regiert, weltweite Händel spielen sich fern von uns ab; wir hören keinen Düsenknall und keinen Probealarm mehr, die Fischer in der Südsee werden nicht mehr mit Bomben gejagt und mit Atomstrahlen berieselt, wir werden nicht mehr vom Lärm der Düsenjäger erschreckt, und die Panzer zerwühlen einen Mondkrater statt der Lüneburger Heide. Und wenn wir dann durch ein starkes Fernrohr oben auf dem Mond ein Explosionswölkchen sehen, dann nehmen wir bescheiden zur Kenntnis, daß die Elite der Menschheit wieder einmal im Begriff ist, der Endlösung einer Frage näher zu kommen, jemanden zu befreien, eine alte Heimat wiederzuerobern, Siedlungsboden zu gewinnen oder sich für einen totalen Endsieg vorzubereiten. Da oben, Kinder, so sagen wir dann, da oben wird jetzt Geschichte gemacht. Da oben spielen große Männer große Zeiten. Aber nicht mehr auf unsere Kosten.

PS: Dieser Text wurde 1957 geschrieben, als der Mond seine Unschuld noch nicht verloren hatte.

Lieben und hoffen

Der Mistral

Was mag das nur sein – eine Tarasque? grübelt Gerd. Da ist man nun achtzehn Jahre alt, reist durch Südfrankreich und denkt nicht an van Gogh und an Daudet, nicht an Ölbäume und römische Theater, nicht an Troubadoure und schöne Damen – halt, da stimmt etwas nicht!

Es war heute früh im Schloß von Tarascon, dem der Reiseführer keinen Stern gönnt, obwohl es zu den schönsten Seiten im Bilderbuch der Provence gehört. Von außen sieht es recht martialisch aus. Aber innen vergißt man die Gewalt des blockigen Turmpaars, das den Eingang drohend flankiert. Heiter und freundlich sind die Gemächer, gotische Bogen geben jedem Durchblick einen pittoresken Rahmen, und man meint, im ständig wechselnden Bühnenbild einer Buffo-Oper zu spazieren. Von der Terrasse aus sieht man auf Tarascon, von wo Daudet seinen Helden Tartarin auf ergötzliche Abenteuer ausziehen ließ. Man erfaßt die steinigen Alpilles mit der Ruinenstadt Les Baux, die in dieser Ebene großsprecherisch wie ein Gebirge wirken. Man sieht auf die breite, reißende Rhone, die sich kaum Zeit läßt, das Schloß zu streicheln, und es recht eilig hat, sich ins Mittelmeer zu stürzen.

Auf dieser Terrasse fiel das rätselhafte Wort Tarasque. Es fiel aus der Runde dreier Französinnen, deren Gelächter sich Gerd ausgeliefert fühlte. Das Wort wurmte ihn. Während ich mich, so dachte er, als deutscher Romantiker in großer Oper und in Erinnerungen an den guten König René ergehe, der hier gehaust hat, während ich die Ölbaumkulturen mit silbernen Spitzen vergleiche und beim Anblick der Zypressen – o Schreck! – an Böcklins *Toteninsel* denken muß, diene ich kleinen Französinnen als Zielscheibe ihres Gekichers. Gerd versuchte, an das von Mélac zerstörte Heidelberger Schloß zu denken, um dem Gelächter der hübschen Mädchen teutonischen Groll entgegensetzen zu können, aber der Gedanke ließ ihn ziemlich gleichgültig und flatterte schnell wieder davon. Wie hübsch dieses Mädchen in dem knallroten Rock ist, dachte er und hörte, wie sie zu ihren Freundinnen sagte: »Er macht ein Gesicht wie eine Tarasque.«

Das war vor ein paar Stunden, und jetzt spaziert Gerd durch die auf den Kamm der Alpilles gestülpte Ruinenstadt Les Baux, die er von Tarascon aus am Horizont gesehen hat. Er geht durch zerstörte

Paläste, sieht durch leere Fensterhöhlen die Stadt Arles und das Mittelmeer, steigt ausgetretene Stufen empor, spaziert durch verwunschene Gassen, taucht in eine alte Kirche, entziffert verwitterte Inschriften, starrt auf ein tiefer gelegenes, behagliches Hotel, in dessen Garten ein Schwimmbad liegt, tritt auf steinerne Balkons, bewundert bröckelndes Gewölbe und überlegt, ob die Tarasque wohl mit der Tarantel verwandt sei. Er tritt in ein kleines Restaurant. Hinter der Bartheke hängt ein fröhliches Aquarell von Dufy, daneben eine Fotografie, auf der Churchill sonntagsmalend in Les Baux zu sehen ist, und vor der Theke steht, diesmal allein, der freche rote Rock, von dessen Besitzerin Gerd in Tarascon mit einer Tarasque verglichen worden ist.

Gerd nimmt seinen Mut und sein Französisch zusammen, bestellt denselben Aperitif, den der rote Rock vor sich stehen hat, und fragt: »Pardon, was ist das eigentlich, eine Tarasque?«

Das rot berockte Wesen dreht sich um, und sein Gesicht ist nicht weniger hübsch, aber verlegener, als es in Tarascon war. Nachdem die Zunge flink das Getränk von den Lippen gestrichen hat, wischt sie auch die Verlegenheit weg und hält eine kleine zwitschernde Vorlesung über das fragliche Ungeheuer. Die Tarasque, so erzählt sie, sei ein gräßliches Monstrum, halb Krokodil, halb Drache. Es spazierte das Rhonetal herab, nährte sich von dessen Anrainern und kam schließlich nach Tarascon, wo sich ihm sechzehn junge Männer entgegenstellten. Acht von ihnen frühstückte es. Da kam die heilige Martha von Les Saintes-Maries-de-la-Mer – »Schauen Sie, dort unten schwimmt zwischen Horizont und Meer der Kirchturm, zu dem alljährlich die Zigeuner wallfahren« –, besprengte das Untier mit Weihwasser, und es wurde sanft wie ein Lamm. Martha legte ihm ein Halsband um und ging mit ihm auf dem Boulevard von Tarascon spazieren.

»So, und mit diesem Monstrum haben Sie mich verglichen«, knurrt Gerd, »wo ich doch höchsten jeden Monat ein vorlautes Mädchen frühstücke.«

Der Inhalt des roten Rocks, der sich inzwischen als Marcelle kenntlich gemacht hat, taucht drei Finger in das Glas und besprengt Gerd. »Jetzt sind Sie mein zärtliches Untier«, stellt Marcelle fest.

Gerd vermerkt das besitzanzeigende »Mein« und quittiert trutzig auf deutsch: »Wo liegt Paris? Paris liegt hier? Den Finger drauf! Das

nehmen wir!« Er kann dieses überhebliche Gedicht nicht leiden, aber
er sagt es, um sich für die Tarasque zu rächen.

Marcelle, die kein Deutsch versteht, lächelt. »Wie hübsch das
klingt – sicher ist es von Hölderlin«, vermutet sie, wobei sie den
schwäbischen Dichter französisch ausspricht.

Nun ist es nicht mehr zu vermeiden, daß die beiden gemeinsam
durch Les Baux spazieren. Marcelle erzählt, wie am Liebeshof von
Les Baux die Troubadoure sangen. Wie hier Vorlesungen über die
Liebe mit praktischen Übungen abgehalten wurden. Sie erzählt die
Geschichte von jenem Tenor, dem eine Herzogin so zugetan war, daß
sie ihm einen Liebestrank kredenzte, damit er sich nicht an den
Liebeshof der Konkurrenz engagieren lasse. Wie der Liebestrank
wirkte, der unglückliche Herzog den Betrug merkte, den Troubadour tötete und die ungetreue Gemahlin zwang, das am Grill gebrate-
ne Herz des liebestrunkenen Galans zu verspeisen. Wie in Les Baux
Sängerfeste stattfanden, bei welchen der Sieger eine Krone aus
Pfauenfedern und einen Kuß von der schönsten Dame bekam. Und
wie schließlich die Felsenstadt derer von Les Baux, die nicht nur zu
lieben, sondern auch zu herrschen verstanden, vom dreizehnten
Ludwig zerstört wurde.

Bei diesem Gespräch sind Marcelle und Gerd auf die Felsnase
getreten, von der aus man Pappelalleen, Pinienhaine, Ölbaumgärten,
die romanische Abtei von Montmajour, das ausgedörrte Land, die
sanfte Stadt Arles und das ferne Mittelmeer sieht. Plötzlich fällt der
Mistral, der wütende Wind der Provence, über das Paar her. Marcelle
hält sich an Gerd fest. Der Mistral packt ihren Rock wie ein Fähn-
chen, wühlt in ihrem dunklen Haar und wirbelt es Gerd ins Gesicht.
Er legt die Hand auf ihre Schulter, weil er fürchtet, der unbeherrschte
Wind wirble das Mädchen ins Tal hinunter.

»Tarasque«, sagt Gerd lachend.

»Troubadour«, antwortet Marcelle, und es ist gar nichts mehr von
Ironie in ihrer Stimme, die sie erheben muß, um lauter als der
pfeifende Mistral zu sein. Der faßt noch stärker zu. »Schön!« jubelt
Marcelle. »Jetzt müssen Sie mir ein deutsches Liebesgedicht auf-
sagen.«

Der Mistral heult wie die Tarasque. Gerd beschließt, diesmal nicht
romantisch zu werden. Er brüllt Marcelle den zweiten Streich von
Max und Moritz ins Ohr.

Marcelle lauscht bewundernd der Ballade von der Witwe Bolte. »Wieviel Seele darin ist!« überschreit sie den Mistral und schaut Gerd träumerisch und versonnen an.

»Goethe!« brüllt Gerd.

»Für dieses Gedicht verdienten Sie die Krone aus Pfauenfedern«, ruft Marcelle in den Sturm, der Gerd mutig macht.

»Ich bin auch mit dem Kuß der Schönsten zufrieden!« schreit er ihr ins Ohr.

»Ich bin nicht die Schönste«, kokettiert Marcelle, steht aber schon auf den Zehen. Der Mistral wirbelt ihm Marcelles Haar um die Ohren und überflutet sein Gesicht in einer schwarzen, duftenden Welle.

»Wie gut die beiden in die Landschaft passen«, stellt Monsieur Picard fest und hindert seine Frau daran, die Felsnase zu betreten. »Vom Schloß aus ist die Aussicht viel schöner«, schwindelt er ihr vor, um den Mistral nicht zu stören, der mit Gerd und Marcelle sein mutwilliges Spiel treibt.

Kleine Geschichte in Moll

Das kleine Fräulein wird unruhig. Es streicht sich mit einer fahrigen Bewegung übers Haar. Es fürchtet, daß die Menschen, die zu ihrer Arbeit vorbeihasten, etwas bemerken könnten. Das kleine Fräulein nimmt sich jetzt vor, nach rechts an die Häuserfront zu schauen und sich durch Lektüre abzulenken: *August Blöhme & Sohn – Ledergroßhandlung / Dr. Bernhard Möckel – Zahnarzt – Sprechstunden Mo, Di, Do, Fr 10–13 und 15–17 – Alle Kassen.* Aber wie jeden Morgen bricht das kleine Fräulein den Vorsatz, irrt von der Häuserfront ab und schaut den jungen Mann an, der ihr entgegenkommt und noch etwa zehn Schritte entfernt ist. Und wie jeden Morgen wird der Blick erwidert, meint das kleine Fräulein ein winziges Lächeln in den Mundwinkeln des jungen Mannes zu sehen, das es sich nicht zu deuten wagt.

Jetzt ist er vorüber. Und mit ihm ist der aufregendste Augenblick des Tages vorbei, ein Augenblick, vor dem das kleine Fräulein sich ein wenig fürchtet und auf den es sich freut. Oft hat es sich schon vorgenommen, den jungen Mann nicht anzuschauen. Aber ob das kleine Fräulein will oder nicht: Es muß den jungen Mann angucken. Und es muß oft am Tag und noch öfter am Abend an ihn denken.

Einmal träumt dem kleinen Fräulein, der junge Mann sei nicht wie sonst vorbeigegangen. Er sei auf sie zugekommen und habe etwas Nichtiges gefragt. Was der junge Mann jedoch gefragt hat, das fällt dem kleinen Fräulein nach dem Erwachen nicht mehr ein, sosehr es sich Mühe gibt. Es hat noch den Klang der Stimme im Ohr, aber die Worte sind einfach weggeflogen.

An diesem Morgen ist das kleine Fräulein auf dem Weg ins Geschäft noch nervöser als sonst. Als es den jungen Mann von weitem sieht, fällt ihm das Atmen schwer. *Dr. Bernhard Möckel Zahnarzt – Alle Kassen.* Weshalb hat er Mittwoch keine Sprechstunde? *August Blöhme & Sohn – Leder.* Das kleine Fräulein spürt, wie sein Blick von den Emailschildern weggezogen wird. Es spürt, wie sich das Gesicht verkrampft. Blöd muß ich aussehen, ganz blöd. Es meint zu sehen, wie sich das Lächeln in den Mundwinkeln des jungen Mannes vertieft. Aber wie immer geht er vorüber. Das kleine Fräulein kann wieder durchatmen. Aber es ist traurig, weil es vergessen hat, was der junge Mann im Traum gesagt hat.

Jeden Morgen begegnen sich die beiden fast an derselben Stelle. *Dr. Bernhard Möckel – Zahnarzt.* Jeden Morgen sehen sie sich an. *Ledergroßhandlung.* Bis sich etwas ereignet, was das kleine Fräulein aus der Fassung bringt.

In das Fotogeschäft, in dem es hinter dem Ladentisch steht, tritt der junge Mann. Grüßt freundlich, lächelt, zieht einen Film aus der Tasche.

»Ich möcht' ihn entwickeln lassen. Bitte noch keine Abzüge, ich will erst das Negativ sehen.«

Die Stimme des jungen Mannes klingt angenehm. Wie klang sie doch im Traum? Merkwürdig, der Tonfall, den es so lange im Ohr hatte, ist weg. Der junge Mann nennt seinen Namen. Er lächelt das kleine Fräulein an.

»Morgen können Sie das Negativ haben«, sagt das kleine Fräulein mit sachlicher, aber unsicherer Stimme.

Der junge Mann lächelt immer noch und nickt. »Auf Wiedersehen – bis morgen!«

August Blöhme & Sohn – Ledergroßhandlung. Wieder begegnen

sich die beiden am Morgen. Diesmal grüßt der junge Mann das kleine Fräulein. Es ist besonders guter Laune. Wie soll man es auch nicht sein, wenn man ein Granatarmband trägt, das man sonst nur zum Ausgehen anzieht?

Langsam geht der Tag vorüber. Das kleine Fräulein wird ungeduldig. Kurz vor Feierabend kommt der junge Mann.

»Einen Augenblick, bitte«, sagt das kleine Fräulein und kommt in Verlegenheit, weil das Wort »Augenblick« so beziehungsvoll auf die morgendlichen Begegnungen anzuspielen scheint. Das kleine Fräulein sucht den Film des jungen Mannes, steckt ihn in den Projektionsapparat und schaltet die Lampe ein, die Bilder auf eine Leinwand wirft. Das kleine Fräulein schaut auf die Wand, drückt sich die Fingernägel ins Fleisch, bis es weh tut, schaut auf den Ladentisch, auf den jungen Mann und wieder auf die Wand; aber da steht immer noch das Bild des jungen Mannes, der seinen Arm um etwas geschlungen hat, an dem nichts bemerkenswert ist als die struppige Frisur.

»Davon bitte zwei Vergrößerungen neun auf zwölf«, sagt der junge Mann lächelnd. »Bitte, drehen Sie weiter!«

Das kleine Fräulein tut es automatisch. Die Bilder auf der Leinwand dringen nicht mehr ins Bewußtsein. Der junge Mann bestellt, nennt Zahlen, Maße; das kleine Fräulein notiert geschäftig. Der junge Mann bezahlt. Er schaut ins Portemonnaie, und das kleine Fräulein sieht hellbraunes Haar ganz nah vor sich.

Am anderen Tag, als der junge Mann die Vergrößerungen abholt, ist das kleine Fräulein nicht im Geschäft. Es hat sich beim Chef entschuldigt, es habe rasende Kopfschmerzen.

Einen Tag später steht das kleine Fräulein fünf Minuten früher auf und geht durch die Allee zur Arbeit. Das ist ein kleiner Umweg. Ein Umweg, den das kleine Fräulein jetzt jeden Morgen macht.

Der Füllfederhalter

»Damals studierte ich«, so erzählte mir Doktor Fock, »in Leipzig und stand kurz vor der Promotion. Für meine Doktorarbeit brauchte ich die Ergebnisse einer Versuchsreihe, die ein Arzt an der Berliner

Charité gemacht hatte. Es war ein mürrischer Junggeselle, der in Berlin im Hansaviertel wohnte. Er gab mir den Rat, im nahen Moabit zu logieren; er kenne da eine Künstlerpension mit einem schönen Blick in den Hof des Untersuchungsgefängnisses. Da man in dieser Pension billig wohnte und ich als Student nicht gut bei Kasse war, zog ich dort ein. Tagsüber schrieb ich in der Wohnung des Arztes lange Tabellen ab, abends saß ich recht verlassen in meiner Pension, denn ich gehörte zu den seltenen Menschen, die in Berlin weder Bekannte noch Verwandte hatten, und man fühlt sich ja nirgends so einsam wie in einer Weltstadt.

Neben mir wohnte ein Ehepaar, das schon am ersten Abend einen eindrucksvollen Krach bekam, wobei sich die beiden unberlinerisch gestelzt und pathetisch anbrüllten.

›Solltest du noch einmal mit diesem hergelaufenen Kerl Umgang pflegen, so käme das einer Scheidung gleich‹, schrie er.

Sie antwortete nicht minder laut und geschraubt: ›Ich verlange von dir sofort die Zurücknahme dieser Beleidigung meines Seelenfreundes. Oh, warum habe ich einen Mann, der sich elektrisch rasiert!‹

›Weshalb das?‹ fragte er zurück. ›Ich finde nicht einmal eine Rasierklinge, um mir die Pulsadern aufzuschneiden!‹

Entsetzt klingelte ich dem Zimmermädchen, nicht etwa um der Dame mit einer Klinge auszuhelfen, sondern um zu fragen, was denn nebenan eigentlich los sei, und ob man nicht die Polizei... Aber das Mädchen beruhigte mich: Die Herrschaften seien Schauspieler, Artisten, die einen neuen Sketch für ein Kabarett einstudierten. Ich möge mich nicht beunruhigen; morgen führen die beiden ohnehin in ein neues Engagement.

Kaum war dieses merkwürdige Paar abgereist, das ich nie zu Gesicht bekommen hatte, da zog auch schon ein Mädchen ein: ein exotisches Wesen mit langem schwarzem Haar, einem unbeschreiblich kühnen Mund und einer klangvollen, fast etwas zu tiefen Stimme. Sie sah aus wie eine Chinoiserie, hatte aber gar nichts Zerbrechliches, eher etwas Festes, ich möchte fast sagen: Handgreifliches an sich. Ich sah sie, wie sie einzog, ich grüßte sie, lächelte sie an, sie lächelte zurück, ich hatte Feuer gefangen, und es war um mich geschehen.

Wir sahen uns oft auf dem Flur, aber ich hatte einfach nicht den Mut, sie anzusprechen. Ich zerbrach mir den Kopf, wie ich es anfangen könnte, um mit diesem Wesen ins Gespräch zu kommen. Ihr einen Zettel schreiben und in die hochhackigen Schuhe schieben, die abends vor der Tür standen, ihr Blumen und ein Billetdoux durch das Zimmermädchen schicken oder einfach abends an die Wand klopfen und warten, daß sie zurückklopft – man kommt in diesem Alter auf die dümmsten Einfälle, nur auf das Nächstliegende kommt man nicht.

Und wie naheliegend sie war! Ich hörte, wie sie die Schuhe von den Füßen zog, ich sah es vor mir, sie tat es in der Art eiliger Frauen, die den Schuh mit dem anderen Fuß abstreifen und ihn einfach zu Boden plumpsen lassen. Ich wurde immer verliebter und immer nervöser, meine Phantasie malte sich die romantischsten Bilder aus – aber leider spielte sie mir keinen brauchbaren Rat zu, wie ich meine Schüchternheit überwinden könnte.

Eines Abends, es war gegen halb neun, saß ich wieder in meinem bescheidenen Zimmer unter der viel zu sparsamen Lampe und übertrug die Notizen ins reine, die ich mir tagsüber gemacht hatte. Ich hörte, wie mein Idol nach Hause kam, und wartete auf das vertraute Plumps-plumps der Schuhe. Aber vergeblich. Ich hörte noch einmal ihre Tür. Jetzt geht sie auch noch aus! durchzuckte es mich. Aber da klopfte es bei mir, erst an der Tür, dann in meinem Innern. Mein Herz jagte. Kaum brachte ich ein ›Herein‹ aus dem Mund, da war sie schon in meinem Zimmer. Ich stand auf, machte eine linkische Verbeugung wie in der Tanzstunde und murmelte meinen Namen. Sie hielt einen Füllfederhalter in der Hand und lächelte.

›Entschuldigen Sie, wenn ich störe‹, sagte sie leise. ›Ich sollte noch einen Brief schreiben, aber mein Füller ist leer. Können Sie mir mit etwas Tinte aushelfen?‹ Sie lächelte, mehr verlegen als kokett, und sie sah mich fragend an.

Ich war überrascht und eingeschüchtert. ›Leider nein‹, sagte ich, ›ich schreibe gar nicht mit dem Füller. Ich habe hier nur Bleistifte. Aber in Leipzig, da habe ich Tinte!‹

›So, in Leipzig! Das scheint mir ein bißchen zu weit‹, sagte sie, lachte und sah mich an, als erwarte sie, daß ich das Gespräch fortsetze.

Lieber Gott, laß mir jetzt etwas einfallen, dachte ich. Laß mich irgend etwas sagen, damit sie dableibt. Übers Wetter – nein, das ist zu abgegriffen. Darf ich Ihnen einen Kognak anbieten? Aber ich habe ja

314

keinen Kognak. Wollen Sie nicht einmal mit mir ins Kino gehen? Das ist zu direkt. Was sagt man denn nur? Laß mir doch etwas einfallen!

Das Mädchen zog die Augenbrauen hoch und die Mundwinkel ein wenig nach unten. Was hat sie für einen schönen Mund – einen Mund wie ein französisches Chanson, dachte ich, aber das kann ich ihr doch nicht sagen!

›Schade – na, dann guten Abend‹, sagte sie, und schon war sie wieder draußen. Zurück blieb ein Hauch ihres herben Parfüms. Zurück blieb ich mit dem Gefühl letzter Insuffizienz.

Es war eine verpaßte Gelegenheit, eine Gelegenheit, die man nicht törichter hätte verpassen können; ich nahm es mir sehr übel und bestrafte mich damit, daß ich die Flinte ins Korn warf und mir sagte, ich hätte mir durch meine Unfähigkeit, ein belangloses Gespräch anzuknüpfen, jetzt und für alle Zeiten jede Chance verdorben.

Ich begegnete meiner Nachbarin noch manchmal im Flur, ich grüßte sie verlegen, sie grüßte freundlich und unbefangen lächelnd wie immer zurück. Als ich eines Tages nach Hause kam, war sie ausgezogen. Das Zimmermädchen brachte mir ein zerlesenes Heft, ein hektographiertes Manuskript, wie es Schauspieler als Rollenbuch zu gebrauchen pflegen. Einen schönen Gruß von dem Fräulein nebenan, das ausgezogen sei und dieses Heft für mich zurückgelassen habe. Erst jetzt wagte ich das Zimmermädchen auszufragen, wer meine Nachbarin gewesen sei. Eine Schauspielschülerin, die gehofft habe, bei Hilpert in einer kleinen Rolle einspringen zu können, erfuhr ich. Aber das habe sich zerschlagen, und deshalb sei das Fräulein wieder abgereist.

Abgereist! Ich war fast froh darüber, denn ich hatte alle Hoffnungen begraben, und es war besser, das Unerreichbare in unerreichbaren Fernen als im Zimmer nebenan zu wissen. Aber das Heft machte mir neue Hoffnungen. Ich war sicher, darin einen Gruß, eine Widmung, eine Adresse oder gar einen Brief zu finden. Ich blätterte es durch, fand nichts, blätterte es noch einmal durch. Nichts. Es roch nach dem herben Parfüm, es machte mich ein wenig melancholisch, und ich legte es auf die Seite.

Erst ein paar Tage später kam ich auf die Idee, es zu lesen. Es war ein belangloses, schlecht übersetztes Boulevardstück von Deval. Ich las es durch und fand es nicht besonders gut. Bis ich zum Ende des zweiten Akts kam.

Da saß der Held, er hieß Gaston, in seinem Zimmer, viel zu einsam für einen Aktschluß. Bis es an die Tür klopfte, ein Mädchen eintrat und sagte: ›Entschuldigen Sie, wenn ich störe. Ich wollte noch einen Brief schreiben, aber mein Füller ist leer. Können Sie mir mit etwas Tinte aushelfen?‹

Gaston schien auch keine Tinte zu haben. Auch ihm fiel keine Antwort ein. ›Er steht auf und nimmt das Mädchen in die Arme‹, stand da in Klammern als Regiebemerkung. Und darunter: ›Vorhang‹.«

Gespräch beim Wein

Aus Marcelles schmalen Fingern wuchs das Glas, und reizvoll kontrastierte ihr kirschroter Nagellack mit dem Gold des Weines. Der Niersteiner Ölberg roch nach Herbst und Sonne, und um Marcelle hing ein seidiger Duft, auf den Herr Lanvin stolz sein konnte. Mit einer heftigen Bewegung stellte Marcelle das Glas auf den Tisch zurück. Ihre Augen wurden nixengrün. Sie war zornig.

»Sie sagen, mein Lieber, ich sei schön. Gut! Das sagen mir alle Männer, und es ist mir allmählich so langweilig, daß ich die Männer für dumm halte, die es meinem Spiegel nachsprechen. Sie sagen, ich sei klug. Das ist für eine Frau kein reines Kompliment. Und ich zweifle daran, daß ich es bin, sonst würde ich mich nicht darüber ärgern, daß Sie mich auch noch tugendhaft finden. Ich bin sogar so töricht, daß mich Ihre hohe Meinung über meine Tugend geradezu herausfordert, Ihnen das Gegenteil zu beweisen. Das ist natürlich dumm von mir. Denn wahrscheinlich haben Sie meine Tugend nur gelobt, damit ich Ihnen meine Untugend beweise, und dann hätten Sie Ihren Zweck erreicht. Oder meine wenn auch nur vermeintliche Tugend gefällt Ihnen wirklich – dann hätte ich Ihnen etwas angeboten, was Sie gar nicht haben wollen, und durch dieses Angebot unsere Freundschaft aufs Spiel gesetzt. Ergo bin ich weder tugendhaft noch klug. Bleibt nur die gefährdete Schönheit. Ist das nicht ein bißchen wenig, mein Herr? Im übrigen weiß ich nicht, was mich an dem Wort Tugend so sehr stört. Es ist so altmodisch. Seit Sie mir gesagt haben, daß ich tugendhaft sei, komme ich mir vor, als trüge ich eine Pleureuse.«

Marcelle tröstete sich mit einem Schluck Niersteiner, blitzte mir über das Glas hinweg einen Gletscherblick zu und hob die Arme zur kokettesten aller weiblichen Bewegungen, indem sie sich mit beiden Händen einen vorwitzigen Kamm in ihrem honiggelben Haar zurechtsteckte.

»Nun?« fragte sie. »Nun? Wie ist das mit einer dummen, lasterhaften Frau, die begierig ist, ihr bißchen Seele auf dem Seziertisch eines gräßlichen Mannes zu sehen? Denn Sie sind weder tugendhaft noch ein Adonis, und was an Ihnen wie Klugheit aussieht, ist nur Ihr Instinkt, der Sie das sagen läßt, worüber andere sich ärgern. Ihre einzige angenehme Eigenschaft ist die, daß sich mit Ihnen so gut Wein trinken läßt. Also, mein Lieber, wie ist das mit mir, meiner Dummheit und meiner Tugend?«

Über Marcelles Gesicht huschte ein Lächeln, und sie sah aus, als sitze sie für eine gute Seife Reklame. Ich wagte nicht, sie anzuschauen, und spielte mit meinem Glas. An seinem Rand hatte sich ein kleiner weißer Kranz von Luftbläschen abgesetzt.

»Ich weiß nicht«, erwiderte ich, »warum ich Sie für tugendhaft halte – vielleicht weil die Tugend so altmodisch ist. Aber sie steht Ihnen so gut. Nicht jene, von der man einst sagte, sie sei geraubt worden. Wenn eine so hübsche und reizvolle Frau wie Sie, Marcelle, diese Tugend konservierte, dann müßte sie von einem gewissen Alter an geradezu zur Untugend deklariert werden – wobei ich mir bewußt bin, daß der Begriff ›gewisses Alter‹ fast taktlos ist. Lassen Sie mich pathetisch werden: Ich verstehe unter Tugend so etwas wie Wohlgestalt der Seele. Ihre Tugend, Marcelle, ist von besonderer Art. Ich möchte sagen, Sie verlieren sie nicht, wenn Ihre entzückenden Georgette-Gebilde in Gegenwart eines Mannes über dem Bügel hängen.«

Marcelles grüner Blick regenerierte sich ins freundlich Blaue. »Und was halten Sie von dummen Frauen?« fragte sie.

»Schade, daß Sie nicht dumm sind. Ich würde mich Hals über Kopf in Sie verlieben.«

»Sehen Sie, sehen Sie! Für Frauen ist die Klugheit ein einziges Verlustgeschäft. Ich könnte mich in keinen Mann verlieben, den ich für dümmer halte als mich. Deshalb habe ich bei Ihnen keine heftigeren Wünsche, als mit Ihnen Wein zu trinken.«

»Sie, Marcelle, sind mir zu klug, und kluge Frauen sind unbequem. Ich weiß, daß ich Sie jetzt wieder herausfordere, aber Sie sind ja viel zu gescheit, um auf eine Absicht hereinzufallen, die ich vielleicht gar nicht habe. Die Klugheit bei Frauen geht oft auf Kosten des Temperaments. Sie ist eine Art automatischer Bremse. So ist die Klugheit bei einem Flirt störender als das, was ich Tugend nenne. Für diesen Zweck gibt es den Wein. Er schläfert die Klugheit ein. Er macht so schön unüberlegt. Und so könnte es sein, daß sich mit einer weiteren Flasche doch noch das Fundament zu einem Flirt legen ließe.«

Marcelle lächelte. Sie zog aus ihrer Tasche den Spiegel und die Puderquaste und musterte sich mit jenem erbarmungslosen, feindseligen Blick, den Frauen vor dem Make-up dem Spiegel gegenüber anzuwenden pflegen.

Der freundliche Kellner brachte die zweite Flasche.

Nachher

Mo se von ehm fortganga gwä isch
isch r en d kiche ganga
hot sich a butterbrot gschmiert
ond an käs druffglegt.
na isch r wieder ens zemmer ganga
do wo r vorher mit ehra gsessa isch.
r hot sich no an wei eischenka wella
aber ihr glas isch no halba voll gwä
ond am rand a verwäsches reschtle lippaschtift
r hot s austronka richtich mit adacht
ond r hot se drbei uff de lippa gschmeckt
em aschabecher send no
zigarettaschtompa von ehra glega
dia hot r mit de auga gschtreichelt.
em kisse isch no a dälla von ehra gwä
do wo se gsessa isch
r hot s glassa weil r gmoint hot
r schtreich se aweg. dees hot r net wella.

r hot sich net amol gwäscha weil r gmoint hot
s sei no viel von ehra an ehm.
sei bett isch no warm gwä
uff-m kopfkisse send no a paar hoor
von ehra glega
ond r isch neigschlupft wia wenn se no do sei.
r hot d händ gfaltet ond gsagt
– i dank dr schee liaber Gott
daß oim so ebbes no passiera ka
ond daß d se gschaffa hosch so wia se isch –
na isch r eigschlofa.

Begegnung am Nachmittag

Eigentlich sieht er immer noch recht gut aus. Ob ihn sein Erfolg so aufpoliert hat? Herder-Preis. PEN-Klub. Hätte er sich damals auch nicht träumen lassen! Seine Frau soll ja ein apartes kleines Biest sein, dachte sie und erzählte ihm dabei allerlei Belanglosigkeiten über eine Reise nach Beirut.

Wie dumm, daß wir jetzt plötzlich Sie zueinander sagen. Sie hat so etwas Behagliches, Zufriedenes bekommen. Scheint eine recht bekömmliche Ehe mit dem Architekten zu führen, der sie auf alle seine Reisen mitnimmt. Wer hätte das geahnt, dachte er und nippte an einem Cocktail, der nach Haarwasser schmeckte.

Sie standen sich zur Konversation ausgeliefert in dem ungemütlichen Seegang einer Stehparty gegenüber.

»War doch sehr komisch, daß uns der Konsul bekanntmachen wollte! Und Sie sind immer noch der gleiche – gaben nicht zu, daß wir alte Bekannte sind!« sagte sie und stellte im gleichen Moment fest, etwas Dummes hingeworfen zu haben. Denn er war ganz anders geworden: zwangloser, ungehemmter, fröhlicher als damals. Ob das der Erfolg macht? Oder die junge Frau? Sie registrierte, daß ihr diese Vermutung nicht ganz angenehm war.

»Darf ich Ihnen noch etwas vom kalten Büfett bringen?« fragte er und nahm ihr den Teller ab. »Der Lachs ist delikat. Und den

Rehrücken kann ich auch empfehlen.« Wer hätte geahnt, daß sie einmal so seriös werden würde, dachte er. Eine Frau zum Repräsentieren, eine Frau, die ihrem Mann Aufträge einbringt.

»Sie sind ein Gourmet geworden«, spöttelte sie. »Damals aßen Sie mit Vorliebe Leberwurst mit Essiggurken. Also bringen Sie mir noch etwas, aber bitte keinen rohen Schinken!«

»Den mögen Sie immer noch nicht?«

»Das wissen Sie noch?« Sie registrierte, daß sie ihn damit provozieren wollte. Dumm. Ein ganz dummer Einwurf. Denn zweifellos erinnert er sich an alles noch genauso wie ich.

Während er zum kalten Büfett ging und in dem Gedränge, das sich davor staute, sorgsam eine Gaumenlust für sie zusammenstellte, während sie mit gleichgültigen Bekannten jene Banalitäten wechselte, die bei einer Party ausgetauscht werden, dachten sie beide an dasselbe, obwohl es über zwei Jahrzehnte zurücklag.

Eigentlich tat er mir damals leid, dachte sie. Er war ein Sonderling. Verklemmt wie ein verhinderter Theologe. Schreiben konnte er damals schon. Aber nicht reden. Von Anfang an hatte ich den Eindruck, er sei in mich verschossen. Aber er hatte keine männliche Ausstrahlung. Er wirkte auf mich wie ein behäbiger Onkel.

Er sah in Gedanken wieder seinen Schreibtisch in der Lokalredaktion vor sich. Eines Tages führte sie der Chefredakteur ins Zimmer. Das also sei die neue Volontärin, die sich hier einarbeiten solle. Ein kokettes, schnippisches Ding, das den Eindruck machte, als habe sie es ziemlich dick hinter den Ohren. Komisch, dachte er, damals ging ich auf die Vierzig und litt darunter, daß ich keinen Kontakt zu Frauen hatte. Auch sie war keine Frau für mich. Nicht einmal väterliche Gefühle brachte ich für sie auf. Aber ich merkte bald, daß sie ein netter Kerl war. Keine begabte, aber eine amüsante und kameradschaftliche Mitarbeiterin.

Es ärgerte mich, daß er in mich verliebt war und sich nichts anmerken lassen wollte, dachte sie, ließ sich ihr Glas mit Sekt füllen und trank es halb leer. Ganz im Gegensatz zu anderen Männern, die mich nicht liebten, es mir aber ständig beteuerten, weil sie mit mir schlafen wollten. Aber er tat mir auch leid. Ohne narzißhaft zu sein, war er in sich versponnen und machte einen unglücklichen Eindruck in dem Gefängnis seiner Schüchternheit.

Ich erinnere mich noch gut an den ersten Brief, dachte er. Er machte mich unruhig und hochgemut zugleich. Ich war stolz darauf, daß mir eine Leserin schrieb, meine kleinen Lokalglossen gefielen ihr so gut, daß sie sich bei mir bedanken müsse. Ihr habe ich den Brief vorgelesen, und sie hat mir den Rat gegeben, ihn zu beantworten.

Wie sich ein Mensch so ändern konnte! dachte sie. Dieser Briefwechsel hat ihn aus seiner Erstarrung gelöst. Es wurde ein sich raffiniert steigernder Briefroman daraus. Ob er die Briefe noch hat? Er müßte sie veröffentlichen. So was verkauft sich heute gut.

Wir schrieben uns in ein richtiges Liebesverhältnis hinein, dachte er, diese Leserin Christa Wörner, literarisch interessierte technische Assistentin, und ich. Aus ihren Briefen konstruierte ich ein Bild von ihr, und ich liebte dieses Bild. Aber ich wagte nicht, sie um ein Rendezvous zu bitten. Ich hatte Angst, mein Bild decke sich nicht mit der Wirklichkeit. Meine Volontärin erwies sich in dieser Zeit als arge Kupplerin. Sie wies mich auf Goethes Briefwechsel mit Auguste Stolberg hin. Hätte er die je gesehen, sie wäre seine bedeutendste Geliebte geworden. Geliebte, sagte sie, ein Wort, das kaum in meinem Sprachschatz, noch weniger in meiner Vorstellung vorhanden war.

Anfangs habe ich mich über ihn lustig gemacht, dachte sie. Die ersten Briefe las er mir vor, und ich riet ihm, was er antworten solle. Ich merkte, wie er sich veränderte, im wahrsten Sinn des Wortes entpuppte, wie ihn seine Liebe zu einem Bild fröhlicher, mitteilsamer machte, wie sie ihn aus einem Käfig, gezimmert aus Erziehung und sogenanntem Anstand, befreite. Aber noch immer lag er an der Kette seiner Hemmungen, und das tat mir leid.

Bis sie mich eines Tages soweit brachte, daß ich Christa schrieb, ich wolle sie sehen, erinnerte er sich. Am gleichen Tag lud mich meine Volontärin zum Kaffee ein. Als ich die Einladung des attraktiven und, wie mir schien, leichtfertigen Mädchens annahm, kam ich mir Christa gegenüber fast untreu vor.

Es war ein Samstagnachmittag, entsann sie sich. Er brachte mir weiße Nelken mit, die ich nicht mag, ich kochte Kaffee und hatte eine Flasche Sekt kalt gestellt. Mir war unbehaglich zumute. Wir tranken Kaffee, und ich brachte das Gespräch auf die Leserin Christa. Ich glaube, es war ziemlich gemein von mir. Ich sagte ihm, er gehöre zu den Menschen, die das Naheliegende nicht sehen, weil sie Luftschlösser bauen. Die im Hinblick auf das Jenseits die Erde für ein Jammertal halten. »Was meinen Sie damit?« fragte er bedrängt und sah mich an wie Joseph Frau Potiphar. Ich fragte ihn, ob er nicht fürchte, hinter seinem Bild von Christa enthülle sich eine recht frustrierende Wirklichkeit. »Aber Sie haben mir doch geraten, sie um ein Rendezvous zu bitten«, sagte er hilflos.

Es war einer der scheußlichsten Momente in meinem Leben, dachte er. In einem mir unbekannten Zimmer, das nach Frau roch, saß ich, eine männliche ältere Jungfer, und wähnte mich in der Rolle des glühenden Jünglings auf dem Weg zur Geliebten in eine Falle geraten. Was wollte sie? War sie gar eifersüchtig? Sie ging zu ihrem Biedermeier-Sekretär, zog eine Schublade heraus und gab mir ein Bündel Briefe. Meine Briefe an Christa Wörner. Ich brauchte lange, bis ich begriff, daß mich meine Volontärin verschaukelt hatte. Daß sie diese Christa Wörner erfunden, die Briefe selbst geschrieben hatte. Ich weiß es nicht: War es Zorn, Enttäuschung, Rache? Ich weiß es heute noch nicht, weshalb ich damals mit ihr geschlafen habe.

Nie vergesse ich sein Gesicht, dachte sie, als ich ihm seine Briefe an die fingierte Christa Wörner gab. Ich bekam Angst vor ihm, Angst vor den Konsequenzen meiner Tat. Warum hatte ich es getan? Aus Kaprice, aus weiblicher Freude am Kuppeln, aus Lust, einen Mann aus seiner Reserve herauszulocken? Ich hatte mir auch nicht vorgestellt, wie der Tag enden werde. Ich weiß heute noch nicht, warum ich es getan habe. Aus Neugier, aus Mitleid...?

Dies ging ihr durch den Kopf, während sie mit flüchtigen Bekannten Belanglosigkeiten tauschte, wobei sie ihr perfektes Lächeln zeigte, und ging ihm durch den Kopf, während er sich am kalten Büfett zu schaffen machte und dabei ein paar Komplimente über sein letztes Buch einstrich.

Als er zurückkam, sagte sie: »Ich glaube, wir haben an dasselbe gedacht!«

»Sicher«, erwiderte er und präsentierte ihr den Teller.

»Merkwürdig – über zwanzig Jahre haben wir uns nicht gesehen. Ich habe mich oft daran erinnert, immer mit einem schlechten Gewissen, das mich sonst nicht allzusehr plagt.«

»Ich bin Ihnen heute noch dankbar dafür«, sagte er lächelnd.

»Für den Briefwechsel?« fragte sie unsicher.

»Auch für den Briefwechsel.«

»Weshalb sind wir eigentlich nicht beieinander geblieben?« fragte sie leise. Jetzt sind die Rollen vertauscht, dachte sie. Jetzt bin ich unsicher. Jetzt wage ich nicht, ihn anzuschauen.

»Es lag an mir«, sagte er. »Ich habe es nicht geschafft, Christa mit Ihnen zu identifizieren.«

Sie rettete sich in Ironie. »Tizian – die himmlische und die irdische Liebe.«

»Das Bild hängt in der Villa Borghese«, wich er ihrer Provokation aus.

»Sie sollen eine sehr junge Frau haben«, sagte sie. »Eine sehr junge und sehr schöne Frau. Ehrlich gesagt, das hätte ich mir damals nicht vorgestellt!«

»Habe ich nicht recht gehabt, daß der Lachs delikat ist?« fragte er, sah sie an und trank ihr lächelnd zu.

Das Spiel fängt an

Sie saß mit dem Rücken zur Tür, und als er ins Zimmer trat, sah er nur ein Stück Frisur. Sie hat schönes Haar, stellte er fest. Aber es ärgert mich, daß sie zu früh gekommen ist.

Das Mädchen stand auf. Das sollte sie nicht tun, dachte er. Ich bin weder so alt noch so prominent. Sie müßte sitzen bleiben, wenn sie mir die Hand gibt.

»Trinken Sie einen Kognak?« fragte er sie.

»Gern«, sagte das Mädchen. »Ich bin etwas zu früh gekommen.«

»Ja«, sagte er unüberhörbar indigniert, während er eine Flasche und zwei bauchige Schwenker aus dem Chinesenschränkchen holte. »Wenn ich abends Vorstellung habe, ruhe ich mich nachmittags aus.«

Das Mädchen kippte den Kognak hinunter. »Mein Zug ist schon eine halbe Stunde vor unserer Verabredung gekommen.«

»So! Noch einen?« fragte er. »Und eine Zigarette?«

»Ja«, sagte das Mädchen, und er stellte fest, daß sie ebenso verlegen wie ungehemmt war.

»Eigentlich sind wir uns ja einig«, sagte er. »Wir haben doch alles brieflich ausgemacht. Sie haben da irgendeinen literarischen Kreis, und ich sollte im Juni Ringelnatz und Tucholsky lesen. Mit dem Tag war ich auch einverstanden. Aber Juni ist für so etwas ein dummer

Monat, und wenn dann am Abend noch ein Krimi im Fernsehen ist, lese ich vor halbleerem Saal.«

Während er den ersten Kognak trank, hatte das Mädchen schon den zweiten gekippt und sich eine Zigarette genommen. Er gab ihr Feuer und bemerkte, wie unsicher ihre Hand war.

»Ihr Publikum läßt sich von keiner Kriminalstory abhalten«, sagte sie. »Es ist mir wirklich peinlich, daß ich eine halbe Stunde zu früh gekommen bin. Ich bin gleich vom Bahnhof zu Ihnen gefahren.«

»Sie sind meinetwegen hierhergefahren? Zweihundert Kilometer hin und zurück! Was gibt es denn noch zu besprechen?«

Das Mädchen lächelte. »Das Honorar.«

»Aber ich bitte Sie – entweder bin ich recht teuer oder ich lese umsonst. Was ist Ihnen lieber?«

»Das kann ich doch gar nicht von Ihnen erwarten«, sagte sie.

Sie hat eine merkwürdige Stimme, stellte er fest. Sie setzt die Sätze ganz hoch an und läßt sie dann fallen. Eine Stimme mit großer Spannweite. Sicher wäre sie eine gute Kabarettistin. Ob sie bewußt so spricht? Ob sie es geübt hat?

Er schenkte ihr noch einen Schluck ein und bemerkte, daß sie klein war und einen großen Kopf hatte. Aber vielleicht war es nur das dichte Haar, das sie kleiner erscheinen ließ.

»Fahren Sie heute noch zurück?« fragte er.

»Nein. Ich übernachte bei Freunden.«

»Haben Sie hier sonst noch was zu tun?«

»Ja«, sagte sie unsicher, »ein paar Besorgungen.«

Sie schwindelt schlecht, dachte er. Das macht sie sympathisch.

»Dann könnte ich ja wieder gehen«, sagte sie. »Darf ich mal bei meinen Freunden anrufen?« Er machte Anstalten, aufzustehen. »Bitte bleiben Sie doch da, damit Sie mir erklären können, wie ich hinkomme. Ich weiß gar nicht, wo sie wohnen.«

Sie stand hinter dem Schreibtisch am Telefon und führte ein umständliches Gespräch. Dann legte sie auf.

»Ich kann erst in einer Stunde dort sein«, sagte sie und sah ihn hilflos an.

»Dann setzen Sie sich meinetwegen so lange in einen Sessel und nehmen Sie ein Buch. Sie stören mich nicht. Ich habe noch ein paar Sachen zu erledigen. Der Weg zu Ihren Freunden ist ein wenig umständlich. Am besten nehmen Sie ein Taxi.«

»Darf ich noch eine rauchen? Und bekomme ich noch einen Kognak?« fragte sie eingeschüchtert.

Er ließ sie Platz nehmen, schenkte ihr ein, bot ihr eine Zigarette an, gab ihr Feuer und versorgte sie mit einer Theaterzeitschrift. Dann setzte er sich hinter seinen Schreibtisch und kramte in Papieren.

Weshalb bin ich eigentlich unhöflich? fragte er sich. Noch nie war ich zu einer Frau so unhöflich. Vielleicht habe ich Angst vor ihr. Angst vor einem jungen Mädchen. Sie hat schönes Haar, dachte er. Und ein Kindergesicht.

Er beobachtete sie, während sie in der Zeitschrift blätterte. Sie hat etwas Liebenswertes. Weshalb sie ihre Augen nur so heftig herausgestrichen hat? Das hat sie doch gar nicht nötig. Aber was interessiert mich das? Beunruhigte sie mich, und bin ich deshalb so unfreundlich? Ach, diese dumme Geschichte vor zwei Jahren. Ich bin scheint's noch nicht darüber hinweg. Ich werde doch nicht mehr anfangen, mich zu verlieben! »Entschuldigen Sie, ich bin sehr unhöflich zu Ihnen«, sagte er.

»Ja.«

»Sie haben sich unsere Begegnung sicher ganz anders vorgestellt.«

»Ich kenne Sie schon lange von der Bühne her. Und ich habe mich so darüber gefreut, daß Sie bei uns lesen wollten. Vielleicht liegt es auch an mir, daß Sie so sind. Ich habe Sie gestört. Ehrlich gesagt, bin ich auch ein bißchen aufgeregt.«

»Und jetzt recht enttäuscht?«

»Ziemlich.«

Sie wich seinem Blick nicht aus. Sie hat schöne Augen, dachte er. Und sie hat etwas Unbedingtes, Lauteres an sich. Ihr Kostüm ist geschmackvoll und unauffällig. Die Granatbrosche paßt gut zu dem schwarzen Samt. Ein Armband und ein Ring aus Granat stünden ihr gut. Man könnte sie sicher recht verwöhnen. Und es bliebe nicht einseitig. Obwohl sie noch so jung ist. Sie hat etwas Unausgebackenes an sich. Und etwas Besonderes. Aber – zwei Jahre ist es nun her, und immer noch bin ich nicht darüber hinweg. Ich mag nichts Neues mehr anfangen. Ich will von niemandem mehr abhängig sein.

»Haben Sie Lust, heute abend in die Vorstellung zu kommen?«

»Gern«, sagte sie.

Er erschrak. Was fange ich da an? Ich weiß, weshalb ich so unhöflich zu ihr war. Ich habe Angst vor ihr. Angst vor etwas

Neuem. Bevor es anfängt, habe ich Angst vor dem Ende. Ich weiß genau, wie es weitergeht. Sie wird in den ersten Reihen sitzen. Ich werde nur für sie spielen, die ganze läppische Rolle werde ich für sie spielen, und ich werde gut sein. Und beim Verbeugen werde ich ihr einen Blick und ein Lächeln zuwerfen. Die alte Masche. Sie ist jung, und ich komme in ein Alter, in dem man sich in seine eigene Eitelkeit verliebt.

»Es ist nur ein unbedeutendes Boulevardstück von Verneuil«, sagte er. »Sie werden nicht viel Vergnügen daran haben. Ich spiele eine recht nebensächliche Rolle.«

»Wenn Sie spielen, ist das Stück nicht unbedeutend – für mich«, sagte sie leise.

Er rief das Kartenbüro an.

»Da haben wir Glück gehabt«, sagte er zu ihr. »Eigentlich ist es ausverkauft. Aber ich habe noch eine Karte für Sie in der dritten Reihe bekommen.«

»Da habe ich Glück gehabt!« sagte sie und konnte ihre Freude nicht verbergen. »Aber was mache ich jetzt mit meinen Bekannten? Sie haben mich zum Essen eingeladen. Es sind Freunde meines Vaters. Ach was – ich werde absagen, das ist nicht so schlimm!«

Wie unkompliziert diese Jugend ist, dachte er. Ich werde sie zum Abendessen einladen. Ich werde nett zu ihr sein. Sie ist ein Typ, mit dem man kaum Streit haben kann. Sicher läuft so etwas nicht allein in der Welt herum. Sicher hat sie einen Freund, dem sie alles erzählen wird. Sieht aus wie ein verwöhntes Kind aus reichem Haus. Vielleicht haben die Eltern eine Brauerei oder so was. Beim Abendessen werde ich sie fragen, ob sie nach der Vorstellung noch ein Glas Wein mit mir trinkt. Sie wird ja sagen, und dann sind wir verloren, sie und ich. Sie wird ja sagen, weil ich Schauspieler bin. Wenn ich Prokurist in der Firma ihres Vaters wäre, wäre ich Luft für sie. Vielleicht ist sie ein eitles Ding, dem es schmeichelt, sich mit einem alten Mimen zu zeigen. Vielleicht ist sie ein Flittchen – aber so sieht sie eigentlich nicht aus.

»Wollen Sie mit mir zu Abend essen?«

»Gern«.

»Ich könnte einen Tisch in einem ganz guten Restaurant bestellen, wenn wir schlemmen wollen. Oder mögen Sie lieber ziemlich bescheiden in einer kleinen Weinstube mit mir essen?«

Er sah sie an, und sie wich seinem Blick nicht aus.

»Lieber in einer gemütlichen kleinen Kneipe. Sie haben bestimmt eine Nase für so was. Und ich habe gar keinen Hunger.«

Sicher kann sie zärtlich sein, dachte er, und sicher braucht sie viel Zärtlichkeit. Alle Zärtlichkeit, die ich in den verdammten zwei Jahren nicht losgeworden bin. Sie hat nichts von der Routine erfahrener Frauen. Aber vielleicht liebt sie einen anderen und fängt an, ihn zu betrügen. Vielleicht ist sie nur eine Episode. Einer muß immer bezahlen, und zwar der, der mehr liebt. Wer von uns beiden das sein wird, möchte ich jetzt schon wissen.

Sie setzte eine Brille auf.

»Die Brille steht Ihnen gut. Warum tragen Sie sie nicht immer?«

»Ich mag sie nicht. Aber ich brauche sie. Besonders wenn ich aufgeregt bin. Komisch – ich habe Sie so oft auf der Bühne gesehen. Aber im Leben sind Sie ganz anders.«

»Ich glaube, ich war ziemlich grob zu Ihnen«, sagte er.

»Ja.«

»Sagen Sie eigentlich immer ja?«

»Nein.« Sie zog den Kopf zwischen die Schultern.

Jetzt sieht sie wie eine Schildkröte aus, dachte er. Ich habe ihr weh getan aus Angst, mich auszuliefern. Zwei Jahre ist es her – nein, das will ich nicht noch einmal durchmachen! Vielleicht wird es eine Enttäuschung, für sie oder für mich. Weshalb bin ich nur so skeptisch? Das Alter – man mag niemandem mehr weh tun. Und man mag nicht mehr, daß es einem selber weh tut.

»Ich freue mich auf den Abend«, sagte er.

»Ich freue mich auch.«

»Wir werden zusammen zu Abend essen, Sie werden in der dritten Reihe sitzen, und ich werde für Sie spielen.«

»Wieso für mich?«

»Es ist schön, für irgend jemand zu spielen. Ich habe es schon lange nicht mehr getan.«

Welches Datum haben wir heute? Den 18. Februar. Ich fürchte, ich werde dieses Datum nicht vergessen. Das Spiel fängt an. Morgen wird sie wieder zu Hause sein. Und ich werde hier sitzen, ich werde an sie denken und mir wünschen, daß sie bald wiederkommt. Ich werde wieder spüren, daß es nicht gut ist, einsam zu sein, wenn die Tage länger werden und der Schnee schmilzt und in der Luft eine Ahnung von Frühling liegt. Vielleicht ist sie eitel. Wie habe ich das gemacht? wird sie zu Hause erzählen. Ohne Gage liest er bei uns; er hat mich ins Theater eingeladen und für mich gespielt, hat er gesagt, und zum Abendessen hat er mich auch mitgenommen. Nein, ich will sie nach der Vorstellung nicht mehr sehen.

»Warten Sie nach der Vorstellung auf mich? Ich werde Sie dann zu Ihren Bekannten bringen.«

»Ja«, sagte sie und erschrak. »Verzeihung – jetzt habe ich schon wieder ja gesagt.«

»Sie haben eine nette Art, ja zu sagen.«

Mein Gott, jetzt wird sie rot, so etwas Altmodisches, dachte er. Ich werde sie also zu ihren Bekannten bringen, ich werde nach Hause fahren und mich sehr viel mehr allein fühlen als heute früh und gestern und vorgestern. Weshalb muß sie mir auch über den Weg laufen? Ich will sie nicht fragen, ob sie nach dem Theater noch mit mir geht, in eine Bar oder hierher zu mir, ich werde ihr einen Blues vorspielen, ich sehe es ihr an, wir fallen aufeinander herein, wir werden trinken, es wird eine schöne Zeit werden, aber ich habe Angst vor dem Ende.

»Wollen Sie ein Glas Wein trinken?«

»Bitte erst zum Essen. Rotwein trinke ich gern.«

Plötzlich spürte er, daß er Herzklopfen hatte. So etwas Dummes – Herzklopfen wegen eines kleinen Mädchens! Ich dachte, das hätte ich längst hinter mir. Irgendwo habe ich gelesen, sich in junge Mädchen zu verlieben sei das erste Symptom des Alters. Vorerst aber ganz angenehm, konstatierte er. Vorerst... Vielleicht werde ich sie nach dem Theater zu ihren Bekannten bringen. Vielleicht. Wenn sie will.

»Wollen Sie nach dem Theater noch ein Glas Wein mit mir trinken? Wenn ich gespielt habe, unterhalte ich mich gern noch ein bißchen. Oder wird es für Sie zu spät?«

»Nein – ich wollte eigentlich morgen in aller Frühe fahren; aber wenn es heute spät wird, kann ich auch einen anderen Zug nehmen.«

»Diesmal haben Sie nicht ja gesagt.«

Das Mädchen lachte.

Komisch, ich kenne sie erst eine halbe Stunde. Erst wollte ich sie loswerden, jetzt nehme ich ihr Stück für Stück des Abends weg. Und vielleicht Stück für Stück ihres Lebens. Und gebe ihr Stück für Stück meines Lebens. Sie ist so anders. Immer habe ich in der Liebe mehr genommen, als ich gegeben habe. Mein Leben lang. Immer fing es schön an, und immer endete es in Enttäuschung und Resignation und Abschied. Auch das wird enden. Aber vielleicht macht es mich glücklich, für ein paar Wochen, für ein paar Monate. Und vielleicht macht es sie glücklich. Ich bin in einem Alter, in dem man sich keine Illusionen mehr macht, in dem man von der Liebe nichts mehr erwartet.

Das Mädchen hatte die Brille abgenommen und sah ihn an. Ihr Blick ist weder scheu noch herausfordernd, dachte er, dieser Blick ist ruhig und gefaßt, als füge er sich in etwas, was nicht zu ändern ist, in etwas Unausweichliches, Unumgängliches. Sie hat schöne Augen. Kinderaugen, runde, verwunderte Kinderaugen.

»Ich fürchte, uns bleibt es nicht erspart«, sagte er.

»Das verstehe ich nicht.«

»Ich weiß nicht, ob man viel Vertrauen zu mir haben kann«, ignorierte er ihre Antwort.

»Ich habe es«, sagte das Mädchen. »Ich kenne Sie doch schon so lange.«

»Wollen wir essen gehen?«

»Jetzt sind Sie viel freundlicher zu mir.«

»Ich freue mich auf unseren Abend«, sagte er.

Sie lächelte ein wenig und schaute auf ihre Hände.

»Freuen Sie sich auch ein wenig?« fragte er sie.

»Ja«, sagte das Mädchen und schaute ihn an. »Ja.«

Liebe II

Wenn d mr so verzeehlsch
na mecht e
de en arm nehma
dr ibers hoor schtreichla
mei gsicht an dei gsicht loihna.

aber wenn e de en arm nehm
dr ibers hoor schtreichel

mei gsicht an dei gsicht loihn
na goht s wia emmer
ond s dauert net lang daß e de
nemme en arm nehma
dr nemme ibers hoor schtreichla
mei gsicht nemme an dei gsicht loihna mog.

ond drom nehm e de net en arm
ond drom schtreichl-e dr net ibers hoor
ond drom loihn i mei gsicht net an dei gsicht

wenn d mr so verzeehlsch.

Das Lied vom Briefträger

Er isch uff dr terrass gsessa
ond hot an wei tronka
vor sich da Saronischa Golf.
schiff druff wia gliahwirmla
d ensel Ägina
wi-a schildkrott en s meer pfauzt.
dr mond am hemmel voll uffghenkt
hot nex merka lassa
wia ehm dia aschtronauta
s gsicht verkratzt hent
ond hot d wella glitzera lassa.
so hot s au en ehm glitzert
wo r dra denkt hot
was ehm so verkomma isch
en de letzschte wocha.
se hent musik gmacht
ond na send drei manna mit ihrer gitarr
an sein tisch komma ond hent gfrogt
was se fir ehn schpiela ond senga sollet.
weil s ehm om s herz so saumäßich
wohl gwä isch hot r gsagt

– ebbes griechischs ganz traurichs –.
se hent en d soita glangt a bißle präludiert
der en dr mitte hot da to agä
ond s liad gsonga von dem briafträger
mo hot a jongs mädle so gern ghet
weil r ihra oft an briaf brocht hot von dem
kerle mo se halt so arg gern hot meega.
aber am-a scheena tag isch r vorbeigloffa
ond hot koin briaf meh brocht
weil ihr kerle se hot nemme meega.
ond jedesmol wenn dr briafträger
vorbeigloffa isch hot se vor sich na gflennt.

sell hent se gsonga mit schloifige schtemma
ond r hot zuagheert ond sein wei drbei tronka
druff hot r papier ond bleischtift gholt
ond hot an oina gschrieba
mo r so arg meega hot daß se net traurich isch
wenn dr briafträger an ehr vorbeigoht.

Liebe V

Wo d mr so verzeehlt hosch
han e de en arm nehma
dr ibers hoor schtreichla
mei gsicht an dei gsicht
loihna meega.

i han mei hand
en dei hand glegt
ond dei hand hot
meira hand gsagt:

nehm me doch en arm
schtreichel mr doch ibers hoor
loihn doch dei gsicht an mei gsicht.

na han e de halt
en arm gnomma
dr ibers hoor gschtreichelt
ond du hosch dei gsicht
an mei gsicht gloihnt
ond dia mo s gseah hent
hent denkt: dia zwoi.

etzt ben e alloi
ond mecht de so gern
en arm nehma
dr ibers hoor schtreichla
mei gsicht an dei gsicht loihna
ond zua dr saga
ond di saga heera:
mir zwoi.

Auf den Weg

Gell fahr vorsichtich
paß uff de uff
ond leit mr glei a
wenn de dort bisch
au wenn s scho schpät isch
daß e besser eischlofa ka.

siehsch au d Eva?
ha vo mir aus
kosch se ruhich seha
wenn e au net recht woiß.
sag ehra an gruaß
oder sechsch besser koin.

ond denk a bißle an me
ond daß e me halt frai
wenn d wieder gsond do bisch.

gell kommsch glei zua mr
aber tua net pressiera
tua schtät ond gibt obacht
daß dr nex passiert
wenn d so lang vom-mr fort bisch.

Sonntag

Se hot gsagt se tät mr vielleicht
telefoniera ond etz glotz e scho
da halba tag uff sellen apparat
ond emmer wenn s leitet
moin e sia miaßt s sei.

drweil isch s bloß der bachel von dr Alljanz
mo s am hella sonntich eifällt i sei
onterversichert gega alter krankheit
diebschtahl ond brand.
rutsch mr doch da buckel nonter
seit heit morga wart e scho
ond trau me nemme aus-m haus
net zigaretta hola
an briaf neischmeißa
mit-m hond om s viereck laufa
weil e moin se tät vielleicht
grad aleita wenn e net do ben.
etzat – aber dees isch bloß d Aschtrid
wo mr verzeehla will wia ihr Horschtle
wieder amol de halb
nacht net hoimkomma isch
ond heit sei r
halba he do schteck doch
sicher a menschle drhenter.
meinetwega laß s schtecka. i han
bloß jo gsagt ond m-h ond m-m

ond han denkt hoffentlich
wird se doch net etzt grad
telefoniera ond s isch bsetzt.

s isch scho halber viere ond i han
net amol ebbes z mittag gessa.
ob e a bier trenk? aber dees
isch doch viel z warm.
ob e a brezel eß? aber
dia isch doch vo geschtern
dalgich ond labbelich.
ob e endlich den briaf noch Ontario
schreib? aber i han heit oifach
koin kopf fir an briaf.

was tu-r-e etzat bloß?
halt warta bis s schellt
weil se doch gsagt hot se tät
heit vielleicht aleita von onterwegs
ond i glotz en koi zeitong ond net
uff da bildschirm bloß
uff sellen telefoapparat
ob r net endlich leitet
daß e se froga ka:
mogsch me no?

Aus dem Hohenlied Salomonis

(Kap. 4, 1–8)
Für Oberkirchenrat Ulrich Fick

O du mei schätzle du bisch schee
guck en da schpiegel nei:
du bisch a saubere denge
deine aigla henter deim schloier
send wia täublesauga

334

dei hoor isch wi-a goißaherd onter
de wacholderbisch vom Randecker Maar
deine zäh send wia gschorene schäfla
mo vom bronna kommet
ond älle hent se zwilleng
ond kois isch dronter mo koi lämmle kriagt
deine lippa send wia hembeera
ond dei mäule macht me gluschtich
deine schläfa schemmeret wia pfirsichbäckla
dei hälsle isch wia dr Lichtaschtoi
rauswachsa aus de felsa trägt r
als sei s dr hemmel dei gsicht
deine herzer send wia rehla
mo weiße rosaknoschpa knuschperet
bis d sonn ontergoht
ond dr obendwend kommt
will i iber d wiesa ganga
mo s noch thymian ond kamilla schmeckt
du bisch scheener wia schee
mei goldicher schatz
ond nex isch an dir was mir net gfallt.

na komm doch zua mr schteig ra von dr Alb
komm ronter vom Schtaufa ond vom Schtuifa
ond laß henter dr dia wälder om da Rosaschtoi
wo dr fuchs wohnt ond dr schpecht hämmert
ond dr rehbock noch dr goiß schreit.

Die Suppe schmeckt nach Majoran

»Und ich glaube doch, daß die Suppe nach Thymian schmeckt«, sagte
er lächelnd.

»Sie schmeckt nach Majoran!« beharrte sie, und zwischen ihren
zusammengewachsenen Brauen bildete sich eine kleine Falte.

»Ich habe keine Lust, mich mit Ihnen zu streiten. Ich habe Sie in dieses Lokal entführt, wir essen eine Fischsuppe, die sich in Marseille nicht zu genieren brauchte, wir trinken einen Karlsberg, der die Zunge fröhlich macht...«

»Der schmeckt nach Muskat«, warf sie ein.

»Richtig, er schmeckt nach Muskat. Neunzehnhundertsiebenund-fünfziger Riesling Muskat, steht auf der Weinkarte. Aber die Suppe schmeckt nach Thymian!«

»Majoran!« behauptet sie. »Wetten? Wetten, daß der Koch mit Majoran gewürzt hat?«

»Nein«, sagt er, »ich würde die Wette gewinnen. Und das täte mir leid.«

Der Wirt ging durch das Lokal. Schon vor einer halben Stunde hatte er mit dem Paar, das er kannte, ein paar Worte wechseln wollen, aber sich mit einer diskreten Begrüßung begnügt, weil sich die beiden so ausschließend unterhielten. Jetzt winkte sie ihn an den Tisch.

»Ihre Suppe ist delikat«, lobt sie. »Und der Clou ist ein besonderes Gewürz.«

Wie sie den Wirt anschaut mit ihren grünen Augen, dachte er. Wenn sie ihn so anschaut, wird er, wenn sie es will, selbstbezichti-gend behaupten, das Aroma sei einem Suppenwürfel zu verdanken.

»Es ist ein wenig Majoran«, sagte der Wirt und entfernte sich, die Intimität der Situation respektierend.

Sie nahm ihr Glas, nippte von dem goldgrünen Wein und schaute ihn frohlockend über den Glasrand hinweg an. So mag Kleopatra Cäsar angeschaut haben, dachte er und trank ihr zu.

»Nun, habe ich recht gehabt?« fragte sie, und in ihrer Stimme lag ein Triumph, als habe sie ihren Fuß auf seinem Nacken.

»Ich freue mich, daß Sie recht gehabt haben«, sagte er.

»Sie sind ein komischer Mensch. Behaupten etwas, was sich als falsch erweist, und freuen sich, daß der andere recht hat.«

»Erstens sind Sie ein ausnehmend liebenswerter anderer, und zweitens gehöre ich nicht zu den Menschen, die recht haben wollen. Recht haben wollen ist etwas Dummes.«

»Aha – jetzt bestrafen Sie mich mit dem Verdacht mangelnder Intelligenz.«

»Und Sie mich mit dem Verdacht der Taktlosigkeit. Im übrigen sind Sie selbstbewußt genug, nicht einer derben Unterstellung wegen an der eigenen Intelligenz zu zweifeln. Aber recht haben wollen eigentlich nur Menschen, die auf ihr Prestige bedacht sind. Die ihrer Unsicherheit den Mantel der Unfehlbarkeit umhängen.«

»Unfehlbare Menschen sind mir gräßlich unsympathisch.«

»Wie vorteilhaft für mich, daß ich in der kulinarischen Frage des Suppengewürzes nicht unfehlbar bin!«

»Irrtum gehört zu den menschlichen Schwächen, die den Freund sympathisch machen«, räumte sie ein.

»Sehen Sie – gerade das wollte ich sagen. Wir sind uns viel mehr einig, als Sie meinen.«

»Wir sind in Gefahr, uns zu einig zu werden«, sagte sie und lächelte ihm kokett zu. »Ich streite mich gern mit Ihnen«.

»Streiten macht eigentlich nur Spaß zwischen Leuten, die sich mögen, um ein pathetischeres Wort zu vermeiden«, forderte er sie heraus.

»Ich weigere mich, unseren Streit zum Sprungbrett eines Flirts zu machen!« protestierte sie.

»Aber liebe Marie-Theres, wir sind ja schon lange gesprungen! Und darüber gestolpert, daß Sie, wenigstens was die Fischsuppe anlangt, rechthaberisch waren.«

»Stop – ich hasse Rechthaberei: Aber nur aus Notwehr, nur weil wir immer noch die Schwächeren sind, müssen wir Frauen uns manchmal ins Recht flüchten.«

»Sie und die Schwächere! Die Sie mich schon mit Ihrer faszinierenden Gegenwart entwaffnen! Schwäche würde ich Ihnen eher abnehmen, wenn Sie die Emanzipierte spielten. Ein Trost, daß Sie zwei Dinge verwechseln.« Er nahm genüßlich einen Schluck und fuhr dann fort: »Recht haben, klein geschrieben, und im Recht sein, groß geschrieben. Einesteils das Richtige sagen, anderenteils dagegen das Recht, also die die soziale Ordnung garantierenden Gesetze, auf seiner Seite zu haben. Aber wir segeln jetzt aus den Gefilden des Menschlichen, welches das Recht auf Irrtum einschließt, in die kühlen Zonen des Absoluten, des Juristischen.«

»Ohne das menschliche Beziehungen nicht denkbar wären.«

»Olala!« warf er ein. »Die schönste menschliche Beziehung, nämlich die zwischen Mann und Frau, hat die Jurisprudenz nicht nötig. Amor und Justitia vertragen sich nicht. Die blinde Justitia mit ihrer kalkulierenden Waage verhält sich zum leichtfertigen Amor wie das Beil zum Holz.«

»Das nehme ich Ihnen nicht ab! Das Recht ist eine Kategorie der Lebensordnung. Es ist nicht umsonst in dem Wort Gleichberechtigung enthalten.«

»Ein entsetzlicher Begriff«, sagte er schaudernd. »Gleiche Rechte – gleiche Pflichten! Gleichberechtigung der Frauen – das schlottert wie ein Kleid, das zwei Nummern zu groß ist. Gleichberechtigung demoralisiert den Kavalier zum Kumpel. Nichts Erbarmungswürdigeres als emanzipierte Frauen, die in Gegenwart eines Herrn selbständig mit dem Kellner verhandeln!«

Sie zog die Augenbrauen hoch. »So einer sind Sie also! ›Er soll dein Herr sein.‹ Einer, der Anordnungen trifft und über seine Partnerin bestimmt und fremde Briefe öffnet!«

»Aber ich bitte Sie, Marie-Theres! Eine Beziehung zwischen Mann und Frau ist eine Sache des Vertrauens, die keine Paragraphen braucht. Sie ist eine freiwillige Gemeinschaft zweier selbständiger Persönlichkeiten, von denen keine das Eigentum der anderen ist. Alle Verträge und Kontrakte müßten sich eigentlich erübrigen. Die Rechte und Pflichten, die durchaus nicht gleich zu sein brauchen, pendeln sich in jeder guten Ehe ein, ohne daß es der Paragraphen bedürfte. Wo an das Recht appelliert wird, da ist die Liebe schon tot. Der Gang zum Rechtsanwalt ist die Ouvertüre zur Trennung.«

»Aber hat nicht die Liebe, die schon in der blöden Carmen-Übersetzung nicht nach Gesetz und Recht fragt, etwas Freibeuterisches, Piratöses an sich? Denken Sie bloß an den Raub der Europa! Und soll sich die Frau als die Schwächere einfach der männlichen Gewalt ausliefern?«

»Wie pathetisch das klingt! Als ob sich Europa nicht ganz gern hätte rauben lassen, von den anderen Damen der Sage und der Geschichte ganz zu schweigen! Als ob Sie zu den Frauen gehörten, die eine Justitia brauchen, die, wie Goethe sagt, derb auftreten muß. Als ob Sie nicht durch das selbstverständliche Naturrecht, das weiblicher Liebreiz sich zu verschaffen weiß, besser geschützt wären als durch ein Gitter von Paragraphen!«

»Wenn ich aber an einen Mann gerate, der mein Vertrauen ausnutzt? An einen wie Sie!« sagte sie und zeigte Ironie in den Mundwinkeln.

»Ich zweifle nicht daran, daß Sie sich einen aussuchen würden, bei dem Sie es nicht nötig hätten, nach Schwert und Waage der Justitia zu rufen. Der es Ihnen leicht machen würde, ein Unrecht einzugestehen, selbst wenn Sie im Unrecht wären!«

»Das ist doch nicht schwer.«

»Oh, wenn man sich liebt, ist es viel leichter, dem anderen Recht zu geben, wenn man selbst im Recht ist.«

»Ich glaube, um dem beizustimmen, fehlt es mir an Erfahrung.«

»Wollen wir sie gemeinsam sammeln?«

»Ich weiß nicht... Aber wenn es Ihnen recht ist, könnten wir – könnten Sie ja noch eine Flasche von dem Riesling bestellen, der nach Muskat schmeckt. Im übrigen hatten Sie recht, und der Wirt hat sich geirrt. In der Suppe war doch Thymian. Eine Sorte Thymian, die nach Majoran schmeckt!«

Vom Recht und vom Rechthaben

Justitia und Amor vertragen sich nicht. Die blinde Justitia mit ihrer kalkulierenden Waage und der leichtfertige Amor sind ein schlechtes Gespann. Die Jurisprudenz taugt schlecht als Sachwalterin des Eheglücks oder als Schiedsrichterin bei ehelichen Meinungsverschiedenheiten. Nur im äußersten Alarmzustand sollte man ihr Einlaß gewähren in die privaten Gemächer. So teuer uns der Rechtsstaat ist – vor der Vorstellung der Rechtsfamilie kann man sich nur in ewiges Junggesellentum flüchten.

Wer den in der Ehe so mühsamen, selten zum Ziel führenden Instanzenweg der Rechtsfindung meiden will, der sollte sich einmal bewußt machen, daß jeder Streit beendet ist, sobald die Streitenden vom Anspruch auf das Rechthaben absehen. Weshalb sind wir eigentlich auf das Rechthaben selbst in reiferen Jahren noch so erpicht wie Siebenjährige auf den Sieg im »Mensch-ärgere-dich-nicht«? Häufig geht es bei scheinbar hochdramatischen Auseinandersetzungen nur um des Kaisers Bart; der Gegenstand des Streites tut gar nichts zur Sache: Ziel ist das Rechthaben an sich, der scheinbare Prestigezuwachs, der das Ventil zu einem »Ätsch« oder »Siehste« öffnet. So, wie man Nachbarn gegenüber empfindet, wenn man sie gerade um ein paar PS überrundet hat. Man muß aber schon ziemlich neureich im Geiste sein, um seinem Geltungsbedürfnis in so infantiler Weise Rechnung zu tragen.

Zuweilen beharrt einer auf seiner Meinung aus keinem anderen Grunde als dem, daß er tatsächlich recht hat. Da wird die Geschichte schon verzwickter. Denn es kann verdrießlich stimmen, wenn der Partner ebenso hartnäckig auf seinem offensichtlichen Unrecht besteht. Michael Kohlhaas als Familienausgabe – auch dies scheint ein bißchen töricht, da sich in familiären Bereichen Nachgiebigkeit und Kompromißbereitschaft als sehr viel unentbehrlicher erweisen als die Verteidigung des Rechtes. Auch gilt es zu bedenken, wie oft – und dies keineswegs nur im Blick auf Geschmacksfragen – verschiedene Ansichten gleichermaßen berechtigt erscheinen. Die Geschichte der Moralphilosophie liefert dafür genügend Beispiele. So scheint es müßig, recht haben zu wollen um des »Ätsch« oder um der Gerechtigkeit willen. Man sollte, wenn man sich schon unbedingt streiten will, zunächst einmal eitle Motive ausschalten und fernerhin solche, deren Verteidigung an anderen Fronten stattzufinden hat. Man beharre nur dann auf seinem Recht, wenn man seiner Sache auch wirklich sicher ist, und auch dies nur einem Partner gegenüber, der seinerseits fähig und willens ist, Irrtümer einzusehen – die anderen kann man nur überlisten, am besten mit Liebe.

Schopenhauer hat einmal gesagt, um fremden Wert willig und frei anzuerkennen und gelten zu lassen, müsse man eigenen haben. Man könnte auch sagen: Um das Recht des anderen willig und frei anzuerkennen und gelten zu lassen, muß man recht haben können. Die Kunst des Rechthabens beginnt damit, sich beim Partner einen Kredit zu verschaffen. Brichst du nie einen Streit um des Streites willen vom Zaun, bist du nicht rechthaberisch, pflegst du deine Zweifel in die eigene Unfehlbarkeit und bist du jederzeit willens und imstande, ein Unrecht einzugestehen, so förderst du die Bereitschaft des anderen, dir recht zu geben. Es gibt Situationen, die es nicht nur erlauben, sondern zur Pflicht machen, unnachgiebig auf einem Standpunkt zu beharren – zum Beispiel wenn es gilt, den anderen vor Schnupfen oder Gefängnis zu retten, wenn es darauf ankommt, ihn zu Einsichten zu bewegen, die ihm selbst oder dem Familienwohl dienlich sind. Auch die Selbstbehauptung kann bisweilen zur Pflicht werden. Allerdings sollte man sie nicht unbedingt einleiten mit den Worten: »Ich will ja nur dein Bestes«, die den anderen spätestens beim dreiundachtzigsten Mal hellhörig machen. Wer die Kunst des Rechthabens erlernen will, der sollte sie nicht üben. Hier macht nicht Übung den Meister, sondern ökonomisches Vorgehen auf leisen Sohlen. Je eleganter einer die Kunst des Rechthabens beherrscht, desto selteneren Gebrauch und desto weniger Aufhebens macht er von ihr. Bloß kein Triumphgeheul!

Über die Freundschaft

Je älter wir werden, um so häufiger haben wir das Bedürfnis, auf unser Leben zurückzublicken, das Erreichte zu sichten, unseren Standpunkt zu revidieren und mit neuen Wertbegriffen Inventur zu machen. Was uns in der Jugend wichtig erschien: Hab und Geltung und Gut, hat dann auf einmal an Bedeutung verloren, und anderes, das wir als selbstverständlich hinnahmen, wird wichtig: Harmonie, Humor, Freundschaft.

Bei solchem Rückblick erscheint mir die Reihe meiner Freunde als ein wesentlicherer Lebensgewinn als die Reihe meiner Bücher. Mein Freundeskreis ist kein eingetragener Verein mit Statuten, Mitgliedskarten und Eintrittsdaten. Er hat keine festen Grenzen. Von manchem weiß ich nicht einmal, ob er ein Freund oder nur ein lieber Bekannter ist. Zeit und Entfernung vermögen einer Freundschaft nichts anzuhaben. Wie man Schwimmen nicht verlernen kann, so ist auch Freundschaft beständig. Ich genieße das Wiedersehen mit einem Freund, auch wenn ich jahrelang nichts von ihm gehört habe.

Fundament einer Freundschaft sind gegenseitige Sympathie, Hilfsbereitschaft, verwandte Gesinnung und die Möglichkeit fruchtbaren Austausches von Gedanken und Erfahrungen. Doch das alles muß nicht sein.

Ich halte nichts von der billigen Allerweltsweisheit, Freundschaft beweise sich erst in der Not. Für manchen ist es schwerer, einem Freund ein Glück zu gönnen, als ihm im Unglück zu helfen. Freundschaft ist keine Interessengemeinschaft. Ich verlange und erwarte von meinen Freunden nichts. Gleich der Liebe sollte die Freundschaft mehr zu geben als zu nehmen bereit sein. Man soll seine Freunde in der Not nicht mißbrauchen. Schon die Tatsache, daß man sie hat, ist tröstlich.

Freunde sind nicht ohne Schwächen. Aber wir sollten die Fehler in Kauf nehmen, sie mit in die Freundschaft einbeziehen, auch wenn sie uns nichts angehen. Schmeichelei tötet die Freundschaft. Die Hilfsbereitschaft setzt dort an, wo sich der Freund durch seine Fehler schadet. Dann verpflichtet die Freundschaft, die Wahrheit zu sagen, auch wenn sie unangenehm ist. Freilich soll man das nicht aus Pharisäertum oder aus Eigennutz tun.

Will man einen Freund loswerden, so borge man ihm Geld. Man kann ohne Bedenken Bücher oder sein Auto verleihen. Diese Gegenstände sind vom Fluidum ihres Besitzers gezeichnet und nicht ohne schlechtes Gewissen zu annektieren. Anders ist es mit dem Geld, das anonym von Hand zu Hand wandert und von seinem jeweiligen Besitzer als Eigentum betrachtet wird. Wer es zurückhaben will, scheint sich ins Unrecht zu setzen. Deshalb sollte man Freunden eher Geld schenken als leihen.

Freunde sollen ähnlich gesinnt, brauchen aber keineswegs mit uns ein Herz und eine Seele zu sein. Trotz aller Toleranz muß ich allerdings bekennen, daß ich schwerlich mit jemandem befreundet sein könnte, der die NPD wählt, die Todesstrafe fordert, keinen Humor hat oder der Ansicht ist, die heutige Jugend tauge nichts.

Der Wandlungsprozeß, dem jedes menschliche Leben unterworfen ist, gefährdet auch unsere Freundschaften. Am anfälligsten sind solche, die in früher Jugend geschlossen worden sind, am dauerhaftesten die, die wir zwischen Zwanzig und Dreißig schließen. Je älter wir werden, um so kritischer werden wir bei der Wahl neuer Freunde, desto mehr fürchten wir uns vor Enttäuschungen.

In der Sage und in der Literatur gibt es fast nur männliche Freundespaare. Echte Freundschaft zwischen Frauen ist seltener, jedoch nicht ausgeschlossen. Merkwürdigerweise besitzen Frauen, die bei Männern Glück haben, eher Freundinnen als solche, die sich weniger Eros' Gunst erfreuen. Männerfreundschaft wird durch eine Liebe nicht gefährdet, es sei denn, die Partnerin ist so töricht und verlangt Kündigung der Freundschaft und der Partner ist ein solcher Pantoffelheld, daß er nachgibt. Dagegen beendet die Bindung einer Freundin an einen Mann oft Freundschaften unter Frauen. Vielleicht ist das mit der Erkenntnis zu erklären, die Jean Paul einmal formulierte: Wenn eine Frau liebe, fülle sie das ganz aus; ein Mann habe daneben auch noch zu tun.

Die Möglichkeit einer Freundschaft zwischen Mann und Frau wird oft bezweifelt. Amor vermag sich so meisterlich zu maskieren, daß er mitunter auch das Kostüm der Freundschaft wählt. Weil Liebe dieselbe geistig-seelische Grundlage wie die Freundschaft haben sollte, müßte sie eigentlich immer mit dieser verbunden sein. Aber da sie blind macht, vermag man nicht zu erkennen, ob im Partner auch das Zeug zu einem Freund oder zu einer Freundin steckt. Erst wenn sie vorüber ist, zeigt es sich, ob sie wesentlich war – wenn nämlich Freundschaft als Spätfolge der Liebe übrigbleibt.

Freundschaft hat nichts mit Kameradschaft zu tun. Angehörige der mittleren Generation trauen dem Wort »Kamerad« nicht mehr, weil es soviel mißbraucht worden ist. Das Philosophische Wörterbuch aus dem Jahre 1943 definiert: »Kameradschaft ist das von soldatischer Haltung getragene Verhältnis männlichen Verbundenseins im Dienste des Volkes und der Volksgemeinschaft. Ursprünglich die typische Soldatentugend, wurde sie durch das Erziehungswerk des Nationalsozialismus jedem deutschen Menschen zum verpflichtenden Lebensgesetz.« Vielleicht ist solches Geschwafel daran schuld, daß die Anrede »Kamerad« unter den Soldaten des letzten Kriegs kaum üblich war. Mit Kamerad wurde man nur von Zahlmeistern angeredet, deren Kübelwagen im Dreck steckengeblieben waren und die jemand zum Schieben suchten. Kameradschaft ist kollektiv, Freundschaft individuell.

Das 18. Jahrhundert hat aus der Freundschaft eine sentimentale, empfindsame und redselige Angelegenheit gemacht. Heute braucht die Freundschaft weder Rührseligkeit noch Pathos (Schiller: »Wem der große Wurf gelungen, eines Freundes Freund zu sein...«). Sie fordert nicht unbedingt das die Grenzen der persönlichen Sphäre oft allzu mutwillig niederreißende Du. Eine Freundschaft, die diesem Wort aus dem Wege geht, ist nicht die schlechteste. Sie verlangt vom Freunde nicht, daß er uns die Geheimnisse seines Herzens anvertraut. Tut er es dennoch, so verdient er Diskretion und Aufrichtigkeit, auch wenn diese unangenehm ist.

Wahre Freundschaft endet nicht mit dem Tod. Wir träumen von längst gestorbenen Freunden, als lebten sie. Wir beschäftigen uns in Gedanken mit ihnen; sie sind um uns und leben mit uns weiter.

Verheißung

Der Adventstext Jesaja 58, 7–12 erscheint mir wie ein Vorgriff aufs Neue Testament, wie eine Botschaft, die das Prinzip Hoffnung in sich trägt. Die darin aufklingende Verheißung offenbart sich jedoch unmittelbar in der unverkünstelten Umgangssprache meiner heimischen Mundart.

Wenn oiner Honger hot, gib ehm von deim Brot; wenn's oim liadrich goht, nehm ehn en dei Haus; wenn oin en Lompa siehsch, sorg ehm fir ebbes zom Aziaga, ond laß neamerd alloi, denn a jeder isch von deim Floisch ond Bluat.

Na wird's hell om de, wia wenn d Sonn uffgoht, ond s goht uffwärts mit dir, ond d Leit wisset, daß du a rechtschaffener Mo bisch ond daß dr Herrgott mir dir isch. Ond wenn ehm ruafsch, gibt r dir Antwort; ond wenn du schreisch, heersch ehn saga: Ruhich, i ben doch bei dir. Wenn d neamerd zloid lebsch ond net mit de Fenger uff ehn deitesch ond koin verschempfiersch ond a Herz hosch fir den, wo Honger leidet, ond fir den, wo em Elend lebt, na goht dr a Licht uff em Fenschtera, ond wo s donkel isch, do isch s fir di hell.

Ond onser Herrgott nemmt de an dr Hand ond zoigt dr s Greane onterm Verdorrta ond schtärkt de an Leib ond Seel. Na goht dr s wia ema Wiesle, mo vom-a Bächle tränkt wird, mo nia austrocknet.

Wo a Wiaschtenei gwä isch, do legsch du Grond, wo mer druff baua ko. Ond du bisch oiner, von dem d Leit saget: Der mauert d Lucka zua, der hält d Weg eba, daß oim wohl tuat do, wo mer drhoim isch.

Zunächst erhalte ich einen Auftrag zum sozialen Handeln, zur tätigen Brüderlichkeit und einen Hinweis auf die Gleichheit der Menschenkinder. Es ist nicht zu überhören, daß darin zwei von den drei Grundsätzen der Französischen Revolution postuliert sind: Gleichheit und Brüderlichkeit.

Dem Auftrag folgt die Verheißung. Ich erkenne in ihr nicht das Versprechen des Lohns für eine gute Tat, ich sehe darin weniger eine äußerliche Illumination, eine lichtvolle Auszeichnung, vor den Mitmenschen »ins rechte Licht gerückt zu werden«, als vielmehr einen inneren Vorgang: Aufhellung des Gemüts, innere Zufriedenheit, Geborgensein im Transzendenten, im Göttlichen. Das bedeutet das Ende des Alleinseins in der Möglichkeit des Dialogs mit Gott, der dir Rede und Antwort steht und ein offenes Ohr für deine Nöte hat. In solcher Verbundenheit wirst du niemanden unterdrücken, dich über niemanden erheben noch einen Mitmenschen diskriminieren können. Du wirst ein Gebender sein, man wird dich brauchen, suchen und finden. Sofern du dein Wissen und deine Gaben deinen Mitmenschen mitteilst, sie mit ihnen teilst, werden diese Gaben zu einer Wünschelrute, die dort ausschlägt, wo die Quellen des Heils liegen. So wirst du auch geistigen und geistlichen Boden für andere gewinnen, eine Umwelt, eine Heimat schaffen, in der es sich friedlich und harmonisch leben läßt.

Von Gott und der Welt

Offener Brief an den Staat

Was ist eigentlich der Staat? Der Staat ist ein Rindvieh.
Der Staat, das sind wir!
Ausspruch des Bauern Wilhelm Barth am Stammtisch
des Gasthauses zum Adler in Plattenhardt

Lieber Staat – verzeih mir die Anrede. Ich wollte Dich eigentlich
»Sehr geehrter Herr Staat« nennen, aber das wäre eine unwahre
Höflichkeitsphrase. Der oben erwähnte Ausspruch des Bauern Wilhelm Barth gibt mir den Mut zur Offenheit. Auch ist mein Verhältnis
zu Dir ausgesprochen vertraulich – wie das Verhältnis alter Ehepaare
zueinander, die sich im Grund ihres Herzens nicht leiden können.
Nur daß die Beziehungen alter Ehepaare wenigstens mit dem Schein
der Freiwilligkeit begannen, was ich von den Beziehungen zu Dir,
lieber Staat, nicht behaupten kann. Denn ich wurde in Dich hineingeboren, ohne daß ich es wollte.

Damals hattest Du gerade, wie Du es so gerne tust, Händel mit
Deinen Nachbarn angefangen, um mir angeblich eine bessere Zukunft zu garantieren, und warst eben im Begriff, den Frack vollgehauen zu bekommen. Du führtest Krieg, gabst mir wenig zu essen
und sorgtest dafür, daß ich kein verwöhntes Kind wurde. Du sagtest
»Gelobt sei, was hart macht!« und tatest mir Sägemehl ins Brot. Ein
paar Jahre später machtest Du mir das Geschenk der Inflation. Mein
Großvater war ein wohlhabender Mann, der stolz darauf war, seine
Enkel einmal so viel erben zu lassen, daß sie um ihre Zukunft nicht
besorgt zu sein brauchten. Aber Du fühltest Dich für meine Zukunft
noch viel verantwortlicher (denn alles, was Du an Dummheiten
machtest, unternahmst Du unter dem Vorwand der Fürsorge für die
kommende Generation) und nahmst ihm das Ersparte weg.

Das war die erste Etappe unserer etwas gespannten Beziehungen.
Dann zeigtest Du Dich kulanter. Ich ging in die Schule, und da tatest
Du etwas für mich. Ich glaube, ich habe viel gelernt. Das war recht
ungeschickt von Dir. Denn je mehr ich lernte, um so weniger
gelüstete es mich, in der Herde zu laufen und Dir willfährig zu
sein. Kurz vor Torschluß machte ich das Abitur, und wir lasen in
Oberprima nicht nur den *Faust*, sondern lernten auch Döblin, Upton

Sinclair, Křenek, Kokoschka, Lehmbruck und Romain Rolland kennen.

Dann wurdest Du totalitär. Du hattest es zwar recht gern, wenn man am lieben Gott zweifelte – aber wer seine Zweifel an Dir aussprach, den enthobst Du kurzerhand der Mühe, seinen Kopf auf dem Rumpf tragen zu müssen. Ich ging zur Universität, und es war schon schwierig, zu den sehr feinen Kanälen der Wissenschaft zu gelangen, die für den zähen Schleim Deiner politischen Zweckmäßigkeitsphrasen lange Zeit unpassierbar blieben. Im Gegensatz zu anderen totalitären Staaten warst Du auch so ungeschickt, Deine Angehörigen ins Ausland reisen zu lassen, was die Liebe zu Dir in keiner Weise steigerte. Du wolltest mir weismachen, daß es das Schönste im Leben sei, für Dich zu sterben. Mir aber erschienen andere Dinge viel schöner: Ich fühlte mich, auf den heißen Mauern von Assisi in die Sonne blinzelnd, wohler als auf dem Zeppelinfeld in Nürnberg. Eine Aufführung der *Aida* mit Gigli in den Caracallathermen in Rom machte mir größeren Eindruck als das Nibelungengezeter des sakrosankten Sachsen Richard Wagner auf dem Grünen Hügel zu Bayreuth. Ich hauste lieber mit Mechthild im Alcron in Prag als in Deinen Wehrertüchtigungslagern. Ich sah mir lieber Giorgiones Madonna in Castelfranco an als den Aufzug der Wache Unter den Linden. Cordulas Erbsensuppe auf der Skihütte am Wendelstein schmeckte mir besser als Bockbier und Weißwürste bei »Freut-euch-des-Lebens«-Festen. Ich reiste lieber mit Barbara in die Einsamkeit der Nehrung als mit KdF nach Madeira. Es gab viel schönere Dinge, als für Dich, lieber Staat, zu sterben: Weintrinken bei Habel in Berlin, im Albergo Posta in Orvieto, bei Wolfs in Großbottwar oder im Peterskeller in Salzburg. Essen bei Oreste in Florenz, im Medwied in Berlin, im Pupp in Karlsbad. Es gab die Reginabar in München, kleine Gasthäuser in der Champagne, Schwimmen in Ostia, Schnapstrinken im Danziger »Lachs«.

Man tat das alles, weil es schön war. Aber Du, lieber Staat, meintest, alles müsse seinen Zweck haben. Man reise, um der deutschen Sache zu dienen. Man liebe, um Kinder zu zeugen. Man laufe Ski, um den Körper für Dich zu stählen.

Dann wurdest Du brutal. Du beschlossest, mich wehrhaft zu machen, obwohl ich mich im Smoking wohler fühlte als in Uniform. Ich wurde von Dir zu den Fahnen geeilt, wo ich nichts machte als eine komische Figur und das Faulenzen lernte. Dann fingst Du – wieder, wie Du sagtest, in meinem Namen – Händel an und gabst mir Gelegenheit zum vielgepriesenen Heldentod.

Verzeih, daß ich die Gelegenheit nicht genutzt habe. Verzeih, daß ich es nie so recht glauben wollte, es gebe keinen schöneren Tod in der Welt, als wer vom Feind erschlagen. Das Anschauungsmaterial, das Du mir auf den kostenlosen Reisen mit der Verkehrsgesellschaft Wehrmacht vorführtest, war wenig dazu angetan, diesen Glauben in mir zu erwecken, und auch die geringe Zuteilung an Lametta, die Du mir zukommen ließest, machte mich nicht zu einem gefügigen Diener.

Nun hast Du wieder den Frack voll bekommen. Oder vielmehr die Einheitsjacke. Denn zum Frack warst Du nicht mehr distinguiert genug. Du hast ein neues, wenn auch härenes Gewand über die Wunden gezogen und tust, als seist Du ein Biedermann. Ich aber ernähre mich damit, daß ich Unsinn schreibe. Dafür bekomme ich Geld, das Du mir wieder durch das Finanzamt abnimmst. Und damit es mir nicht zu wohl wird, hast Du einen Riesenapparat von Ämtern geschaffen, in denen mancher sitzt, von dem ich vermute, daß er als Arbeiter oder in einem freien Beruf nicht in der Lage wäre, sich auch nur das Salz an die Suppe zu verdienen. Die Ämter sind dazu da, daß ich vor ihnen Schlange stehe. Sie lenken, verwalten, verhängen Strafen, schulen, erziehen hin und erziehen her, regeln, erfassen, verteilen, beschränken, beschlagnahmen, kontrollieren und erheben Gebühren. Sie sind wohltätige Einrichtungen, die keine produktive Arbeit leisten, aber Tausende von Menschen von dem Geld ernähren, das der Steuerzahler verdient hat.

Lieber Staat, ich bin viel zu wenig bösartig, als daß ich ein Anarchist werden könnte. Aber ich finde, unsere Beziehungen müßten sich ändern. Ich möchte Dir so gern liebenswürdigere Briefe schreiben. Doch solange Du der Ansicht bist, ich sei für Dich da und Du nicht für mich, und solange ich der konträren Auffassung bin, wird wohl nichts daraus. Einer von uns beiden muß seine Einstellung zum anderen ändern.

Der Bauer Barth hat gesagt, daß Du ein Rindvieh seist. Es ist schön, daß man die Meinung des Bauern Barth wieder in der Zeitung bringen darf. Aber noch schöner wäre es, wenn diese Meinung falsch wäre. Und so wünsche ich mir, daß an Deine Spitze, lieber Staat, Männer kommen, die gern eine Flasche Wein trinken, Zigarren rauchen und mit ihren Kindern spielen. Ich toleriere sogar, daß sie sich ab und zu ein halbes Pfund Kaffee schwarz kaufen und mit sehr hübschen Freundinnen ins Wochenende fahren. Aber, lieber Staat, sei dann bitte auch Du kulant und verlange von mir nicht, daß ich Dein Diener sei.

Mit vielen guten Wünschen zur Verbesserung unserer Beziehungen

Dein
Thaddäus Troll

Den Stillen im Lande

Saget net emmer – wenn s halt Gotts will isch –
ond faltet d händ ond lasset s gscheha.
merket eich: Gotts will ko mer au macha.

Immer der Nase nach

Do kennet Se gar net fehla
fahret Se oifach dr nos noch
glei lenks om s eck wo s so beschtialisch
schtenkt noch dr sauerkrautfabrik
ond weiter na gradaus
wo s so brenzelich schmeckt
do schtoht d gaskokerei
glei an dem schtoibruch
neba dr zementfabrik wo de ganz gegend
grau verschtaubt isch
wi-a kuacha mit puderzucker
do goht s etzt noch rechts
au wieder dr nos noch
s mäuchelet scho vo weitem noch tote fisch

ond Se sehet na glei da Necker
dem fahret Se noch bis zur millverbrennong
wo aus dem hoha kamee
schwarzer rauch rauskommt
dees lasset Se lenks liega ond Se schmecket
scho da gillagruch von dr kläralag
aber so weit brauchet Se gar net z fahra
denn glei an dem platz
wo dia verkehrsampel isch
do send Se grad recht am hotel Ochsa
dees mo Se suachet. schlofet Se guat!

Wieviel ist ein Mensch wert?

Am geringsten taxiert der Chemiker den Wert eines Menschen. Er berechnet den Gehalt eines Erwachsenen an Zellulose, Eiweiß und Kalk mit ungefähr 30 Mark.

Amerikanische Versicherungsgesellschaften halten den Menschen für wertvoller. Nach ihrer Ansicht ist ein Neugeborener ungefähr 40 000, ein Zehnjähriger 50 000 Mark wert. Der Wert eines Menschen steigt mit dem Alter. Er summiert sich aus den Kosten der Berufsausbildung und dem Einkommen. Frauen sind nur halb soviel wert wie Männer, weil sie in der Regel früher aus dem Beruf ausscheiden. Der Mensch ist für amerikanische Versicherungsgesellschaften so viel wert, wie er verdient.

Den Wert eines Menschen an den Tarifen eines anatomischen Instituts zu messen ist unmöglich, weil für ein solches Institut der menschliche Körper weder zu Lebzeiten noch im toten Zustand Handelsobjekt ist. Entgegen allen Gerüchten war es in Deutschland nie möglich, seinen Körper bei Lebzeiten an die Anatomie zu verkaufen. Vor Jahrhunderten gab es das in England; es wurde jedoch abgeschafft, weil Mörder ihre Opfer als angeblich liebe Verwandte an die Anatomie verkaufen wollten. Ein anatomisches Institut übernimmt bei jedem ihm überlassenen Toten die Unkosten für Leichenhaus und Zuweisung; außerdem werden die Leichen, nachdem sie zu

Unterrichtszwecken gedient haben, bestattet und ihr Grab zwanzig Jahre lang gepflegt. Das stellt eine recht ansehnliche Wertschätzung dar.

Einem Stabsgefreiten der DDR-Grenzpolizei wurde für den Abschuß eines Flüchtlings eine Geldprämie von 200 Ostmark ausbezahlt.

Der Wert eines Künstlers errechnet sich aus den Einnahmen beim Verkauf seiner Werke: Manuskripte, Noten, Bücher, Funkhonorare, Urheberrechte und Schallplatten. Demnach waren Heinrich von Kleist und Schubert bei ihren Lebzeiten weit weniger wert, als eine Schnulzensängerin es heute ist; sie haben aber nach ihrem Tod einen Wertzuwachs erfahren, der sie dieser Künstlerin hoffentlich auch an finanziellem Wert immer noch überlegen sein läßt.

Schweizerische Versicherungsgesellschaften berechnen den Wert eines Menschen aus dem Produkt des Jahreseinkommens und der Dauer der Berufstätigkeit in Jahren. Ein Mensch mit einem Monatseinkommen von 800 Franken und einer voraussichtlichen vierzigjährigen Berufstätigkeit ist demnach 400 000 Schweizer Franken oder 360 000 DM wert.

Im Konzentrationslager Auschwitz war der Mensch nur 1629 Reichsmark wert. Er wurde folgendermaßen berechnet: täglicher Verleihlohn 6 Mark, abzüglich 60 Pfennige für Ernährung und 10 Pfennige für Bekleidungs-Amortisation. Durchschnittliche Lebensdauer: 9 Monate, macht 1431 Reichsmark. Dazu »Erlös« aus rationeller Verwertung der Leiche (Zahngold, Kleidung, Wertsachen, Geld) 200 Mark, abzüglich 2 Mark Verbrennungskosten, macht 1629 Mark. Diese »Rentabilitätsberechnung« ist dokumentarisch überliefert.

Amerikanische Militärwissenschaftler stehen auf dem Standpunkt, ein Objekt könne nicht mehr wert sein, als für seine Vernichtung ausgegeben werde. Sie errechnen deshalb den Wert eines Menschen aus den Kosten eines Krieges, geteilt durch die Anzahl der Gefallenen. Demnach ist dieser Wert im Lauf der Geschichte enorm gestiegen. Bei Cäsars Feldzug in Gallien kostete es durchschnittlich 3 Mark, einen Menschen zu töten. Zu Napoleons Zeiten war der Mensch schon 10 000 Mark, im Ersten Weltkrieg 85 000 Mark und im letzten Krieg 200 000 Mark wert. Ein toter Vietcong kostet die Amerikaner inzwischen 1,4 Millionen Mark.

Für den nächsten Krieg rechnet der amerikanische Verteidigungsminister mit 10 Megatoten in den USA. 10 Megatote sind eine nullensparende Kurzform für 10 Millionen Todesopfer. Seit dieser Feststellung sind zwar die Preise gestiegen, aber die Technik ist auch vollkommener geworden, so daß man, auf die ganze Welt umgerechnet, gut mit 40 Megatoten rechnen kann. Da die Wasserstoffbombe im Gegensatz zur entrahmten Frischmilch billiger und ihre Wirkung stärker geworden ist, kostet die Vernichtung eines Menschen bedeutend weniger als im letzten Krieg.

Es ist beruhigend zu wissen, daß wenigstens diese Ziffer den inflatorischen Trend der Lebenshaltungskosten auf der ganzen Welt nicht mitmacht.

Zur Lage des Gewissens

Für Manfred Rommel

An arge send isch
koi geld han

an ärgere
nochsenna
ob mir net älle
an dem was
so passiert
a bißle mit
dra schuldich send
ond: ob net a jeder
von ons au net
meh isch wia:
einer unter
diesen meinen
geringsten Brüdern

a ganz arge send isch
so ebbes au no

laut z saga
ond z moina
daß a jeder mensch
halt emmer no
a mensch bleibt

drom hoißt de ällerärgscht
todsend heitzetag
barmherzichkeit.

Gruß aus Gripsholm

In Mariefred haben wir ihn besucht. Es war am 21. Juni, und um elf
Uhr abends war es noch hell. Das Schloß Gripsholm mit seinen
runden Türmen aus rotem Backstein sah aus, als bade es im Mälarsee.
Wir dachten an seinen Satz: »Man besucht ja nur sich selber, wenn
man die Toten besucht«, als wir an sein Grab gingen. »Alles Vergäng-
liche ist nur Ein Gleichnis« stand unter dem Namen und den Daten
auf der Platte, und dem schwedischen Steinmetzen war dabei noch
ein Metzfehler unterlaufen.

Wir dachten daran, wie sehr er unserer Zeit, die so empfindlich
gegen Kritik ist, als Wachhund der Freiheit fehlt. Wir standen an
seinem Grab und verspürten ein Gefühl, das zwischen Zorn und
Rührung lag. Wir fanden es zum Heulen, daß er das Regime nicht
überlebt hat. Und dann fielen uns die Worte ein, die er in *Schloß
Gripsholm* geschrieben hat, als er den Friedhof schilderte, auf dem er
jetzt selber ruht: »Heul nicht – die Sache ist viel zu ernst zum
Weinen!«

Zwar ist er schon vor fast einem halben Jahrhundert gestorben: In
dem kleinen schwedischen Städtchen Hindås (Baedeker: »Hindås, als
Sommerfrische und Wintersportplatz besucht. Noch ein Tunnel«) ist
er am 21. Dezember 1935 freiwillig aus dem Leben gegangen. Und
dennoch lebt er noch unter uns: in seinen Büchern, in seinen Satiren,
die nach Jahrzehnten noch nicht stumpf geworden sind.

Woher kommt Kurt Tucholsky, der mit dem Bürgertum so scharf ins Zeug gegangen ist? Da gibt es ein Familienfoto, das aussieht, als habe er es selbst erfunden. Vor der Pappkulisse fröhlichen Badelebens in Misdroy protzen zwei mit Quasten und Troddeln behangene Sessel. Auf dem einen sitzt der Bankdirektor Tucholsky. Er trägt eine plutokratische Melone, einen ernsten Zwicker und jenen martialischen Schnurrbart in der Form eines zerlaufenen W, der unter Kaiser Wilhelm Symbol des Erreichttums wurde. Die Pfeife im Mund dokumentiert bürgerliche Behaglichkeit. Neben ihm die ernste, dezent gekleidete Oma, mit vielen Rüschen, die man rascheln hört. Dahinter in einem gemalten Boot die Kinder, am Ruder Kurt Tucholsky, ein hübscher Junge mit verträumten Augen, in denen wie in Knabenbildnissen der Romantiker Skepsis und Melancholie nisten.

Und dann sein Aufsatzheft. Schon mit sechzehn Jahren schreibt er in einer weiten, freigebigen Schrift: »Aufgabe des Menschen ist es, in einem heiteren Lebensgenuß, der in ›Leben und leben lassen‹ ausklingt, wunschlos glücklich zu sein.« Da haben wir es schon, was Kurt Tucholsky auszeichnet: Toleranz, Harmonie und Genußfähigkeit. Aber wie sehr hat die Umwelt diese Eigenschaften ge- und zerstört! Wie sehr haben ihn die Menschen, die er so geliebt und so gezüchtigt hat, enttäuscht!

Der Lehrer, der das Deutsch des Schülers Tucholsky fast immer mit »Mangelhaft« zensiert, schreibt in einer verdorrten Schreibstubenschrift darunter, der Inhalt des Aufsatzes sei indiskutabel, doch müsse Kurt die Buchstaben, die zusammen ein Wort bilden, unbedingt miteinander verbinden.

Und dieser schlechte Schüler schrieb über zweitausend geschliffene Feuilletons. Er traf stets das richtige Bild, fand immer das trefflichste Wort und verstand es, die ernstesten Dinge mit heiterer Miene zu sagen. Er war der Star der *Weltbühne*, für die er unter seinem Namen und vier Pseudonymen – Theobald Tiger, Peter Panter, Ignaz Wrobel und Kaspar Hauser – geschrieben hat. Er war ein besessener Arbeiter, ein Tüftler an seinem Stil. Er schrieb Chansons für die besten Kabarettisten, für Ernst Busch, Gussi Holl, Trude Hesterberg und Kate Kuhl. Das Unrecht in der Welt, die Zukunft Deutschlands brachten ihn auf. Er ist in allem, was er geschrieben hat, Kritiker, Polemiker, Satiriker, Kämpfer und Prophet. Hinter seiner Heiterkeit kauert die Melancholie, hinter seinem Witz die Verzweiflung. Er ist ein verschämter Poet, der seine Gefühle nur zu gern mit Ironie übertüncht.

Er lebte gegen seine Zeit und gegen seine Herkunft. Er liebte Deutschland und haßte es, weil die Saat, die er schon lange vor 1933 wachsen hörte, auf deutschem Boden gedieh. Er kam aus dem Großbürgertum und geißelte es mit bitteren Satiren. Er eiferte gegen die Juden, die 1930 von Hitler sagten: »Lassen Sie doch den Mann!« Er war Unteroffizier und glühender Pazifist. Er war Doktor beider Rechte und ritt die grimmigsten Attacken gegen die Justiz. Er war Berliner und emigrierte in eine schwedische Kleinstadt. Er war heimatloser Sozialist und verachtete Stalin, der »seine Leute verrät«. Er war Emigrant und haßte die Emigranten, die »doitsche Kultur verkaufen«. Er gab sich salopp und kleidete sich elegant. Er wurde von seiner Umwelt in eine ständige verzweifelte Opposition gedrängt.

Er sah 1933 kommen. Er sagte es lange voraus. Er behielt recht, und er wollte gar nicht recht behalten. Er verließ Deutschland, um nicht Zeuge und Mitschuldiger dessen zu werden, was er kommen sah. 1932 verklagte ihn die Reichswehr wegen Beleidigung. Er wurde freigesprochen. Aber er war vom Ekel gepackt. Er schrieb nicht mehr. Er sah die Giftsaat aufgehen, und er trug von da an ein Gegengift bei sich. Er glaubte nicht daran, daß man das Regime in Deutschland überleben könne, und er wollte den Zeitpunkt selbst bestimmen, ohne Aufsehen aus dieser Welt zu verschwinden.

»Es geht mich nichts mehr an«, schrieb er 1933 verbittert aus Schweden. »Ich komme mir vor wie an den Strand gespült.« Es ging ihm wie einem Arzt, der nicht mehr praktizieren darf und der seine Patienten sterben sieht. »Ich bin ein aufgehörter Schriftsteller.« Als ihm die Schweden keinen Paß gaben, als er nicht mehr reisen konnte, als ihn nach fünf Operationen die Stirnhöhlenschmerzen wieder plagten, schrieb er einen letzten Brief an Arnold Zweig. Er klagte nicht die anderen, er klagte sich selbst an. Er sagte ein paar Sätze, die man jedem Deutschen ins Stammbuch schreiben möchte. »Nun ist mit eiserner Energie Selbsteinkehr am Platze. Nun muß auf die lächerliche Gefahr hin, daß es ausgebeutet wird, eine Selbstkritik vorgenommen werden, gegen die Schwefellauge Seifenwasser ist. Nun muß – ich auch! ich auch! gesagt werden: Das haben wir falsch gemacht und das und das – und hier haben wir versagt. Und nicht nur: Die andern haben ... sondern: wir alle haben.«

Das schrieb er am 15. Dezember 1935. Sechs Tage später, am dunkelsten Tag des Jahres, an dem es in Schweden nur ein paar knappe Stunden hell wird, nahm er das Gegengift. In Göteborg wurde er eingeäschert. Die Nachrufe, in schlechtem Deutsch, gespickt mit Beschimpfungen, waren anders, als er sie sich gewünscht hatte. Niemand schrieb von seinem »goldenen Herzen und seiner eisernen Schnauze«. Und niemand in Deutschland sagte, am abgegessenen Abendbrottisch sich die Ehe mit Zeitungslektüre vertreibend: »Ach –!«

1936 wurde seine Urne in Mariefred auf dem kleinen Friedhof, den er in seinem *Schloß Gripsholm* so schön beschrieben hat, beigesetzt. Es geschah in aller Stille, weil man fürchtete, daß »Landsleute« sein Grab schänden könnten.

Das dritte Kapitel des Predigers Salomo

Älles hot an end ond älles trachta uff dr welt
heert amol uff.
uff d welt komma ond schterba
säa ond jäta was gsät isch.
verwirga ond hoila
abreißa ond baua.
flenna ond juchzga
joomera ond tanza.
schtoi verschmeißa ond schtoi zammalesa.
drhoim sei ond hoimweh han.
suacha ond verliera
bhalta ond wegschmeißa.
vertrenna ond zammanäha
d gosch halta ond schwätza.
oin leida kenna ond oin net verbutza kenna.
händel ond frieda hent ihr zeit
mer ko schaffa was mer will
mer hot doch nex drvo.

guck doch bloß dia schenderei a
mo dr Herrgott de menscha zuatoilt hot
daß se sich drmit romploget.
Er aber tuat älles fei zu seinera zeit
ond läßt zua daß ihr gmiat sich ängschticht
wia s nore goht mit dera welt
weil dr mensch net verschtanda will
was dr Herrgott tuat
weder was Er afangt weder was Er uffheert.
drom han e gmerkt daß s nex bessers gibt
wia dapfer glauba ond da Herrgott
an guata mo sei lassa.
weil s ema jeda mo ißt ond trenkt
ond tuat sei ärbet gern
halt von Gott geba isch.
i han au gmerkt daß älles was dr Herrgott tuat
schtanda bleibt
mer ko nex drzuato ond nex wegnehma
sell tuat dr Herrgott
daß mer reschpekt vor Ehm hot.
älles was gschieht dees isch scho gscheha
ond älles was geh gscheha wird
dees isch scho amol gscheha
ond dr Herrgott suacht wieder zamma
was scho gwä isch.
uff-m markt vor dr kirch bscheißet se anander
ond vor-m gricht drehet se
anander da hals om.
do han e denkt: dr Herrgott muaß richta
iber de guate ond iber de beese
denn älles was mer schafft
ond was mer gschafft hot
dees hot an end.
i han mr gsagt: dees isch halt so
daß dr Herrgott d menschakender priaft
daß se merket
se send au net besser wia s viech.
denn s goht de menscha wi-em viech

wia dees verreckt so schtreckt au er am end
älle viere von sich
ond se schnaufet boide gleich
ond dr mensch hot au net meh wia s viech
denn s letzschte hemmed hot koine tascha.
älle ganget se da gleicha weg
s isch älles aus letta gmacht
ond wird wieder zu letta.
wer woiß ob d menschaseel nuffwärts fahrt
ond s viech wenn s a seel hätt
tät abersche fahra onter da boda.
so han e halt gmerkt daß s nex bessers gibt
wia daß dr mensch monter sei ärbet tuat
denn dees isch ehm geba
ond koiner brengt ehn so weit daß r woiß
was gschieht
wenn r amol nemme do isch.

Melancholie

Meine alte Schule

Obwohl ich oft an meiner alten Schule vorbeikomme, habe ich eine merkwürdige Scheu, die Nase hineinzustecken und zu schnuppern, ob es immer noch so nach Bodenöl, Chemiesaal, Tafellappen, Vesperbroten und nicht sorgfältig ausgewaschenen Schwämmen riecht; ob der Boden noch mit denselben roten Fliesen ausgelegt ist, die den Tritt in den Gängen hallen lassen; ob noch dieselbe Klingel zum Ende der Unterrichtsstunden schrillt und ob das Treppengeländer noch existiert, das wie zum Hinunterrutschen konstruiert war.

Meine alte Schule wurde in einer Zeit gebaut, als man öffentliche Gebäude mit Erker, Söller und Turm wie Burgen aus Backstein herausputzte. Aber der Architekt machte die romantische Mode nicht mit. Er beschränkte sich auf ungefälschte Formen und klare Proportionen, und so strahlt schon das Gehäuse etwas von dem Geist des Humanismus aus, der darin heimisch war. Der abgeschmackte lateinische Spruch, nicht für die Schule, sondern fürs Leben lernten wir, ist übertüncht; wahrscheinlich, weil er als eine banale Verdrehung von Senecas kritischer Feststellung entlarvt ist, daß der Mensch statt fürs Leben für die Schule lerne.

Während meiner ersten Schuljahre wurde eine konservative Lehrergeneration von einer modernen abgelöst. Ich erlebte noch jene schrulligen Greise in Gehrock, Radmantel und Schlapphut, die dem Professor Unrat im *Blauen Engel* glichen, und die Drescher, die uns die unregelmäßigen lateinischen Verben so einbleuten, daß ich sie heute noch im Halbschlaf konjugieren kann. Unter unseren Lehrern waren weltfremde Wissenschaftler, rechthaberische Rohrstöcke, geschickte Pädagogen, barsche Unterweiser, salbungsvolle Ermahner und feinfühlige Bildner.

Da war Studienrat W., der im Ersten Weltkrieg als Offizier den linken Arm verloren hatte. Er machte uns mit Brecht und Tucholsky bekannt und lehrte uns, die bedeutendsten Staatsmänner seien nicht die, die Kriege gewonnen, sondern jene, die sie verhindert hätten. Er sah voll Pessimismus in eine Zukunft, die sich schon mit Schaftstiefeln und braunen Hemden ankündigte. Er weckte in uns soziale Gesinnung und war deshalb bei den Eltern als Kommunist verschrien. Ihm kam es mehr darauf an, den Charakter seiner Schüler zu bilden, als darauf, ihnen Wissen einzudrillen. Er gab uns das geistige Rüstzeug mit, das uns die zwölf Jahre der Bedrückung und Demütigung überstehen ließ, denen er selbst nicht gewachsen war. Bald nach Hitlers Aufstieg hat er sich das Leben genommen.

Sein Vorgänger, Professor C., war aus anderem Holz. Da er das Militärmaß nicht erreichte und deshalb nie Soldat werden durfte, glich er diesen Mangel durch einen kriegerischen Unterricht aus. Seine Verachtung galt Handwerkern und Pazifisten. Mit nichts konnten wir ihn mehr erzürnen als mit der Übersetzung »er oblag dem Kriegshandwerk«. Krieg war für ihn etwas Aristokratisches, eine Gelegenheit, Mannesmut und Manneszucht zu beweisen, und kein Tag verging, an dem er uns nicht beibrachte, es sei süß und ehrenvoll, fürs Vaterland zu sterben: eine Aufforderung, der zehn Jahre später die Hälfte meiner Klasse nachkam. Aus Freude über den Tod des »Erfüllungspolitikers« Stresemann gab er uns schulfrei. Als Funktionär der alldeutschen Bewegung besiegelte er jenes Harzburger Bündnis zwischen militanten Spießern und kriminellen Rabauken, das Hitler als Sprungbrett zur Macht diente. Unsere Eltern schätzten den aufrechten Mann.

Im Lauf meiner Schulzeit kam mir die Schule einmal wie eine Erziehungsanstalt, dann wie eine Wissensscheune, ein andermal wie eine Versammlungsstätte Halbwüchsiger zum Aushecken von Streichen, manchmal wie eine Bildungskaserne und in den letzten Schuljahren wie ein geistiges Trainingsquartier vor, in dem man die Kräfte nicht ungern anstrengt. Nie ganz verlassen hat mich mein schlechtes Gewissen, das ich vor der Schule empfand und das mich vielleicht heute daran hindert, durch die offene Tür zu gehen, das es mir nur erlaubt, in den Schulhof zu schauen, wo bloß noch ein alter Kastanienbaum Erinnerungen hütet, während die Kiesel durch Asphalt ersetzt worden sind.

Denn ich war ein lässiger Schüler, der jedoch seine Faulheit raffiniert zu tarnen und sein bißchen angelesenes Wissen geschickt an den Mann zu bringen wußte. Erst lange nach meiner Schulzeit habe ich einsehen gelernt, daß die Erledigung eines gewissen Pensums nicht so viel Mühe macht wie das Ertragen der Unlustgefühle, die uns das schlechte Gewissen bereitet, wenn wir Unumgängliches liegen lassen. Um den unnützen Ballast, um den ich mich gedrückt habe, tut es mir nicht leid. Aber mich ärgert meine Torheit, die mir manches

Schöne, das die Schule angeboten hat, als unnütz erscheinen ließ. Gern erinnere ich mich an manche Streiche, ungern jedoch an eine rüpelhafte Periode, die unsere Klasse eine Zeitlang zu einer rüden Gemeinschaft intellektueller Halbstarker machte.

So war unser Naturkundelehrer ein stiller und freundlicher Herr, der uns viel zu früh als Persönlichkeiten respektierte und schon Vierzehnjährige mit der Anrede »Sie« überforderte. Eines Tages machte er mit uns einen Lehrausflug in die Wilhelma, ein maurisches Gebäude, das wie ein Luftschloß eines Zigarettenfabrikanten aussah, aber von schönen Gewächshäusern flankiert war. Professor Clovis, so war sein Spitzname, zeigte uns die Orchideen, bat uns aber sehr, mit diesen kostbaren Blüten »weder Unfug noch Allotria« zu treiben, was unseren Klassensprecher provozierte, dem Professor heimlich eine Orchidee an den Hut zu stecken. Unsere Laune wurde dadurch recht beschwingt, zumal bald ein Aufseher mit Schildmütze auftauchte, einem Bekleidungsstück, das im damaligen Deutschland jeden Widerspruch gegen seinen Träger erstickte. Im barschen Feldwebelton stellte der Wächter den Professor zur Rede: Wenn Lausbuben sich an Orchideen vergriffen, sei das schlimm genug; wenn es aber ein Lehrer tue, dann sei das ein unbegreiflicher Frevel. Professor Clovis nahm seinen Hut ab und sah die Blüte. Er sah sie verständnislos an und machte den Eindruck, als sei ihm ein bodenloses Unglück widerfahren. Mit zitternder Stimme entschuldigte er sich bei der Schirmmütze. Uns gegenüber war er nicht aufgebracht. Er wollte nicht wissen, wer der Täter gewesen sei, wobei sich zweifellos die ganze Klasse einmütig gemeldet hätte. Er schien ebenso enttäuscht wie trostlos zu sein, und wir schämten uns. Am anderen Tag schlichen wir kleinlaut in seinen Unterricht, aber er trug uns den üblen Streich nicht nach, sondern war freundlich zu uns, als sei nichts geschehen. Erst viele Jahre später wurde mir klar, daß der Klassensprecher gebeichtet und sich entschuldigt hatte; aber als ich das wußte, war er schon als U-Boot-Kommandant gefallen.

Als wir das Abitur machten, war die Generation der greisen Pädagogen verschwunden, und die Lehrer, die uns in den Oberklassen unterrichteten, wurden zu pädagogischen Partnern, die in der Prüfung mehr um uns bangten, als wir es selbst taten. Später erst nahm man das brüchige Wissensfundament wahr, an dem nicht die Schule, sondern unsere Gleichgültigkeit schuld war.

Sieben Jahre später brach der Krieg aus. Ich wurde zu einer neu aufgestellten Division kommandiert. Unsere Schule diente als Kaserne, und erst jetzt, da sie zweckentfremdet war, spürte ich den Geist des Humanismus, den sie beherbergte. Ich schlief auf Stroh im Biologiesaal, dem ehemaligen Reich des Professor Clovis, und in der Ecke stand noch das Skelett, dessen schlotternde Knochen durch Drähte zusammengehalten wurden und das mir in der Schule oft unheimlich war: Überbleibsel eines Menschen, der einst Sehnsucht empfunden und Ängste gelitten hatte und der jetzt, vom Kleid des Fleisches befreit, als Lehrobjekt diente. Ich setzte dem Knochenmann meine Feldmütze auf und zog ihm meinen Waffenrock und mein Koppel an. Da erst empfand ich die Schule wie einen Ort der Geborgenheit; eine Stätte, in der wir auf das Leben vorbereitet wurden, während wir in jenen bedrückenden Tagen des September 1939 uns an derselben Stelle auf den Tod gefaßt machen mußten.

Und jetzt gehe ich oft an meiner alten Schule vorbei. Ich weiß inzwischen, daß die Ängste und Sorgen, die uns in der Schulzeit groß erschienen, klein waren. Aber ich weiß auch, daß die Jugend nicht die schöne Zeit ist, wie es uns sentimentale Lieder weismachen wollen. Ich gehe an meiner Schule vorbei und habe so etwas wie ein schlechtes Gewissen, das sich mit einem Gefühl von Dankbarkeit mischt.

Adieu, flotter Endvierziger!

Nicht wenige Männer werden an ihrem neunundvierzigsten Geburtstag von einer merkwürdigen Unruhe befallen. Beklommen sehen sie ein Lebensjahr vor sich, über dem schon der Schatten des vollendeten halben Lebensjahrhunderts liegt.

Solche Aussichten lassen den Mann in den besten Jahren die Ärmel hochkrempeln. Sie machen ihn zu dem, was sich in Heiratsanzeigen als »Flotter Endvierziger« anpreist. Er stürzt sich in etwas, das er für den Sommerschlußverkauf des Lebens hält, um noch ein paar Reste zu erhaschen: eine stark herabgesetzte Schürze; eine im Preis niedergewalzte Kiste Wein; einen Restposten flamingofarbenen Chiffons.

Zwar kündigt sich die silberne Zahl Fünfzig schon seit ein paar

Jahren an. Die Lesebrille ist das Schneeglöckchen, das den zweiten Frühling einläutet, der in Wirklichkeit ein Spätsommer ist. Der Magen mag nicht mehr alles. Das Herz hat sich materialisiert und ist vom Gegenstand der Lyrik zum Organ verkommen. Und wenn der Herr in jenen besten Jahren, die so heißen, weil sie nicht mehr ganz gut sind, sich zu ein paar unbedachten Kniebeugen hinreißen läßt, dann knacken die Gelenke. Der Holzwurm tickt im Lebensgebälk.

Aber im letzten Jahr vor dem Fünfzigsten schiebt der Jubiläumskandidat seine sonst so ängstlich beobachteten kleinen Gebresten beiseite. Er will nichts von jenem Leistungsknick wissen, den ihm populärwissenschaftliche Aufsätze einzureden versucht haben, wobei er das Knicken des Stabs zu hören glaubte, der über seinem distinguiert ergrauenden Haupte bald gebrochen wird. Er meidet den Arzt, fürchtend, dieser könne ihm irgend etwas verbieten, was das Leben noch lebenswert macht. Er schockiert seine Umgebung mit kessen Reden. Er trägt bunte Schlipse. Er macht zuweilen einen ziemlich viertelsstarken Eindruck. Sicher, er hat es zu etwas gebracht, er kann sich was leisten; aber er leistet nicht mehr so viel wie früher. Mit Unmut liest er, in seinem Alter solle man den Leistungssport aufgeben. Obgleich er sich nie zu solchem berufen fühlte, beschließt er trotzig, den Goldenen Schuh zu erwandern. Es reicht aber nur noch zum Goldenen Pantoffel. So gibt er sich einfachen Leibesübungen hin: dem Skatspiel oder einer leichten Gymnastik mit dem Glas in der Hand. Mit graumeliertem Charme übt er den Flirt aus, wobei er abgelegenere Jahrgänge einbezieht. Er erweitert sein Jagdgebiet, obwohl die Munition knapper wird. Er rechnet sich aus, durch wieviel Lebensjahre Goethe und Marianne von Willemer voneinander getrennt waren, als sie sich am *West-östlichen Diwan* beseligten. Angesichts jüngerer Damen, denen er imponieren will, nimmt er zwei Treppenstufen mit einem Schritt, wozu er früher viel zu träge war, legt aber dafür nach jedem Absatz eine kleine Verschnaufpause ein.

In diesem kritischen Lebensjahr deponiert er die Selbstkritik im Tiefkühlfach. Des Geistes bedient er sich vornehmlich, wenn jener auf Flaschen gezogen ist oder um in Gesellschaft mit Lebenserfahrung geschickt zu untertreiben.

Aber dann hat er wieder Stunden, in denen er Löcher in die Tischplatte starrt. In denen er auf die Frage, was ihm fehle, nur mit einem Achselzucken antwortet. In denen er mit aschgrauer Melancholie wie mit Puderzucker überstäubt erscheint.

In solchen Augenblicken schaut er auf die andere Hälfte des Lebens, die jetzt vor ihm liegt und die als Hälfte zu werten ihm euphemistisch erschiene. Ja, mit fünfzig nannte sich sein Großvater schon Privatier und installierte einen behaglichen Lebensabend. Er weiß aus vielen klugen Büchern, welche Eigenschaften jetzt darauf warten, von ihm Besitz zu ergreifen: Weisheit, Humor, Verständnis und Güte. Aber solche Dispositionen kommen ihm wie Trostpreise für Entbehrungen vor, die ihm das künftige Leben anzugewöhnen willens ist. Jenseits der silbernen Zahl, so dünkt ihm, sind die goldenen Jahre vorbei. Denn von den preisenswerten Eigenschaften, die sich seiner zu bemächtigen versprechen, profitiert seine Mitwelt mehr als er selbst.

So finden wir ihn während der letzten Wochen vor der Schwelle des Fünfzigsten in Aschermittwochsstimmung. Der Sommerschlußverkauf ist zu Ende. Die Restposten, die er ergattert hat, lassen Webfehler erkennen oder erweisen sich gar als Ramsch. Es bleibt ihm nichts anderes übrig, als seinen in fünf Jahrzehnten herangereiften Verstand wieder aufzutauen und in die alten Rechte einzusetzen. Er nimmt sich vor, sich durch gute Vorsätze das Leben nicht allzu schwer zu machen. Er lernt aus der Vergangenheit. Er weiß noch, wie er vor seinem Vierzigsten gelobt hat, sich das Rauchen abzugewöhnen, und nach seinem Vierzigsten, nie mehr ein so törichtes Gelübde zu tun. Er ist fest entschlossen, sich von keinem Arzt der Welt den Wein verbieten zu lassen und ein paar Torheiten auch über die Fünfzig hinüberzuretten. Er macht sich endlich wieder über sich selbst lustig. Und schließlich: Mit seiner Lebenserfahrung und seinen Erkenntnissen – da soll ihm erst ein Jüngerer etwas vormachen! Wie war das doch gleich mit Goethe und seiner letzten Liebe, Ulrike von Levetzow? Nein, bis zur *Marienbader Elegie* bleibt uns noch eine lange, schöne Zeit!

Mit solchen Gedanken tritt er seinen fünfzigsten Geburtstag an.

Jetzt dürft ihr *Onkel* zu ihm sagen!

Prosit Jahrgang 1914!

Liebe Altersgenossen vom Jahrgang 1914, von den Damen galanter-
weise abgesehen – wir können in diesem Jahr auf die Frage »Haben
Sie es zu etwas gebracht?« selbstbewußt antworten: »Ja, zu einer
Liegenschaft!« Denn hinter uns liegen fünfzig Lebensjahre. Das
veranlaßt mich, das Wort und das Glas zu ergreifen und eine Lippe
für unseren Jahrgang zu riskieren, der mir wahrlich ein besonderer zu
sein scheint. Denn schon in die Wiege wurde uns ein Milchbruder,
besser: ein Magermilchbruder gelegt, der Weltkrieg Nummer eins,
der sich einem Kuckuck gleich rascher entwickelte, der schneller
groß wurde als wir, der uns die Schokolade wegfraß und uns die
Graupensuppe ließ. Kaum hatten wir uns von dem schmerzlichen
Verlust dieses sauberen Bruders erholt, kaum hatte uns unser Kaiser
als Demokraten hinterlassen, da mußten wir der jungen Republik
schon die erste ABC-Schützenhilfe leisten. Indessen war des Welt-
kriegs Tochter herangewachsen, die sich Inflation nannte. Inflation
heißt Aufblähung. Aber nicht wir blähten uns auf, sondern die
Währung, die nicht lange währte, sondern platzte und die Ersparnisse
unserer Eltern unflätig in den Wind blies. Wir wuchsen dennoch
heran, wir liebten erst Fußball, dann Jazz, dann Marlene Dietrich,
später gleichaltrige Mädchen. Bejahrte Geschichtslehrer sagten uns,
der Krieg sei der Vater aller Dinge, obgleich unser Jahrgang, biolo-
gisch gesehen, von Wassermann bis Steinbock noch Friedensware
darstellte. Als wir anfangen wollten, selbständig zu denken, wurden
wir von zwei Dingen daran gehindert. Ehe wir es fassen konnten,
waren wir erfaßt von der Liebe und von einem neuen Staat, mit dem
kein Staat zu machen war. Die goldenen Jahre wurden braun, die
Macht ward ergriffen und wir mit ihr. Zwölf unserer besten Jahre
lang, die uns so erschienen, als seien es tausend, konnten wir nichts
ausrichten, weil wir ausgerichtet wurden. Das Rüstzeug, das wir uns
fürs Leben aneignen wollten, stammte aus verbotenen Büchern; die
Schallplatten, die wir liebten, waren unerwünscht, und die Intelligenz, mit der ein paar von uns gestraft sind, war es auch. Wir lernten
den Eintopf und den freiwilligen Zwang kennen. Wir wurden zum
Arbeitsdienst und zu den Fahnen geeilt, und unser Jahrgang war der
erste, dem die Ehre zweijähriger Wehrpflicht zuteil wurde. In großer

Zeit wurden wir auf größere Zeiten vorbereitet, wir lernten warten und schießen und faulenzen, und als wir uns auf ein Privatleben freuten, organisierte das von unseren Vätern erkorene Staatsoberhaupt jene große Reisewelle in fremde Länder ohne Paß, ohne Rückfahrkarte und ohne Gewähr, aber mit Gewehr. Weil wir den ersten Weltkrieg noch nicht bewußt hatten genießen können, wurde uns ein zweiter geboten, der länger und totaler und verlorener als sein Vorgänger war. Wenn überhaupt, dann kamen wir nach dem mißlungenen Endsieg ziemlich abgerissen nach Hause und wurden ins Büßerhemdchen gesteckt, auch wenn wir nur den glorreichen Dienstgrad eines Obergefreiten erreicht hatten. Mitmarschiert, mitgelaufen, mitgewußt, mitgefangen, mitgehangen.

Der Brotkorb wurde uns noch höher gehängt, und wieder wurden wir erfaßt, diesmal von den verschiedenartigsten Wellen. Zuerst suchte uns die Kulturwelle von Brecht bis Sartre heim und befreite uns von dem Rüchlein nach Lederfett, das uns immer noch anhaftete. Dann kam die Reinigungswelle. Wer braune Flecken hatte, durfte keine honorige Arbeit tun und konnte sich gewinnbringend im Schwarzhandel für einen einträglichen Beruf im späteren Wirtschaftswunder ausbilden. Wer aber keinen politischen Makel hatte, durfte sich so ehrenvoll beschäftigen, daß er nicht genug zum Leben verdiente. Am Tage X, der uns vierzig harte Demark Kopfgeld bescherte, waren wir vierunddreißig Jahre alt und sahen uns alsbald der Freßwelle ausgeliefert, die unsere Taille vernichtete und uns mit dreißig Pfund Mehrgewicht jene Würde verlieh, wie sie einem Familienvorstand gebührt. Die Bekleidungswelle nahm uns die zivil eingefärbten Uniformreste und befreite uns von den Hemden, deren bis auf Brusthöhe gekürzte Südteile immer wieder als Territorium für einen neuen Kragen hatten herhalten müssen, wenn der alte verschlissen war. Die Motorisierungswelle schlug uns das Fahrrad aus der Hand, das wir nach dem Krieg gegen eine goldene Uhr eingetauscht hatten. Die Reisewelle verschlug uns legal in fremde Länder, aus denen wir zehn Jahre zuvor illegal getürmt waren. Von der Repräsentationswelle wurden nur die Arrivierten unter uns erfaßt. Sie brachte ihnen einen Zweitwagen, eine Zweitwohnung oder eine Zweitfrau ein.

Nun sind wir, mit der silbernen Zahl fünfzig gebrandmarkt, in einem Alter, in dem man mit seinesgleichen nicht mehr über Liebe,

Geld und Ämter, sondern schon über seine Gebresten spricht. Ängstlich hören wir nicht mehr nach außen, sondern nach innen. Wir sind eher zum Rat als zur Tat tauglich und fungieren tatschwach und ratkräftig als Studienrat oder Ratsschreiber, als Betriebs- oder Stadtrat. Auf dem Altar gemäßigten Wohlstands haben wir den Blinddarm, einige Illusionen und ziemlich viel Haare, aber noch nicht den Verstand verloren, der uns sagt, daß wir uns lächerlich machen, wenn wir Twist tanzen und mit zu jungen Mädchen schäkern. Gern verzichten wir darauf, weil es auch zu anstrengend ist. Hinter uns liegt eine große Zukunft.

Und vor uns liegt eine große Vergangenheit, die wir noch nicht vom Gipfel des Lebens aus zu betrachten willens sind. Noch schieben wir den letzten Buckel, der uns herrliche Aussichten verspricht, vor uns her. Noch sind wir nicht weise. Mit weitsichtigen Augen erkennen wir das Gute, das so nah liegt, nur durch die Lesebrille. Statt des Marschallstabs tragen wir Autoschlüssel, Kinderfotos und Tabletten gegen Sodbrennen in der Tasche. Mit schütterem Haar, aber wachem Verstand, mit graumelierter Würde und labilem Kreislauf; gehärtet in Kasernenhöfen und Stahlgewittern; weichgesotten von Monarchie, Republik, Diktatur und Bürokratie; erfaßt von Konsumwellen und Musterungskommissionen, sind wir zu alt zum Raumfahrer und zu jung zum Bundespräsidenten. Statt der Macht ergreifen wir das Glas, wenn es der Hausarzt noch nicht verboten hat. Abgeschliffen vom Leben, erregen wir keinen Anstoß mehr, sondern stoßen an: Prosit Jahrgang 1914!

Damen altern langsamer

Mit Erleichterung habe ich dieser Tage etwas von einer Wende gelesen, die sich in bezug auf die Einschätzung des Lebensalters zunächst am Horizont des Arbeitsmarkts abzuzeichnen scheint. Vielleicht muß man sich übermorgen nicht mehr ganz so genieren, wenn man die Dreißig hinter sich hat oder gar auf die Sechzig zugeht. Bis unsere Sprößlinge in die Jahre kommen, mag das derzeit so verpönte Alter mal wieder en vogue sein. Dann wird sich der vierzigjährige Greis nicht mehr als lebendiger Sperrmüll empfinden, sondern darf hoffen, es mit wachsenden Jahresringen zu etwas zu bringen.

Wenn man wie ich zwischen Sturm und Drang und Diät steht – und ich neige nun schon mehr der Diät zu –, vernimmt man solche Botschaft mit Frohlocken. In letzter Zeit habe ich mir öfter Gedanken über das Älterwerden gemacht, so im allgemeinen und im besonderen über die Ungerechtigkeit der Natur, die uns Männer so viel rascher altern läßt als die Damen. Sie halten das für ein Hirngespinst? Ich wollte es früher auch nicht glauben, aber je älter ich werde, desto mehr Beispiele stellen sich ein, die mir Gewißheit schaffen. Natürlich habe ich in dieser Sache keine Recherchen gemacht, da es sich nicht ziemt, sich für das Alter weiblicher Geschöpfe zu interessieren, sobald sie mehr als dreiundzwanzig Jahre auf dem Buckel haben. Aber da lese ich etwa im Feuilleton: »Die berühmte Actrice Miriam K., bekannt von Bühne, Film und Fernsehen, begeht heute in aller Stille ihren 60. Geburtstag.« Ach, die K., eine herrliche Schauspielerin, die habe ich doch schon als Tertianer angebetet! Zum erstenmal sah ich sie als Candida; sie trug ein cremefarbenes Chiffonkleid mit einer Ansteckrose. Ich entsinne mich noch genau, mit welcher Reife und Mütterlichkeit sie die Rolle erfüllte. Dann fängt es unwillkürlich in mir zu rechnen an. Damals dürfte die K. eine gute Dreißigerin gewesen sein, während ich etwa fünfzehn Lenze zählte. Heute sind wir nur noch zwei Jahre auseinander. Ist das nicht seltsam? Immer öfter begegne ich prominenten Jubilarinnen, deren Lebensuhren offenbar anders gegangen sind als die meine. Ist es heute die K., so ist es morgen eine Opernsängerin, ein Filmstar oder eine Diseuse. Einst waren sie doppelt so alt wie ich, inzwischen scheinen wir gleichen Jahrgangs. Bald werde ich sie überholt haben, der Abstand zwischen uns wird sich wieder vergrößern, wenn ich auch nicht mehr doppelt so alt werden dürfte wie sie. Eines Tages aber könnten sie vielleicht meine Töchter sein.

Wie die Zeit vergeht

Der etwas kurzsichtige Herr geht über den Platz und biegt in die menschenleere Straße ein. Es ist Februar, und milder Sonnenschein mahnt den Winter, seine Koffer zu packen. Der also Verabschiedete hinterläßt als Andenken schmutzige Schneehaufen, die am Straßenrand liegen und von der Vorfrühlingssonne in schlammige Pfützen verwandelt werden.

Der kurzsichtige Herr sieht am anderen Ende der Straße ein kleines Mädchen, das mit sichtlicher Lust Schlamm und Schneewasser aufspritzen läßt, mitten durch Schnee und Morast stapfen. Der Herr erinnert sich, wie er in seiner frühesten Jugend derselben Untugend nachgegeben hat; er bekommt plötzlich Lust, auch durch Schlamm und Pfützen zu stampfen, erschrickt aber ob derlei undelikater Wünsche seines Unterbewußtseins und verurteilt es: Ein Kind, das mit solchem Genuß durch den Dreck latscht, muß eine Freude am Niedrigen, Gemeinen haben. Vielleicht ist es aus einer ordentlichen Familie; was werden die Eltern noch mit ihm durchzumachen haben! Diese Freude am Suhlen läßt auch ohne Freudsche Kenntnisse manchen Schluß auf Erziehung und Zukunft zu. Das Mädchen wird sicher einmal eine Schlampe werden. Der Herr sieht wieder auf das Kind – nanu, dieser rote Anorak und der Schulranzen in derselben Farbe, dieses Ferkelchen wird doch nicht... Der Schreck des Erkennens läßt Prognose und Diagnose zusammenpurzeln. Das Kind ist des kurzsichtigen Herrn leibliche Tochter – na, der werd' ich aber die Leviten lesen.

Der etwas kurzsichtige Herr ist in die Jahre gekommen, da man weitsichtig wird. Er leidet immer noch unter seiner Kurzsichtigkeit, aber die Brille ist nicht mehr so stark; das einzig Gute, das er von seinen besten Jahren hat. Er hastet über den Zebrastreifen und biegt in die Straße ein, die von parkenden Wagen gesäumt ist. Es ist ein fröhlicher Junitag, der sich schon am Morgen mit einem Sträußchen am Hut geziert und sich mit einer Wolke von Vogelgezwitscher parfümiert hat und dem jetzt, um die Mittagszeit, besonders tirilyrisch zumute ist.

Der kurzsichtige Herr sieht am Ende der Straße etwas, was prächtig in den Junitag paßt: ein junges Mädchen, fast eine Dame, mit jenem graziösen Gang, mit dem in nordischen Vorstellungen Römerinnen über den Kapitolsplatz schreiten. Das junge Mädchen hat etwas Munteres, Gutgelauntes an sich. Wie harmonisch sie in den Tag paßt, als sei er für sie geschneidert, denkt der kurzsichtige Herr.

Er erinnert sich mit leiser Wehmut daran, daß es einmal eine Zeit gab, da er solchen jungen Mädchen zulächelte und dieses Lächeln manchmal erwidert wurde wie eine unverbindliche Übereinkunft; aber das ist schon lange her. Das Lächeln eines Herrn in seinem Alter wird von jungen Mädchen weniger als Kompliment denn als Zumutung empfunden, denkt der kurzsichtige Herr. Also blicken wir taktvoll an der Anmut vorbei.

Die aber kommt mit einem fröhlichen »Juhu!« auf ihn zu und gibt ihm einen freundlichen Begrüßungsschmatz. Denn es ist seine leibliche Tochter.

Da fällt dem kurzsichtigen Herrn wieder die Winterszene ein, die er etwa zehn Jahre zuvor erlebt hat, und allerlei Binsenwahrheiten und Redensarten kommen ihm in den Sinn: die Zeiten ändern sich, aus Kindern werden Leute, aus Leuten werden ältere Herren, und was einmal eine Raupe war, daraus wird ein Schmetterling. Solche Gedanken sind keineswegs originell. Es sind Allerwelts-Wahrheiten, Sprichwörter-Klischees. Aber dennoch machen sie den kurzsichtigen Herrn in den besten Jahren etwas nachdenklich, machen ihn traurig und froh zugleich.

Altersschub

Seit dia albacha hutzel en dr schtroßabah
gsagt hot – etzt lasset doch den alta mo
nahocka – ond a muckaseckele
zeit verganga isch
bis r gmerkt hot er sei drmit gmoint

seither schtiert r manchmol vor sich na
seither trialt r manchmol en sich nei

krebselt seither nemme iber s zaile
schteigt r nemme iber s gartateerle
bleibt r schtanda noch dr zwoita trepp
weil r moint r kennt s nemme verschnaufa
legt r d hand am schtammtisch henter s ohr
weil r moint r kennt net älls verschtanda
sieht em schnee r schloier vor de auga
traut sich nemme ema saubera mädle
zuazlächla ond a bißle mit ehra
z scharmutziera.

ond dees älles weil der
scherba en dr schtroßabah
gsagt hot – lasset doch den alta mo –
hot r angscht daß d kender opa zu ehm saget
dees wort hot r no nia verbutza kenna
ond r isch jo au no koiner – schad drom! –
denkt r ond wenn r zwoi gheifte teller lensa
mit brägelte schpätzla ond ema mordstromm
rauchfloisch gschpachtelt hot
oder a schlachtplatt
mit drei schtoiner bier ehm arg em maga lieget
denkt r – s wird doch bloß nex schlemms sei –
ond wenn r a paar viertela meh wia sonscht
tronka hot ond isch a bißle
durmelich uff de fiaß
moint r – s isch au nemme dees – ond ob r
net desdrwega halt amol
zom dokter ganga sott.

wenn beim nochber nachts dia haustir gauzt
moint r s häb a keizle gschriea
– kommit! kommit! –
d todesazeiga em blättle liest r etzt ond
rechent: dia frisch gschtorbene dia send jo
kaum zeah fuffzeah jährla älter denn daß du.

ond dees älles bloß weil dia hutzlich
zibeb en dr schtroßabah dees gsagt hot.

Steigacker-Idylle

Was fang e heit bloß mit mr a? s isch
samschtich ond mir isch s ganz mauderich.

mir send femf alte manna en dr schtub
i ond dr Märte mo noch-m kaffee mit
koppa gar nemme uffheert s isch grad zom
drvolaufa. dr Gottlieb der hockt do ond trialt
r hot a schlägle kriagt drom
isch r nemme ganz bacha.
ond dr Metzgers Schorsch der flennt bloß
vor sich na. seit dem sei Lisbeth gschtorba isch
isch r ganz sirmelich ond wartet emmer no
daß se ehn bsuacht, dees glufagiaßa
aus seim gschnuder
kosch au net ällweil seha. dr Merz aus Backna
ko s nemme recht verheba.
äll schtond kommt d schweschter rei
schpritzt Tannodol aus-era schpreedos
na schmeckt s grad
wia wem-mer en da wald neigschissa hätt.

was tu-r-e bloß mit meinera viela zeit?
i glaub i nehm mein schtock setz d kapp uff
ond gang nonter an dees bänkle
pfeilgrad an dr schtroß wisawi
schtoht a schleßle: Katharinenhof.
s hot friher onserem keenich gheert.
dr Reusch von dr Guathoffnongshütte
der hot s kauft ond an dem teerle
do schtoht etzt:
»Unbefugten ist der Eintritt verboten«.
dees ko i guat verschtanda. denn älles schwätzt
jo heit vom omweltschutz ond dia alte manna
aus-m altersheim dia tätet d omwelt
en sellem park scho recht versaua.

drom hock e uff-m bänkle en dr sonn henter mr
birkabäumla se kränkelet en dem donscht
von dr B 14. guck de auto noch aber bloß dene
mo ge Backna fahret ond lies d nommera:
WN – CJ 612
SHA – V 834
BK – SU 1203
mit jedem auto goht mei kopf
von rechts noch lenks
s send jo so viel daß e net noch älle gucka ko
i suach mr bloß dia blaue raus ond lies:
N – SX 183
UL – HV 1115
S – AU –
ha no dees hoißt jo SAU der fahrt au wi-a sau
s isch au koi hiasiger. so schnell daß i dia zahla
gar nemme lesa ko der blitz der siadich der
kommt aus Schtuagert ond meine auga
werdet so schnell miad.
i ko afanga kaum meh s blättle lesa.

i gängt etz so gern en d Germania wo dees
saubere krettle serwiert. ganz hehlenga
bloß zom-a gläsle bier aber dr dokter
hot s verbota s sei nex fir mein zucker
hot r gmoint r briecht jo au nex drvo z wissa.
i kämt jo au kaum iber d schtroß
bei dem verkehr au d fiaß
dia wellet nemme so wia vor zwoi johr
do isch s no besser gwä. i ben no dapfer gloffa
koi so verkehr ond koi so krach ond gschtank
ond dia manna von dr schtub dia hent älls no
mit mir an dapp oder an gaigel gschpielt.

au bsuacha tuat me neamerd meh seit mr
dr bruader gschtorba isch ond dem sei frau
gang mr aweg! bloß manchmol kommt
dr Oppaweiler pfarrer dees isch
dr oizich mo a bißle mit mr schwätzt

ond net salbaderet.
der mo isch gaudich mer sott
gar net glauba daß so oiner katholisch isch.

was tu-r-e etzet bloß da ganza tag?

Es herbstelet

D wies isch scho ganz kurz gschora
ihre hoor wachset nemme
ond giftich lila drucket d herbschtzeitlosa
dia dicke kepf durch s miade gras.

dr buachawald hot an gelba schemmer
ond de kaschtanja ihre fengerblätter dorret.
mi freschtelet s. i mach a feier en kamee
nehm an band Rilke raus ond lies:

»Herr: es ist Zeit. Der Sommer war sehr groß.
Leg deinen Schatten auf die Sonnenuhren,
und auf den Fluren laß die Winde los.«

i schalt s radio a. d Air vom Bach.
dees schpielet se emmer wenn e alloi be
oder wenn me ebber alloi glassa hot.
dr hond mo sich emmer so frait wenn i komm
hot heit noch mr gschnappt.
wenn e bloß dia nacht net wieder uffwach
so om viere ond schpier dees schtecha am herz.

i dreh am radio rom. »Strangers in the night«.
den blues han e amol mit ehra tanzt
wo isch etz dees bloß gwä?
s fallt mr net ei wia so vieles
mo mer oifach vergißt ond hot s verlora.

was kommt denn heit em fernseha?
Mordkommission – Slums in Rio –
Kepler, ein Hundeleben. Noi
dees isch älles nex fir mi.

worom hot se denn heit
no nex von sich heera lassa?
friher do hot se mr älls an briaf gschrieba
bloß so – aber dees isch scho arg lang her.

»Befiehl den letzten Früchten voll zu sein;
gib ihnen noch zwei südlichere Tage,
dränge sie zur Vollendung hin und jage
die letzte Süße in den schweren Wein.«
i glaub i mach a flasch wei uff.
etzt kommet dia nächt mo mer d äpfel
vom baum pflompfa heert.
mei baura-uhr tickt so laut
als tät ehr s pressiera
d zeit henter sich wegzschärra
aber s isch jo net ihr zeit
s isch ebbes von onsrer zeit
mo ons no bleibt.

draußa pfeift dr wend.
d veegel senget morgens nemme
se send vielleicht scho fort.
dr igel hot sei milch no net gschlabbert
ob r scho sein wenterschlof hält?
na hätt r s guat. vielleicht hot ehn au
dr hond hegmacht. dees dät me arg kränka.

»Wer jetzt kein Haus hat, baut sich keines mehr.
Wer jetzt allein ist, wird es lange bleiben,
wird wachen, lesen, lange Briefe schreiben
und wird in den Alleen hin und her
unruhig wandern, wenn die Blätter treiben.«

i glaub i leg no a platt uff
da Schlußchor aus Mahagonny:
»Können einem toten Mann nicht helfen...«
woisch no wia s dr Cuno emmer
gsonga hot zur ziehharmonika?
wia lang isch der etzt scho tot?
faschtgar a johr. ond dr Moschtar ond dr

Reichert ond dr Cranko ond dr Hugo Hartung
älle send se en dem Johr gschtorba.

wia isch dees eigentlich wem-mer so
älter wird? do werdet s jedes johr meh
mo oin alloi loant. dees wirsch bald merka
oder besser merksch s nemme.

s isch net guat so ens feier nei z schtiera.
i glaub i mach doch no a flasch uff
an schwera Pommard zom schpentesiera
vielleicht ko-n-e druffna au besser schlofa.

Déjà-vu

Domols em wenter oisavierzich
mo r em deckongsloch ghockt isch
bei Malojaroslawez
ond der russisch panzer
isch uff ehn zuagrollt
ond vrbei

vor-m totsei hot r
nia angscht ghet bloß
vor-m schterba

etzt mo r mit ehra
vor-m kamee gsessa isch
an dr gleicha schtell
mo s mit ehra agfanga hot
ond se gmoint hent
so mitanander kennt ehne
nex meh passiera em leba

etzt mo er ehra gsagt hot
vielleicht sei s net s bescht
aber s wenigschte lätz

wenn se sich nemme seha tätet
ond r druff gwartet hot daß se
bloß a bißle da kopf schittelt
do hot r uff oimol gschpiert
wia ihre träna iber
sei händ gloffa send

dees isch gwä wia domols
em wenter oisavierzich
bei Malojaroslawez
mo der T 34
uff sei deckongsloch
zuagrollt isch

fahrt r vrbei?

vor-m totsei hot r
nia angscht ghet bloß
vor-m schterba.

Manchmal

Der do oba richtet
an jeda so na
daß r gern goht.

manchmol isch mr
älles so vertloidt
manchmol han e
so gnuag von dera welt
so gnuag von dem leba
so gnuag von de menscha
daß e grad
d tirschnall en d hand nehma
ond nausganga mecht.
aber na denk e
i ko di doch net oifach

alloi lassa
sonscht hosch doch koin
meh mo dr secht
– schaff net so viel –
– trenk net so viel –
– fahr vorsichtich –
– denk net bloß an andre
denk au an di selber –
wenn s dir bloß halba
so weh tät
wenn i di
alloi ließt
wia s mir weh tät
wenn du mi
alloi ließscht
muaß e denka
ond wenn e dees denk
na laß e d tirschnall los
na dreh e me om
na guck e de a
ond laß
s bleibalassa
bleiba.

Vorgabe

Mo e jong gwä be
ben e vor dr zeit hergschpronga.
mo e en d johr komma be
ben e mit dr zeit ganga.
etzt mo e alt werd
muaß e heidamäßich schtrampla
om henter dr zeit herzkomma.
hoffentlich goht mr net
dr schnaufer drbei aus.

De profundis

Klapp s buach zua
schmeiß s handtuach
leg da leffel weg
zend s haus a
leer s tablettarehrle
mach da rattakäfich uff
schtrack uff da boda
schtreck älle viere von dr
laß iber de wusla
deine gedanka
laß se de abnaga
dr d haut ronterziaga
s floisch von de knocha fressa
s bluat aussupfa
tonk triabsal ei
schluck s nonter
denn du bischt bei mir
vrzweiflong
dei schtecka ond schtab
isch iber me komma.

Nachruf zu Lebzeiten

Gestern wurde Thaddäus Troll auf dem Steigfriedhof beerdigt. An seinem Grab spielte eine Dixieland-Band. Der Pfarrer faßte sich kurz. Cannstatter Trollinger wurde ausgeschenkt. Die Trauergäste erhielten folgenden Text:

Liebe Freunde – mein vor ein paar Tagen beendetes Leben lang hatte ich eine Aversion gegen die Zeremonien einer Beisetzung. Die routinierte Pompe funèbre; die Betretenheit der Trauergäste; der bemühte Trost des Priesters; die larmoyante Schönfärberei der Nachrufer; der rasche Transit des Krematoriums; die gewerbsmäßig geheuchelte Anteilnahme der Sargträger; die jämmerlichen Bläser, die hinter Grabsteinen getarnt ihren Zank unterbrachen, um »So nimm denn meine Hände« zu tuten; der Motor der Pflicht, der die meisten Anwesenden in schlechtsitzende, eingemottete Trauerkleidung gezwängt und zum Friedhof getrieben hatte – das alles löste aus, daß ich mich mit der kalauernden Begründung: »Der kommt ja auch nicht zu der meinigen« vor Beisetzungen drückte. Um die heutige Beerdigung komme ich mit dem besten Willen nicht herum. Wohl aber kann ich Euch und mir die elenden Beschönigungen eines Nachrufs, den Friedhof funebraler Sprachklischees ersparen (*der Dahingeschiedene, der von uns Gegangene, der teure Freund, denn er war unser, für immer verlassen, herzliches Beileid, nie vergessen, in einer schöneren Welt, letzte Ehre erweisen*), indem ich mir selbst nachrufe, hiermit von der ersten Person des Präsens in die dritte Person des Imperfekts transzendiere und damit schon einen Aufhänger habe.

Perfekt war er nie – eher imperfekt. Er schrieb für Geld und nahm sowohl das, was er schrieb, wie sich selbst nicht allzu wichtig. Versnobt pflegte er zu schwindeln, er sei nur Schriftsteller geworden, weil seine Gaben zum Koch nicht gereicht hätten. Tatsächlich erschöpfte sich sein Ehrgeiz in der Küche. Ein mißlungenes Gericht verdroß ihn mehr als ein mißlungener Text. Er kochte gern, weil er meinte, es gebe zuviel mittelmäßige Schriftsteller und zuwenig gute Köche auf der Welt, weil er gern schlemmte und weil er Genuß gern mit anderen teilte.

Der kulinarische oder der literarische Tadel eines Kenners waren ihm dabei lieber als das Lob eines Ignoranten. Als seine Bühnenfassung des *Schwejk* in Wien aufgeführt wurde, schrieb Friedrich Torberg: »Nicht genug damit, daß uns die Deutschen den Hitler geschickt haben, jetzt schicken sie uns auch noch den Troll.« Er trug diese Sottise mit Fassung und tat so, als er Torberg traf, als hätte er sie vergessen. Als jedoch Salcia Landmann in einer Besprechung seines Kochbuchs die überkühne Behauptung aufgestellt hatte, er empfehle eine Mesalliance von Nudeln mit Bananen, fiel es ihm schwer, Zuckmayers Ratschlag zu befolgen, auf eine Kritik nie zu reagieren. Da ihm nichts saurer aufstieß als eine verschluckte Pointe – er meinte, das führe zu Magengeschwüren – und da er um einer Pointe willen mitunter auch gute Freunde verriet, vermochten selbst Kritiken dieser Art in ihm keine antisemitischen Gefühle auszulösen. Bei aller Bissigkeit in Worten war er jedoch in Taten seiner Umwelt gegenüber freundlich gesinnt, suchte auch unverständlich Scheinendes zu verstehen und sich gefällig zu erweisen. Nichts hätte ihn (außer Küchenschaben) mehr erschreckt als der Gedanke, er könnte einen Menschen gedemütigt haben.

Seine Genüßlichkeit brachte ihn in argen Gegensatz zu seinen pietistisch verseuchten schwäbischen Ahnen. Einem Urgroßvater, dem man nachsagte, er sei als Bäckermeister und Weinwirt beim Probieren im Keller ein Opfer seines Berufs geworden, fühlte er sich jedoch wahrhaft blutsverwandt. Seiner Freude an geistigen Genüssen war jedoch nicht in auf Flaschen gezogenem Trost ein Ziel gesetzt – sie machte auch vor Bücherwänden nicht halt. Nicht nur rerum novarum cupidus, sondern auch hominum novorum, noch mehr aber novarum, schreckte er in jüngeren und selbst mittleren Jahren vor Erfahrungen in der Liebe nicht zurück, die er allerdings, nicht immer zur Freude der jeweiligen Partnerin, oft allzu rasch in eine gute Freundschaft zu sublimieren trachtete. Er bemühte sich, seinen alten Lieben ein guter Freund zu sein, und als ein solcher Freund war er auch ziemlich treu. Meist hatte er das Glück, an Partnerinnen zu geraten, die in der Liebe vom Partner kein Abonnement auf Lebenszeit erwarteten. Dennoch ist ihm anzulasten, daß er in diesem Punkt mehr Kummer bereitete als erlitt und daß ihn bereiteter Kummer oft mehr schmerzte als erlittener. Seinen Freunden gestand er alle menschlichen Schwächen zu. Zutiefst mißtraute er dem deutschen Idealismus und den Erwartungen, die dessen Erben in ihre Umwelt setzten. »Ein Idealist«, so pflegte er zu definieren, »ist ein Mann, dessen Liebe zum Geld unerwidert bleibt.« Überlegte er sich, was wohl das Wertvollste sei, wozu er es im Leben gebracht hatte, so setzte er seinen Freundeskreis an die erste Stelle.

Er war mit viel Phantasie gestraft und litt deshalb ständig unter Einfällen und Ideen, so daß er immer das Gefühl hatte, sein Leben reiche nicht aus, um diese literarisch zu verwerten. Da er seine literarischen Exkremente jedoch nicht überbewertete, war dieses Gefühl für ihn eher tröstlich als beunruhigend. Von seinen Lesern befragt, woher er denn immer seine Ideen habe, pflegte er versnobt zu erklären, er müsse täglich zweimal, sonntags dreimal Pillen gegen seine Einfälle nehmen. Seine Phantasie verurteilte ihn allerdings auch dazu, mit allen Möglichkeiten des Lebens zu rechnen, auf alle Wechselfälle gefaßt zu sein, das Schlimmste zu befürchten. Er war kein Held; er war ängstlich und suchte das mit Zivilcourage zu kompensieren, obgleich er zuweilen sogar feige war, vor allem wenn er das Weiße im Auge des Lesers oder der Partnerin sah. Um anderen nicht weh zu tun, ging er zuweilen der Wahrheit aus dem Weg; er brauchte viele Jahrzehnte, um auch in der Praxis die Erkenntnis zu verwirklichen, daß eine bittere Wahrheit weniger Schaden anrichte als eine barmherzige Lüge. Manchmal log er sich, emotionell aufgeladen, auch selber an. Er ahnte drohende Katastrophen, auch wenn sie nicht eintrafen, hatte – wenn auch nur ein lauer Christ – keine Furcht vor dem Tode, um so mehr Angst aber, im Alter zu vertrotteln, ohne es selbst zu bemerken oder gar genießen zu können, denn wie allen, so schätzte er mitunter auch den geistigen Müßiggang. Gegen die Eventualitäten des Lebens versuchte er sich mit Humor zu wappnen, obwohl er auch diesem Begriff, wie allen euphorischen, die durch den Sprachgebrauch zu abgegriffenen Münzen geworden sind, stark mißtraute: *Heiterkeit, Optimismus, Glück, Ideale.*

1914 geboren, verdankte er keineswegs der Zeit, sondern den Menschen, insonderheit seinen Landsleuten, zwei Kriege und ein Dutzend Jahre Diktatur. Zu deren Beginn war er achtzehn Jahre alt, also intellektuell fähig, sich die Zukunft vorzustellen, aber nicht mutig genug, sich ihr entgegenzustemmen. Obwohl anderen gegenüber nicht übelnehmerisch, hat er sich das sein Leben lang übelgenommen. Seine Sympathie galt der rebellischen Jugend der späten sechziger Jahre. Hätten wir uns in unserem Alter wie die benommen, so sagte er sich, wären wir in den Jahren 1930 bis 1933 rebellisch gewesen; wir hätten vielleicht die Chance gehabt, der Welt Hitler zu ersparen. Obgleich extrem liberal gesinnt und daher immun gegen Maximen der Intoleranz, ging er nicht den Weg des Widerstands, sondern den des geringsten Widerstands, arrangierte sich, versuchte, sich ohne allzu große Zugeständnisse durchzumogeln, durchzumauscheln, zu überleben. Trotz seiner Friedfertigkeit wurde er zu den Fahnen geeilt und war sieben Jahre Soldat. Als man einen so zivilen Menschen wie ihn gar zum Offizier beförderte, war ihm klar, daß der Krieg verloren sei, den er vom ersten bis zum letzten Tag mitgemacht hat, dankbar dafür, daß er nie in die Lage kam, auf einen Menschen schießen zu müssen. Wenn er davonlief, dann nach vorn, weil er ahnte, daß der sogenannte Feind barmherziger sei als die Bluthunde der Feldgendarmerie und der Kriegsrichter. Er überlebte und war sich bewußt, daß er in seiner Generation unter den Überlebenden in nicht allzu guter Gesellschaft war, wobei er sich nicht exkludierte, wenn er seine Generation, die auf Hitler geschworen hatte, für Meineidige hielt, die dankbar dafür sein mußten, daß man ihnen nicht auf Lebenszeit die bürgerlichen Ehrenrechte entzog. Er sah viel Unrecht und viel Elend, und er machte sich sein Leben lang den Vorwurf, damals nicht oft genug gefragt zu haben: »Kann ich Ihnen helfen?« Dieser Vorwurf trieb ihn in eine zuweilen fast selbstzerstörerische Hypochondrie, so daß das Gebot »Liebe deinen Nächsten wie dich selbst« für ihn geradezu ironisch klang. Den Dummköpfen, die den Nationalsozialismus bejahten, weil sie sich von ihm bestätigt fühlten, nahm er die Vergangenheit nicht übel, wohl aber den Intelligenten, die das Unrecht kommen sahen und nichts dagegen unternahmen, solange es noch Zeit war.

Er lernte daraus: Der Mensch hat die Aufgabe, vor der Gesellschaft erst einmal sich selbst zu ändern, seine Grundsätze zu revidieren, seine Standpunkte zu verbessern und zu erweitern und dem, was man *Charakter* nennt, nicht zu trauen.

Unter Zwang begriff er, daß der Schreibende stärkere Wirkungen erzielen kann, wenn er ernste Dinge ins Heitere verfremdet. Sein Kompaniechef, ein durch einen doppelten Doktortitel bestätigter Dummkopf, ermutigte ihn nach dem Rückzug vor Moskau, etwas Heiteres zu Silvester zu schreiben. Er tat es, und es wurde, obwohl anonym, sein Bestseller. Er schrieb eine Satire auf den Rußlandkrieger, der seine rüden Manieren in einem Heimaturlaub praktiziert. Der Kompaniechef distanzierte sich von dieser Nestbeschmutzung; das Blatt war aber schon im Druck, wurde weitergegeben, hektographiert, abgeschrieben, ging von Hand zu Hand, machte die Runde in Soldatenzeitungen, wurde in Urlauberzügen vorgelesen. Er schloß daraus, daß sich Ernstes in heiterem Gewand besser verkauft. Von nun an bediente er sich des Stilmittels der Ironie. Er bekannte sich zu dem undeutschen Standpunkt, daß unterhaltend nicht gleich seicht und langweilig nicht gleich tief sein müsse. Pathos war ihm deshalb widerwärtig, Langeweile verdächtig.

Nach dem Krieg wurde er schizophren. Er spaltete sich in einen Theaterkritiker, der unter seinem bürgerlichen Namen schrieb (um verpflichtet zu sein, sich wenigstens auf einem Gebiet weiterzubilden), und in einen Satiriker, der zunächst eine Zeitschrift redigierte, deren Spott auch nicht die läppischen Gouvernanten, die unversuchten Eunuchen verschonte, deren Umerziehungsambitionen den pädagogischen Erkenntnissen amerikanischer Frauenvereine entsprachen.

Er liebte die Sprache als Handwerkszeug, er hatte ein Verhältnis mit ihr, er machte ihr den Hof; manchmal erschien sie ihm wie eine spröde Geliebte, die sich ihm entzog, die ihm nur Näherungswerte für das Gemeinte gewährte; er rang um sie; er warb um sie; er tat sich beim Schreiben, mit dem Ergebnis nie recht zufrieden, schwer; er war ständig auf der Suche nach dem trefflicheren Wort, der prägnanteren Formulierung, der exakteren Metapher, der schmiegsameren Periode, der eleganteren Wendung. Nichts wäre ihm jedoch peinlicher gewesen, als wenn seine Leser die Mühe bemerkt hätten, die ihn das Schreiben kostete.

Trotz aller Mühsal genoß er den Umgang mit der Sprache; er lebte von der Feder in den Mund, er genoß den Frieden, er lebte gern und gut. Die Rollen des Ehemanns und Familienvaters spielte er, ohne sich auf dieses Rollenfach zu beschränken, mit der Freude des Dilettanten, die einer ernsten Kritik jedoch wohl nicht standhielt.

Das Schreiben trug ihm wenig Ehren, aber viele Leser ein, von denen er sich schmeichelte, daß sie Ironie verstünden, was in Deutschland eine intellektuelle Nobilitierung bedeutet. Das befriedigte seine Eitelkeit, von der er nicht frei war, in hohem Maße. Seinen Schlechtestseller *Herrliche Aussichten* hielt er trotz achthundertneun verkauften Exemplaren für ein gutes Buch. Andere Arbeiten, in denen seine Selbstkritik nur mäßiges Talent zu erkennen vermochte, wurden zum Longseller. Im Jahre 1967 gelang ihm sein Bestseller, der auf fünfhunderttausend Auflage kletterte. Er brachte ihm ein stattliches Honorar ein, welches das Finanzamt dezimierte, weil er ja, obwohl steuerrechtlich ein Unternehmer, nicht investieren konnte; er brachte ihm viele neue Freunde und die Erkenntnis ein, daß Erfolg und Leistung nicht proportional sind. Er bestätigte ihm in der Folge die Wahrheit der schwäbischen Volksweisheit: »Der Teufel scheißt halt bloß auf gedüngte Äcker.« Er brachte ihm Publicity und die Erfahrung, daß auch die Öffentlichkeit nicht nach Leistung, sondern nach Erfolg mißt, und nährte seine Skepsis, denn, so dachte er, ich habe doch vor diesem Bestseller (dem man hoffentlich nicht anmerkt, wie schwer er erarbeitet ist) auch nicht schlechter geschrieben. Er erlaubte ihm, Komfort und Reisen zu kaufen und sich als Funktionär Zeit für seine Kollegen zu nehmen. Unterlassungssünden der Vergangenheit wenn auch nicht wiedergutzumachen, so doch zu korrigieren. In einer privaten Briefaktion setzte er sich für die Wahl Heinemanns zum Bundespräsidenten ein, um durch Intelligenz, die er in dessen Vorgänger für unterrepräsentiert hielt, eine Wende in der deutschen Politik anbahnen zu helfen. Wähnend, man könne die Gesellschaft leichter mit politischen als mit literarischen Mitteln ändern, versuchte er, einer Partei, deren Repräsentanten sich auch in der Rolle des Schöngeistes als geistfeindlich und ungebildet erwiesen hatten, zur intellektuellen und moralischen Entwicklungshilfe in der Opposition zu verhelfen. Der Regierungswechsel des Jahres 1969 war für ihn mit der befriedigenden Feststellung verbunden, daß die schöpferische Intelligenz in der Bundesrepublik aus der Aschenputtelrolle in der Opposition erlöst, daß der Kalte Krieg beendet sei.

Bei seiner öffentlichen Tätigkeit merkte er, wie leicht es ist, Emotionen auszulösen, Meinungen zu manipulieren, Verschlagenheit schwejkisch hinter Naivität zu tarnen, mit halben Wahrheiten zu taktieren. Was ihm jedoch im Wahlkampf mit Maßen erlaubt zu sein schien, das beschloß er strenger als zuvor aus seiner literarischen Arbeit zu verbannen, zumal es einem Mann in den besten Jahren nicht immer leichtfällt, Gefühle, die er noch auszulösen vermag, auch zu befriedigen. Als seinen größten literarischen Erfolg betrachtete er einen Mahnbrief, den er als Vorsitzender des Schriftstellerverbands an die säumigen Zahler unter seinen Kollegen schrieb und der auf diese finanziell erstaunlich relaxierend wirkte.

Auch diesen Nachruf schrieb er genüßlich. Kaufte sich dazu Ruhe, Komfort, Wein und Besinnung und mietete sich in einem der schönsten Hotels des Landes ein.

Der Frage des Nachruhms steht er gelassen gegenüber, obwohl es ihn freuen würde, wenn sich seine Erben aus seinen Rechten noch möglichst lange eine alljährliche Reise leisten könnten.

Welchen Satz nun mag er an das Ende seiner Tätigkeit gestellt wissen?

Er hat einmal eine Romanfigur erfunden, einen Berufsoffizier, der kein Blut sehen konnte, einen engagierten Pazifisten, der seine

Beförderung zum General weniger der Menschlichkeit als der Sturheit der militärischen Gewohnheiten verdankte und auf dessen Grabstein die Worte standen: »Er hat niemandem Furcht eingeflößt.«

Könnte man diese üble Nachrede auch auf Thaddäus Troll anwenden, wahrlich, er wäre postum mit seinem Leben zufrieden.

Nach-Wort

Von Walter Jens

»Um die heutige Beerdigung komme ich mit dem besten Willen nicht herum. Wohl aber kann ich Euch und mir die elenden Beschönigungen eines Nachrufs, den Friedhof funebraler Sprachklischees ersparen, indem ich mir selbst nachrufe, hiermit von der ersten Person des Präsens in die dritte Person des Imperfekts transzendiere und damit schon einen Aufhänger habe: Perfekt war er nie – eher imperfekt. Er schrieb für Geld und nahm sowohl das, was er schrieb, wie sich selbst nicht allzu wichtig«: Sätze aus Thaddäus Trolls *Nachruf zu Lebzeiten* – Sätze, die ein katholischer Pfarrer am 9. Juli 1980 in der Trauerhalle des Stuttgarter Steigfriedhofs zu Ehren des Schriftstellers Dr. Hans Bayer alias Thaddäus Troll zitierte. Alles verlief so, wie er es vorherbestimmt hatte: »Der Pfarrer faße sich kurz« (es wurde ein Vaterunser gesprochen), anschließend kam, dem Wunsch eines Poeten entsprechend, der kein »Dahingeschiedener«, sondern, zum letztenmal, ein fröhlicher Wirt sein wollte, Cannstatter Trollinger zum Ausschank.

Ein Trollscher Text, das Gebet des Herrn, schwäbischer Leichenschmaus: So hatte er es gewollt. Nur keine falschen Töne, kein hohles Pathos, keine Larmoyanz und sentimentale Routine! Troll hatte, was die Angemessenheit sprachlicher Äußerung, das in bestimmter Situation Geziemende angeht, ein absolutes Gehör: Das Adjektiv zur Unzeit, der zu spät kommende Imperativ, die unpassende Verkleinerungsform, das allzu gewichtige Wort im bescheidenen Ambiente, die stroherne Formel inmitten eines von Blüten prangenden Texts – jeder Verstoß, auch der unscheinbarste, gegen die Gebote des *aptum* und *prepon* (will heißen: des in gegebener Lage jeweils Schicklichen) konnte ihn zur Verzweiflung bringen. Darum schwieg er lieber still, als etwas zu schreiben, das, halb- oder dreiviertelgelungen, für ihn, den Schriftsteller von höchstem Selbstanspruch, unpassend war. Darum, ich bin dessen sicher, ging er in den Tod, als er sah, daß die Riesenaufgabe, die er freiwillig übernommen hatte, in überschaubarer Zeit nicht zu bewältigen war: der große Bonner Schelmenroman, in dessen Mittelpunkt zwei schwäbische Originale stehen sollten, die

393

im TEE zwischen Stuttgart und Bonn wahrhaft ingeniöse Parlaments-Debatten ersinnen. Beide sind Abgeordnete, der eine, nach wohlerwogenem Plan, der SPD, der andere der CDU beigetreten (es könnte auch umgekehrt sein), beide erweisen sich als geniale Dialektiker aus dem Oberland – haut der Sozi heute den Christen (und dessen Partei) in die Pfanne, so kehrt der Christ am nächsten Tag, dem in Biberach entworfenen Drehbuch entsprechend, den Spieß um. Der Plenarsaal des Bundestags als Zentrum eines Schelmenromans, Bonn als Fußnote zu Biberach, Entlarvung des parlamentarischen Rituals aus der Frosch-Perspektive – das wäre ein Meisterstück geworden: die Steiner-Bäuchle-Affäre, auf die Ebene des Pikaresken gehoben. Don Quichotte hält, schwäbisch redend, seinen Einzug am Rhein.

Daß es nicht dazu kam, daß Troll, entschlossen, sich als Schriftsteller nicht sterben zu lassen, lieber aufhörte, als ein Werk zu vollenden, das hinter der – literarisch nahezu verwegenen – Konzeption zurückblieb, zeugt von seinem Kunstverstand und seinem Ehrgeiz auf dem Feld der Poesie. »Er nahm sowohl das, was er schrieb, wie sich selbst nicht allzu wichtig« – nein, das ist nicht wahr; hier belügt der Nachrufer am eigenen Grab mit der Trauer- auch die Leser-Gemeinde. Sich selbst nahm er nicht wichtig, das stimmt, seine Arbeiten hingegen sehr wohl ... und zwar mit Mut und Konsequenz: in jedem Augenblick Nietzsches Aphorismus vor Augen, der da besagt, es sei besser, ein Werk zu vernichten, als es zu publizieren, ohne das Äußerste versucht zu haben.

Der als »gemüthafter Meister der Kleinkunst«, als »einfallsreicher Feuilletonist« und »schwäbischer Poet« Abgetane (einen Schritt weiter, und wir sind beim Heimatdichter aus Stuttgart) war in Wahrheit ein Artist und *poeta doctus,* der – man lese den Essay *Gedichte machen* – seine Verse so gut wie die Prosa-Stücke mit hoher Bewußtheit (und großer Risiko-Bereitschaft) formulierte: »Ahnungen faßbar machen. Das karge Spielmaterial und Handwerkszeug von fünfundzwanzig Buchstaben. Worte finden, die doch nur Näherungswerte für das Gemeinte sind. Verdichten. Satzketten bilden, gliedern, Satzzeichen setzen. Sprache im Takt halten, zum Musizieren bringen.«

Wort, ich nehm' dich beim Wort – das war der Wahlspruch des Thaddäus Troll. *Wort, ich nehm' dich wortwörtlich:* Ich klopfe dich

394

ab, mache deutlich, wozu du taugst und was du längst nicht mehr hergibst, verweise auf deinen Realitäts-Bezug, deine wirklichkeiterschließende Kraft und deine Ideologiehaltigkeit.

Statt sich den Worten anzuvertrauen, setzte Troll sie, in einem Akt sorgfältiger Überprüfung, zunächst einmal in Anführungszeichen, rückte sie von sich ab, verfremdete sie und »zitierte«, was sich als keiner Legitimation bedürftige Benennung von Dingen ausgab, als zutreffende und exakte Deklaration. Zu Unrecht, wie – mit dem Sachverstand und der Sensibilität eines *Wein*prüfers ausgestattet – der *Wort*prüfer Troll binnen kurzem erweist: Etikettenschwindel überall! »Bei dem Wort *Hawaii* weiß der Kundige, daß hier Kirschen, Bananen und Ananas fleischliche Geschmacksunzucht treiben. Vor Hormonvögeln, die nur noch als Kaumasse hingenommen werden können, warnt das Wort *Henderl*.«

Entgegen der traditionellen Vorstellung, daß es für jedes Ding, jeden Begriff, jeden Vorgang das adäquate Wort gebe, das allenfalls in bescheidener Weise variiert werden könne, bedeutet der Poet Thaddäus Troll dem Leser, daß Wirklichkeit durch Sprache erst zu schaffen sei: daß zwischen Wort und Ding kein vorgegebenes Bezugs-Verhältnis bestehe, sondern daß Realität mit Hilfe des Wortes konstituiert werden müsse. Um *Schöpfung* geht es, nicht um Imitation des vermeintlich Vorgegebenen mittels eines vermeintlich paraten Vokabulars. Und schon geschwenkt, das Zauberelixier! Das Elixier, aus dessen Mixtur die neuen, Realität wunderbar erweiternden Worte entstehen, die Aufschließungs-, Überraschungs- und Verweisungs-Metaphern: »Wie unter den Menschen, so gibt es auch unter den Weinen die verschiedensten Charaktere und Temperamente: fade Süßlinge; derbe und fröhliche Gesellen; schwere, gehaltvolle alte Herren; sauertöpfische Krätzer; bäuerliche Kumpane; feurige Draufgänger; witzige Sauser; flache Blender, die hinten im Gaumen nicht halten, was sie vorn auf der Zunge versprechen; [...] kompakte Philosophen; wohlerzogene Aristokraten; in der Gärung gestoppte Kastraten ohne Saft und Kraft.« Wo andere sich mit Schlagworten begnügen (»süffig«, »erdig«, »vollmundig«) und es bei kruder Scheinverständigung auf der Basis des Gängig-Vorgeprägten belassen, da beginnt der Poet seine Arbeit – ein Geschäft, das aus phantasievoller Umbenennung, kühnem Analogisieren, metaphernreicher Ausmalung und nuancierender Fächerung von Basis-Vokabeln besteht.

Lachen – was macht Troll aus diesem Wort, wie nimmt er es auseinander und verdeutlicht er in plastischer Rede dessen Skala: »von den stillen Formen des Schmunzelns, Lächelns und Grinsens über das Piano des Kicherns zum Mezzoforte des Gickelns und Quiekens bis zum Fortissimo des Losprustens, Kreischens, Wieherns, Grölens und Brüllens. Die feinste Form ist das genießerische Schmunzeln, ein Solo, das kein Echo braucht, und das Lächeln, kokett oder zufrieden, verschmitzt oder stillvergnügt.«

Thaddäus Troll – das ist einer der letzten großen Impressionisten deutscher Sprache, ein Mann, der Worte, in immer neuem Umkreisen, zum Leuchten bringen kann, der mit Hilfe einer lyrisch-melodiösen Prosa Atmosphäre veranschaulicht, so, wie's Tucholsky einmal konnte und heute nur noch Wolfgang Koeppen kann (Horst Krüger nicht zu vergessen): die Atmosphäre einer Landschaft (»Wenn ich das Wort Schwarzwald höre, dann sehe ich violette Heidelbeeren in weißer Milch, sehe Rehe über Waldwege springen, sehe die heilige Veronika in der Villinger Kanzelbalustrade zweifelnd dreingucken, ob sie das Schweißtuch in die Wäscherei oder in den Devotionalienhandel geben solle«); die Atmosphäre eines Kurorts (»›Bitte kalten Karl!‹, ›Zweihundert Kubik lauen Sigismund!‹, ›Halb voll warmen Wenzel!‹ heischen die Leidenden«); die Atmosphäre deutscher Spießer-Seligkeit mit ihrer Hoppla-jetzt-kommen-wir-Brutalität (*Gruß aus 71° 10′ 21″ nördlicher Breite*); die Atmosphäre der Melancholie und Tristesse, wie sie der reisende Poet auf seinen »Dichterlesungen« erlebt; die Atmosphäre sogenannter bunter Abende, wo Künstler auftreten, »deren Namen noch kein Mensch gehört hat, was durch den Zusatz ›bekannt von Bühne, Film und Fernsehen‹ auf den Plakaten unterstrichen wird«; die Atmosphäre wilhelminischer Schulen, verwunschener Antiquariate und barocker Kirchen mitsamt ihrer himmlischen Eleganz und den Engeln, die »aus den Deckenfresken heraus zu halsbrecherischen Bauchlandungen ansetzen«.

Ein Idylliker also, dieser Troll, ein Freund der sanften Evokation von stimmungsträchtigen Valeurs? Gewiß, er ist auch das. Keiner hat das »Land der Madonnen«, der »gezierten Heiligen und Märtyrer, die eher Ballettänzern denn Engeln gleichen«, das Reich zwischen Bodensee und Donau mit solcher Anmut beschrieben wie er: Aufklärerisch-protestantisch, sieht er sich, Poet, der er ist, gleichwohl in der

Lage, die Huldigung an die Himmelskönigin im Stil des graziösesten Rokoko zu artikulieren: »elegant, schmalhüftig, schwebend, tänzerisch, bei aller Leidenschaft zart. Sie weiß, wie man Gold und Brokat trägt.«

Das ist der *eine* Troll, der leise und melancholische, sanfte und bisweilen – vor allem, als er dem Ende zuging – todtraurige Troll, der Zauberer mit den überraschenden Einfällen. Der beste: das *Lob der Kurzsichtigkeit*, das blitzartig die Übereinstimmung von Defekt und Humanität beweist: Es bedarf eines Fehlers, bedarf des physischen Versagens, um die Welt freundlicher, weil übergangsreicher, und weniger schwarz-weiß, weniger schroff-geschieden sein zu lassen – womit Verschwommenheit zum Element des Friedens wird ... »Verschwommenheit«, gut trollsch in Anführungszeichen gesetzt!

Der *eine* Troll, das ist der Schriftsteller, der durch überraschende Transpositionen dem Abgegriffenen und Verramschten wieder neuen Glanz verleiht, indem er »rettet«, was längst verloren schien – Bibel-Hymnen zum Beispiel, die er mit Hilfe der Übersetzung ins Schwäbische gut hegelsch aufhebt, durchs Beiseitelegen und Wiederhervorholen bewahrt. Wo es beim Prediger Salomo heißt: »Es ist alles eitel«, sagt Troll: »denn s letzschte hemmed hot koine tascha«, und wo das Hohelied in trunken-hebräischer Rede orientalische Wonnen beschwört, da verwandelt der Nach-, nein, Neu-Dichter die morgenländischen Schönen und Holden in Mädchen vom Neckar, verwandelt das Getier aus Tausendundeiner Nacht in Böcke und Geißen und macht aus der Märchenwelt des großen Salomo eine zwischen Hohenstaufen und Randecker Maar angesiedelte Landschaft, in der die Mädchen nicht mit Zwillingsbrüsten, sondern mit »Täublesaugen« locken und ein »Mäule« haben, das Lust macht.

Aber es gibt auch den *anderen* Troll: den politischen Schriftsteller, den Nachfahrn der Rebellen vom Asperg und den Anwalt jener besseren deutschen Geschichte, die nicht die Sieger, sondern die Besiegten geschrieben haben. Wie emphatisch – und gerecht! – hat dieser Mann die unbelehrte Sippschaft jener selbstgerechten, gnadenlosen, vergeßlichen Weiterwurstler an den Pranger gestellt, die in ihrem rüden Antisozialismus, ihrem Freund-Feind-Denken und ihrer blanken Illiberalität der im Nationalsozialismus gipfelnden Autoritäts-Fixierung (made in Germany) Kontinuität verbürgen. Wie schneidend konnte er argumentieren, dieser sanfte, ja beinahe furchtsame Mann, wenn es darum ging, die Erinnerungslosen von Hans Karl Filbingers Schlag an ihre Schreckenstaten, die weiterwirkenden, zu erinnern! Und mit welchem Ingrimm, im Stil der großen Satire, hat er den Wert, den einmal in unserem Lande ein Jude besaß, am Beispiel der schauerlichen »Rentabilitätsberechnung« von Auschwitz als zynische Spott-Taxierung – aber eine symptomatische! – entlarvt.

»Er hat niemandem Furcht eingeflößt«: So sollte, nach seinem Wunsch, die ihn rühmende Nachrede sein. Zu ergänzen wäre: niemandem außer denen, die Grund hatten, diesen sehr leisen, aber eben deshalb unabweisbaren Ankläger zu fürchten, der unter anderem auch ein bedeutender, wenngleich noch immer unterschätzter Schriftsteller war.